Jeff Martin

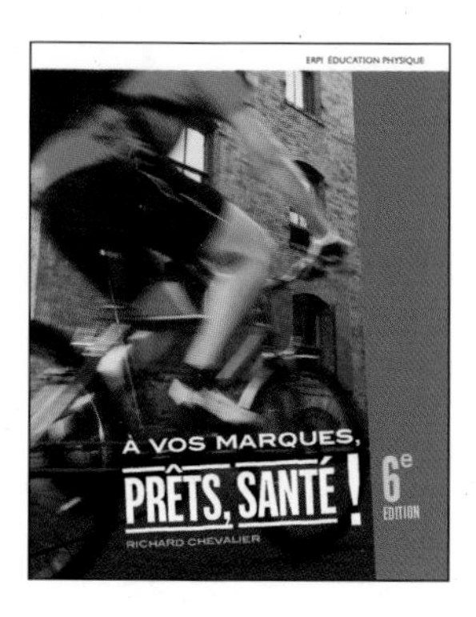

MonLab, c'est l'environnement numérique de votre manuel. Il vous connecte aux exercices interactifs ainsi qu'aux documents complémentaires de l'ouvrage. De plus, grâce à son tableau de bord, il vous permet de suivre la progression de vos résultats ainsi que le calendrier des activités à venir. **MonLa**
l'atteinte de vos objectifs, tout simpleme

INSCRIPTION de l'étudiant

1. Rendez-vous à l'adresse de connexion **http://mabiblio.pearsonerpi.com**
2. Cliquez sur « **Pas encore d'accès ?** » et suivez les instructions à l'écran.
3. Vous pouvez retourner en tout temps à l'adresse de connexion pour consulter MonLab.

L'accès est valide pendant 24 MOIS à compter de la date de votre inscription.

CODE D'ACCÈS DE L'ÉTUDIANT

VM24ST-BOREE-MOUND-MAGNA-HELOT-ACHES

AVERTISSEMENT : Ce livre NE PEUT ÊTRE RETOURNÉ si la case ci-dessus est découverte.

ACCÈS de l'enseignant

Du matériel complémentaire à l'usage exclusif de l'enseignant est offert sur adoption de l'ouvrage. Certaines conditions s'appliquent. **Demandez votre code d'accès à information@pearsonerpi.com**

1 800 263-3678 poste 342
http://assistance.pearsonerpi.com

@AidePearsonERPI

20670W (A36395)

À VOS MARQUES, PRÊTS, SANTÉ !

6e ÉDITION

RICHARD CHEVALIER

ERPI ÉDUCATION PHYSIQUE

À VOS MARQUES, PRÊTS, SANTÉ !

6e ÉDITION

RICHARD CHEVALIER

PEARSON

Montréal Toronto Boston Columbus Indianapolis New York San Francisco Upper Saddle River
Amsterdam Le Cap Dubaï Londres Madrid Milan Munich Paris
Delhi México São Paulo Sydney Hong-Kong Séoul Singapour Taipei Tōkyō

Développement de produits
Julie Fortin

Supervision éditoriale
Jacqueline Leroux

Révision linguistique
Emmanuel Dalmenesche

Correction d'épreuves
Hélène Lecaudey

Recherche iconographique et demande de droits
Chantal Bordeleau

Directrice artistique
Hélène Cousineau

Coordination de la production
Muriel Normand

Conception graphique
Benoit Pitre

Couverture
Frédérique Bouvier

Édition électronique
Accent tonique

Dans cet ouvrage, le générique masculin est utilisé sans aucune discrimination et uniquement pour alléger le texte.

Membre du groupe Pearson Education depuis 1989

5757, rue Cypihot
Saint-Laurent (Québec) H4S 1R3
Canada
Téléphone : 514 334-2690
Télécopieur : 514 334-4720
info@pearsonerpi.com
http://pearsonerpi.com

Dépôt légal – Bibliothèque et Archives nationales du Québec, 2014
Dépôt légal – Bibliothèque et Archives Canada, 2014

Imprimé au Canada
ISBN 978-2-7613-5473-8

1234567890 II 17 16 15 14
20670 ABCD SM9

AVANT-PROPOS

Le but de ce manuel est de vous aider à mieux prendre en charge votre santé à travers vos habitudes de vie. Pourquoi les habitudes de vie ? Parce que certaines sont déterminantes pour la santé et constituent même la principale cause de plusieurs affections (maladies cardiovasculaires, cancer, diabète de type 2, etc.). Que ces habitudes de vie soient bonnes ou mauvaises, nous en sommes en grande partie responsables : c'est nous qui les adoptons et les entretenons. C'est donc à nous de les améliorer ou de les changer. Et pour ressentir un bienfait sur la santé et la qualité de vie, il suffit souvent de modifier un tant soit peu une seule habitude.

Ce manuel vous propose donc une démarche complète pour vous aider à faire le « ménage » dans vos habitudes de vie. Mais par quoi commencer ? Nous vous conseillons d'amorcer ces changements en vous adonnant à la pratique régulière de l'activité physique. En effet, en plus d'avoir des effets bénéfiques directs sur la santé physique et mentale, l'activité physique provoque une réaction en chaîne sur les autres habitudes de vie. C'est pourquoi ce manuel donne à l'activité physique la place qui lui revient : la première !

Cette sixième édition comporte de nombreux enrichissements :

- une structure entièrement remaniée, qui traduit l'importance de la pratique de l'activité physique ;
- de nouvelles rubriques : *Sous la loupe, En mouvement, Vrai ou faux* approfondissent certaines notions, donnent des conseils pratiques, remettent en question des idées reçues ; *Plan de match* aide à changer un comportement à court terme ;
- un résumé et un schéma conceptuel à remplir (*Pause-réflexion*) à la fin de chaque chapitre, pour faciliter la révision ;
- des *Bilans* revisités et de nouvelles questions *À vos méninges* ;
- des données scientifiques, des figures et des tableaux actualisés ;
- une nouvelle plateforme numérique (MonLab) dont vous trouverez la présentation à la page VIII.

Vous avez donc maintenant entre les mains non seulement une édition nouvelle, mais aussi une édition abondamment enrichie !

REMERCIEMENTS

Je suis reconnaissant aux nombreuses personnes qui m'ont aidé et soutenu au cours de la rédaction de cette nouvelle édition. J'aimerais tout d'abord exprimer mes remerciements aux enseignants et enseignantes en éducation physique du collégial qui ont collaboré à cette édition en tant que consultants et consultantes :

Rodrigue Bédard (Cégep du Vieux Montréal),
Jasmin Bizier (Cégep de Rimouski),
Adrien Bouget (Cégep André-Laurendeau),
Annie Bradette (Cégep Édouard-Montpetit),
Martin Carle (Cégep Édouard-Montpetit),
Mélanie Demers (Cégep Marie-Victorin),
Renaud Duguay-Lefebvre (Cégep Édouard-Montpetit),
Bertrand Dupuy (Cégep de Limoilou),
Guylaine Emhoff (Cégep de Jonquière),
Sandy Fournier (Collège Ahuntsic),
Diane Gravel (Collège de Bois-de-Boulogne),
Ginette Laferrière (Collège Montmorency),
Francis Lalime (Cégep Garneau),
Édouard Langlois-Légaré (Collège Montmorency),
Kim Krawanski (Cégep du Vieux Montréal),
Guillaume Paquet-Martin (Cégep de Limoilou),
François Paquin (Cégep de Saint-Jérôme),
Audrey Therrien (Cégep Marie-Victorin).

Un merci spécial à Julien Carrières, du Collège de Bois-de-Boulogne, pour sa collaboration soutenue pendant tout le processus de rédaction, et à Gaston Godin, du Groupe de recherche sur les comportements et la santé de l'Université Laval, pour ses précieux conseils.

J'aimerais aussi remercier chaleureusement la dynamique équipe de Pearson-ERPI du secteur collégial et universitaire et, en particulier, Jacqueline Leroux, à la supervision éditoriale, pour son œil de lynx, sa patience et son professionnalisme, Muriel Normand, coordonnatrice aux réalisations graphiques, et son équipe, pour leur créativité dans la nouvelle maquette de cette édition, Yasmine Mazani, éditrice, et son équipe Web, pour leur contribution à la nouvelle et superbe plateforme numérique MonLab, Emmanuel Dalmenesche, pour son excellente révision linguistique, Julie Fortin, directrice Développement de produits, et, bien entendu, Jean-Pierre Albert, vice-président à l'édition, pour sa confiance et son appui indéfectible.

Richard Chevalier

GUIDE VISUEL

Des rubriques qui favorisent l'apprentissage

Vrai ou faux ?

Une rubrique qui incite à remettre en question des idées préconçues ou à tirer au clair des rumeurs courantes sur les sujets traités dans le chapitre.

Vrai ou faux ? Réponses

Les réponses à la rubrique précédente sont fournies en fin de chapitre.

Sur la ligne de départ !

Cette rubrique présente les objectifs d'apprentissage du chapitre.

Au fil d'arrivée !

Le pendant, en fin de chapitre, de la rubrique précédente. Ce résumé permet à l'étudiant de conclure le chapitre en vérifiant s'il a atteint les objectifs visés en début de chapitre.

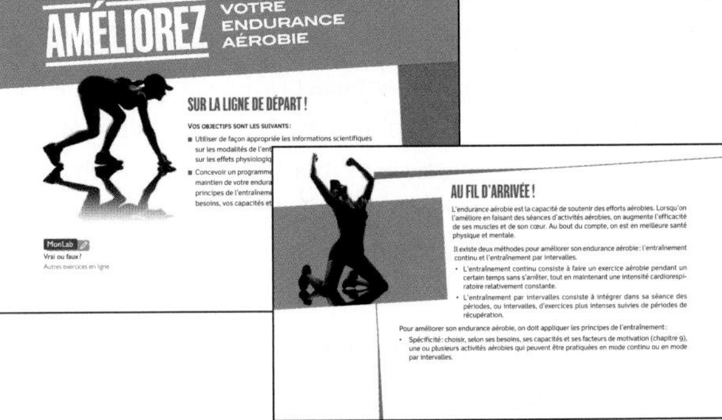

Des rubriques qui font réfléchir et qui donnent envie de passer à l'action

Plan de match

L'étudiant qui veut modifier un comportement y trouvera une aide précieuse. Trois étapes faciles lui sont proposées : dès demain, d'ici à 2 semaines, d'ici à la fin de la session.

En mouvement

Des conseils pratiques pour passer à l'action.

Zone étudiante

Pour donner envie à l'étudiant de passer à l'action, rien ne vaut le point de vue de ses pairs. Cette rubrique fournit des témoignages de cégépiens et de cégépiennes sur leur pratique de l'activité physique.

Sous la loupe

Les textes proposés approfondissent certains éléments du chapitre ou viennent les appuyer par des études, des enquêtes, des statistiques.

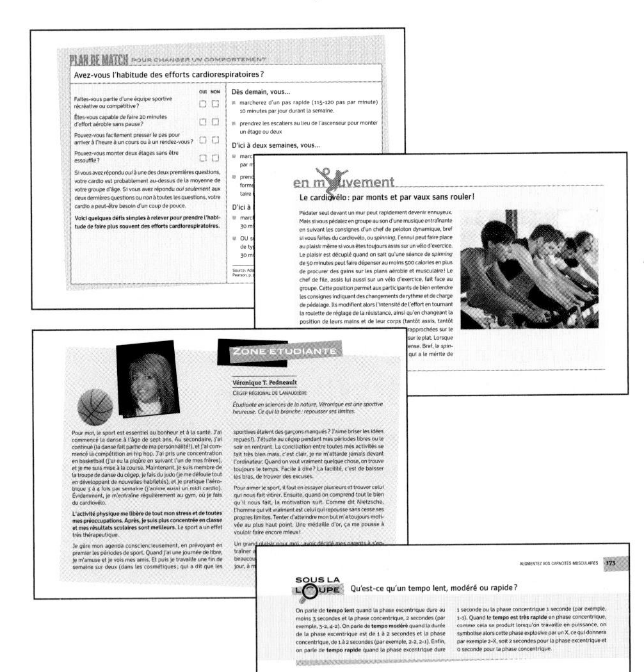

Des rubriques qui favorisent la révision

Pause-réflexion

Un schéma conceptuel à remplir pour faire des liens entre les différents thèmes du chapitre.

À vos méninges

Des questions de fin de chapitre qui amènent l'étudiant à vérifier son niveau de compréhension des connaissances présentées dans le manuel.

Bilans

Des formulaires à remplir à la fin de chaque chapitre, qui permettent à l'étudiant de faire le point sur ses habitudes de vie, de dresser des plans d'action pour modifier un de ses comportements ou de concevoir des programmes pour améliorer les déterminants de sa condition physique.

Ces trois rubriques sont offertes en version PDF dynamique dans MonLab.

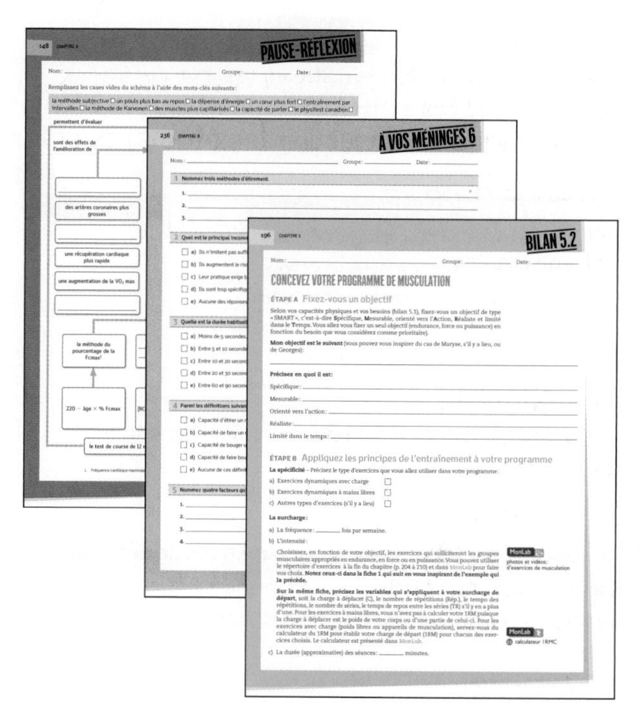

Une plateforme numérique au contenu dynamique : MonLab

Divers pictogrammes renvoient à un complément d'information en ligne.

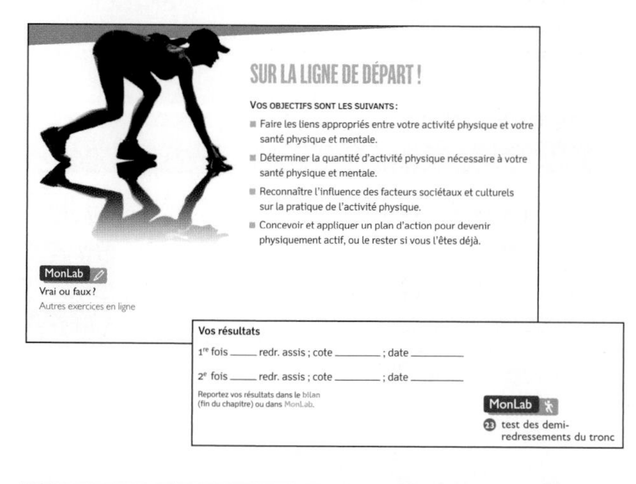

SUR LA LIGNE DE DÉPART !

VOS OBJECTIFS SONT LES SUIVANTS :

- Faire les liens appropriés entre votre activité physique et votre santé physique et mentale.
- Déterminer la quantité d'activité physique nécessaire à votre santé physique et mentale.
- Reconnaître l'influence des facteurs sociétaux et culturels sur la pratique de l'activité physique.
- Concevoir et appliquer un plan d'action pour devenir physiquement actif, ou le rester si vous l'êtes déjà.

MonLab
Vrai ou faux ?
Autres exercices en ligne

Vos résultats

1re fois ____ redr. assis ; cote ______ ; date ______

2e fois ____ redr. assis ; cote ______ ; date ______

Reportez vos résultats dans le bilan (fin du chapitre) ou dans MonLab.

MonLab
23 test des demi-redressements du tronc

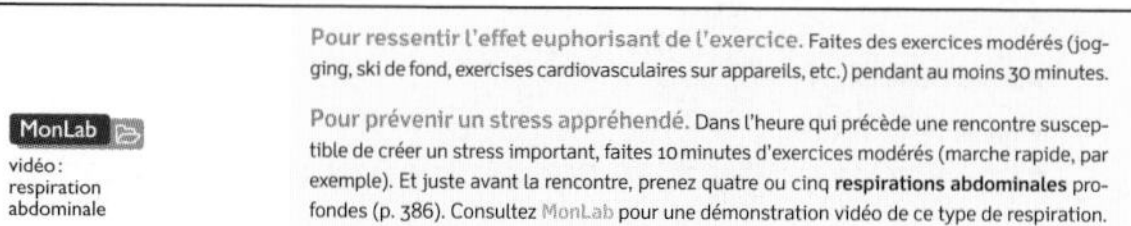

MonLab
vidéo : respiration abdominale

Pour ressentir l'effet euphorisant de l'exercice. Faites des exercices modérés (jogging, ski de fond, exercises cardiovasculaires sur appareils, etc.) pendant au moins 30 minutes.

Pour prévenir un stress appréhendé. Dans l'heure qui précède une rencontre susceptible de créer un stress important, faites 10 minutes d'exercices modérés (marche rapide, par exemple). Et juste avant la rencontre, prenez quatre ou cinq **respirations abdominales** profondes (p. 386). Consultez MonLab pour une démonstration vidéo de ce type de respiration.

MonLab (crayon)

Des exercices interactifs (Vrai ou faux, À vos méninges, Pause-réflexion, etc.) sont offerts en mode formatif ou sommatif selon le choix de l'enseignant ou de l'enseignante.

MonLab (personnage)

Le Profil santé est un outil interactif qui produit un tableau d'interprétation des données recueillies lors de l'évaluation de la condition physique (ex. : endurance aérobie, vigueur musculaire, flexibilité, poids santé lié à l'équilibre énergétique). Dans cette sixième édition, le Profil santé, désormais offert en ligne, a été élargi à d'autres habitudes de vie (alimentation, stress, sommeil).

MonLab (dossier)

Pour appuyer le contenu du chapitre, nous vous proposons, en divers formats (fichiers Word, PDF, MP3, mini-vidéos, etc.), des documents pour approfondir la matière et des liens Internet commentés.

MonLab
une plateforme numérique à trois volets

I. Profil santé MonLab

Un outil diagnostique de la condition physique et des habitudes de vie facile à utiliser par les étudiants et les enseignants

Endurance aérobie

1. Test de course de 12 minutes de Cooper
2. Test de natation de 12 minutes de Cooper
3. Physitest aérobie canadien modifié (PCAm)
4. Test progressif de course en navette de 20 mètres
5. Step-test de 3 minutes de Tecumseh
6. Test de marche de 1,6 km de Rockport-Kline
7. Test de vélo de 12 minutes de Cooper
8. Demi-test de 6 minutes de Cooper
9. Test de course de 2,4 km
10. Calculateur FCC
11. Calculateur MET

Poids santé lié à l'équilibre énergétique

12. Calculateur IMC
13. Rapport IMC/tour de taille
14. Estimation du pourcentage de graisse
15. Ratio taille/hanche
16. Calculateur de calories dépensées par activité
17. Calculateur de l'AEQ
18. Calculateur de la DEQ

Force et puissance musculaire

19. Test de la force de préhension à l'aide d'un dynamomètre
20. Test du 1RM
21. Test du saut vertical
22. Calculateur du 1RM

Endurance musculaire

23. Demi-redressements du tronc
24. Test des pompes
25. Test de la chaise
26. Test des pompes cadencées
27. Test des demi-redressements du tronc cadencés
28. Test de l'extension du dos en position statique
29. Test de la planche

Flexibilité

30. Test du lever du bâton en position couchée
31. Test des mains dans le dos en position debout
32. Test de flexion du tronc avec et sans flexomètre
33. Test de rotation du tronc
34. Test de l'aîne

Posture

35. Test dos au mur
36. Test du miroir
37. Test de l'endurance statique des abdominaux
38. Test de la souplesse des fléchisseurs des hanches

Habitudes de vie

39. Sommeil
40. Stress

Plus de 30 tests et mesures ainsi que de nombreux calculateurs et questionnaires vous permettent d'évaluer votre condition physique et vos habitudes de vie (alimentation, stress et sommeil). Grâce au Profil santé numérique, vous pourrez:

- évaluer les déterminants de votre condition physique en effectuant des tests et des mesures que vous choisirez à partir d'une liste qui vous sera proposée;
- refaire les tests et reprendre les mesures autant de fois que vous le souhaiterez, afin d'apprécier l'évolution de votre endurance aérobie, de vos capacités musculaires, de votre flexibilité, de votre poids santé et plus encore;

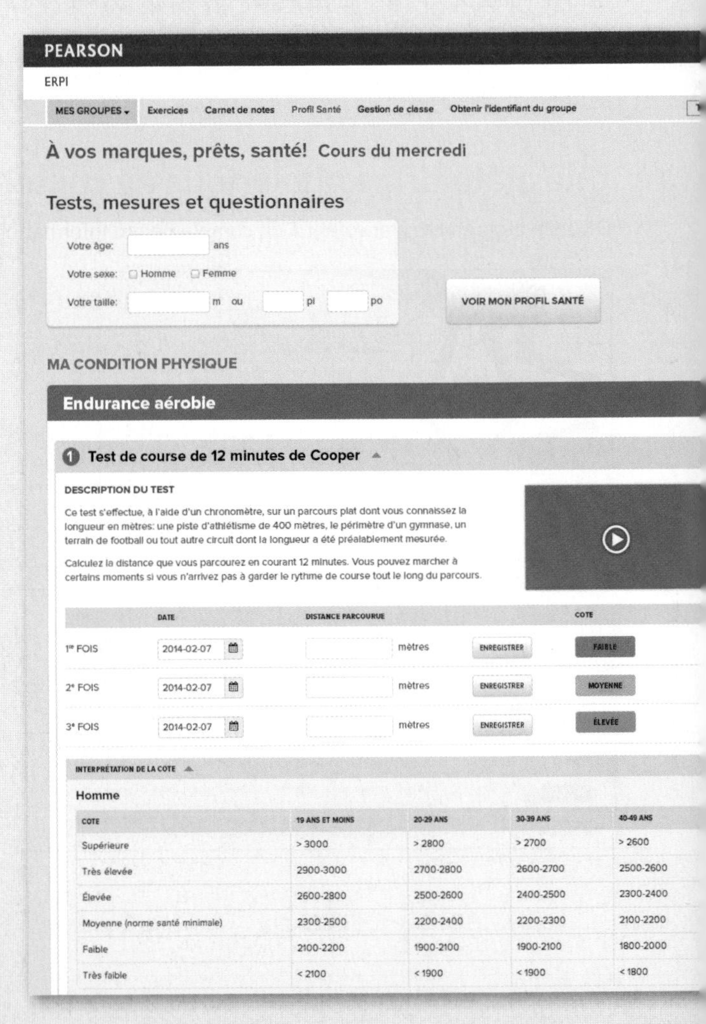

- déterminer votre apport calorique quotidien à l'aide du nouveau calculateur basé sur les données de Santé Canada ;
- estimer votre bilan énergétique quotidien en comparant votre apport calorique à votre dépense calorique selon votre niveau d'activité physique ;
- évaluer vos habitudes alimentaires, la qualité de votre sommeil et votre niveau de stress ;
- analyser vos résultats, afin de prendre de bonnes décisions ;
- bénéficier d'un enseignement personnalisé : en ayant accès à vos résultats, votre enseignant pourra vous accompagner dans une démarche d'amélioration ou de maintien de votre condition physique.

Savoir, c'est pouvoir… passer à l'action !

2. MonLab document MonLab

Pour faciliter le repérage, nous avons classé les documents par chapitre en ordre d'apparition. Vous trouverez :

Des textes supplémentaires pour approfondir un sujet, par exemple :

- Les femmes et le sport
- La condition physique et la réussite scolaire
- Les exercices isométriques au quotidien
- Les scénarios de fréquence d'entraînement

Des extraits sonores pour expérimenter des méthodes de relaxation.

De nombreuses vidéos pour comprendre les mouvements de musculation et d'étirement et pour vous accompagner dans les tests d'évaluation de votre condition physique et de votre posture.

Des PDF dynamiques des rubriques *Pause-réflexion*, *À vos méninges* et *Bilan* à télécharger.

La rubrique *Pour en savoir plus*, qui réunit une sélection de textes variés et de liens vers des sites Internet qui tiennent compte de l'actualité dans le domaine du sport et de la santé.

3. MonLab exercices MonLab

Les exercices Vrai ou faux en mode formatif sont une bonne façon de vous préparer avant le cours.

Sont offerts en mode formatif ou en mode sommatif (au choix de l'enseignant) :

- **Les exercices *À vos méninges* et *Pause-réflexion***
- **Des études de cas**

TABLE DES MATIÈRES

* *Voir le sommaire des bilans p. XIII.*

SOMMAIRE DES BILANS

INTRODUCTION

VRAI OU **FAUX** ?

	V	F
1. De nos jours, les principales causes de décès sont des maladies résultant en bonne partie de mauvaises habitudes de vie.	☑	☐
2. Passer tous les tests de dépistage existants est la meilleure façon de rester en bonne santé.	☐	☑

Les réponses se trouvent à la fin de l'introduction, p. 10.

PRENEZ VOTRE SANTÉ EN MAIN

SUR LA LIGNE DE DÉPART !

VOS OBJECTIFS SONT LES SUIVANTS :

- Définir ce qu'est une habitude de vie.
- Définir la santé et ses six dimensions.
- Connaître les habitudes de vie les plus nuisibles à la santé.
- Apprendre comment on peut modifier une habitude de vie.

MonLab

Vrai ou faux ?

Autres exercices en ligne

> **Nous avons tendance à résister au changement. [...] En fin de compte, le seul être humain pour le changement, c'est le bébé dont la couche est souillée.**
>
> RICHARD EARLE

Il y a cent ans à peine, les microorganismes (virus et bactéries notamment) constituaient le problème de santé publique numéro un. C'est ainsi qu'on pouvait mourir, souvent bien avant la cinquantaine, d'une simple grippe ou de la rubéole, quand ce n'était pas de la tuberculose, qui était d'ailleurs la principale cause de décès en 1900. **Heureusement, grâce à l'amélioration généralisée des conditions sanitaires et au progrès de la médecine** (pensons notamment aux antibiotiques, aux antiviraux et aux vaccins), le nombre de décès dus aux **maladies transmissibles**, ou infectieuses, a considérablement chuté en Amérique du Nord et en Europe.

NOS HABITUDES DE VIE : DÉTERMINANTS-CLÉS DE LA SANTÉ

Pour autant, tout va-t-il pour le mieux dans le meilleur de monde ? Pas tout à fait. Si **l'espérance de vie totale** à la naissance atteint aujourd'hui presque 82 ans au Québec, tous sexes confondus (elle est de 79,8 ans pour les hommes et de 83,8 ans pour les femmes), **l'espérance de vie en bonne santé**, soit le nombre d'années en bonne santé et sans limitation d'activité, est seulement de 67 ans. Cela signifie qu'à partir de cet âge la qualité de la vie d'un grand nombre de personnes diminue en raison d'une maladie chronique physique ou mentale (**figure i.1**).

FIGURE i.1 L'espérance de vie en bonne santé et l'espérance de vie totale

Espérance de vie en bonne santé : 67 ans

Espérance de vie totale : 82 ans — Écart de 15 ans !

Quelles sont ces maladies qui nuisent à la qualité de la vie et qui causent même beaucoup de décès prématurés ? Ce sont principalement des **maladies non transmissibles** comme les maladies cardiovasculaires, le cancer, les maladies pulmonaires chroniques (emphysème, bronchite chronique), les maladies vasculaires cérébrales et, de plus en plus, le diabète de type 2. De fait, on meurt désormais de maladies dues, en bonne partie, à de mauvaises habitudes de vie. Les dépenses occasionnées par ces habitudes de vie néfastes ne cessent de gonfler et grèvent de plus en plus le budget des soins de santé dans les pays industrialisés (**tableau i.1**). Et elles pourraient même contribuer, dans un proche avenir, à la première baisse de l'espérance de vie dans l'histoire.

TABLEAU i.1 Des habitudes de vie qui nous coûtent cher : plus de 66 milliards par année !

Rang	Maladies	Habitudes de vie	Facture annuelle[a]
1	Maladies du cœur et accident vasculaire cérébral (AVC)	Malbouffe, excès de stress, manque de sommeil, inactivité physique, tabagisme, abus d'alcool et toxicomanies	24 milliards
2	Cancer	Malbouffe, inactivité physique, tabagisme, abus d'alcool et toxicomanies	21 milliards
3	Diabète (type 2)	Malbouffe, inactivité physique	14 milliards
4	Maladies pulmonaires obstructives chroniques (emphysème, bronchite chronique, etc.)	Tabagisme	7,2 milliards
		Total :	plus de 66,2 milliards par année

a. Données en dollars pour le Canada (2011).

LA SANTÉ, C'EST PLUS QUE NE PAS ÊTRE MALADE !

Nous disposons toutefois de deux avantages de taille par rapport à l'époque où les infections dues aux microbes étaient la principale cause de décès. **Premier avantage :** nous pouvons agir sur nos habitudes de vie puisque c'est nous qui décidons de les adopter ou pas. Par exemple, une personne sédentaire peut prendre la décision de devenir physiquement plus active. Lutter contre les microbes est plus compliqué : ils annoncent rarement leur visite, et on peut seulement se protéger pour les empêcher de nous envahir, ce qui ne fonctionne pas toujours ! **Second avantage :** les habitudes de vie qui nuisent le plus à la santé se comptent sur les doigts de la main (**figure i.2**), contrairement aux microorganismes qui, eux, pullulent dans l'environnement. Il s'agit de l'**inactivité physique** (chapitre 1), de la **malbouffe** (chapitre 10), de l'**excès de stress** et du **manque de sommeil** (chapitre 11), de plus en plus fréquent, ainsi que des **dépendances nuisibles** telles que le tabac, l'alcool et les drogues dures (chapitre 12).

Il nous est donc tout à fait possible aujourd'hui de prendre en main notre santé en modifiant certains de nos comportements. Toutefois, pour agir sur sa santé, il faut savoir de quoi on parle précisément. Autrefois, être en bonne santé, c'était… ne pas être malade ; aujourd'hui, la définition de la santé est plus large et plus complète. Ainsi, selon la définition qu'en donnait l'Organisation mondiale de la santé (OMS) dès 1946 : « **La santé est un état de complet bien-être physique, mental et social**, et ne consiste pas seulement en une absence de maladie ou d'infirmité. » Trois autres dimensions sont apparues depuis : la santé émotive, la santé environnementale et la santé spirituelle (**Sous la loupe**). Ces dimensions sont interdépendantes et complémentaires. Par exemple, vous pouvez être en bonne santé physique, mais vivre une période de grand stress qui peut finir par affecter votre santé physique si vous ne parvenez pas à gérer votre niveau de stress.

FIGURE i.2 Cinq habitudes de vie sur la sellette

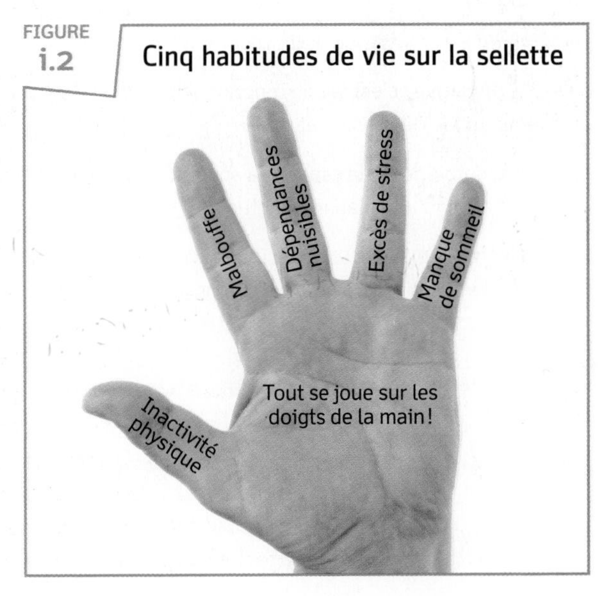

En somme, **être en bonne santé signifie être bien dans son corps, dans sa tête, mais également dans son milieu et dans ses relations avec les autres.** Cette définition signifie aussi que, même si on est atteint d'une maladie ou d'un handicap, on peut être en bonne santé si on arrive à maîtriser cette maladie ou à surmonter ce handicap.

SOUS LA LOUPE Les six dimensions de la santé[1]

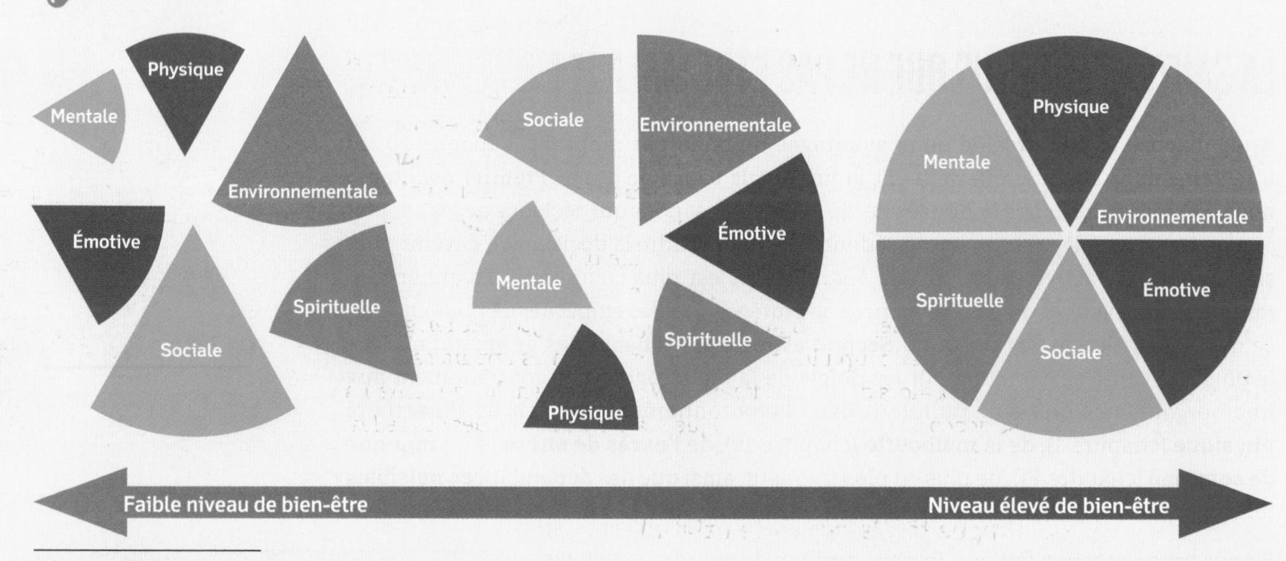

Source : Adapté de S.K. Powers et coll. (2014). *Total fitness & wellness* (6e éd.), Pearson, p. 3.

La santé physique, c'est le bon fonctionnement du corps permis par un mode de vie sain et actif.

La santé mentale, c'est la capacité à apprendre, à s'émerveiller et à s'accomplir sur le plan intellectuel.

La santé émotive, c'est la capacité à vivre ses émotions de façon à se sentir en accord avec soi-même la plupart du temps.

La santé spirituelle, c'est la capacité à adopter un ensemble de valeurs et de principes qui donnent un sens et un but à sa vie.

La santé sociale, c'est la capacité à avoir des relations interpersonnelles satisfaisantes.

La santé environnementale, c'est la participation à l'effort collectif de protection de son environnement immédiat et de la planète.

1. Source : Adapté de P.G. Robinault et G. Harvey (1996). *Santé et activité physique*, Montréal, UQAM, notes de cours de KIN 2330.

COMMENT PRENDRE SA SANTÉ EN MAIN

Atteindre un niveau élevé de bien-être nécessite, tout d'abord, de devenir soi-même un acteur de sa santé, plutôt que d'en être un simple observateur. En effet, si on n'entretient pas sa santé avec vigilance, elle risque de se dégrader prématurément. Être un acteur de sa santé, c'est-à-dire prendre en main son bien-être, consiste dans un premier temps à évaluer ses habitudes de vie, puis, s'il y a lieu, à modifier celles qui sont néfastes et à procéder à un véritable ménage dans son mode de vie.

Mais modifier une habitude de vie n'est pas chose facile. Et imaginez la difficulté lorsqu'il y en a deux ! Cela tient à ce que **nos habitudes de vie sont des routines bien ancrées dans notre cerveau.** Les remplacer par d'autres, plus bénéfiques, même si on comprend parfaitement que ces changements amélioreraient notre qualité de vie et notre santé, demande à la fois beaucoup de discipline et de volonté. Il faut littéralement se reprogrammer !

La difficulté s'explique aussi par une autre raison : le **facteur temps**. Si un microbe peut rapidement nous clouer au lit, les conséquences d'une mauvaise habitude de vie mettent bien longtemps à se manifester. Prenons l'exemple d'une personne qui fume un paquet de cigarettes par jour : il peut s'écouler de nombreuses années avant qu'elle soit atteinte d'un cancer du poumon ou de problèmes cardiaques (figure i.3). **Il est difficile pour elle de sentir l'urgence d'agir, quand le tabagisme ne provoque ni fièvre, ni douleurs, ni fatigue qui pourraient entraver à moyen terme ses activités quotidiennes !** Non seulement on ne se sent pas malade quand on grille une cigarette ou un cigarillo, mais on se détend, surtout si on l'accompagne d'un café ou d'une bière avec des amis. On trouve toujours une bonne raison pour justifier une mauvaise manie : la nicotine stabilise mon poids, l'alcool me calme, marcher me fatigue trop, manger du *fast food* me fait gagner du temps. Hélas ! ce n'est que beaucoup plus tard que les symptômes apparaissent, et les dommages aux organes sont alors déjà considérables. Non seulement les traitements sont coûteux sur le plan socioéconomique, mais ils risquent aussi de laisser des séquelles.

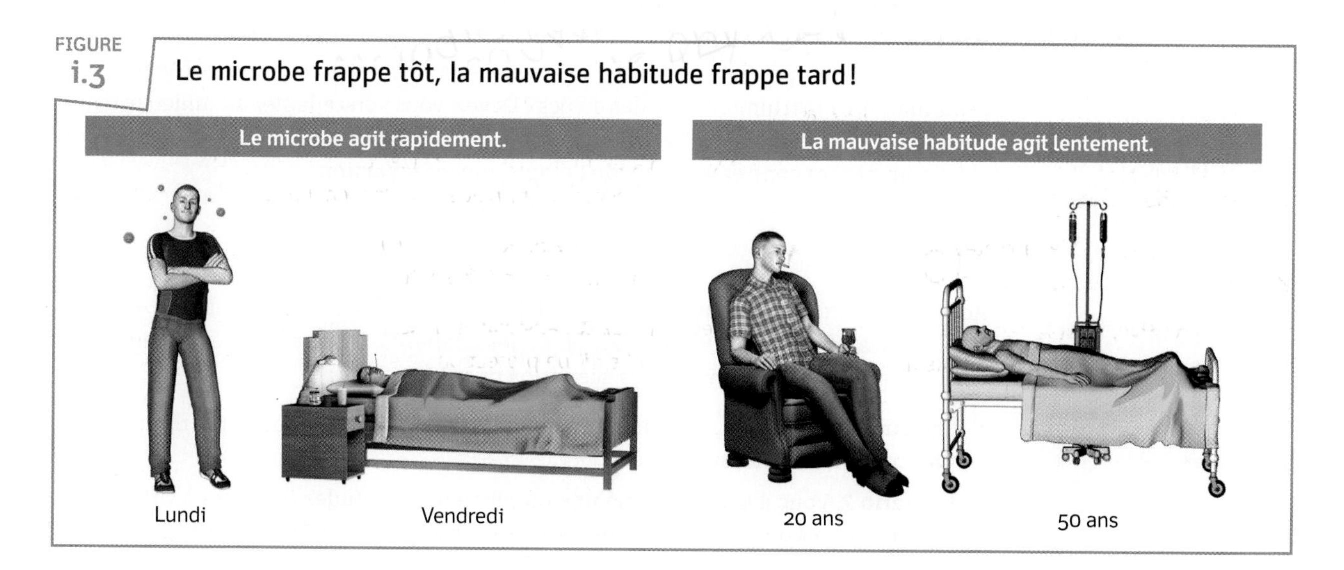

FIGURE i.3 Le microbe frappe tôt, la mauvaise habitude frappe tard !

Pourtant, modifier un comportement est tout à fait faisable et bien des gens y parviennent. On en a pour preuve la diminution spectaculaire du nombre de fumeurs au Québec, et ce, en quelques décennies seulement, ainsi que la baisse marquée du nombre d'infarctus du myocarde chez les hommes, principalement attribuable à des changements bénéfiques apportés à leur mode de vie.

UNE APPROCHE SIMPLE POUR CHANGER UN COMPORTEMENT

Et vous, si vous aviez à modifier un comportement, que feriez-vous ? Certains répondront qu'il suffit d'être décidé à changer. S'il est vrai que prendre une telle décision est le premier pas à faire, les études sur le comportement humain ont montré que cela ne suffit pas la plupart du temps. Une fois qu'on s'est décidé à agir, il vaut mieux, en effet, adopter une stratégie qui augmente nos chances d'atteindre notre objectif. C'est ce que nous vous proposons dans ce manuel : **une approche simple, inspirée des théories du comportement, qui se décline en trois mots : réflexion, action et résultat** (**figure i.4**, p. 9).

Réflexion

Réfléchir à ses habitudes de vie, voilà le premier objectif de votre cours d'éducation physique et d'éducation à la santé. C'est une chance qui vous est offerte, parce qu'autrement vous ne feriez peut-être pas cette démarche. À la fin de cette introduction, vous aurez la possibilité de faire une première réflexion sur vos habitudes de vie (**bilan i.1**), d'autres suivront au fil des chapitres.

Une fois que vous aurez examiné à la loupe votre mode de vie, vous n'aurez pas fini d'y réfléchir pour autant. Vous devrez ensuite **déterminer les facteurs qui vous ont amené à adopter vos comportements actuels**, puis les classer, si possible par ordre d'importance. Ces facteurs peuvent être perçus comme des difficultés ou des obstacles à l'adoption de comportements plus sains. Par exemple, vous avez constaté que vous êtes très stressé depuis votre arrivée au cégep. Pourquoi ? Cette question vous amènera à réfléchir à ce qui a changé dans votre vie depuis la fin de vos études secondaires. Avez-vous un nouveau travail à temps partiel ? Votre programme d'études est-il trop chargé ? Vivez-vous désormais en appartement avec des colocs ? Devez-vous vous adapter au milieu urbain ? Il est important de mener cette réflexion, car elle vous aidera à cerner les difficultés que vous pourriez rencontrer au cours de l'étape suivante : l'**action**.

Action

Action rime avec mouvement et énergie. Et pour passer à l'action, il faut bien entendu de la motivation. Lorsque vous aurez, au fil des chapitres, passé en revue l'ensemble de vos habitudes de vie, il y aura trois scénarios possibles.

- **Scénario 1.** Vous avez, globalement, de bonnes habitudes et vous êtes motivé à les préserver. C'est le scénario idéal.
- **Scénario 2.** Vous avez déterminé une ou plusieurs habitudes nuisibles à votre santé et vous êtes motivé à changer cette situation. Votre défi sera d'abord de garder en tête les facteurs ou difficultés que vous avez déjà relevés et qui vous empêchent d'adopter de meilleurs comportements. À partir de là, vous formulerez un **plan d'action concret** pour lever ces barrières.

- **Scénario 3.** Vous avez déterminé une ou plusieurs habitudes nuisibles, mais vous n'êtes pas motivé à changer cette situation. Ce scénario est le plus problématique, mais il n'est pas sans issue. Au contraire. Vous aurez déjà fait deux pas essentiels vers une plus grande motivation à changer. En effet, vous aurez pris conscience de vos mauvaises habitudes de vie, et vous saurez pourquoi vous les avez adoptées. Si vous décidez de poursuivre votre démarche, **nous vous proposons de faire le troisième pas : concevoir vous aussi un plan d'action concret pour changer un comportement**. Ce processus ne suscitera peut-être pas chez vous un grand enthousiasme, mais il ne vous nuira certainement pas.

En fin de compte, quel que soit le scénario dans lequel vous vous retrouverez, c'est vous qui concevrez ce plan d'action et vous le ferez pour vous. Et il ne s'agit pas de planifier 5 ou 10 étapes, mais seulement 2.

Étape 1 : Se fixer un objectif de type « SMART »

Cet objectif doit tenir compte des obstacles qui vous empêchent de modifier tel ou tel comportement et il doit être de type « SMART », c'est-à-dire **S**pécifique, **M**esurable, orienté vers l'**A**ction, **R**éaliste et limité dans le **T**emps. Par exemple, si, d'après le bilan 1.1, vous êtes sédentaire, vous pourriez vous fixer l'objectif « SMART » suivant : dès lundi prochain, jouer au badminton en simple pendant 50 minutes le midi au cégep, et ce, trois fois par semaine pendant toute la session de cours. L'objectif est spécifique (vous jouerez au badminton, une activité physique d'intensité modérée) ; mesurable (50 minutes 3 fois par semaine) ; orienté vers l'action (vous le ferez dès lundi prochain) ; réaliste (c'est faisable pour vous étant donné que vous avez déjà pratiqué ce sport et que vous êtes déjà sur place) et limité dans le temps (une session de cours au cégep dure 15 semaines). Nous verrons à l'étape 2 (« Trouver les bons moyens ») comment tenir compte dans cet objectif des obstacles qui rendent le changement de comportement difficile.

Pour certaines habitudes de vie, les facteurs que vous avez reconnus comme défavorables à l'adoption de comportements plus sains peuvent être transformés en **objectifs comportementaux**. Supposons que, lors de votre réflexion sur votre niveau de stress, vous mentionnez votre manie de « faire une montagne d'un rien ». Ce facteur de stress peut devenir l'objectif précis de votre plan d'action, qui pourrait être formulé de la façon suivante : « Avant de faire une montagne d'un rien, me demander s'il y a vraiment de quoi en faire une montagne. Je me donne un mois pour y arriver. » En somme, l'objectif peut être adapté à la nature du comportement à modifier.

Enfin, sachez que **les habitudes aiment la compagnie**. Par exemple, beaucoup de fumeurs allument une cigarette en prenant un café. Ces deux habitudes en arrivent à être presque indissociables. Une bonne stratégie consiste à rompre les liens entre ces deux habitudes. Souvenez-vous-en quand vous formulerez votre objectif. Une fois qu'il sera établi, écrivez-le et placez-le bien en vue (page d'accueil de votre portable, porte du frigo, écran de votre ordi, etc.). C'est une bonne façon de ne pas l'oublier.

Étape 2 : Trouver les bons moyens

Il s'agit de créer un environnement propice à l'atteinte de votre objectif. Au départ, cet environnement est forcément soumis à l'influence des facteurs ou des obstacles qui nuisent à l'adoption de comportements plus sains. Votre **premier moyen** sera donc de tenir compte des obstacles que vous avez déterminés et de trouver des solutions pour les surmonter. Dans certains bilans à venir, vous aurez à relever les obstacles à l'adoption de comportements plus sains et à les classer par ordre d'importance. L'idée est de prévoir dès à présent des solutions pour atténuer l'influence non pas de tous ces obstacles, ce qui ne serait pas réaliste s'il y en a quatre, cinq ou six, mais des deux plus handicapants. En somme, ce premier moyen consiste à prévoir les difficultés qui pourraient nuire à l'atteinte de votre objectif. Supposons que votre objectif est de « jouer au badminton en simple pendant 50 minutes le midi au cégep 3 fois par semaine pendant 15 semaines ». Supposons aussi que vous avez déterminé dans le bilan 1.1 que les deux facteurs les plus défavorables à une pratique suffisante et régulière de l'activité physique sont pour vous les suivants :

1. Il n'y a pas d'installations (pistes cyclables, piscine, etc.) pour faire de l'exercice près chez moi.
2. Je n'ai pas assez de temps libre pour faire du sport ou m'entraîner.

Quelles solutions avez-vous envisagées pour lever ces deux obstacles ? Votre choix d'objectif répond en grande partie à cette question. En effet, en décidant de jouer au badminton sur l'heure du midi à votre cégep, vous levez ces deux obstacles : vous avez trouvé une activité que vous pouvez pratiquer sur place, au cégep, et sur l'heure du midi, c'est-à-dire à un moment où vous avez du temps.

Le **deuxième moyen** consiste à rendre agréable l'environnement dans lequel vous mènerez votre plan d'action. Ainsi, pour reprendre l'exemple du badminton, vous pourriez jouer des parties avec un ou une amie que vous appréciez. Ce qui compte, c'est d'**associer le plaisir** à votre nouvelle activité : en effet, lorsque la pratique de l'activité physique est agréable, cela accroît les chances d'en faire une habitude durable.

Enfin, le **troisième moyen** est de consigner ce que vous faites pour atteindre votre objectif dans un journal de bord ou une fiche de suivi. **Bref, il s'agit de laisser des traces de vos actions et de vous ajuster au besoin.** Vous noterez par exemple dans ce journal le jour, l'heure et la durée de chaque séance de badminton. Si vous en avez envie, vous noterez aussi vos impressions (« Ça s'est bien passé », « Je me suis senti détendu après ma séance », « J'ai eu un point de côté », etc.). Si, au bout de deux ou trois semaines, vous ne progressez pas vers votre objectif ou que vous commencez à sauter des séances, relevez tout de suite les obstacles qui ont ralenti votre démarche : « J'ai été plus occupé que prévu », « J'ai eu la grippe », etc. Au besoin, modifiez votre horaire ou ajustez votre objectif. L'important, c'est ce que vous avez déjà accompli, même si tout ne se déroule pas exactement comme prévu.

Résultat

Vient enfin le moment d'évaluer l'atteinte de votre objectif « SMART », c'est-à-dire votre résultat. Si vous avez atteint votre objectif, n'oubliez pas de vous féliciter. Dites-vous : Bravo ! Mais si vous l'avez atteint en partie seulement ou ne l'avez pas atteint du tout, demandez-vous ce qui a nui au succès de votre plan. Que s'est-il passé en cours de route pour que vous perdiez votre motivation ? Il est essentiel d'y réfléchir. En effet, lorsque vous aurez trouvé la cause, vous vous sentirez mentalement plus fort quand vous essayerez à nouveau de modifier le comportement en question. Il faut vous dire qu'il est assez fréquent de ne pas réussir du premier coup. **Ce qui compte, c'est de rester motivé** et de détecter le moment propice pour faire une nouvelle tentative, en suivant un plan mieux approprié à vos contraintes personnelles. Après avoir fait une première tentative, on est en mesure de relever les points qui ont moins bien fonctionné que prévu et, ainsi, d'adapter sa stratégie pour aller plus loin lorsqu'on essaie de nouveau. De plus, il faut être capable de tirer les points positifs de sa démarche afin de voir ce qu'on a accompli.

FIGURE i.4 Les grandes lignes d'une approche simple pour changer un comportement

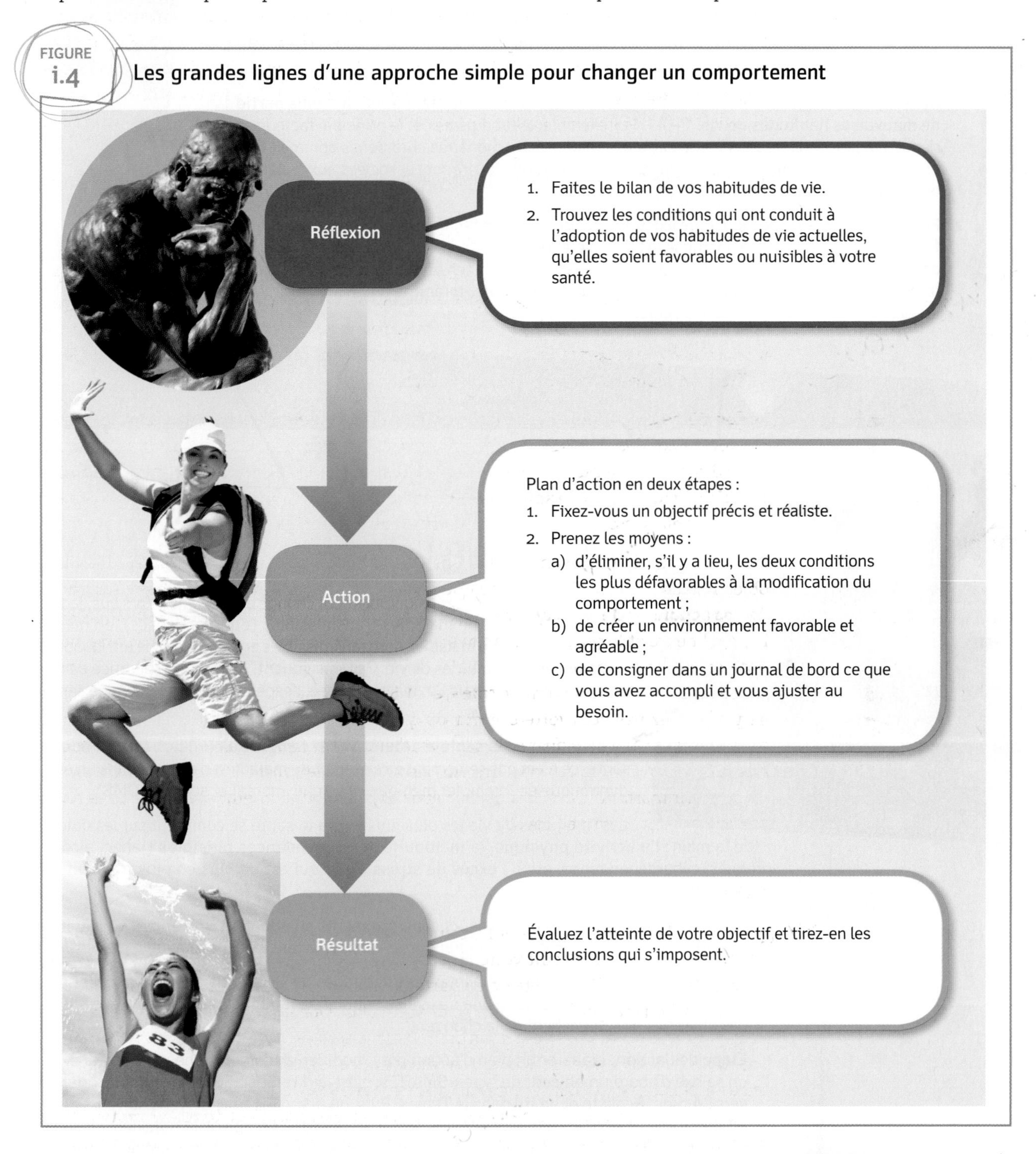

Réflexion
1. Faites le bilan de vos habitudes de vie.
2. Trouvez les conditions qui ont conduit à l'adoption de vos habitudes de vie actuelles, qu'elles soient favorables ou nuisibles à votre santé.
Action
Plan d'action en deux étapes :
1. Fixez-vous un objectif précis et réaliste.
2. Prenez les moyens :
a) d'éliminer, s'il y a lieu, les deux conditions les plus défavorables à la modification du comportement ;
b) de créer un environnement favorable et agréable ;
c) de consigner dans un journal de bord ce que vous avez accompli et vous ajuster au besoin.
Résultat
Évaluez l'atteinte de votre objectif et tirez-en les conclusions qui s'imposent.
83

Vous trouverez des suggestions de lecture et de sites Internet dans la rubrique « Pour en savoir plus » de **MonLab**.

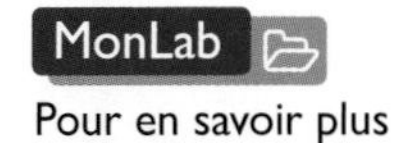

Pour en savoir plus

VRAI OU **FAUX**? RÉPONSES

1. **De nos jours, les principales causes de décès sont des maladies résultant en bonne partie de mauvaises habitudes de vie.** VRAI! Par exemple, le tabagisme est le principal facteur de risque du cancer du poumon et de certaines maladies pulmonaires chroniques comme l'emphysème et la bronchite, tandis que la malbouffe et la sédentarité sont associées aux maladies du cœur et à certains cancers.
2. **Passer tous les tests de dépistage existants est la meilleure façon de rester en bonne santé.** FAUX! Bien qu'utile, cette approche est passive et permet seulement de déceler la présence de maladies présentes ou latentes. La meilleure façon de rester en bonne santé consiste avant tout à adopter, le plus tôt possible, de saines habitudes de vie, comme le recommandent tous les grands organismes dédiés à la santé.

AU FIL D'ARRIVÉE!

Les causes de décès ont considérablement changé en cent ans. Alors que, jadis, on mourait souvent de maladies transmissibles (ou infectieuses), on meurt plutôt aujourd'hui de maladies non transmissibles en grande partie attribuables à de mauvaises habitudes de vie. Par conséquent, même si l'espérance de vie totale atteint désormais 82 ans au Québec, l'espérance de vie en bonne santé n'y est que de 67 ans.

La définition de la santé a évolué avec le temps. Aujourd'hui, être en bonne santé, ce n'est pas seulement être exempt de maladies, c'est être dans un état dynamique de « complet bien-être physique, mental et social » (OMS).

Les habitudes de vie les plus nuisibles à la santé se comptent sur les doigts de la main: l'**inactivité physique**, la **malbouffe**, les **dépendances nuisibles** (tabac, alcool, drogues, cyberdépendance, etc.), l'**excès de stress** et, ce qui est de plus en plus fréquent, le **manque de sommeil**.

Il est possible de modifier un ou plusieurs comportements en adoptant une approche inspirée des théories du comportement, qui comprend trois étapes: la réflexion, l'action et le résultat.

- **Étape de la réflexion**: examiner à la loupe ses habitudes de vie afin de déterminer celles qui sont nuisibles à sa santé. Si on a une mauvaise habitude à modifier, on fait ensuite le relevé des obstacles qui empêchent de la changer.
- **Étape de l'action**: élaborer un plan d'action pour modifier un comportement. Pour y arriver, on se fixe d'abord un objectif de type « SMART », c'est-à-dire **S**pécifique, **M**esurable, orienté vers l'**A**ction, **R**éaliste et limité dans le **T**emps. Puis, on prend les trois moyens suivants pour atteindre son objectif: 1) tenir compte des obstacles relevés à l'étape de la réflexion, et cibler les deux plus importants; 2) rendre aussi agréable que possible l'environnement du plan d'action; 3) noter ses actions dans une fiche de suivi ou un journal de bord.
- **Étape des résultats**: évaluer le degré d'atteinte de son objectif « SMART » et l'interpréter.

Nom : Jeff Martin Groupe : ____________ Date : ____________

1 Quelle est l'espérance de vie en bonne santé au Québec ?

- ☐ a) 82 ans.
- ☐ b) 78 ans.
- ☐ c) 80 ans.
- ☒ d) 67 ans.
- ☐ e) Aucune des réponses précédentes.

2 Quel est l'écart, en années, entre l'espérance de vie totale et l'espérance de vie en bonne santé au Québec ?

- ☐ a) 0
- ☐ b) 6
- ☐ c) 9
- ☐ d) 11
- ☒ e) 15

3 De quoi mourait-on surtout au Québec il y a à peine cent ans ?

- ☐ a) Du cancer.
- ☐ b) De maladies cardiovasculaires.
- ☐ c) De maladies non transmissibles.
- ☒ d) De maladies transmissibles.
- ☐ e) De diabète de type 2.

4 Quelles sont les cinq habitudes de vie, ou comportements, les plus nuisibles à la santé ?

1. l'inactivité physique
2. la malbouffe
3. les dépendances nuisibles
4. l'excès de stress
5. manque de sommeil

5 Les maladies qui grèvent le plus le budget de la santé sont principalement dues

- ☐ a) à l'hérédité.
- ☐ b) aux dérèglements hormonaux.
- ☐ c) au vieillissement de la population.
- ☐ d) à certaines habitudes de vie.
- ☒ e) aux bactéries et aux virus.

6 Deux des progrès suivants ont permis de faire chuter le taux de décès dus aux maladies transmissibles. Lesquels ?

- ☒ a) L'amélioration généralisée des conditions sanitaires.
- ☐ b) L'augmentation marquée du niveau d'activité physique dans la population.
- ☐ c) L'augmentation de la fréquence des visites chez le médecin.
- ☐ d) L'augmentation du nombre d'hôpitaux.
- ☒ e) Les progrès de la médecine.

À VOS MÉNINGES INTRODUCTION

Nom : ____________________ Groupe : __________ Date : __________

7 ______________ et ______________ font partie des maladies les plus fréquentes aujourd'hui.

- [ ] **a)** la tuberculose
- [x] **b)** les maladies du cœur
- [ ] **c)** le psoriasis
- [x] **d)** le diabète de type 2
- [ ] **e)** la pneumonie

8 Associez chacune des six dimensions de la santé à sa définition.

Dimension	Définition
1. Santé physique	a) Participation à l'effort collectif de dépollution de son environnement immédiat et de la planète.
2. Santé mentale	b) Capacité à adopter un ensemble de valeurs et de principes qui donnent un sens et un but à sa vie.
3. Santé émotive	c) Capacité à avoir des relations interpersonnelles satisfaisantes.
4. Santé spirituelle	d) Capacité à vivre ses émotions de façon à se sentir en accord avec soi-même la plupart du temps.
5. Santé sociale	e) Bon fonctionnement du corps permis par un mode de vie sain et actif.
6. Santé environnementale	f) Capacité à apprendre, à s'émerveiller et à s'accomplir sur le plan intellectuel.

9 Complétez les phrases suivantes.

Être en bonne santé signifie être bien dans son corps, dans sa ______________, mais également dans son ______________ et dans ses ______________ avec les autres.

10 L'approche proposée dans ce chapitre pour changer un comportement se décline en trois mots. Quels sont-ils ?

1. ______________
2. ______________
3. ______________

11 Que signifient les lettres de l'acronyme « SMART » ?

S ______________

M ______________

A ______________

R ______________

T ______________

Nom : ______________________ Groupe : ______________ Date : ______________

PRENEZ UN INSTANTANÉ DE VOS HABITUDES DE VIE

Dans les chapitres 1, 10, 11 et 12, vous aurez l'occasion de faire un bilan détaillé de vos habitudes de vie. Mais commençons par le commencement. Le but de ce premier bilan est de vous donner un bon aperçu de votre situation de départ. Pour chacune des habitudes de vie suivantes, cochez la réponse qui vous correspond le mieux.

Activité physique : sédentaire ou actif ?

☐ **1.** Chaque jour ou presque, je fais au moins 30 minutes consécutives (ou par blocs d'au moins 10 minutes) d'activité physique d'intensité modérée[a] ou élevée[b]

OU

je pratique au moins 2 ou 3 fois par semaine, pendant au moins 30 minutes consécutives, une activité physique d'intensité modérée à élevée.

☐ **2.** Je fais moins de 15 minutes d'activité physique modérée chaque jour.

☑ **3.** Je me situe plutôt entre 1 et 2.

Alimentation : malbouffe ou bonne bouffe ?

☐ **4.** Chaque jour ou presque, je prends des repas équilibrés sans oublier le petit-déjeuner. Je mange régulièrement des fruits et des légumes frais, ainsi que des aliments riches en fibres (céréales, pain, riz, pâtes, légumineuses). J'essaie le plus possible d'éviter les aliments riches en gras saturés et en huiles hydrogénées.

☐ **5.** Je saute régulièrement le petit-déjeuner. Je mange rarement des fruits et des légumes frais et je ne raffole pas des aliments riches en fibres (céréales à grains entiers et légumineuses, notamment). De plus, je mange régulièrement (plus de trois fois par semaine) des repas préparés ou des repas-minute (*fast food*) sans me soucier de leur valeur nutritive. Il m'arrive aussi de sauter des repas et de manger à des heures irrégulières.

☑ **6.** Je me situe plutôt entre 4 et 5.

a. Intensité modérée : activation des grandes masses musculaires, pouls nettement plus élevé qu'au repos, respiration plus rapide, sensation de chaleur corporelle.

b. Intensité élevée : activation des grandes masses musculaires, pouls et respiration très rapides, forte sensation de chaleur corporelle et transpiration.

Nom : ______________________ Groupe : __________ Date : __________

Stress : tendu ou détendu ?

☐ **7.** Je suis plutôt calme la plupart du temps et je ne panique pas facilement en cas de problème. Quand c'est nécessaire, je fais ce qu'il faut pour abaisser mon niveau de stress.

☐ **8.** Je me sens souvent tendu et il m'arrive fréquemment de ressentir des raideurs dans la nuque et entre les omoplates, et il me semble que je m'en fais pour un rien.

☐ **9.** Je me situe plutôt entre 7 et 8.

Sommeil : suffisant ou insuffisant ?

☐ **10.** Je dors suffisamment pour me sentir frais et dispos durant la journée.

☐ **11.** Je ne dors pas suffisamment ou je dors mal, et je me sens souvent fatigué et endormi durant la journée.

☐ **12.** Je me situe plutôt entre 10 et 11.

Dépendances (alcool, tabac, drogues, cyberdépendance) : accro ou pas ?

☐ **13.** Je n'ai aucune de ces dépendances.

☐ **14.** Je suis aux prises avec plusieurs de ces dépendances.

☐ **15.** Je me situe plutôt entre 13 et 14.

Ce que vos choix signifient…

Vous avez coché 1, 4, 7, 10 et 13. Bravo ! Vous avez déjà une ou plusieurs bonnes habitudes de vie inscrites à votre programme santé. Le défi que vous aurez à relever consistera à préserver ces acquis pour les années à venir.

Vous avez coché 3, 6, 9, 12 et 15. Vous manquez de constance dans l'habitude ou les habitudes de vie indiquées par ces choix. Par exemple, il y a des périodes où vous êtes physiquement actif et d'autres où vous êtes sédentaire ; ou encore des périodes où vous mangez bien et d'autres où vous mangez mal. Pour vivre plus sainement, il suffirait que vous apportiez des changements à l'habitude ou aux habitudes de vie en cause. La lecture des chapitres 1, 10, 11 et 12 vous aidera à faire ces changements.

Vous avez coché 2, 5, 8, 11 et 14. Alerte rouge ! Vous avez déjà adopté une ou plusieurs mauvaises habitudes de vie parmi les plus nuisibles à la santé. Le hic, c'est qu'il n'existe pas de baguette magique pour transformer instantanément un mauvais pli en une habitude saine. Toutefois, l'approche proposée dans les bilans de fin de chapitre vous aidera à adopter un plan d'action visant une amélioration marquée de votre mode de vie.

VRAI OU **FAUX** ?

	V	F
1. Pratiquer une activité physique coûte cher.	☐	☑
2. L'exercice peut faire cesser les règles.	☑	☐
3. Le muscle atrophié se transforme en graisse.	☐	☑
4. L'exercice peut m'aider dans mes études.	☑	☐
5. Il faut des mois avant de ressentir les bienfaits de l'exercice.	☐	☑

Les réponses se trouvent en fin de chapitre, p. 41.

CHAPITRE 1

DÉCOUVREZ LES EFFETS BÉNÉFIQUES DE L'ACTIVITÉ PHYSIQUE

SUR LA LIGNE DE DÉPART !

VOS OBJECTIFS SONT LES SUIVANTS :

- Faire les liens appropriés entre votre activité physique et votre santé physique et mentale.
- Déterminer la quantité d'activité physique nécessaire à votre santé physique et mentale.
- Reconnaître l'influence des facteurs sociétaux et culturels sur la pratique de l'activité physique.
- Concevoir et appliquer un plan d'action pour devenir physiquement actif, ou le rester si vous l'êtes déjà.

MonLab

Vrai ou faux ?

Autres exercices en ligne

> **Si on pouvait mettre les effets de l'exercice dans une pilule, ce serait sûrement la plus vendue sur Terre et la seule à ne pas avoir d'effets secondaires autres qu'une courbature de temps à autre.**
>
> RICHARD CHEVALIER

Concentré des effets de l'exercice
Posologie : tous les jours

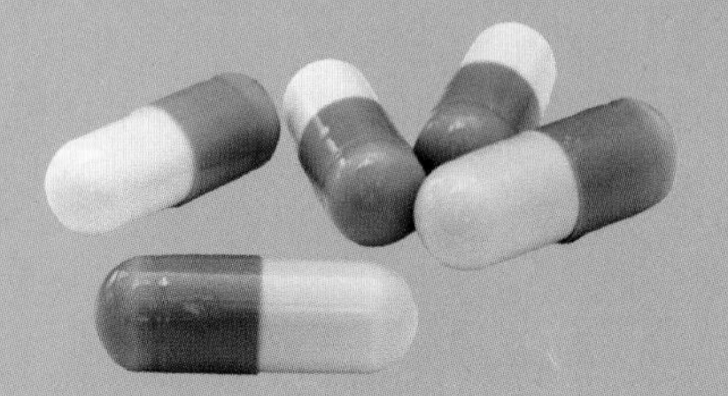

La panacée, le remède miracle qui guérit tout, n'existe pas. En tout cas, si elle existe, on ne l'a pas encore découverte. Mais les super-remèdes, eux, existent. On peut classer les antibiotiques dans cette catégorie parce que ces tueurs de bactéries en tout genre guérissent des infections jadis mortelles. Étant donné ses effets bénéfiques sur notre santé physique et mentale, l'exercice appartient aussi à cette catégorie. Dans les pages qui suivent, nous allons passer en revue ces effets, dont nous vous donnons un résumé à la figure 1.1.

FIGURE 1.1 Résumé des effets bénéfiques de l'exercice

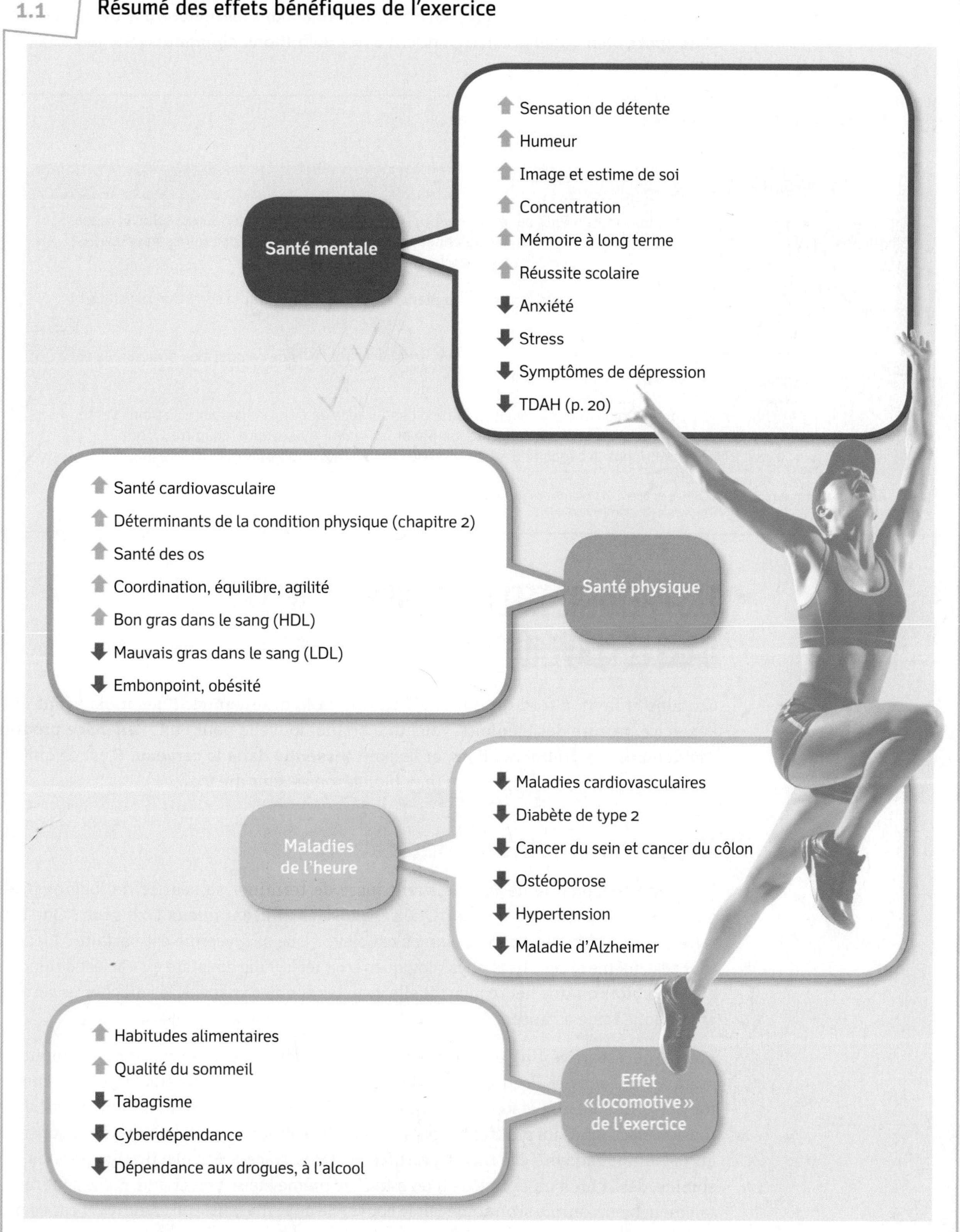

Santé mentale
↑ Sensation de détente
↑ Humeur
↑ Image et estime de soi
↑ Concentration
↑ Mémoire à long terme
↑ Réussite scolaire
↓ Anxiété
↓ Stress
↓ Symptômes de dépression
↓ TDAH (p. 20)
Santé physique
↑ Santé cardiovasculaire
↑ Déterminants de la condition physique (chapitre 2)
↑ Santé des os
↑ Coordination, équilibre, agilité
↑ Bon gras dans le sang (HDL)
↓ Mauvais gras dans le sang (LDL)
↓ Embonpoint, obésité
Maladies de l'heure
↓ Maladies cardiovasculaires
↓ Diabète de type 2
↓ Cancer du sein et cancer du côlon
↓ Ostéoporose
↓ Hypertension
↓ Maladie d'Alzheimer
Effet «locomotive» de l'exercice
↑ Habitudes alimentaires
↑ Qualité du sommeil
↓ Tabagisme
↓ Cyberdépendance
↓ Dépendance aux drogues, à l'alcool

Dans ce manuel, sauf indication contraire, nous utiliserons le mot « exercice » au sens large. Pour des raisons pratiques, en effet, nous englobons les notions d'activité physique et de sport, bien qu'elles correspondent à des définitions différentes (tableau 1.1).

TABLEAU 1.1 Tout est dans la nuance !

Notions	Définitions
Activité physique	Tous les mouvements qui entraînent une dépense d'énergie supérieure à celle du repos, ce qui inclut les activités quotidiennes telles que se laver, s'habiller, faire son épicerie, mais aussi les exercices et les sports.
Exercice	Tous les mouvements structurés et planifiés en vue d'améliorer la condition physique et la santé.
Sport	Toute activité physique se déroulant dans des situations de compétition structurées et encadrées par des règles.
Condition physique	Combinaison de déterminants comme l'endurance aérobie, la flexibilité, le poids santé lié à l'équilibre énergétique, la mobilité et la vigueur musculaire (chapitre 2), qui conditionne la capacité d'adaptation du corps à l'effort physique.

Source : Adapté de « L'activité physique », Conseil européen de l'information sur l'alimentation (EUFIC), www.eufic.org/article/fr/page/BARCHIVE/expid/basics-activite-physique.

LES PREMIERS EFFETS : RAPIDES ET RESSENTIS DANS LE CERVEAU

Certains croient, à tort, qu'il faut s'entraîner à la dure pendant des mois avant que l'exercice procure des bienfaits. Voici une bonne nouvelle pour eux : **l'exercice produit rapidement ses premiers effets, et ils sont ressentis dans le cerveau.** C'est ce qui est stimulant avec l'exercice ; dès qu'on y plonge, on se sent mieux.

Relaxer en moins de deux

Julie, une cégépienne de 17 ans, vient juste de terminer sa séance de jogging. Que constate-t-elle alors, selon vous ? Que ses muscles utilisent mieux l'oxygène ? Que son taux de bon cholestérol dans le sang s'est élevé ? Que sa glycémie est parfaite ? Rien de tout cela, même si ces effets physiologiques sont réels. Julie constate qu'elle est détendue et calme, alors qu'une heure plus tôt elle avait les épaules crispées, les mâchoires serrées et la nuque raide à cause d'un examen important qu'elle doit préparer.

Voici ce qui est arrivé. Un exercice, même léger et de courte durée, entraîne une diminution marquée de l'activité électrique dans les muscles, ce qui réduit immédiatement la tension nerveuse. Ce sont les personnes crispées, dont les muscles sont pour ainsi dire sous haute tension électrique, qui profitent le plus de cet effet calmant. Les chercheurs l'ont constaté en mesurant l'activité électrique dans les muscles grâce à des **électromyographes**. En somme, dès la fin d'un exercice où on a tout de même eu un peu chaud, on se sent mentalement bien, comme si on soulevait le couvercle de la marmite qui chauffe ! N'est-ce pas là déjà une bonne raison de s'activer régulièrement ?

Une distraction utile

Pendant que vous faites une activité aussi terre à terre que courir, nager ou jouer au badminton, vous oubliez vos soucis, en tout cas vous y pensez moins. Cet effet est particulièrement important pour les personnes submergées par des pensées négatives ou le «blues» des études. Les exercices de musculation (qui donnent une impression de vigueur retrouvée) et les activités physiques sollicitant à la fois le physique et le mental (taï-chi, Pilates, yoga, voile, escalade, etc.) sont particulièrement efficaces pour faire le vide mental. Ils occupent l'esprit, tout en libérant des tensions musculaires.

Des idées plus claires grâce aux ondes alpha

Vous avez l'impression d'avoir les idées plus claires après quelques minutes de marche. La recherche montre que ce n'est pas qu'une impression: certaines ondes s'activent plus que d'autres dans notre cerveau quand nous marchons. En examinant attentivement le tracé d'un **électroencéphalogramme** (qui mesure l'activité électrique du cerveau), des chercheurs ont découvert que les exercices rythmiques (marche, jogging, ski de fond, etc.) augmentent l'activité des ondes alpha dans le cerveau. Ces ondes sont associées à un état de calme semblable à celui que ressentent les adeptes de la méditation ou du yoga (figure 1.2). Les exercices rythmiques favoriseraient également la synchronisation des deux hémisphères du cerveau en les activant simultanément. Ainsi, pendant qu'on marche ou jogge, la pensée rationnelle et logique de l'hémisphère gauche se mêlerait à la pensée intuitive et imagée de l'hémisphère droit, ce qui aurait pour effet d'éclaircir les idées et parfois même d'aider à résoudre un problème.

FIGURE 1.2 Les ondes cérébrales à l'œuvre

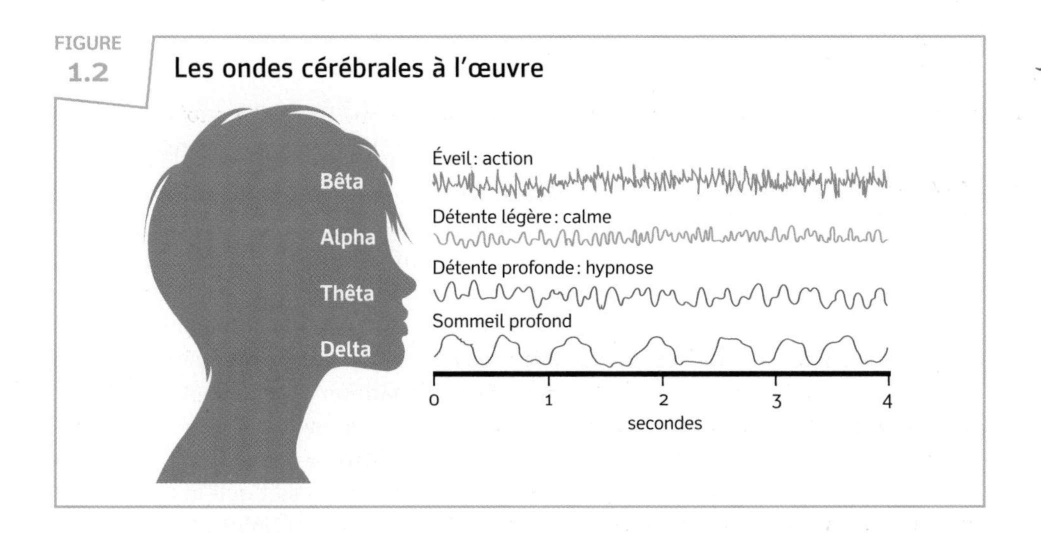

«Planer» en toute légalité

Yan, 19 ans, court depuis plus de 75 minutes dans le grand parc près de chez lui. Après tant d'efforts, il devrait grimacer de douleur, non? Tout au contraire, Yan affiche un air euphorique et il sait ce qui lui arrive. Il « plane » sous l'effet des **endorphines**, dont la sécrétion a augmenté depuis le début de sa séance de jogging. Ces hormones, sécrétées par l'hypophyse dans le cerveau (figure 1.3), appartiennent à la même famille biochimique que la morphine; elles engourdissent la douleur et nous plongent presque dans un état second. En fait, notre coureur connaît bien cet effet narcotique tout à fait légal pour l'avoir expérimenté à maintes reprises. La quantité d'endorphines sécrétée pendant l'exercice peut atteindre cinq fois les valeurs sécrétées au repos. Ajoutons que le taux d'endorphines est directement lié à l'intensité et à la durée de l'exercice, qui devrait être d'au moins 30 minutes d'efforts d'intensité modérée à élevée. Il faut donc être un peu en forme pour ressentir cet effet cérébral de l'exercice. À la lumière d'études récentes, il se pourrait aussi que le « high » de Yan s'explique par l'action de la dopamine et de la sérotonine, des neurotransmetteurs dont nous parlons ci-après.

FIGURE 1.3 **La zone du cerveau qui sécrète les endorphines : l'hypophyse**

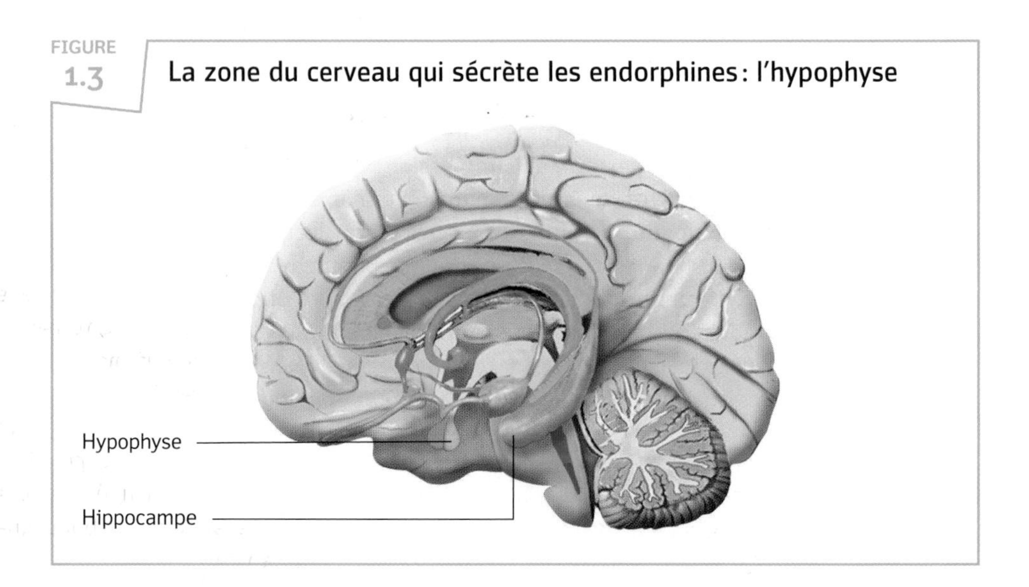

Humeur à la hausse, déprime à la baisse

Bouger ne rend pas seulement plus calme et euphorique ; cela rend aussi de meilleure humeur et moins déprimé, si on l'était. Cela tient à ce que l'exercice accroît la concentration de **sérotonine** et de **dopamine** dans le cerveau. Ces neurotransmetteurs (substances qui facilitent la communication entre les neurones) influent sur les zones cérébrales contrôlant l'humeur. Plus précisément, la sérotonine participe à la régulation de la température corporelle, de l'appétit et de l'humeur, tout comme la dopamine qui, en plus, joue un rôle-clé dans le contrôle des mouvements. D'ailleurs, il y aurait un lien entre le manque de dopamine dans le cerveau et l'apparition du **trouble déficitaire de l'attention avec ou sans hyperactivité motrice** (**TDAH**). En favorisant la synthèse des neurotransmetteurs de l'humeur, l'exercice aide à combattre certains symptômes de la dépression (perte d'appétit, fatigue, dévalorisation) puisqu'on sait que le taux de ces neurotransmetteurs est anormalement bas chez les personnes déprimées. Plus étonnant encore, des chercheurs américains ont prouvé que l'approche exercice permettait à elle seule de combattre la dépression, même quand cette dernière est sévère (**Sous la loupe**). L'exercice serait aussi bénéfique pour les jeunes aux prises avec le TDAH, car il diminue le recours aux médicaments.

À l'inverse, le manque d'activité physique favoriserait à la longue les états dépressifs et les pensées suicidaires. Les données colligées à ce jour par l'Organisation mondiale de la santé (OMS) sont sans équivoque : **les taux de dépression et de suicide sont nettement plus élevés chez les sédentaires que chez les personnes physiquement actives.**

L'exercice est aussi efficace que les antidépresseurs

Pratiqué régulièrement, l'exercice atténue certains symptômes de la dépression, comme la perte d'appétit, la dévalorisation de soi et la fatigue. Peut-on aller jusqu'à remplacer les antidépresseurs par l'exercice pour traiter la dépression ? Oui, selon trois études relativement récentes.

Dans la première[1], 156 sujets dépressifs étaient divisés en 3 groupes. Le groupe A était soumis à un programme de conditionnement physique, le groupe B était traité à l'aide d'antidépresseurs, et le groupe C suivait simultanément les deux approches (exercice et médicaments). Après 16 semaines, les chercheurs ont constaté que tous leurs patients étaient beaucoup moins dépressifs, quelle que soit l'approche utilisée. « **Prendre une pilule est une approche passive. On la prend et on attend l'effet. Avec l'exercice, c'est différent. Le patient a le sentiment de contrôler davantage son traitement, car il agit de façon concrète pour améliorer son état. De plus, l'exercice améliore l'estime de soi, qui est faible chez les gens dépressifs** », écrit le Dr James A. Blumenthal, un des auteurs de l'étude.

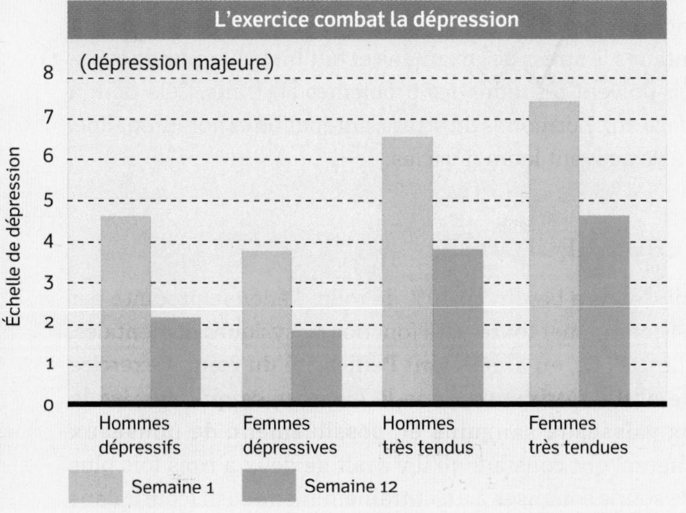

Source du graphique : R. Chevalier (2007). *Pour prévenir le cancer, bougez !* Éditions La Presse, p. 20. Ce graphique a été reproduit aux termes d'une licence accordée par Copibec.

La seconde étude[2] montre qu'après 12 semaines d'exercice aérobie, à raison de 3 séances par semaine, les symptômes associés à la dépression et à la tension musculaire intense avaient chuté chez les sujets.

La troisième étude[3] confirme l'effet antidépresseur de l'exercice. Menée auprès de 80 personnes des deux sexes âgées de 20 à 45 ans qui souffraient de dépression modérée, elle révèle que 16 semaines d'exercice, à raison de 3 séances par semaine, ont notablement réduit les symptômes de la dépression chez 46 % des participants et permis à 42 % d'entre eux de sortir complètement de leur état dépressif. Selon les auteurs, ces résultats sont aussi bons que ceux obtenus avec la médication !

1. J. A. Blumenthal et coll. (1999). Effects of exercise training on older patients with major depression, *Archives of Internal Medicine*, *159*(19), 2349-2356.
2. J. J. Annesi (2003). Sex differences in relations of cardiorespiratory and mood changes associated with self-selected amounts of cardiovascular exercice, *Psychological Reports*, *93*, 1339-1346.
3. A. L. Dunn et coll. (2005). Exercise treatment for depression: Efficacy and dose response, *American Journal of Preventive Medicine*, *28*(1), 1-8.

Coup de pouce pour l'image de soi

La pratique assidue de l'activité physique entraîne à moyen et à long terme des effets sur le corps qui peuvent améliorer une image de soi assombrie par la déprime. Par exemple, on se sent souvent mieux dans sa peau lorsqu'on a des muscles plus fermes et moins enrobés de tissu adipeux, et qu'on a une plus grande facilité à se mouvoir. De surcroît, plus on est en forme, plus on a de l'énergie et du souffle pour accomplir des choses. L'exercice améliore également la confiance en soi en nous redonnant la maîtrise de notre corps. En libérant le corps, l'activité physique libère en quelque sorte l'esprit.

Le cerveau devient plus alerte et attentif

Jade, 17 ans, roule à une bonne allure en patins à roues alignées sur une piste cyclable. Elle en est à sa 40e minute d'exercice. Bien sûr, elle a chaud. La sueur perle sur son front comme la rosée matinale alors que sa fréquence cardiaque atteint 162 battements par minute. Ses vaisseaux sanguins, grands ouverts, déversent des torrents de sang et de nutriments dans ses muscles, mais aussi dans son cerveau. Pour être plus précis, son débit sanguin cérébral s'est accru d'au moins 20 % parce que sa fréquence cardiaque a augmenté de près de 250 % depuis son premier coup de patin. Un tel afflux de sang riche en oxygène et en éléments nutritifs, notamment le glucose, ne peut qu'être bénéfique au cerveau. Si on répète cet exercice plusieurs fois par semaine pendant des années, le cerveau est bien irrigué, bien nourri et bien stimulé, comme on l'a vu, par des neurotransmetteurs. C'est ce qui explique qu'un nombre croissant d'études arrivent à la conclusion que **les personnes physiquement actives, quels que soient leur âge et leur sexe, conservent une bonne mémoire et une bonne concentration**.

Par ailleurs, les travaux du Dr Peter Seraganian, professeur de psychologie à l'Université Concordia de Montréal, ont montré que les étudiants physiquement actifs supportent mieux que les étudiants sédentaires le stress des examens et ont une plus grande capacité de concentration lorsqu'ils doivent résoudre des problèmes abstraits. Cela tient à ce qu'ils sont habitués à faire face aux hormones du stress, adrénaline et noradrénaline, qu'ils sécrètent chaque fois qu'ils activent leurs muscles.

Possibilité de nouveaux neurones

Le cerveau pèse environ 1,3 kilo, mais a besoin de 10 % de toute l'énergie produite par notre organisme pour diriger et coordonner toutes nos fonctions physiques et mentales. C'est notre organe-chef d'orchestre ! Or, **en améliorant l'efficacité du cœur, l'exercice accroît la quantité d'oxygène et de nutriments dans le cerveau, ce qui favorise le développement de nouveaux vaisseaux sanguins et, possiblement, de nouveaux neurones.** En effet, des chercheurs[1] ont constaté qu'il y avait de deux à trois fois plus de neurones dans le cerveau de souris soumises à un entraînement intensif (courir dans une roue) que dans celui de souris sédentaires. Les nouvelles cellules nerveuses étaient apparues dans l'hippocampe (figure 1.3), une région du cerveau associée à la mémoire à court et à long terme, et malheureusement aussi à l'apparition de la maladie d'Alzheimer chez l'humain. Ces résultats ont étonné la communauté scientifique qui avait longtemps cru que le nombre de neurones était déterminé à la naissance et ne pouvait que diminuer avec le temps. Les chercheurs ont également observé que les connexions entre les neurones avaient augmenté de façon significative. Avec un cerveau désormais plus riche en neurones bien interconnectés, les souris entraînées trouvaient plus rapidement leur chemin dans le test du labyrinthe que les autres souris.

1. C.W. Wu et coll. (2008). Exercice enhances the proliferation of neural stem cells and neurite growth and survival of neuronal progenitor cells in dentate gyrus of middle-aged mice, *Journal of Applied Physiology, 105*(5), 1585 ; M.R. Bednarczyk et coll. (2009). Prolonged voluntary wheel-running stimulates neural precursors in the hippocampus and forebrain of adult CD1 mice, *Hippocampus, 19*(10), 913-927 ; K.T. Gobeske et coll. (2009). BMP signaling mediates effects of exercise on hippocampal neurogenesis and cognition in mice, *PlosOne, 4*(10).

Après avoir soumis des chimpanzés âgés à 20 semaines d'exercice aérobie sur des tapis roulants spéciaux, d'autres chercheurs[1] ont observé la formation de nouveaux vaisseaux sanguins (capillaires) dans le cerveau de ces mammifères proches de l'homme. C'est grâce à l'injection d'une substance radioactive dans le sang des primates que les nouveaux capillaires ont été découverts. Cet effet de l'exercice avait déjà été maintes fois observé dans le muscle et le cœur, mais c'était la première fois qu'on le constatait dans le cerveau. Une conclusion s'imposa alors aux chercheurs : la formation de nouveaux neurones pourrait s'expliquer par l'apparition de ces vaisseaux sanguins tout neufs qui apportaient avec eux l'oxygène, les nutriments et probablement les facteurs de croissance nécessaires à la formation de nouveaux neurones. Enfin, les primates entraînés maîtrisaient plus facilement de nouveaux apprentissages que ceux du même âge qui ne l'étaient pas.

En somme, comme on le voit dans la figure 1.4, **ce qui est bon pour le cœur est également bon pour le cerveau !** Après tout, c'est le même sang riche en oxygène et en nutriments qui nourrit ces deux organes vitaux.

FIGURE 1.4 Les effets de l'exercice sur le cerveau

L'exercice physique :
accroît la présence d'endorphines
antidouleur, euphorie du coureur
accroît les ondes alpha
idées plus claires, état plus calme
accroît la circulation sanguine
meilleure oxygénation des neurones
développe de nouveaux neurones (substance grise)
ralentissement du vieillissement cérébral
améliore la communication entre les neurones (substance blanche)
activité neuronale plus rapide
freine l'atrophie de l'hippocampe
stimulation de la mémoire, de la motricité et de la capacité à résoudre les problèmes, prévention de la maladie d'Alzheimer et de la maladie de Parkinson
optimise certains neurotransmetteurs (dopamine, sérotonine)
antidépresseur naturel (amélioration de l'humeur, du sommeil et de la résistance au stress), atténuation des symptômes de TDAH (p. 20).

Source : Adapté de F. Guité, « Effets de l'exercice physique sur le cerveau », www.francoisguite.com/2007/03/les-effets-de-lexercice-sur-le-cerveau-schema/.

1. I.J. Rhyu et coll. (2010). Effects of aerobic exercise training on cognitive function and cortical vascularity in monkeys, *Neuroscience*, *167*, 1239-1248.

Telle humeur, tel exercice !

À présent, que diriez-vous de tester vous-même l'effet «psy» de l'exercice ? Il n'y a pas de meilleures preuves que celles qu'on expérimente soi-même. Voici quelques suggestions.

Pour abaisser le niveau d'anxiété. L'idéal est une séance d'exercices modérés de 20 à 30 minutes en fin de journée ou en début de soirée. C'est le soir que le niveau d'anxiété atteint son paroxysme. Les activités physiques faisant appel au physique comme au mental (taï-chi et yoga, par exemple) sont très efficaces pour combattre l'anxiété. Si vous souffrez d'anxiété chronique, prévoyez au moins 10 à 12 semaines d'activités régulières (exercices aérobies ou musculation) pour atténuer de manière significative vos symptômes.

Pour contrer une petite déprime. Faites des exercices le matin, car c'est souvent au réveil que la déprime nous saute dessus. Un conseil : comme déprime rime avec inertie, il ne sert à rien de se forcer à faire de nombreux exercices exténuants. Quelques exercices légers et brefs au sortir du lit suffiront au début. Faites-les, ça aide vraiment. L'effet antidépresseur de l'exercice le plus puissant survient cependant quand les efforts sont aérobies, modérés (marche rapide, par exemple), prolongés (au moins 20 minutes), pratiqués 3 ou 4 fois par semaine, et ce, pendant au moins 10 semaines.

Pour ressentir l'effet euphorisant de l'exercice. Faites des exercices modérés (jogging, ski de fond, exercises cardiovasculaires sur appareils, etc.) pendant au moins 30 minutes.

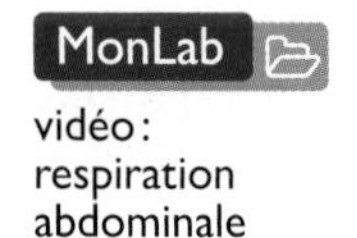

vidéo : respiration abdominale

Pour prévenir un stress appréhendé. Dans l'heure qui précède une rencontre susceptible de créer un stress important, faites 10 minutes d'exercices modérés (marche rapide, par exemple). Et juste avant la rencontre, prenez quatre ou cinq **respirations abdominales** profondes (p. 386). Consultez MonLab pour une démonstration vidéo de ce type de respiration.

Pour mieux dormir. Optez pour des exercices rythmiques (marche, cyclisme, natation, vélo, jogging, ski de fond, etc.) en fin d'après-midi. Ce type d'exercice augmente l'activité des ondes alpha associées à la détente et au sommeil profond, la phase du sommeil où le corps récupère vraiment. La recherche montre aussi que l'exercice favorise un sommeil ininterrompu, plutôt qu'un sommeil fragmenté. Lorsqu'on est complètement inactif pendant la journée, les structures du sommeil et de l'éveil sont perturbées. Ainsi, les personnes sédentaires ont de courtes périodes de sommeil fractionné au lieu d'une période continue de six à huit heures de sommeil, comme c'est souvent le cas chez les personnes physiquement actives.

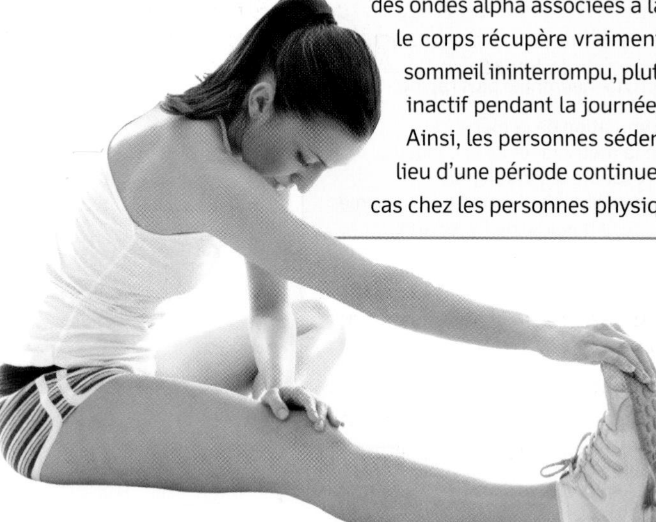

ZONE ÉTUDIANTE

Josué Coudé

CÉGEP LIMOILOU

Cet entretien avec Josué Coudé, étudiant non voyant de 2e année en sciences humaines, a été réalisé par Guylaine Carmichael. Josué est déterminé et persévérant dans sa pratique régulière de l'activité physique.

Quelle activité physique pratiques-tu régulièrement ?

Je joue au goalball. Ce sport, conçu pour les non-voyants, se pratique en gymnase, à 3 contre 3, avec deux buts de soccer intérieur dont la barre transversale est un peu abaissée et un ballon de basketball. À l'intérieur de ce ballon se trouve un grelot, qui nous permet de le repérer. De plus, ce ballon est dégonflé. Le jeu consiste à se faire des passes roulées au sol et, évidemment, à marquer des buts. L'équipe adverse tente d'intercepter le ballon en faisant obstacle au sol avec tout le corps. Je pratique ce sport à raison de deux heures par semaine. De plus, je fais du jogging sur un tapis roulant chez moi, trois heures par semaine. Je dois également faire régulièrement des promenades avec mon chien-guide, Calin, qui en redemande ! Puis, quand l'occasion se présente, je fais de la randonnée pédestre, du ski de fond et de la raquette avec ma famille et mes amis.

Qu'est-ce qui t'a conduit à la pratique du goalball ?

J'ai été initié dès l'école primaire et je suis même allé dans un camp d'été. Au fil des ans, j'ai continué. C'est un sport d'équipe, je m'y sens à ma place et j'apprécie l'esprit de compétition qu'il suscite. D'ailleurs, j'ai gagné la médaille d'argent au tournoi junior canadien de goalball en 2008, et la médaille d'or en 2009. Je participe aussi au Défi sportif, où je représente le Québec. La pratique régulière du jogging me permet de mieux jouer au goalball et m'incite à me dépasser.

Qu'est-ce qui te motive et t'encourage à poursuivre ?

C'est l'amélioration de ma condition physique – j'ai acquis une plus grande facilité à fournir un effort intense. J'ai développé aussi mon habileté : je joue de mieux en mieux au goalball.

Comment réussis-tu à concilier tes études, tes activités physiques et tes autres activités ?

À cause de mon handicap, chacun de mes déplacements doit être planifié. Alors je me suis fait un horaire préétabli, assez stable, qui me permet de réaliser ce qui me tient à cœur.

Et qu'est-ce que cela t'apporte dans la vie ?

Sans contredit, l'énergie, qui est un grand bénéfice sur tous les plans. Au collège, par exemple, je travaille mieux et plus vite, je suis plus efficace car plus concentré. Dans la vie en général, je suis plus détendu, moins stressé. Je ressens un grand bien-être, surtout après des efforts assez intenses.

Et puis l'activité physique me permet de rencontrer d'autres personnes, voyantes ou non, et de créer des liens d'amitié.

Que dirais-tu à ceux qui disent « Je n'ai pas le temps » ?

Je leur dirais de commencer tranquillement, de bien planifier leur horaire, afin de libérer des périodes pour l'activité physique. À la longue, ils auront envie d'y consacrer plus de temps, parce que l'activité physique leur donnera plus d'énergie pour profiter pleinement de la vie.

Et quel est le meilleur conseil que tu peux donner ?

Faire de l'activité physique pour le plaisir. À force, on devient meilleur et on se sent mieux. Alors, on a juste le goût de continuer !

LES EFFETS À MOYEN ET À LONG TERME DE L'EXERCICE : ÉNERGISANTS ET PROTECTEURS

L'exercice n'agit pas seulement dans l'immédiat et sur notre cerveau. À la longue, il renforce également nos muscles, nos os, notre cœur ainsi que notre système immunitaire. Il diminue, le cas échéant, nos réserves de gras, surtout celles de l'abdomen. Il réduit dans notre sang la proportion de mauvais gras (effet anti-athérosclérose) et de sucre (effet anti-diabète 2). De plus, l'exercice régulier améliore notre équilibre et nous permet de conserver jusque tard dans la vie nos réflexes, notre coordination et notre liberté de mouvement et de déplacement.

Lever de rideau sur ces bénéfices.

Vigueur et énergie grâce à des muscles actifs

L'effet le plus visible et le plus palpable de l'exercice régulier concerne les muscles. C'est que les fibres musculaires sont dépendantes du mouvement. Les muscles se renforcent lorsqu'on les sollicite régulièrement, ainsi que leurs attaches, les tendons. Précisons qu'ils se renforcent avant même de devenir plus gros, grâce à une meilleure conduction nerveuse qui permet la contraction d'un plus grand nombre de fibres musculaires. Nous y reviendrons au chapitre 5.

Si vous êtes sédentaire (bilan 1.1), les muscles de votre ventre, de vos bras, de vos cuisses et de votre bassin, trop peu sollicités, s'affaiblissent lentement mais sûrement et finissent par s'atrophier (figure 1.5). Si vous avez déjà porté un plâtre, vous savez de quoi il s'agit. Ainsi, un individu sédentaire peut perdre jusqu'à 225 grammes de muscle par année, passé la trentaine. Cette fonte musculaire résulte du fait que les protéines des muscles se dégradent lorsqu'elles sont sous-utilisées. Des muscles affaiblis représentent aussi une surcharge de travail pour le cœur, lequel doit alors pomper le sang à travers l'organisme sans l'aide de muscles vigoureux qui lui facilitent normalement la tâche.

FIGURE 1.5 **Les effets de l'activité physique et de l'inactivité physique sur le muscle**

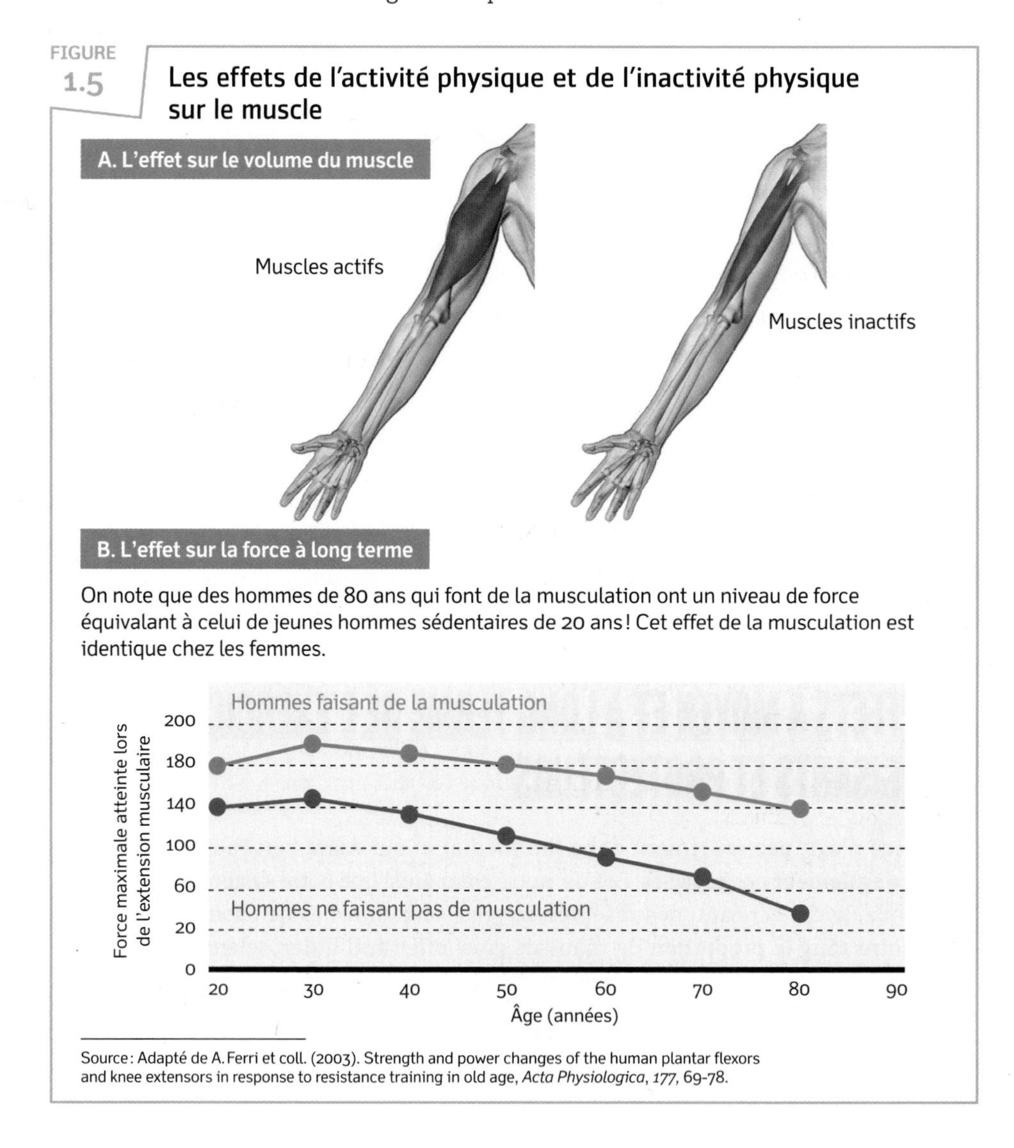

Source : Adapté de A. Ferri et coll. (2003). Strength and power changes of the human plantar flexors and knee extensors in response to resistance training in old age, *Acta Physiologica*, *177*, 69-78.

Des os solides pour longtemps

Que l'exercice améliore la vigueur musculaire, cela se voit et se constate facilement. Mais qu'il renforce aussi notre squelette, il y a de quoi être sceptique. C'est pourtant le cas! Les études sur le bras dominant (le bras droit d'un droitier, le bras gauche d'un gaucher) des joueurs de tennis et de balle molle l'ont clairement démontré: le radius, le cubitus et l'humérus du bras sollicité sont plus gros et plus denses que ceux de l'autre bras (**tableau 1.2**). Il en va de même pour la plupart des joueurs et joueuses de tennis professionnels, mais aussi des coureurs, des gymnastes, des joueurs de basketball et de volleyball, dont les os des jambes et du talon sont plus forts que ce qu'on observe dans la population en général.

TABLEAU 1.2 Les os de Boris

Mesures radiologiques	Côté actif	Côté non actif
Largeur de la main	8,54 cm	8,30 cm
Largeur du poignet	5,96 cm	5,75 cm
Largeur du coude	7,21 cm	7,09 cm
Diamètre des épicondyles de l'humérus	6,69 cm	6,59 cm
Diamètre distal du radius	3,70 cm	3,62 cm
Diamètre distal de l'ulna (cubitus)	1,86 cm	1,79 cm
Longueur de l'ulna (cubitus)	25,2 cm	24,8 cm
Longueur du radius	26,8 cm	26,3 cm

Boris Becker, ex-numéro un mondial du tennis, avait à 18 ans des os plus forts dans son bras frappeur (côté droit) que dans l'autre bras.

Source: J. Vrijens (1992). *L'entraînement raisonné du sportif*, Bruxelles, De Boeck, p. 236.

Voici comment l'exercice renforce nos os

Notre capital osseux atteint, au début de la trentaine, un sommet que les experts appellent **pic de masse osseuse**. Ce pic est un facteur déterminant de notre santé osseuse future. Plus il est élevé, plus notre capital osseux est important et plus nos os resteront solides longtemps, ce qui éloigne ainsi le spectre de l'ostéoporose, un syndrome qui rend les os cassants comme une branche morte. L'exercice augmente ce pic chez les jeunes physiquement actifs (**figure 1.6**, p. 28). Pour rester solides, nos os ont besoin de la gravité et de la traction des muscles qui y sont attachés. Les contraintes mécaniques favorisent la rétention du calcium.

Si vous êtes sédentaire, vous affaiblissez vos os. Après sept jours d'inactivité physique totale, comme en cas de repos au lit, la perte de calcium dans les urines et les selles est multipliée par deux. En cinq mois d'alitement, on peut perdre plus de 5 % de son capital osseux. Les examens radiologiques révèlent que les os qui supportent le poids du corps (tibias, péronés, fémurs et vertèbres lombaires) sont, de loin, les plus affaiblis par ce genre de repos forcé. À force de rester des heures en position assise, vous ne préparez rien de bon pour les os de vos membres inférieurs.

FIGURE 1.6 L'effet de l'exercice sur l'évolution de la masse osseuse

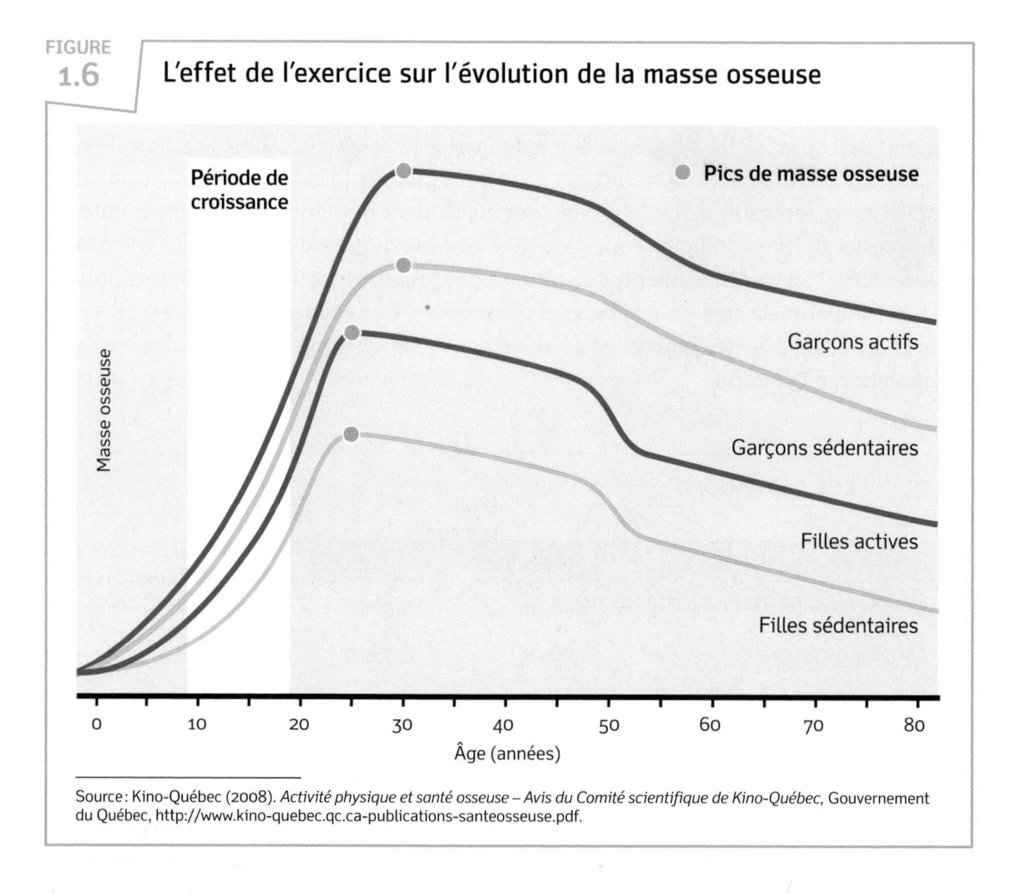

Source: Kino-Québec (2008). *Activité physique et santé osseuse – Avis du Comité scientifique de Kino-Québec*, Gouvernement du Québec, http://www.kino-quebec.qc.ca-publications-santeosseuse.pdf.

Un cœur plus fort et un pouls au repos plus lent

Le cœur est un muscle. Par conséquent, il se renforce si vous le faites travailler plus fort de temps à autre en pratiquant une activité physique d'intensité modérée. C'est pourquoi le cœur des personnes physiquement actives est vigoureux et bien oxygéné, sans compter que l'exercice régularise la pression artérielle. De plus, au repos, un cœur en forme approvisionne plus facilement les cellules de l'organisme en sang: il a besoin de moins de battements par minute parce que, étant plus puissant, il peut éjecter une plus grande quantité de sang à chaque contraction du ventricule gauche qu'un cœur sédentaire (figure 1.7). Ainsi, le rythme d'un cœur entraîné peut atteindre 60 battements par minute, au lieu de 75 battements (chapitre 4).

Si vous êtes sédentaire, votre muscle cardiaque doit se contracter plus souvent au repos, comme à l'effort, pour faire circuler le sang dans vos artères parce que ses parois sont moins « musclées ». Bref, si vous deviez faire un effort prolongé, vous pourriez vous fatiguer rapidement parce que votre niveau d'endurance aérobie est faible (chapitre 2). À la longue, le risque de crise cardiaque est deux à trois fois plus élevé chez les personnes sédentaires comparativement aux personnes physiquement actives.

FIGURE 1.7 Un cœur physiquement actif est plus vigoureux

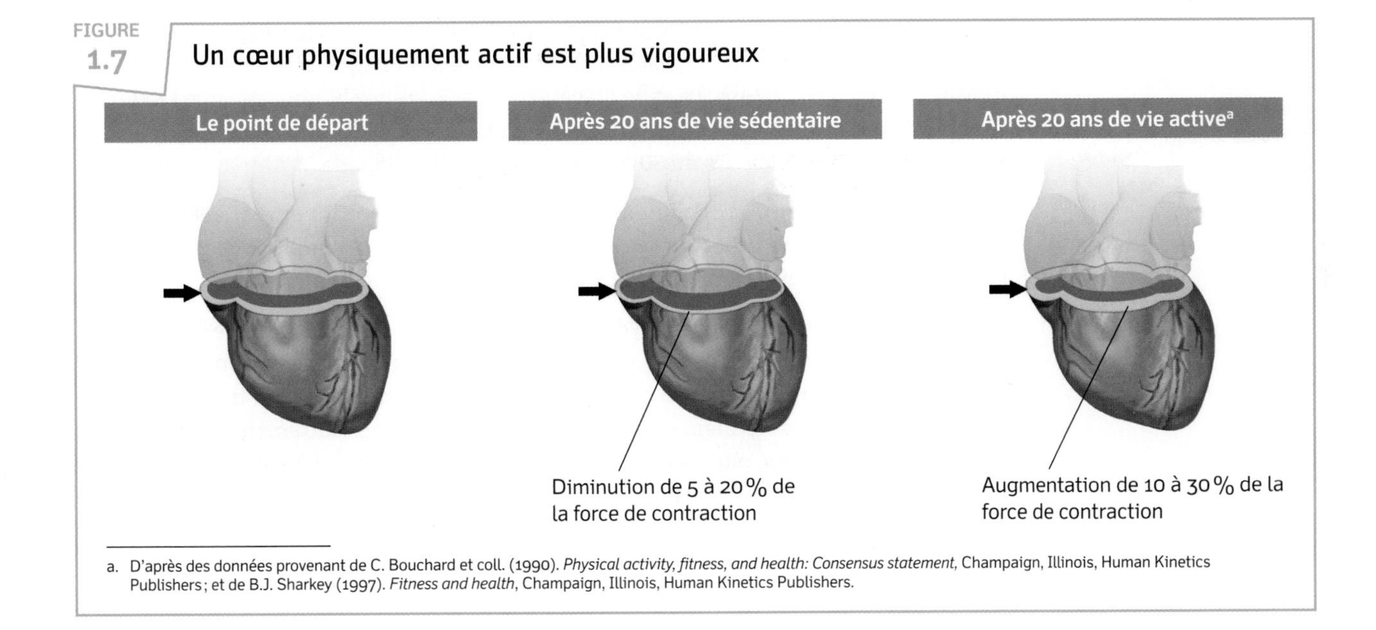

a. D'après des données provenant de C. Bouchard et coll. (1990). *Physical activity, fitness, and health: Consensus statement*, Champaign, Illinois, Human Kinetics Publishers ; et de B.J. Sharkey (1997). *Fitness and health*, Champaign, Illinois, Human Kinetics Publishers.

Des poumons plus efficaces et moins de crises d'asthme

Il suffit d'un mois de « cardio » pour commencer à respirer moins vite et plus profondément lors d'un effort modéré. Bref, pour un effort d'une même intensité, on s'essouffle moins vite qu'une personne sédentaire. À long terme (6 mois et plus), l'exercice entraîne une augmentation du nombre de respirations par minute lors d'un effort maximal : 60 à 70 respirations chez une personne entraînée, contre 35 à 45 chez une personne sédentaire, une hausse qui permet à la première de « ventiler » 150 litres d'air et plus par minute, contre seulement 100 litres en moyenne pour la seconde. Enfin, l'exercice amène aussi la personne asthmatique à respirer moins rapidement pendant un effort modéré. Par conséquent, l'assèchement de ses voies respiratoires (un facteur déclenchant de crises) est moins prononcé, ce qui diminue la fréquence et la gravité de ses crises d'asthme et, par ricochet, la dose de médicament dont elle a besoin.

Si vous êtes sédentaire, vos muscles respiratoires (diaphragme, muscles intercostaux et abdominaux) sont moins entraînés. Dès que vous faites un effort physique un tant soit peu prolongé, vous risquez donc davantage de ressentir un point ou une douleur aiguë sur le côté, en plus d'être rapidement essoufflé, comme nous l'avons déjà mentionné.

Un sang moins gras et un maintien durable d'un poids santé

L'exercice régulier augmente le taux de bon cholestérol (HDL) et diminue celui du mauvais (LDL), ce qui rend le sang moins gras. Il préserve aussi la souplesse des artères, et ce, jusqu'à un âge avancé. L'exercice s'attaque également au gras le plus nuisible à la santé, celui qui loge en profondeur autour des viscères (**figure 1.8A**). Ce gras, qu'on appelle

gras viscéral

aussi **gras viscéral**, ou graisse interne, pénètre facilement dans le sang et y accroît les triglycérides et le mauvais cholestérol. Il est associé à un risque accru de maladies cardiovasculaires, d'hypertension et de diabète de type 2. Prenez bonne note que **l'exercice réduit d'abord le gras viscéral**, et ensuite le gras situé sous la peau, comme on a pu le voir à l'émission *Découvertes* du 30 octobre 2011 à Radio-Canada.

C'est aussi un secret de Polichinelle que les personnes physiquement actives maintiennent à long terme un poids santé. La raison en est toute simple : elles équilibrent, semaine après semaine, leur apport calorique et leur dépense calorique.

Si vous êtes sédentaire, à l'inverse, vos réserves de gras risquent d'augmenter rapidement en raison de votre faible dépense calorique. De plus, il faut prendre en compte **le métabolisme, c'est-à-dire la dépense calorique au repos**. Les muscles sont très actifs sur le plan métabolique : ils « brûlent » des calories même au repos. Autrement dit, **moins les muscles sont sollicités, plus le métabolisme diminue**. Résultat : vous engraissez encore plus facilement, même si vous mangez comme avant. Au bout du compte, votre sang devient plus riche en mauvais gras. Cela vous expose à une **athérosclérose précoce** : l'obstruction d'une artère par des dépôts de gras (**figure 1.8B**) !

FIGURE 1.8 Le gras viscéral et son effet sur le cœur

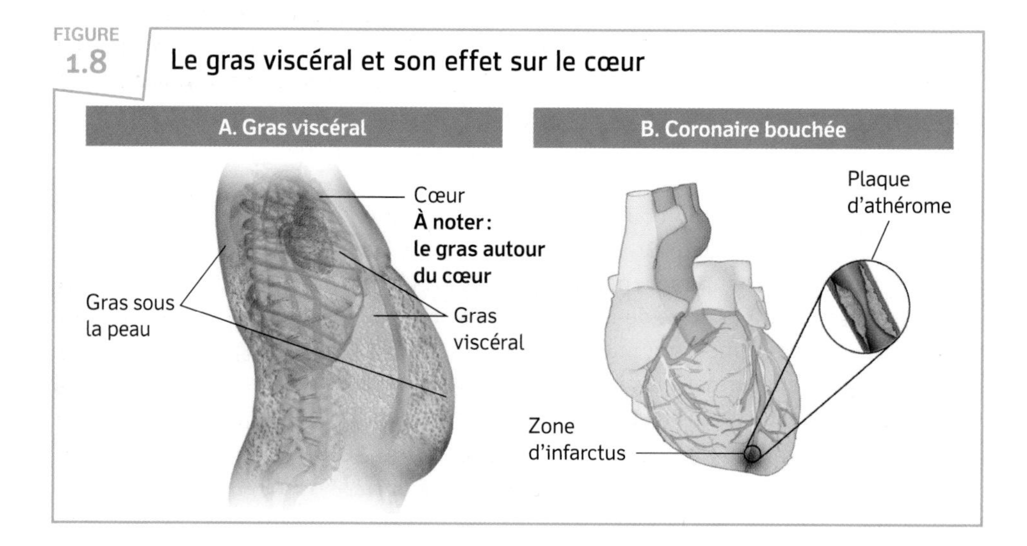

Le renforcement du système immunitaire

Un exercice d'intensité modérée ou élevée stimule le système immunitaire, et ce, pendant plusieurs jours après la fin de l'effort. Cela revient à dire qu'une personne qui fait, par exemple, du cardio trois ou quatre fois par semaine profite de l'effet immunostimulant de l'exercice pratiquement sept jours sur sept. Cette augmentation marquée de l'activité des lymphocytes T (« cellules NK », dans le jargon des immunologistes) est à souligner, car ces globules blancs détruisent les cellules cancéreuses ou devenues anormales. L'effet immunostimulant de l'exercice contrebalance la baisse des défenses de l'organisme lors d'un stress important et explique en partie que les infections des voies respiratoires supérieures (rhume, angine de gorge, sinusite) sont moins fréquentes chez les personnes physiquement actives que chez les personnes sédentaires. Gare toutefois à la surdose d'exercices (p. 33) !

Si vous êtes sédentaire, votre système immunitaire peut s'affaiblir et gérer moins efficacement les hormones du stress (chapitre 11).

Des hormones sous influence

À quoi servent les hormones? Pour le comprendre, faisons une analogie. François est messager à vélo dans le quartier des affaires d'une grande ville. Plusieurs fois par jour, il enfourche sa bicyclette pour livrer presto des messages urgents d'un édifice à l'autre. Les hormones font exactement le même travail: elles livrent des messages (chimiques) à des organes. C'est ainsi, à coups de messages chimiques, que les hormones nous façonnent. La taille, le timbre de voix, le taux de sucre dans le sang, le métabolisme, la réaction du corps à un stress, la pression sanguine, l'humeur, etc., tout cela est en grande partie l'œuvre des hormones. **Globalement, l'entraînement physique réduit l'intensité de la réponse hormonale**. Prenons l'exemple d'une personne qui s'entraîne depuis six mois: si elle effectue la même séance d'exercices qu'au début de son entraînement, elle produira pour la même intensité d'effort moins d'insuline (elle est devenue plus efficace), moins d'adrénaline et de noradrénaline (les hormones du stress) et moins d'hormones de croissance, pour ne citer que quelques-uns des changements hormonaux induits par l'entraînement physique.

Si vous êtes sédentaire et que vous êtes en plus stressé par vos études, votre travail, la vie en général, vous produisez beaucoup de cortisol. Le cortisol est une hormone qui freine la sécrétion d'insuline afin de maintenir un taux élevé de glucose sanguin, source d'énergie importante de l'organisme en cas de stress. **À la longue, un taux de cortisol élevé diminue l'efficacité de l'insuline**, ce qui pave la voie au diabète de type 2. Chez les personnes physiquement actives, le cortisol est éliminé du sang. Nous y reviendrons au chapitre 11.

Des risques plus faibles de maladie grave

La pratique régulière et suffisante de l'activité physique influe favorablement sur les déterminants de la condition physique (chapitre 2). Plus les années passent, plus on apprécie d'avoir la chance de continuer à pratiquer les activités physiques qu'on aime, de marcher d'un pas alerte, de se pencher pour ramasser quelque chose ou d'étirer les bras pour saisir un objet perché sur une tablette. Bref, **être physiquement actif, c'est préserver longtemps son autonomie de mouvement et de déplacement**. Par ailleurs, indépendamment d'autres facteurs tels que la consommation de tabac, l'âge ou l'alimentation, l'exercice réduit de façon marquée les risques de crise cardiaque, d'hypertension, de diabète de type 2, d'ostéoporose et de cancer (figure 1.9). L'exercice fait aussi partie du traitement médical administré à des individus souffrant d'une maladie du cœur, d'un emphysème, du diabète ou d'un cancer. Pour en savoir plus sur l'effet préventif et curatif de l'exercice, consultez MonLab.

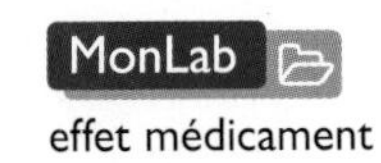

effet médicament

FIGURE 1.9 L'exercice prévient les maladies de l'heure

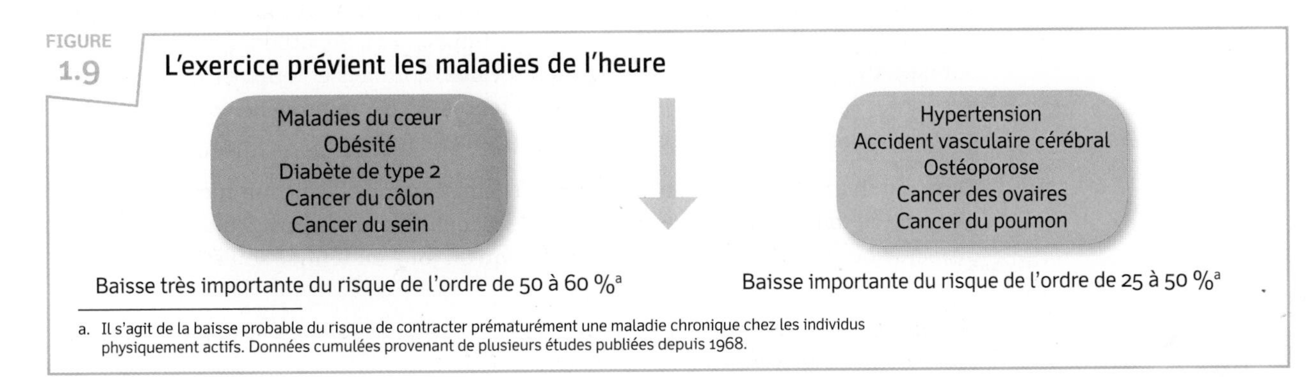

a. Il s'agit de la baisse probable du risque de contracter prématurément une maladie chronique chez les individus physiquement actifs. Données cumulées provenant de plusieurs études publiées depuis 1968.

Si vous êtes sédentaire, vous pourriez vous priver prématurément de cette autonomie. Des muscles raides, des articulations au rayon d'action limité, des réflexes amoindris et une coordination moins bonne entre la main et l'œil, tel est le lot des pantouflards ! Et si vous restez sédentaire au cours des prochaines années, vous risquez d'être plus souvent malade, de coûter plus cher à la société en frais médicaux et de vivre moins longtemps que les personnes physiquement actives (figure 1.10). En fait, **le risque de décès prématuré, toutes causes confondues, est plus élevé d'environ 40 % chez les sédentaires**.

FIGURE 1.10 L'activité physique favorise santé et longévité

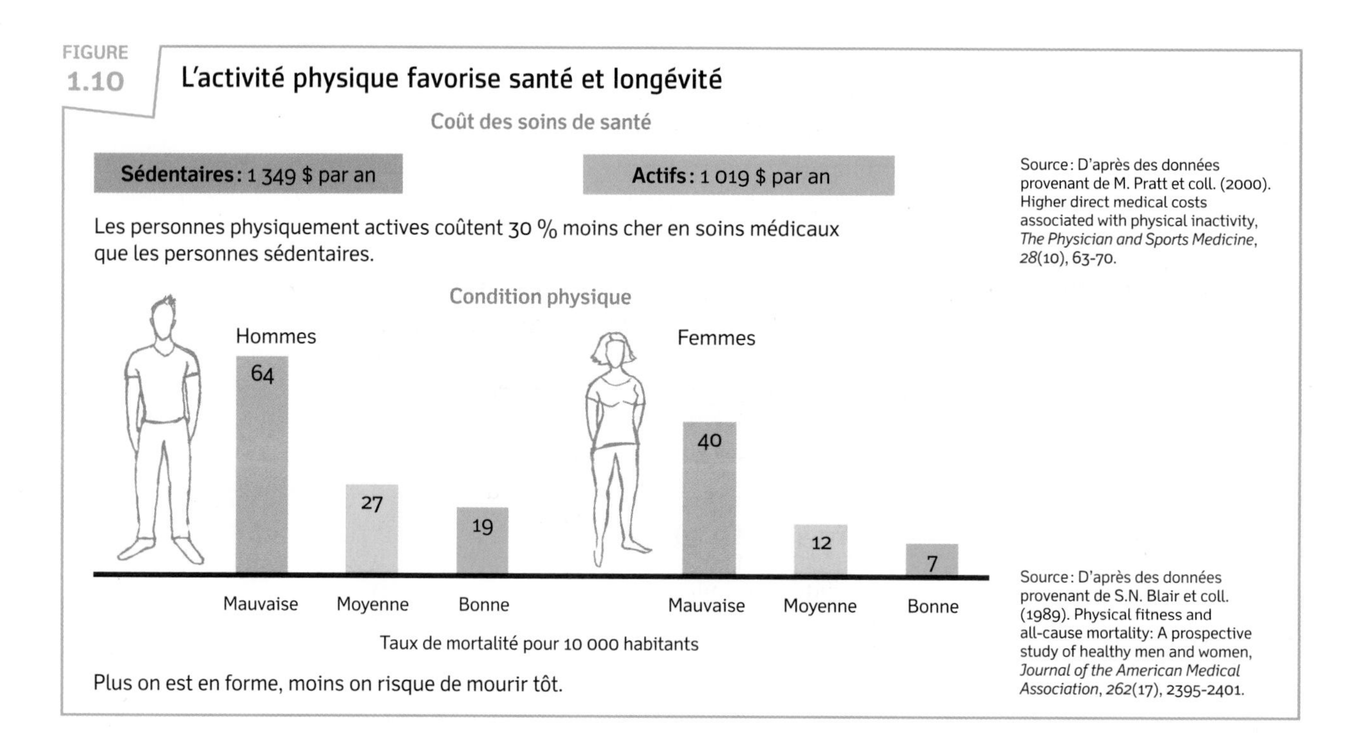
Coût des soins de santé
Sédentaires : 1 349 $ par an
Actifs : 1 019 $ par an
Les personnes physiquement actives coûtent 30 % moins cher en soins médicaux que les personnes sédentaires.
Source : D'après des données provenant de M. Pratt et coll. (2000). Higher direct medical costs associated with physical inactivity, The Physician and Sports Medicine, 28(10), 63-70.
Condition physique
Hommes
64
27
19
Femmes
40
12
7
Mauvaise
Moyenne
Bonne
Mauvaise
Moyenne
Bonne
Taux de mortalité pour 10 000 habitants
Plus on est en forme, moins on risque de mourir tôt.
Source : D'après des données provenant de S.N. Blair et coll. (1989). Physical fitness and all-cause mortality: A prospective study of healthy men and women, Journal of the American Medical Association, 262(17), 2395-2401.

L'effet d'entraînement positif sur d'autres habitudes de vie

Plus vous ressentirez les bienfaits de l'activité physique, plus vous voudrez améliorer votre mode de vie en général. Les personnes physiquement actives ont ainsi tendance à mieux s'alimenter, à maîtriser leur niveau de stress et à réduire leur consommation d'alcool et de tabac. Par exemple, selon des études effectuées auprès d'adeptes du jogging et de la musculation, de 75 à 80 % de ceux qui fumaient au départ ont par la suite abandonné cette habitude. En outre, chez les individus, hommes et femmes, qui pratiquent des sports dans un cadre organisé (ligue de tennis, de badminton, de volleyball, de ringuette, de hockey, etc.), on observe un faible taux de fumeurs.

L'effet euphorisant de l'exercice a aussi une conséquence beaucoup moins connue : il dissuade de consommer des drogues. Cela s'explique de deux façons. D'une part, l'activité physique occupe les temps libres : pendant qu'on joue au tennis, soulève des haltères ou transpire sur un simulateur d'escalier, on ne pense pas aux paradis artificiels. Selon les données recueillies par l'Institut canadien de la recherche sur la condition physique et le mode de vie, **il semblerait même que les régimes d'entraînement vigoureux constituent le meilleur programme antidrogue**. Qui voudrait consommer de la cocaïne après un entraînement intensif de deux heures qui lui procure déjà un agréable état second? D'autre part, l'activité physique améliore l'estime de soi. Or, on le sait, les toxicomanes ont généralement une image négative d'eux-mêmes et de leur environnement. En retrouvant une certaine fierté et en rehaussant son image corporelle, on est plus susceptible de modifier ses comportements.

Si vous êtes sédentaire, sachez que les mauvaises habitudes vont rarement seules: la sédentarité s'accompagne souvent de comportements nuisibles comme le tabagisme, la malbouffe, l'abus d'alcool et d'internet (cyberdépendance).

SURENTRAÎNEMENT ET DOPAGE : LUMIÈRE ROUGE !

Toute médaille a son revers, et il faut éviter de sombrer dans l'excès. L'activité physique est une bonne chose en soi, mais s'entraîner vigoureusement de 4 à 5 heures par jour, 7 jours sur 7, 12 mois par année, sans permettre à son corps de récupérer de temps à autre, revient à en abuser. Lorsqu'il est surutilisé, le corps n'a pas le temps de récupérer, de réparer ses fibres musculaires brisées, ni de refaire le plein d'énergie. On se blesse alors de plus en plus souvent. On finit aussi par souffrir d'anémie (l'excès d'exercice entraîne une diminution du taux de fer dans le sang), de fatigue générale et d'infections à répétition, en particulier des voies respiratoires (**Sous la loupe**). Lorsque vous pratiquez des activités vigoureuses, accordez-vous des temps de repos.

L'abus d'exercice augmente le risque d'infections

La recherche scientifique montre que l'abus d'exercice (ou surentraînement) affecte nos défenses immunitaires. À l'inverse, pratiqué de manière raisonnable, l'exercice modéré augmente l'efficacité de notre système immunitaire, ce qui réduit le risque de contracter une infection, en particulier des voies respiratoires supérieures. Voici l'explication des chercheurs: en augmentant le taux sanguin des hormones associées au stress (chapitre 11), les surdoses d'exercice affaiblissent temporairement le système immunitaire, ce qui augmente le risque d'infections.

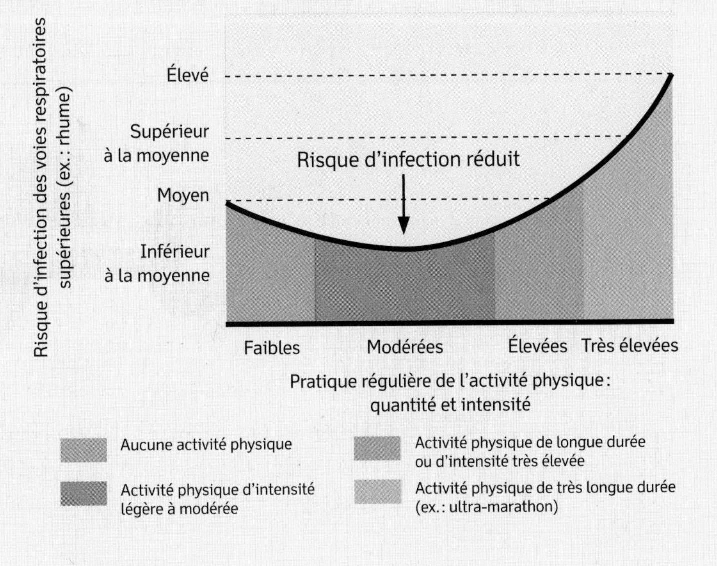

Source du graphique: S. K. Powers et coll. (2014). *Total fitness & wellness*, Pearson, p. 31.

Le surentraînement n'est pas le seul risque qui guette les personnes physiquement très actives. **Il y a aussi le dopage**, c'est-à-dire l'utilisation de substances, souvent illégales, qui augmentent artificiellement les capacités physiques, donc les performances sportives (**tableau 1.3**). Cette pratique attire chaque année de jeunes sportifs qui y voient une façon rapide d'améliorer leurs résultats. Or, ses effets peuvent être dévastateurs; nous y reviendrons au chapitre 5 (p. 164).

TABLEAU 1.3

Dopage: quelles sont les substances interdites par le Comité international olympique?

Substances	Effets	Exemples
Stimulants	Réduisent la sensation de fatigue physique	Amphétamines, cocaïne et caféine en forte concentration
Narcotiques (naturels ou synthétiques)	Diminuent la sensation de douleur	Dextromoramide, diamorphine (héroïne), méthadone et morphine
Agents anabolisants	Entraînent une augmentation de la force et de la puissance des muscles	Stéroïdes anabolisants androgènes
Diurétiques	Favorisent la perte de poids et la dilution des produits dopants consommés	Chlortalidone, furosémide, spironolactone, etc.
Hormones de croissance	Favorisent le développement de la masse musculaire	Hormone de croissance recombinante (synthétique)
Substances qui augmentent le transport de l'oxygène vers les muscles	Augmentent l'endurance aérobie	EPO (érythropoïétine), transporteurs d'oxygène synthétiques comme les hydrocarbures perfluorés
Cannabinoïdes	Favorisent la détente musculaire et la diminution de la sensation de douleur	Marijuana, haschich
Éthanol	Chasse l'anxiété et favorise la détente musculaire	Alcool

Source: Adapté de caducee.net (2000). *Le dopage et le sport* (1re partie), www.caducee.net/DossierSpecialises/medecine-du-sport/dopage.asp#sportifs.

LA QUANTITÉ D'ACTIVITÉ PHYSIQUE POUR RESTER EN BONNE SANTÉ

Nous avons vu qu'il faut faire un minimum d'exercice pour rester en bonne santé. Cependant, selon l'objectif visé, la quantité d'exercices nécessaire n'est pas la même. Et l'intensité de l'activité entre également en jeu. On distingue à cet égard:

- L'**activité d'intensité modérée**: elle essouffle un peu et vous pouvez parler sans trop de difficulté. Exemple: la marche rapide.
- L'**activité d'intensité élevée**: elle accélère beaucoup le pouls cardiaque et respiratoire, crée une sensation de chaleur corporelle et ne vous donne certainement pas envie de converser! Exemple: la course à pied.

Nous vous présentons dans l'encadré qui suit les recommandations les plus récentes des experts à ce propos; elles valent pour les adultes de 18 à 64 ans bien portants et sans contre-indications médicales majeures (p. 58).

La quantité d'exercices recommandée par les experts

Objectif: Profiter physiquement et mentalement des effets bénéfiques de l'exercice

- Accumuler chaque semaine au moins 150 minutes d'activité d'endurance d'intensité modérée réparties sur au moins 3 jours (ex.: 3 fois 50 minutes, 4 fois 35-40 minutes, 5 fois 30 minutes).

OU

- Accumuler chaque semaine au moins 75 minutes d'activité d'endurance d'intensité élevée réparties sur au moins 3 jours.

OU

- Effectuer une combinaison équivalente d'activités d'endurance d'intensité modérée et élevée réparties sur au moins 3 jours. Une séance prolongée en mode continu (ex.: 30 minutes de vélo) ou **plusieurs mini-séances d'au moins 10 minutes** permettent d'accumuler les quantités recommandées.

Ces quantités d'exercices représentent, *grosso modo*, **une dépense de 1 000 calories par semaine**.

Objectif: Obtenir des effets plus marqués sur la santé ou viser un poids santé

- Accumuler chaque semaine au moins 300 minutes d'activité physique d'intensité modérée (ex.: 1 heure par jour, 5 fois par semaine)

OU

- Accumuler chaque semaine 150 minutes d'activité d'endurance d'intensité élevée (l'équivalent de 3 séances par semaine d'une durée continue de 50 minutes)

OU

- Effectuer une combinaison équivalente d'activités d'intensité modérée et d'intensité élevée.

Ces quantités d'exercices représentent une dépense de 2 000 calories et plus par semaine.

Objectif : Améliorer sa vigueur musculaire ou la maintenir

- Faire des exercices de renforcement musculaire sollicitant les principaux groupes musculaires au moins deux fois par semaine, mais pas deux jours consécutifs (ex. : lundi et mercredi). Exemples d'exercices de renforcement : faire des redressements assis ou des pompes, monter des marches, soulever des charges de 8 à 12 fois (chapitre 5).

Objectif : Améliorer sa flexibilité ou la maintenir

- Faire des exercices qui étirent les principaux groupes musculaires au moins deux fois par semaine, mais pas deux jours consécutifs (chapitre 6).

Sources : Adapté de Société canadienne de physiologie de l'exercice (2011). *Directives canadiennes en matière d'activité physique*, www.csep.ca/CMFiles/directives/PAGuidelinesBackgrounder_FR.pdf ; Organisation mondiale de la santé (2010). *Recommandations mondiales sur l'activité physique*, http://whqlibdoc.who.int/publications/2010/9789242599978_fre.pdf ; C.E. Garber et coll. (2011). Quantity and quality of exercise for developing and maintening cardiorespiratory, musculoskeletal and neuromotor fitness in apparently healthy adults: Guidance for prescribing exercise, *American College of Sports Medicine, 43*(7), http://journals.lww.com/acsm-msse/Fulltext/2011/07000/Quantity_and_Quality_of_Exercise_for_Developing.26.aspx?WT.mc_id=HPxADx20100319xMP.

POURQUOI BOUGE-T-ON SI PEU ?

Une pratique régulière et suffisante de l'exercice nous procure un état de bien-être physique et psychologique des plus enviables dans le monde agité d'aujourd'hui. En fait, l'exercice nous rend presque zen ! Pourtant, nous ne bougeons pas assez ! Les données de l'OMS sont éloquentes à ce sujet. Dans le monde, **deux adultes sur trois n'ont pas un niveau d'activité physique suffisant pour protéger leur santé**. Selon l'OMS, il s'agit d'une véritable épidémie d'inactivité physique ; et elle frappe non seulement les pays riches et industrialisés, mais aussi les pays en voie de développement.

Les moins de 20 ans ne sont pas épargnés par cette montée de la sédentarité. En faisant la synthèse des données recueillies par divers organismes (Santé Canada, Jeunes en forme Canada, Institut national de santé publique de Québec, Centers for Disease Control aux États-Unis), on constate deux choses. Tout d'abord, au bas mot, 65 % des jeunes font moins de 150 minutes d'activité d'endurance d'intensité modérée par semaine (**figure 1.11A**). Ensuite, **une grande partie d'entre eux passent plus de 40 heures par semaine devant un écran quelconque** : télé, tablette électronique, cellulaire intelligent, console vidéo, ordinateur (**figure 1.11B**). C'est sans précédent et à ce point sérieux pour la santé publique que les organismes précités sont de plus en plus convaincus que la génération actuelle sera la première à subir une diminution de son espérance de vie !

Et vous, êtes-vous un adepte de la position assise prolongée ? Consultez la rubrique **Plan de match** (p. 38) pour vous faire une idée.

FIGURE 1.11 Les jeunes, l'activité physique et les écrans

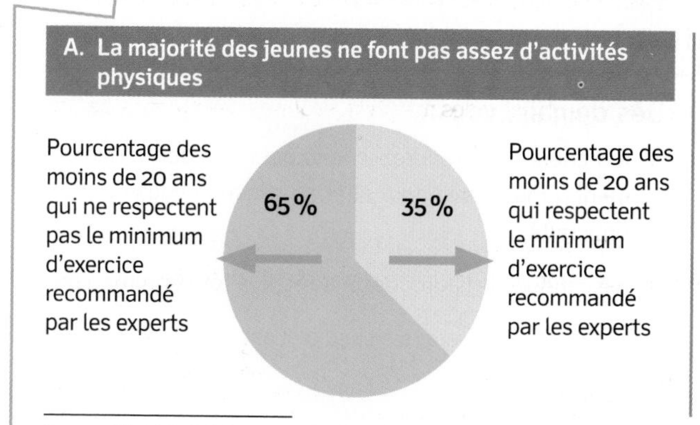

Source : Adapté de R.C. Colley et coll. (2011). *Activité des enfants et des jeunes adultes au Canada : résultats d'accélérométrie de l'Enquête canadienne sur les mesures de la santé de 2007-2009*, Statistique Canada.

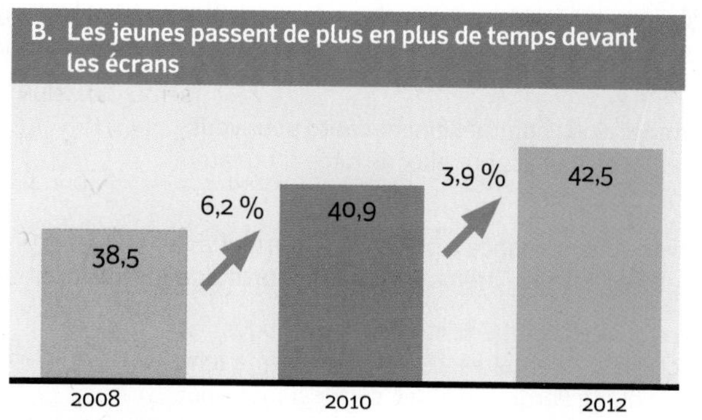

Source des données : Médiamétrie (2013). « Médias et loisirs numériques rythment nos journées ».

SOUS LA LOUPE — Les obstacles à la pratique sportive des cégépiens

Une enquête[1] – toujours en cours à la parution de ce manuel – effectuée auprès de 1 886 cégépiens montre que, tous sexes confondus :

- seulement 64 % des participants ont un poids santé, c'est-à-dire un indice de masse corporelle (IMC) compris entre 18,5 et 24,9 ;
- 25 % ont un excès de poids ou sont obèses.

Selon cette enquête (voir le graphique ci-dessous), les cégépiens passent, en moyenne, 9 heures par jour en position assise ou couchée (en plus des heures de sommeil). Par ailleurs, plus de 50 % d'entre eux ont un travail rémunéré qui les occupe 10 heures et plus par semaine (16 % environ travaillent même 20 heures et plus par semaine) ; il ne leur reste donc pas beaucoup de temps (à part leur cours d'éducation physique) pour pratiquer une activité physique de façon régulière et suffisante.

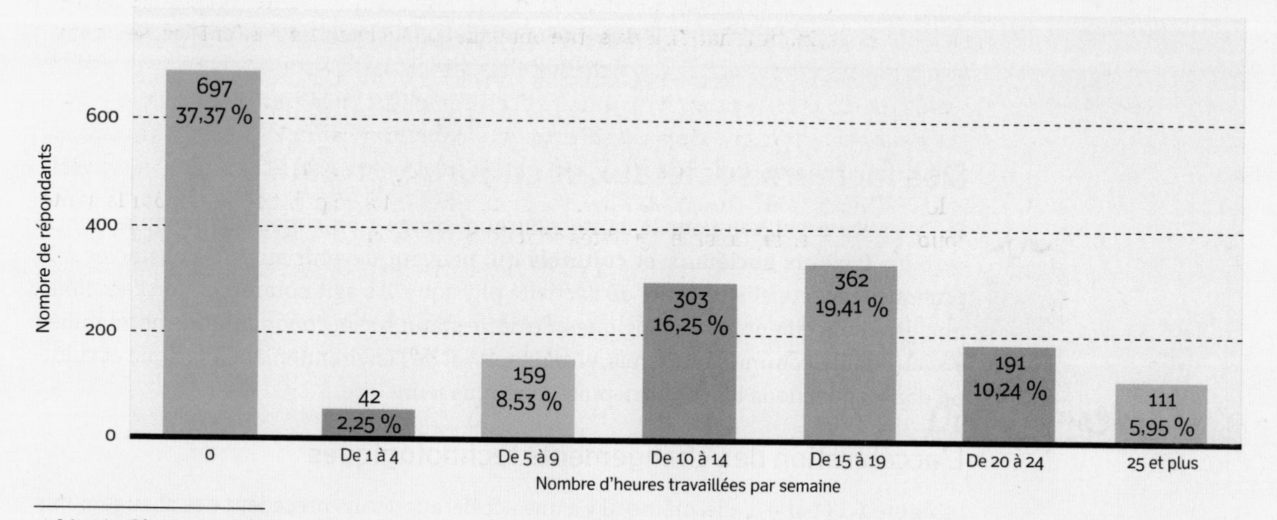

1. J. Leriche, Cégep de Sherbrooke, et F. Walczak, Cégep de Trois-Rivières. Les obstacles à la pratique sportive des cégépiens, projet de recherche subventionné par le MESRST dans le cadre du programme PAREA, 2012-2014.

PLAN DE MATCH POUR CHANGER UN COMPORTEMENT

Avez-vous un penchant pour le moindre effort ?

	OUI	NON
Prenez-vous habituellement l'auto pour vous déplacer, même pour aller au dépanneur au coin de la rue ?	☑	☐
Avez-vous tendance à prendre l'ascenseur au lieu de l'escalier, même pour monter un étage ?	☐	☑
Vos soirées comportent-elles souvent des activités sédentaires, comme regarder la télé, pianoter à l'ordi, clavarder, surfer sur internet, etc. ?	☑	☐
Quand vous allez à l'épicerie ou au centre commercial, avez-vous le réflexe de vous stationner le plus près possible de l'entrée ?	☐	☑

Si vous avez répondu *oui* à une des deux premières questions, votre cardio est probablement au-dessus de la moyenne de votre groupe d'âge. Si vous avez répondu *oui* à plus d'une question, votre cardio a peut-être besoin d'un coup de pouce.

Voici quelques trucs simples pour intégrer plus d'activités physiques dans votre routine quotidienne.

Dès demain, vous...

- marcherez ou prendrez le vélo pour vos petits déplacements ; marcherez pour aller au cégep si vous habitez à proximité.
- descendrez de l'autobus un arrêt plus tôt et finirez à pied.
- prendrez les escaliers au lieu de l'ascenseur pour monter un étage ou deux.

D'ici à deux semaines, vous...

- irez faire une promenade à pied ou en vélo avec un ou une ami(e) ou un membre de votre famille au lieu de vous asseoir devant la télé ou l'ordi après le souper.
- prendrez l'habitude de vous stationner loin de l'entrée principale quand vous allez à l'épicerie ou au centre commercial. En prime, vous aurez ainsi toujours de la place !

D'ici à la fin de la session, vous...

- réduirez de 30 minutes le temps que vous passez chaque jour devant un écran pour aller promener le chien, ou faire un tour de vélo, une marche rapide ou tout autre exercice qui vous donnera un peu chaud.
- OU réduirez le temps que vous passez assis en faisant des mini-pauses toutes les 30 minutes : vous quitterez votre chaise pour vous étirer un peu.

Source : Adapté de S.K. Powers et coll. (2014). *Total fitness & wellness*, Pearson, p. 31.

Des facteurs sociétaux et culturels en cause

Si l'exercice est si bon pour la santé, pourquoi bouge-t-on si peu ? La réponse tient à certains **facteurs sociétaux et culturels** qui peuvent devenir autant d'obstacles à la pratique régulière et suffisante de l'activité physique. Il s'agit notamment de l'accélération des changements technologiques, de notre statut socioéconomique, de notre milieu social (famille, communauté, amis, entraîneurs) et de l'environnement physique et culturel dans lequel nous baignons depuis notre plus jeune âge.

L'accélération des changements technologiques

La **figure 1.13** parle d'elle-même : il y a une accélération sans précédent des changements technologiques depuis un siècle. Ainsi, il aura fallu moins de 150 ans pour passer des veillées à la chandelle aux interventions chirurgicales robotisées ! Sous l'effet conjugué de l'automatisation des tâches, de la télévision, des mondes virtuels, de la télécommande et de l'essor du transport motorisé (qui rend la marche caduque), ce sont des « **muscles électroniques** » qui effectuent maintenant nos moindres activités. Il suffit désormais d'utiliser une télécommande pour déverrouiller les portières de sa voiture, la faire démarrer à distance ou allumer une foule d'appareils électroniques : téléviseur, chaîne stéréo, thermostats, éclairage d'une pièce, etc. Sans avoir à quitter son siège, en pianotant sur un clavier ou en touchant un écran, on peut obtenir son relevé de notes et son horaire de cours, joindre son professeur, mettre à jour son livret de banque, acheter en ligne une multitude de produits, visiter virtuellement une bibliothèque ou un pays, envoyer un message à l'autre bout du monde… Absorbé par des études à temps plein et peut-être aussi par un emploi à temps partiel, vous sentez-vous emporté par cette tendance au moindre effort physique ?

FIGURE 1.13 Une accélération sans précédent des innovations technologiques

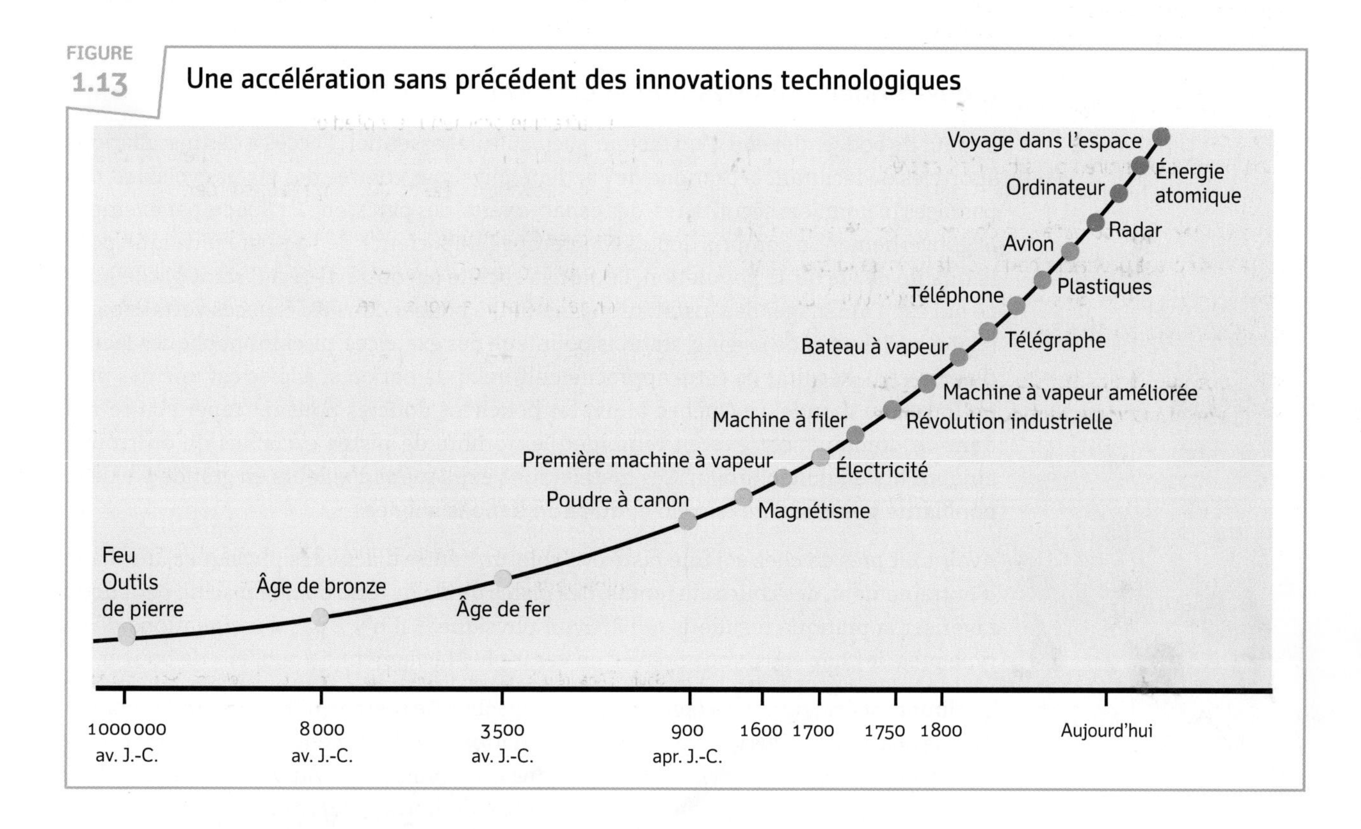

Le profil socioéconomique

Les jeunes de moins de 25 ans qui ont un poids normal, une scolarité avancée (souvent collégiale ou universitaire) et un revenu familial élevé pratiquent plus régulièrement des activités physiques dans leurs heures de loisir que ceux qui ont une faible scolarité (secondaire non terminé) et un faible revenu familial. On peut penser que le facteur monétaire (coût de certaines activités) explique en partie cette différence. De plus, les jeunes hommes sont globalement plus actifs physiquement que les jeunes femmes, bien que l'écart entre les deux sexes ait rétréci ces dernières années. Il semble que la société n'encourage pas de la même façon et avec autant d'ardeur les filles à être physiquement actives. Pour en savoir plus sur les raisons de cette différence entre les sexes, consultez MonLab.

femmes et sports

L'influence du milieu social

Ce milieu, c'est d'abord le cercle familial. Si vos parents sont physiquement actifs et croient en la valeur « activité physique », ils vous transmettront le goût de bouger tout en vous sensibilisant à la nécessité de rester en bonne santé pour avoir une meilleure qualité de vie. Mais si les membres de votre communauté peuvent vous influencer pour le meilleur, ils peuvent aussi le faire pour le pire. Par exemple, vous ne serez pas encouragé à faire du sport si peu de vos amis en font. Heureusement, l'inverse est également vrai. Enfin, le milieu social englobe les professionnels (médecins, entraîneurs, éducateurs physiques, kinésiologues, etc.) et les vedettes sportives et olympiques qui, par leurs conseils, leurs avis et leur exemple, peuvent vous inciter à bouger. Le soutien social de vos proches a donc un effet de renforcement sur votre rapport personnel à l'activité physique.

L'environnement physique et culturel

Le goût de bouger dépend d'un facteur socioculturel essentiel : l'accès à des installations sportives ou facilitant la pratique de l'activité physique, comme des pistes cyclables, des passages piétonniers sécuritaires, des espaces verts, des parcs, etc. En Suède, par exemple, le gouvernement a compris depuis longtemps l'importance de l'activité physique pour la qualité de vie de sa population. En fait, la société suédoise a été à l'avant-garde pour ce qui est d'aménager des installations incitant à bouger dans les espaces verts urbains (pistes cyclables et de jogging, stations pour faire des exercices, piscines publiques faciles d'accès, etc.). Résultat de cette approche culturelle : la nation suédoise est une des plus en forme au monde. Le Québec a mis les bouchées doubles pour rattraper son retard dans ce domaine, comme en témoigne le nombre de pistes cyclables qu'on trouve aujourd'hui en milieu urbain. Ces installations expliquent d'ailleurs en grande partie la popularité grandissante du vélo et du patin à roues alignées.

Avoir tout près de chez soi une piste cyclable, un centre d'activités physiques, une salle d'entraînement, des courts de tennis, des pistes de ski de fond ou une piscine peut donc favoriser la pratique régulière de l'activité physique. S'il n'y a pas d'installations de ce type près de chez vous, vous pouvez en venir plus facilement à « oublier » de bouger.

Le **climat** est également un facteur non négligeable. De même qu'il influe sur l'architecture de nos maisons, les vêtements que nous portons ou les aliments que nous mangeons, il pèse sur le choix des activités physiques que nous pratiquons. Au Québec, il est évident que le hockey, le patinage et le ski font partie de notre environnement culturel. Par contre, l'hiver est long chez nous... et pour qui supporte mal le froid, la sédentarité est bien tentante pendant la saison froide.

Enfin, la **culture de consommation** qui caractérise les sociétés occidentales incite plus d'un cégépien à travailler pendant ses études pour se procurer des biens de consommation. Pour d'autres, le travail à temps partiel est une nécessité, car ils doivent payer leurs études, leur loyer, leur nourriture, etc. Or, chez nombre d'étudiants, la combinaison travail-études laisse bien peu de temps et d'énergie pour la pratique régulière d'une activité physique. Si vous avez perdu l'habitude de bouger depuis quelque temps, c'est peut-être pour cette raison.

Pour en savoir plus

La rubrique « Pour en savoir plus » de MonLab offre des suggestions de lecture et de sites Internet à visiter.

VRAI OU **FAUX**? **RÉPONSES**

1. **Pratiquer une activité physique coûte cher.** **FAUX!** On peut faire de l'exercice physique presque partout et sans matériel! La marche rapide, monter un escalier, porter un panier à provisions, des livres ou un enfant sont d'excellentes activités physiques d'appoint qui ne coûtent rien.
2. **L'exercice peut faire cesser les règles.** **VRAI!** Si vous faites vraiment beaucoup d'exercice, vos règles risquent de devenir irrégulières ou même cesser pendant quelques mois (aménorrhée secondaire), ce qui arrive parfois aux femmes qui s'entraînent intensément plusieurs heures par jour. Mais ce phénomène est réversible: dès que l'entraînement diminue ou cesse, les règles réapparaissent. La fertilité future n'est donc pas compromise.
3. **Le muscle atrophié se transforme en graisse.** **FAUX!** Une cellule musculaire ne peut pas se transformer en cellule adipeuse, pas plus qu'une banane ne peut devenir un citron. En revanche, chez les personnes qui deviennent sédentaires, les protéines musculaires se dégradent et finissent par disparaître (catabolisme), d'où une diminution du volume des muscles.
4. **L'exercice peut m'aider dans mes études.** **VRAI!** Plusieurs recherches ont démontré que, après un cours d'éducation physique ou une séance d'exercices vigoureux, l'attention et la concentration sont plus élevées. De plus, l'exercice semble avoir un effet positif sur le fonctionnement de l'hippocampe, une zone du cerveau essentielle à la mémorisation et à l'apprentissage.
5. **Il faut des mois avant de ressentir les bienfaits de l'exercice.** **FAUX!** Comme vous le constaterez dès le début de ce chapitre, les premiers effets de l'exercice sont quasi instantanés.

AU FIL D'ARRIVÉE!

La pratique régulière et suffisante de l'exercice nous apporte des bénéfices qui améliorent notre santé et notre qualité de vie, et ce, dès la fin d'un exercice – détente physique et mentale immédiate, meilleures concentration et attention – tout comme au bout de quelques mois – maintien d'un poids santé, renforcement de nos muscles, de nos os, de notre cœur et de notre système immunitaire. Tous ces effets concourent à diminuer le risque d'apparition de divers troubles et maladies.

Une vie physiquement active tient aussi à distance d'autres comportements nuisibles comme le tabagisme, la malbouffe ou la dépendance aux drogues et à l'alcool. Malheureusement, deux adultes sur trois ne sont pas suffisamment actifs pour profiter de ces bienfaits.

Des facteurs sociétaux et culturels – comme l'accélération des changements technologiques, le statut socioéconomique, le milieu social ainsi que l'environnement physique et culturel – expliquent en bonne partie la montée de la sédentarité dans nos sociétés depuis 50 ans.

Les **bilans 1.1 et 1,2** vous aideront à faire le point sur votre niveau de pratique actuel d'activité physique et à l'améliorer s'il y a lieu.

PAUSE-RÉFLEXION

Nom : ____________________ Groupe : __________ Date : __________

Remplissez les cases vides du schéma à l'aide des mots-clés suivants :

les maladies du cœur ☑ un cerveau plus alerte ☐ des muscles vigoureux ☐ une sensation de détente ☑ des effets à long terme ☑ le diabète de type 2 ☑ le profil socioéconomique ☑ régulière ☑ une meilleure image de soi ☐ 150 min d'activités physiques modérées par semaine ☑ l'environnement physique et culturel ☑

au moins 150 min d'activité phys. mod. /semaine

ne font pas

les deux tiers des gens

est la quantité requise pour

une pratique régulière et suffisante de l'activité physique

génère

des effets à court terme

sont quelques-uns

sensation de détente

des idées plus claires

un cerveau plus a.

plus de sérotonine et de dopamine

des effets à long terme

sont quelques-uns

muscles vigoureux

un sang moins gras

meilleure image de soi

des os plus solides

augmentent leurs risques touchant

maladies du coeur

l'hypertension

diabète type 2

le cancer du côlon

sont des facteurs sociétaux et culturels qui expliquent que

l'accélération des changements technologiques

envir. physique et cult.

l'influence du milieu social

profil socioéconomique

Nom : ______________________ Groupe : ____________ Date : ____________

1 Nommez quatre facteurs sociétaux et culturels qui peuvent influer sur la pratique régulière de l'activité physique.

1. accélérations chang. tech.
2. profil socioéconomique
3. influence du milieu social environent
4. environnement physique et culturel

2 Nommez trois percées technologiques qui ont grandement contribué à réduire la quantité d'efforts physiques au quotidien.

1. télécommande
2. télévision
3. transport motorisé et la robotisation des tâche

3 Une activité physique régulière réduit notablement le risque de souffrir de certaines maladies graves. Nommez-en trois.

1. marche rapide diabète type 2
2. course à pied acv avc
3. vélo maladies du coeur

4 Lequel des énoncés suivants est faux ?

- [x] a) L'exercice diminue la fréquence cardiaque au repos.
- [x] b) L'exercice augmente le volume des poumons.
- [ ] c) L'exercice réduit à long terme le nombre des crises d'asthme et leur gravité.
- [ ] d) La pratique d'un exercice, même léger, entraîne une réduction marquée et quasi instantanée de l'activité électrique dans les muscles.
- [ ] e) L'exercice diminue de façon marquée le risque d'apparition du cancer du côlon et du cancer du sein.

5 Pour ressentir l'effet narcotique de l'activité physique (libération d'endorphines), quel type d'exercice faut-il faire, et pendant combien de temps ?

- [ ] a) De la musculation pendant au moins 30 minutes.
- [ ] b) Des étirements pendant au moins 15 minutes.
- [ ] c) Des efforts anaérobies de 30 secondes, trois fois par jour.
- [x] d) Des efforts aérobies pendant au moins 30 minutes.
- [ ] e) Des exercices d'endurance musculaire pendant au moins 40 minutes.

Nom : ______________________ Groupe : __________ Date : __________

6 Complétez les phrases suivantes.

a) L'exercice réduit le taux de __________ cholestérol et augmente le taux de __________ cholestérol dans le sang.

b) __________ % des jeunes ne font pas assez d'exercice.

c) Un individu __________ peut perdre jusqu'à __________ grammes de muscle par année.

d) Le gras __________ est le gras qui pénètre le plus facilement dans le sang.

e) Les recherches ont clairement démontré que les personnes __________ sont plus souvent __________, coûtent plus cher à la société en frais médicaux et vivent moins longtemps que les personnes __________.

7 Indiquez trois conséquences d'une vie sédentaire.

1. ______________________
2. ______________________
3. ______________________

8 Indiquez trois effets bénéfiques de l'exercice.

1. ______________________
2. ______________________
3. ______________________

9 Lequel des énoncés suivants est faux ?

- ☐ **a)** L'exercice peut aider à améliorer la confiance en soi.
- ☐ **b)** L'exercice peut aider à diminuer les symptômes de la dépression.
- ☑ **c)** L'exercice ne peut pas contribuer à la réussite scolaire.
- ☐ **d)** L'exercice protège notre capital osseux.

10 Quelle quantité minimale d'exercices doit-on effectuer pour en tirer des effets bénéfiques ?

- ☐ **a)** 300 minutes d'activité physique modérée.
- ☐ **b)** 100 minutes d'activité physique modérée.
- ☑ **c)** 150 minutes d'activité physique modérée.

Nom: ______________________ Groupe: ____________ Date: ____________

DÉTERMINEZ VOTRE NIVEAU D'ACTIVITÉ PHYSIQUE

Ce bilan vise à vous faire prendre conscience de votre niveau actuel d'activité physique et à entreprendre une démarche pour le rehausser s'il est trop faible (**bilan 1.2**).

ÉTAPE A Êtes-vous une personne suffisamment active ?

Quantité d'activité physique minimale pour être considéré comme une personne suffisamment active pour profiter des effets bénéfiques de l'exercice sur votre santé (p. 35)		
Depuis les trois derniers mois, je fais[a] : au moins 150 minutes d'activité physique d'intensité modérée par semaine réparties sur au moins 3 jours, dont un minimum de 10 minutes en mode continu ; OU l'équivalent, soit au moins 75 minutes d'activité physique d'intensité élevée (soutenue) au moins 3 fois par semaine.	Oui ☐	Non ☑

a. Si vous êtes incertain du temps que vous consacrez à l'activité physique chaque semaine, remplissez dans MonLab votre **Journal d'activités physiques.**

MonLab journal d'activités physiques

Vous avez répondu **oui** : vous êtes une personne suffisamment active.
Vous avez répondu **non** : vous êtes une personne plutôt sédentaire.

ÉTAPE B Actif ou sédentaire, voici votre défi !

Si vous êtes actif, votre défi est de maintenir cette bonne habitude de vie et donc de rester motivé.

Pour soutenir votre motivation à long terme, cochez dans la liste qui suit les facteurs qui vous incitent à faire de l'exercice. Dans les périodes où votre motivation est à la baisse, relisez cette liste pour vous remotiver.

Facteurs qui me motivent à être physiquement actif	
Je me sens mieux dans ma peau quand je bouge.	☑
L'exercice m'aide à contrôler mon poids.	☑
J'éprouve du plaisir à pratiquer une activité physique.	☑
L'exercice a amélioré ma confiance en moi.	☑
L'exercice m'a permis de me faire de nouveaux amis.	☑
Je me sens toujours détendu après une séance d'activité physique.	☐
Je me sens plein d'énergie quand je suis physiquement actif.	☑
Je me sens plus éveillé et concentré dans mes cours après une séance d'exercice.	☐
J'ai accès facilement à des installations sportives ou de mise en forme.	☐
Mes proches m'encouragent à faire de l'exercice.	☑
Je dors mieux quand j'ai été physiquement actif pendant la journée.	☑
Autre(s) facteur(s) motivant(s) : m'aide à augmenter ma masse musculaire	☑

Nom : ______________________ Groupe : ____________ Date : ____________

Si vous êtes physiquement actif, il est judicieux néanmoins de penser à élaborer un plan d'action, soit pour maintenir votre niveau actuel, soit pour l'augmenter un peu. Passez maintenant au bilan 1.2 « Adoptez un plan d'action pour rester actif ou le devenir ».

Si vous êtes sédentaire, votre défi est de **1)** déterminer les obstacles qui vous maintiennent dans la sédentarité, **2)** trouver des solutions pour surmonter les obstacles les plus importants et **3)** concevoir un plan d'action pour devenir actif.

Voici les six obstacles les plus souvent mentionnés par les personnes qui ne font pas régulièrement d'exercices. Déterminez ceux qui collent le plus à votre réalité en indiquant, pour chaque affirmation, la probabilité que vous l'invoquiez.

Obstacle 1 : Le manque de temps

Est-il probable que vous disiez ceci ?	Impossible	Probable	Très probable	
Cette session, je suis surchargé de travail.	0	1	2	
Si je pratiquais une activité physique, je n'aurais pas le temps de remplir mes obligations (études, travail, famille, amis, etc.).	0	1	2	
Je n'ai pas assez de temps libre pour faire du sport ou m'entraîner.	0	1	2	
Total :	2 +	2 +	2 =	6

Obstacle 2 : Le manque de motivation

Est-il probable que vous disiez ceci ?	Impossible	Probable	Très probable	
J'ai déjà envisagé d'être plus actif, mais je doute d'y arriver.	0	1	2	
Je trouve facilement une excuse pour ne pas faire d'exercice.	0	1	2	
Je suis sédentaire et cela m'est égal (absence d'intention).	0	1	2	
Total :	2 +	2 +	1 =	5

Obstacle 3 : Les influences sociales et environnementales

Est-il probable que vous disiez ceci ?	Impossible	Probable	Très probable	
Aucun de mes amis ou de mes proches ne semble intéressé par l'idée de faire de l'exercice.	0	1	2	
Faire de l'exercice en présence d'autres personnes me met mal à l'aise.	0	1	2	
Je ne suis pas doué pour les sports, ce qui me décourage d'en pratiquer un.	0	1	2	
Total :	0 +	0 +	2 =	2

Nom : ______________________ Groupe : ____________ Date : ____________

Obstacle 4 : Le manque de ressources

Est-il probable que vous disiez ceci ?	Impossible	Probable	Très probable
Il n'y a pas d'installations (pistes cyclables, piscine, etc.) près de chez moi.	0	1	2
Je n'ai pas les moyens de m'abonner à un centre de mise en forme ou de m'acheter des équipements de sport.	0	1	2
Mon cégep ne m'offre pas la possibilité de faire de l'exercice en dehors de mon cours d'éducation physique.	0	1	2
Total :	0 +	2 +	0 = 2

Obstacle 5 : La crainte de blessures ou de douleurs

Est-il probable que vous disiez ceci ?	Impossible	Probable	Très probable
J'ai peur de me blesser.	0	1	2
Je n'aime pas ressentir des douleurs pendant ou après l'exercice.	0	1	2
J'ai lu trop souvent dans les médias que des personnes sont mortes en faisant un marathon ou en jouant au hockey.	0	1	2
Total :	2 +	2 +	2 = 6

Obstacle 6 : Le manque d'énergie et la fatigue

Est-il probable que vous disiez ceci ?	Impossible	Probable	Très probable
Après ma journée au cégep, je n'ai plus l'énergie nécessaire pour pratiquer une activité physique.	0	1	2
Je suis fatigué lorsque le vendredi arrive, et j'ai besoin de récupérer pendant la fin de semaine.	0	1	2
Je dors mal depuis quelque temps et je suis trop fatigué le jour.	0	1	2
Total :	2 +	2 +	1 = 5

Vos résultats et leur interprétation

Reportez ici les totaux obtenus pour chacun des obstacles. Un résultat de 2 points ou plus est le signe d'un obstacle important à l'activité physique.

Obstacles	Total
1 : Le manque de temps	6
2 : Le manque de motivation	5
3 : Les influences sociales et environnementales	2
4 : Le manque de ressources	2
5 : La crainte de blessures ou de douleurs	6
6 : Le manque d'énergie et la fatigue	5

Déterminez à présent les **deux obstacles les plus importants** selon les résultats indiqués dans le tableau ci-contre. En cas d'égalité des points, choisissez l'obstacle qui vous semble le plus difficile à surmonter. Cet exercice vous servira à déterminer le plan d'action qui vous convient (**bilan 1.2**).

Obstacle 1 : manque temps

Obstacle 2 : crainte blessure

Nom: ______________________ Groupe: __________ Date: __________

Voici quelques suggestions de stratégies pour vous aider à surmonter les obstacles à la pratique de l'activité physique.

Le manque de motivation

Augmentez votre sentiment d'efficacité personnelle (capacité à adopter un comportement malgré la présence d'obstacles) en intégrant peu à peu des occasions de bouger tous les jours. Par exemple, au lieu de prendre l'ascenseur au cégep ou au travail pour vous rendre au deuxième ou troisième étage, empruntez l'escalier. C'est simple et cela vous donnera le sentiment d'être capable de bouger plus.

Prévoyez dans la journée au moins une pause de 5 à 10 minutes consacrée à l'exercice. Par exemple, faites quelques étirements pour détendre votre cou et vos épaules: vous en ressentirez immédiatement les effets.

Faites le bilan des avantages et des inconvénients qu'il y a à être physiquement plus actif: vous constaterez que les avantages l'emportent de loin sur les inconvénients.

Le manque de temps

Déterminez, sur un total de 16 heures d'éveil en moyenne, une période de 15 à 30 minutes que vous allez consacrer à l'exercice (une marche rapide, par exemple).

Choisissez un moment ou deux dans la semaine pour remplacer une activité sédentaire par une activité physique (vous rendre au cégep en vélo plutôt qu'en auto, par exemple).

Allongez vos activités quotidiennes d'une demi-heure (ou supprimez une demi-heure d'internet) pour faire 30 minutes d'activité physique (marche, étirements sur place, tapis roulant ou machine elliptique si vous avez accès à ces appareils, etc.).

Le manque de ressources

Choisissez des activités peu coûteuses: marche, saut à la corde, vélo ou patins à roues alignées si vous en avez déjà, exercices sur un tapis, etc.

Rappelez-vous que, à défaut d'un parc ou d'une piste cyclable, le trottoir et les escaliers permettent de faire de l'exercice gratuitement. Profitez-en pour dresser l'inventaire des installations sportives et des endroits où vous pouvez pratiquer une activité physique.

Pensez aux centres communautaires urbains (comme les YMCA) qui offrent souvent des activités de mise en forme à un prix très raisonnable par rapport aux clubs privés.

Les influences sociales et environnementales

Encouragez vos amis et vos proches à bouger. Ils ne demandent peut-être pas mieux!

Choisissez des exercices que vous pouvez faire seul (chapitre 9) si vous n'êtes pas à l'aise en présence d'autres personnes.

Faites fi des aléas de la météo: bien habillé et bien chaussé, il peut-être revigorant de faire de l'exercice au grand air même par mauvais temps (chapitre 9).

La crainte de blessures ou de douleurs

Optez pour des activités physiques ou des sports à faible risque de blessures: marche rapide, natation récréative, ski de fond sur le plat, patinage, aérobique sans contacts, yoga, etc.

Prenez le temps de faire un échauffement et un retour au calme afin de commencer et de finir en douceur (chapitre 9).

Respectez toujours vos capacités physiques et vos limites.

Si vous êtes sédentaire depuis quelques années, choisissez une activité physique dont vous pouvez contrôler l'intensité et la durée: marche, jogging, vélo, exerciseurs cardiorespiratoires, etc.

Sachez que le risque de mourir en faisant de l'exercice est extrêmement faible: au contraire, le risque de mourir prématurément est plus élevé si on est sédentaire pendant trop d'années.

Le manque d'énergie

Dites-vous que faire de l'exercice va vous donner plus d'énergie, comme vous l'avez appris dans ce chapitre.

Choisissez un moment dans la journée ou la semaine où vous savez que vous êtes plus alerte.

Si c'est le manque de sommeil qui vous épuise le jour, prenez les moyens nécessaires pour améliorer la qualité de votre sommeil (chapitre 11).

Source: Adapté de S.K. Powers et coll. (2014). *Total fitness & wellness*, Pearson, p. 39.

Nom : ______________________ Groupe : ____________ Date : ____________

ADOPTEZ UN PLAN D'ACTION POUR RESTER ACTIF OU LE DEVENIR

Précisez d'abord si vous êtes actif ou plutôt sédentaire selon le bilan 1.1.

Actif ☐ Sédentaire ☑

Si vous êtes actif, votre plan d'action peut consister à maintenir votre niveau d'activité physique ou à l'augmenter pour profiter davantage des bienfaits de l'exercice sur la santé physique et mentale.

Si vous êtes sédentaire, votre plan d'action doit viser à augmenter suffisamment votre niveau d'activité physique pour que vous cessiez d'être sédentaire.

Ce plan comporte trois étapes simples, mais cruciales pour la réussite de votre démarche.

ÉTAPE A Fixez-vous un objectif de type « SMART » : Spécifique, Mesurable, orienté vers l'Action, Réaliste et limité dans le Temps (p. 7)

Si vous êtes déjà actif, vous pouvez :

- maintenir votre niveau actuel, qui consiste, par exemple, à vous rendre au cégep en vélo tous les jours (20 minutes pour l'aller et 20 minutes pour le retour) ;
- augmenter votre niveau en ajoutant, par exemple, chaque semaine, une séance de jogging de 30 minutes aux trois que vous faites déjà.

Si vous êtes sédentaire, vous pouvez, par exemple :

- dès demain, marcher d'un pas rapide (125 pas/minute) pour atteindre 30 minutes par jour, 5 jours par semaine d'ici à 1 mois. L'objectif est spécifique (marche rapide pour bouger plus), mesurable (125 pas/minute, 30 minutes par jour), orienté vers l'action (marche rapide pendant 30 minutes dès demain), réaliste (arriver à marcher à 125 pas par minute pendant 30 minutes par jour, 5 fois semaine) et limité dans le temps (1 mois).
- dès lundi, faire des longueurs de piscine au cégep pour atteindre 20 minutes 3 fois par semaine, d'ici à 1 mois. L'objectif est spécifique (longueurs de piscine pour bouger plus), mesurable (20 minutes, 3 fois par semaine), orienté vers l'action (longueurs de piscine dès lundi), réaliste (arriver à nager pendant 20 minutes 3 fois par semaine) et limité dans le temps (1 mois).
- dès mercredi, jouer au badminton sur l'heure du dîner au cégep pour atteindre 50 minutes 3 fois par semaine d'ici à 1 mois. L'objectif est spécifique (badminton pour bouger plus), mesurable (50 minutes, 3 fois par semaine), orienté vers l'action (badminton le midi dès mercredi), réaliste (arriver à faire 50 minutes de badminton 3 fois par semaine) et limité dans le temps (1 mois).

Mon objectif (précisez une fréquence hebdomadaire et expliquez en quoi votre objectif est Spécifique, Mesurable, Orienté vers l'Action, Réaliste et limité dans le Temps) :

jouer au badminton au Cégep avec mes amis chaque lundi et mardi

Spécifique : badminton pour bouger plus

Mesurable : 50 min

Orienté vers l'action : dès ~~cette~~ semaine prochaine

Réaliste : juste avant le multisport

Limité dans le temps : (1 session)

BILAN 1.2

Nom: ______ Groupe: ______ Date: ______

ÉTAPE B Déterminez les moyens nécessaires pour atteindre votre objectif

1. (si vous êtes sédentaire). Trouvez des stratégies pour surmonter vos deux obstacles principaux à l'activité physique

Dans le bilan 1.1, vous avez relevé ces deux obstacles. À présent, décrivez brièvement comment vous allez vous y prendre pour les surmonter. En faisant cet exercice de réflexion, vous augmentez vos chances d'atteindre votre objectif. Vous pouvez reprendre les stratégies évoquées précédemment.

Obstacles	Stratégies
1. peur blessures	1. s'étirer, boire beaucoup d'eau
2. manque temps	2. temps libre juste avant multisports

2. Faites le suivi de votre plan d'action

Le deuxième moyen d'atteindre votre objectif est de faire un suivi, au jour le jour, de votre plan d'action en utilisant la fiche ci-dessous. Elle couvre seulement la première semaine de ce suivi, mais, si nécessaire, selon la durée de votre plan, vous pouvez télécharger à partir de MonLab une fiche allant jusqu'à 10 semaines.

MonLab
fiche de suivi plan d'action

Semaine du 7 **au** 13 sept.

Ce que je vise aujourd'hui (brièvement)	Dans quelle mesure l'ai-je fait ?	Pourquoi l'ai-je seulement fait « en partie » ou « pas du tout » fait ?
Lundi rien	☐ Entièrement ☐ En partie ☑ Pas du tout	par le temps (devs)
Mardi badminton 50 min	☐ Entièrement ☐ En partie ☐ Pas du tout	

BILAN 1.2

Nom : ______ Groupe : ______ Date : ______

Semaine du ______ **au** ______

Ce que je vise aujourd'hui (brièvement)	Dans quelle mesure l'ai-je fait ?	Pourquoi l'ai-je seulement fait « en partie » ou « pas du tout » fait ?
Mercredi marche 2h	Entièrement ☐ En partie ☐ Pas du tout ☑	pas de cegep
Jeudi rien	Entièrement ☐ En partie ☐ Pas du tout ☐	50 min de pause au cegep «crevé» après
Vendredi rien	Entièrement ☐ En partie ☐ Pas du tout ☐	pause
Samedi marche 2h	Entièrement ☐ En partie ☐ Pas du tout ☐	
Dimanche marche 2h	Entièrement ☐ En partie ☐ Pas du tout ☐	

* marche pendant 45 min pour bus

BILAN 1.2

Nom : ______________________ Groupe : ______________ Date : ______________

ÉTAPE C Évaluez votre résultat : avez-vous atteint votre objectif ?

1 Au terme de votre plan d'action, avez-vous atteint votre objectif ?

- ☐ Oui, et je l'ai même dépassé.
- ☐ Oui, à 100 %.
- ☐ En partie seulement (s'il y a lieu, indiquez un pourcentage ________ %).
- ☐ Pas du tout.

2 Si vous n'avez pas atteint votre objectif à 100 %, quelles raisons, parmi les suivantes, pourraient l'expliquer ?

- ☐ Je n'ai pas réussi à surmonter un obstacle ou les deux obstacles que j'avais relevés.
- ☐ Mon objectif était peut-être trop ambitieux.
- ☐ J'ai manqué de régularité.
- ☐ Je n'ai pas toujours rempli ma fiche de suivi.
- ☐ Mon horaire de cours ou de travail a changé en cours de route.

Autre(s) raison(s) : ____

____

____

3 Si vous essayez de nouveau à l'avenir de modifier le même comportement, quels changements apporterez-vous à votre plan d'action pour atteindre votre objectif ?

____

____

____

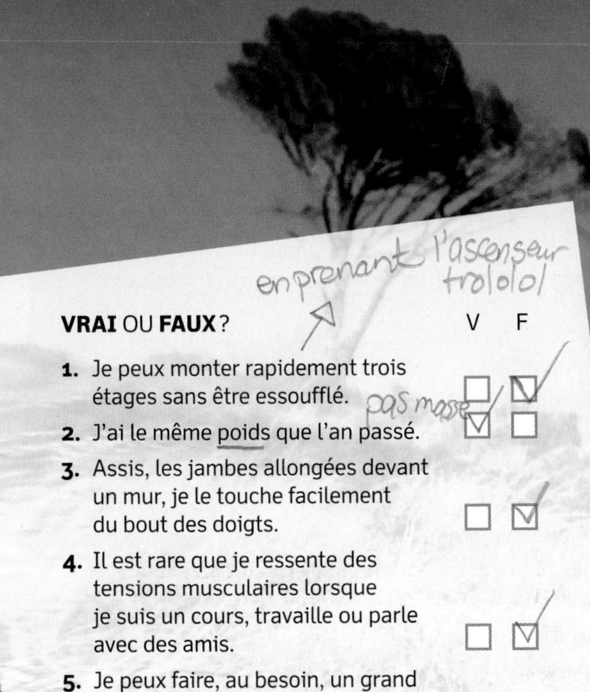

VRAI OU **FAUX** ?

	V	F
1. Je peux monter rapidement trois étages sans être essoufflé.	☐	☐
2. J'ai le même poids que l'an passé.	☐	☐
3. Assis, les jambes allongées devant un mur, je le touche facilement du bout des doigts.	☐	☐
4. Il est rare que je ressente des tensions musculaires lorsque je suis un cours, travaille ou parle avec des amis.	☐	☐
5. Je peux faire, au besoin, un grand nombre de demi-redressements assis et de pompes.	☐	☐

Les réponses se trouvent en fin de chapitre, p. 85.

CHAPITRE 2

ÉVALUEZ VOTRE CONDITION PHYSIQUE

SUR LA LIGNE DE DÉPART !

VOS OBJECTIFS SONT LES SUIVANTS :

- Définir ce qu'est la condition physique.
- Connaître les déterminants de la condition physique liés à une bonne santé.
- Faire les liens pertinents entre l'amélioration de ces déterminants et votre santé.
- Évaluer votre condition physique.
- Déterminer vos capacités et vos besoins en matière d'activité physique.

MonLab

Vrai ou faux ?

Autres exercices en ligne

> **La même énergie est utilisée pour dire «Je continue» que pour dire «J'abandonne».**
>
> WILLIAM ATKINSON

Le scénario est classique: deux individus du même âge, ne souffrant d'aucune maladie particulière, montent à pied une longue côte. Quand A arrive au sommet, frais et dispos, B est encore à la traîne et avance péniblement. De toute évidence, A a du souffle et B n'en a pas. Et vous? Ressemblez-vous à A ou à B? Si vous êtes essoufflé après avoir gravi un escalier pour vous rendre à votre cours de maths, vous avez déjà une bonne idée de la réponse. Patrice, votre copain, pourrait même vous lancer: «Mais t'es vraiment pas en forme!»

Avec raison d'ailleurs. **La condition physique peut être définie comme la capacité du corps à s'adapter à l'effort physique en général.** Plus cette capacité est grande, plus le niveau de condition physique est élevé, et vice-versa. Concrètement, si vous avez une capacité d'adaptation élevée, vous pouvez aisément répondre aux exigences de la vie quotidienne, tout en ayant de l'énergie en réserve en cas de situations imprévisibles mais exigeantes sur le plan physique et même émotionnel. Comme vous faites des études, ce qui suit peut vous intéresser: **plusieurs recherches ont démontré qu'un niveau élevé de condition physique favorise la réussite scolaire.** Pour en savoir plus, consultez MonLab.

MonLab
condition physique
et réussite scolaire

LES DÉTERMINANTS VARIABLES DE LA CONDITION PHYSIQUE

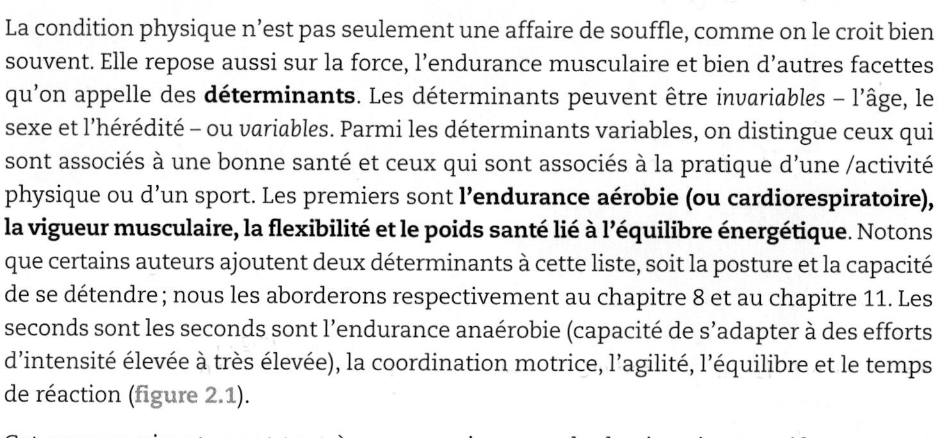

La condition physique n'est pas seulement une affaire de souffle, comme on le croit bien souvent. Elle repose aussi sur la force, l'endurance musculaire et bien d'autres facettes qu'on appelle des **déterminants**. Les déterminants peuvent être *invariables* – l'âge, le sexe et l'hérédité – ou *variables*. Parmi les déterminants variables, on distingue ceux qui sont associés à une bonne santé et ceux qui sont associés à la pratique d'une /activité physique ou d'un sport. Les premiers sont **l'endurance aérobie (ou cardiorespiratoire), la vigueur musculaire, la flexibilité et le poids santé lié à l'équilibre énergétique**. Notons que certains auteurs ajoutent deux déterminants à cette liste, soit la posture et la capacité de se détendre; nous les aborderons respectivement au chapitre 8 et au chapitre 11. Les seconds sont les seconds sont l'endurance anaérobie (capacité de s'adapter à des efforts d'intensité élevée à très élevée), la coordination motrice, l'agilité, l'équilibre et le temps de réaction (**figure 2.1**).

Cet ouvrage visant avant tout à promouvoir un mode de vie sain et actif, nous nous concentrerons, dans ce chapitre, sur les déterminants de la condition physique associés à une bonne santé. En les évaluant par des **tests et des mesures**, vous connaîtrez vos forces et vos faiblesses en matière de condition physique. Vous pourrez ensuite faire un choix éclairé d'activités physiques en fonction non seulement de vos capacités et de vos besoins sur le plan physique, mais aussi de vos facteurs de motivation (chapitre 9). Surtout, le bilan de votre condition physique peut être l'élément déclencheur qui vous amènera à prendre en charge votre santé. En effet, comme nous l'avons vu au chapitre 1, une mauvaise condition physique indique un faible niveau d'activité physique, ce qui est potentiellement nuisible à la santé. Dans les chapitres suivants, nous verrons comment, déterminant par déterminant, vous pouvez améliorer votre condition physique pour atteindre un niveau bénéfique pour votre santé physique et mentale.

FIGURE 2.1 **Les déterminants de la condition physique**

Déterminants invariables	Déterminants variables associés à une bonne santé	Déterminants variables associés à la pratique d'une activité physique ou d'un sport
Âge Sexe Hérédité	Endurance aérobie Vigueur musculaire (endurance, force et puissance) Flexibilité Poids santé lié à l'équilibre énergétique	Endurance anaérobie Coordination motrice Agilité Équilibre Temps de réaction

ZONE ÉTUDIANTE

Polina Prokopieva

COLLÈGE DE BOIS-DE-BOULOGNE

Étudiante de 5e session en soins infirmiers, Polina est originaire de Bulgarie et vit au Québec depuis 4 ans. Pour elle, on peut toujours trouver le temps de bouger.

Habituellement, je fais de la gymnastique, mais cette session-ci, j'ai moins de temps pour y aller. Mon horaire est très chargé. Chaque semaine, j'ai trois jours de stage, deux jours de cours, et je travaille au total 16 heures, les vendredi, samedi et dimanche.

Mais je tiens à poursuivre l'activité physique. Alors j'essaie d'aller au collège en marchant au moins trois fois par semaine, soit environ 40 minutes à chaque fois. Et je fais aussi du Yoga Pilates trois fois par semaine. J'en avais fait avec le projet de 15 heures, dans mon troisième cours d'éducation physique. Je me suis dit qu'il serait intéressant de voir à plus long terme les effets de cette pratique sur ma condition physique. Et comme le projet m'a permis d'améliorer mes résultats aux tests, ça m'a donné la motivation de continuer. Je me suis même acheté un ensemble pour en faire à la maison.

L'activité physique, ça me réveille et ça me permet de me « déstresser ». L'entraînement me donne de l'énergie. Au fond, ça me met de bonne humeur ; et moins je bouge, plus je m'endors !

Bouger, ce n'est pas seulement faire de la gymnastique, ça peut être plein d'autres activités. L'hiver, je préfère la gymnastique ; c'est plus spécifique et ça me fait rencontrer d'autres gens qui ont les mêmes centres d'intérêt que moi. L'été, je marche davantage ; ça me permet d'être seule pour réfléchir. Le truc, c'est d'intégrer le plus possible l'activité physique dans son quotidien. Ceux qui disent manquer de temps devraient essayer : ils verraient les effets positifs que ça apporte. En fait, je n'ai jamais vu personne qui, après une activité physique, n'en ait pas ressenti les effets positifs.

Avant d'examiner un à un les tests et les mesures qui permettent d'évaluer la condition physique (p. 60 à 84), passons en revue les principaux déterminants variables associés à une bonne santé, à savoir l'endurance aérobie, la vigueur musculaire, la flexibilité et le poids santé lié à l'équilibre énergétique présentés dans le **tableau 2.1**.

TABLEAU 2.1 Les principaux déterminants variables de la condition physique associés à une bonne santé

Définitions	Bénéfices
ENDURANCE AÉROBIE	
Capacité à soutenir des efforts aérobies, c'est-à-dire des efforts d'intensité modérée et parfois élevée qui sollicitent, de manière rythmique, les grandes masses musculaires (bassin et membres inférieurs). Ce type d'efforts met principalement à contribution le système de transport de l'oxygène des poumons jusqu'aux cellules musculaires (chapitre 3). **Exemples:** Les activités qui sollicitent l'ensemble des muscles: marche, jogging, nage, saut à la corde, patinage sur glace ou asphalte, ski de fond, raquette à neige, vélo, aérobique (danse sur marche – *step* –, danse latine – Zumba –, hip-hop, etc.), exerciseur cardio (tapis roulant, rameur, elliptique, vélo d'exercice, simulateur d'escalier, etc.).	• Endurance et énergie accrues dans les activités physiques quotidiennes (marcher, monter un escalier, aller au cégep en vélo ou en patins à roues alignées, danser, faire de la randonnée pédestre, etc.) et en cas d'urgence. • Récupération cardiorespiratoire plus rapide après un effort physique. • Meilleur contrôle du poids corporel grâce à une dépense calorique plus élevée qu'en étant sédentaire. • Sommeil de meilleure qualité et détente physique et mentale plus grande (chapitre 1). • Renforcement des os (chapitre 1). • Plus grande longévité en bonne santé. Selon une étude américaine[a], le niveau d'endurance aérobie est même l'un des meilleurs indicateurs de longévité et de bien-être. • Protection accrue contre les maladies de l'heure: maladies cardiovasculaires, diabète de type 2, hypertension, obésité, ostéoporose, certains types de cancer et vieillissement prématuré du cerveau (chapitre 1).
VIGUEUR MUSCULAIRE	
Endurance musculaire: Capacité du muscle à répéter une contraction localisée (endurance dynamique) ou à la maintenir pendant un certain temps (endurance statique). **Exemples:** Exécuter plusieurs demi-redressements du tronc, pelleter de la neige, ramer, tenir une position de rappel sur un voilier, faire des tractions à la barre horizontale, soulever une charge 20 fois, etc. **Force musculaire: Capacité du muscle à produire une forte tension au moment d'une contraction maximale.** Concrètement, c'est le poids le plus lourd qu'on peut soulever lors d'une contraction maximale. **Exemples:** Soulever une valise lourde, déplacer des objets pesants comme un réfrigérateur, lever une brouette pleine de terre, soulever une lourde charge moins de 10 fois, etc.	• Énergie accrue dans les activités quotidiennes (monter un escalier, transporter des colis, bricoler, déplacer des objets lourds, etc.). • Amélioration de la posture et de l'équilibre. • Hausse (même minime) du métabolisme de base et, par conséquent, de la dépense calorique quotidienne. • Renforcement des os et des tendons. • Diminution des risques de blessures. • Performances accrues dans la pratique d'un sport ou d'une activité physique. • Meilleur soutien des viscères grâce à une sangle abdominale plus ferme. • Diminution des maux de dos grâce à un meilleur équilibre entre les tensions exercées par les muscles fixés au bassin et les muscles fixés à la colonne vertébrale. • Meilleure perception de son image corporelle. • Amélioration de l'estime de soi et de la sensation de bien-être. • Changements importants et bénéfiques dans le muscle même (chapitre 5).

a. P. Palatini et coll. (2002). Exercise capacity and mortality, *The New England Journal of Medicine*, *347*(4), 288-290.

TABLEAU 2.1

Les principaux déterminants variables de la condition physique associés à une bonne santé (suite)

Définitions	Bénéfices
Puissance musculaire : Capacité du muscle à générer, de manière explosive, une force maximale. Cette qualité du muscle est surtout associée à la performance athlétique ou sportive. **Exemples :** Faire un épaulé-jeté en haltérophilie, décocher un lancer-frappé, exécuter un bloc au volleyball, frapper la balle au baseball, décoller du bloc de départ lors d'un 100 mètres, exécuter un smash sauté au tennis, etc.	
FLEXIBILITÉ	
Capacité à faire bouger une articulation dans toute son amplitude sans ressentir de raideur ni de douleur. La flexibilité articulaire dépend à 50 % des muscles et de leur enveloppe fibreuse, le fascia (figure 3.3, p. 95) ; il est donc fondamental de les étirer régulièrement à tout âge. **Exemples :** Arts martiaux, yoga, Pilates, taï-chi, sports, certains mouvements tels que ramasser un objet sur le sol, enjamber un obstacle, s'étirer pour prendre un objet haut perché, etc.	• Grande liberté de mouvement. • Diminution du risque de blessures musculosquelettiques : un muscle souple réagit mieux en cas d'étirement brusque. • Exécution plus aisée des gestes liés à la pratique d'une activité physique, d'où une meilleure précision. • Facilité accrue à apprendre un nouveau geste : des muscles souples obéissent mieux. • Amélioration de la posture (chapitre 8). • Réduction des douleurs associées aux tensions musculaires. • Reprise plus aisée de l'activité physique après une blessure.
POIDS SANTÉ LIÉ À L'ÉQUILIBRE ÉNERGÉTIQUE	
Capacité à maintenir à long terme ses réserves de graisse à un niveau favorable à sa santé (poids santé) en conservant son équilibre énergétique (entrée et sortie de calories) ou en l'ajustant, au besoin. Le poids santé est déterminé par l'indice de masse corporelle[b] et le tour de taille (p. 70-71). Selon l'Organisation mondiale de la santé (OMS) et Santé Canada, il est associé à une diminution du risque d'apparition de problèmes de santé graves (chapitre 10). Avec l'endurance aérobie, ce déterminant joue un rôle de premier plan dans le maintien d'une bonne santé. Il dépend non seulement de l'activité physique, mais aussi de l'alimentation. **Exemples :** L'ensemble des activités physiques qui entraînent, au jour le jour, une dépense calorique suffisante pour équilibrer l'apport calorique.	• Équilibre favorable pour la santé entre la masse maigre (principalement les muscles) et la masse grasse (surtout abdominale). • Diminution marquée du risque d'embonpoint ou d'obésité, mais aussi d'extrême maigreur, et des problèmes de santé associés à ces situations de déséquilibres énergétiques prolongés (chapitre 10). • Liberté de mouvement facilitant la pratique assidue de l'activité physique. • Diminution du risque d'arthrose précoce dans les articulations des membres inférieurs (genoux et hanches) et de douleurs au niveau lombaire associées à l'embonpoint et à l'obésité. • Amélioration de l'image corporelle et de l'estime de soi.

b. L'indice de masse corporelle (IMC) est un indicateur du risque pour la santé associé aussi bien à un poids insuffisant qu'à un excès de poids ; le tour de taille est un indicateur du risque pour la santé associé à l'obésité abdominale.

VOTRE SÉANCE DE TESTS ET DE MESURES

MonLab

Les pastilles numérotées (1, 2, etc.) vous renvoient à divers tests dans le Profil santé interactif.

Vous voilà prêt à évaluer votre condition physique. Le tableau 2.2 donne un aperçu des tests et des mesures qui serviront à évaluer les principaux déterminants de votre condition physique. Vous pouvez inscrire vos résultats dans l'espace prévu à la fin de la présentation de chacun des tests et mesures, puis **les reporter dans le bilan à la fin du chapitre ou encore dans le Profil santé de MonLab**.

Avant de passer à l'action, lisez attentivement les **règles de sécurité** suivantes; vous devez les respecter chaque fois que vous faites un effort physique inhabituel.

- Répondez tout d'abord au questionnaire sur l'aptitude à l'activité physique, ou Q-AAP (**encadré** ci-dessous), pour vérifier que votre état de santé vous autorise à faire ce test.
- Attendez au moins 75 minutes après un repas (2 heures, s'il est copieux) et buvez deux verres d'eau 30 minutes avant de commencer.
- Faites un exercice d'échauffement de quelques minutes (p. 321).
- Évitez les départs trop rapides ou trop lents lors de tests non cadencés, et essayez de maintenir un rythme constant.
- Si vous vous sentez étourdi, ou si vous ressentez un malaise inhabituel, arrêtez-vous.
- **Après un test d'endurance aérobie**, marchez, pédalez ou nagez lentement pendant une minute ou deux, de façon à faciliter le retour du sang vers le cœur et l'élimination du lactate produit dans les muscles.

Êtes-vous apte à pratiquer une activité physique?

Répondez consciencieusement aux sept questions suivantes.

		Oui	Non
1	Votre médecin vous a-t-il déjà dit que vous aviez des troubles cardiaques et que vous ne devriez pas suivre un programme d'exercices à moins qu'il ne soit approuvé par un médecin?		
2	L'activité physique provoque-t-elle chez vous l'apparition de douleurs à la poitrine?		
3	Durant le mois dernier, avez-vous ressenti des douleurs à la poitrine alors que vous n'effectuiez pas d'activité physique?		
4	Vous arrive-t-il de perdre conscience ou de perdre l'équilibre à la suite d'un étourdissement?		
5	Souffrez-vous de troubles osseux ou articulaires qui pourraient être aggravés par l'exercice?		
6	Prenez-vous actuellement des médicaments pour votre pression artérielle ou pour un problème cardiaque?		
7	Selon vous, existe-t-il une autre raison qui vous empêcherait de faire de l'exercice? Si oui, laquelle: ______		

Le questionnaire sur l'aptitude à l'activité physique (Q-AAP) vise à déceler les individus – peu nombreux – pour lesquels la pratique d'une activité physique sans supervision médicale peut être inappropriée, ou ceux qui devraient consulter un médecin afin qu'il leur recommande un programme d'activité physique qui leur convienne. Si vous répondez *oui* à une ou à plusieurs des questions, vous devriez voir un médecin avant d'effectuer un test d'effort ou d'entreprendre un programme d'exercices.

TABLEAU 2.2 Les tests et les mesures des déterminants de la condition physique associés à une bonne santé

Déterminants à évaluer	Tests et mesures	
	Endurance aérobie	
	1 Test de Cooper (course) de 12 min (p. 62) 2 Test de Cooper (natation) de 12 min (p. 63) 3 Physitest canadien (p. 64) 4 Navette de 20 m (p. 68) 5 Step-test de 3 min de Tecumseh (MonLab)	6 Test de marche de 1,6 km (MonLab) 7 Test de Cooper (vélo) de 12 min (MonLab) 8 Demi-test de Cooper de 6 min (MonLab) 9 Test de course de 2,4 km (MonLab)
	Poids santé lié à l'équilibre énergétique	
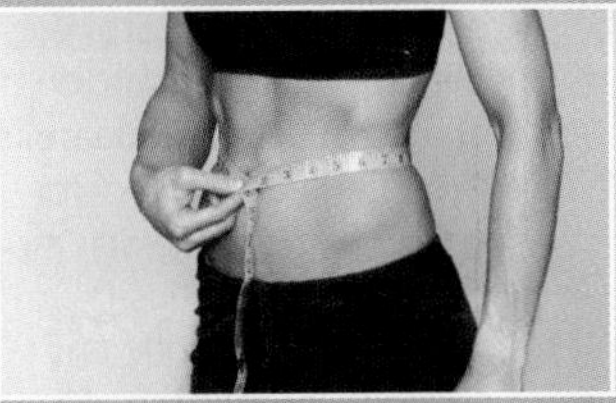	12 IMC (p. 70) 13 Tour de taille (p. 71) 13 Rapport IMC/tour de taille (p. 72)	14 Pourcentage de graisse (p. 73) 15 Ratio taille/hanche (MonLab)
	Force musculaire	
	19 Dynamomètre (p. 74)	20 Test 1RM (MonLab)
	Puissance musculaire	
	21 Saut vertical (MonLab)	
	Endurance musculaire	
	23 Demi-redressements du tronc (p. 75) 24 Pompes (p. 78) 25 Test de la chaise (p. 80) 26 Pompes cadencées (MonLab)	27 Demi-redressements du tronc cadencés (MonLab) 28 Extension du dos (MonLab) 29 Test de la planche (MonLab)
	Flexibilité	
	30 Lever du bâton (p. 81) 31 Mains dans le dos (p. 82) 32 Flexion du tronc (p. 83)	33 Test de rotation du tronc (MonLab) 34 Test de l'aine (MonLab)

Évaluez votre endurance aérobie

La quantité maximale d'oxygène que le corps peut consommer pendant un exercice prolongé d'intensité maximale est un indicateur essentiel de l'endurance aérobie d'un individu. En mesurant directement cet indice par une épreuve d'effort maximal (**figure 2.2**), on peut déterminer avec précision la **consommation maximale d'oxygène (VO_2 max)** réelle. Celle-ci est exprimée habituellement en millilitres d'oxygène par kilogramme de poids par minute (mL O_2/kg/min). La **figure 2.3** présente les valeurs de

FIGURE 2.2 **La mesure directe de la consommation maximale d'oxygène sur tapis roulant**

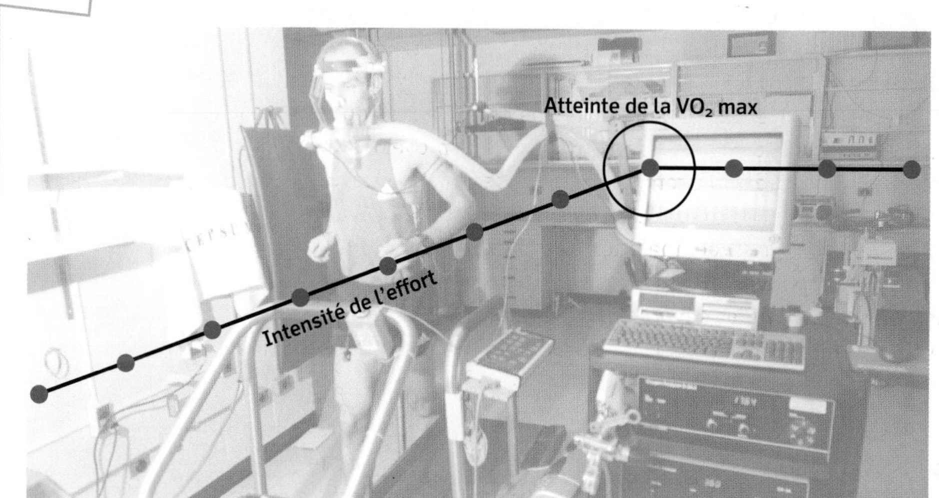

Pendant que le sujet atteint progressivement un effort cardiorespiratoire d'intensité maximale, on analyse à l'aide d'appareils le contenu en oxygène et en gaz carbonique de l'air expiré. Les données, relevées de seconde en seconde, permettent de déterminer avec précision sa consommation maximale d'oxygène, c'est-à-dire le moment où, malgré l'effort physique intense, sa consommation d'oxygène n'augmente plus.

FIGURE 2.3 **La consommation maximale d'oxygène par mesure directe chez des athlètes et chez des sédentaires en bonne santé**

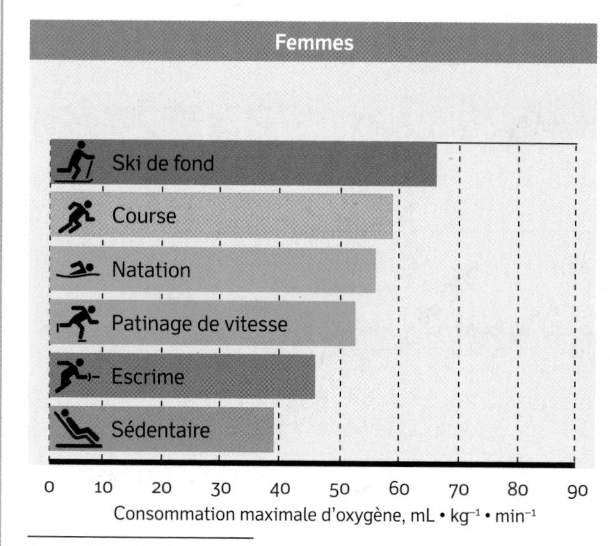

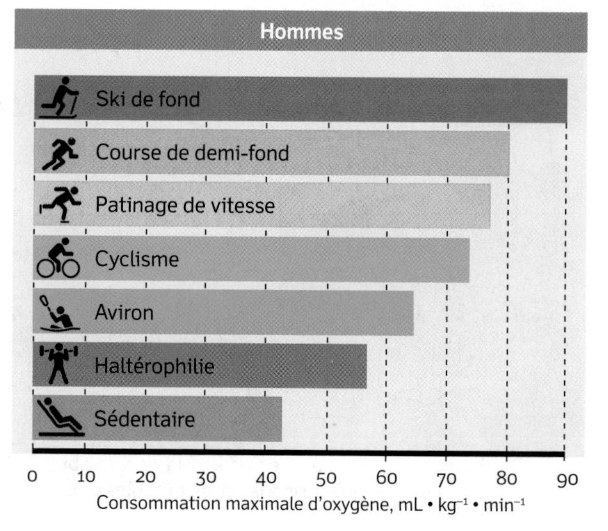

Source : W.D. McArdle et coll. (2001). Physiologie de l'activité physique (4e éd), Paris, Maloine/Edisem, p. 187.

consommation maximale d'oxygène obtenues auprès d'athlètes de niveau olympique comparativement à des personnes sédentaires. Vous trouverez également dans MonLab un classement par rang centile de différents groupes d'âge obtenu par la mesure directe de la VO_2 max. Cette méthode, qui exige temps, argent et personnel qualifié, est surtout utilisée pour évaluer des athlètes professionnels ou des sujets en bonne santé qui participent à une recherche scientifique.

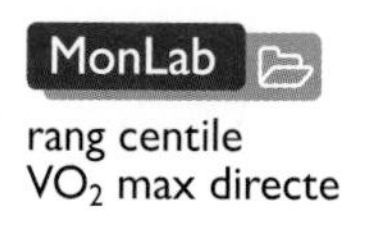

rang centile
VO_2 max directe

Les tests de terrain

Heureusement, il existe d'autres indicateurs que la VO_2 max pour déterminer le niveau d'endurance aérobie. **Des tests de terrain simples et rapides traduisent la quantité d'exercice accompli, ou la réponse cardiaque enregistrée pendant le test**, en niveau d'endurance aérobie pour des individus de même sexe et du même groupe d'âge. À partir du résultat brut obtenu par des milliers de sujets, des normes ont été établies qui permettent de déterminer le niveau d'endurance aérobie d'un individu. Par exemple, dans le test de course de 12 minutes de Cooper, si vous êtes un garçon de 18 ans et que vous courez 2,4 kilomètres, ce résultat vous place dans la catégorie « endurance aérobie moyenne ». Si vous refaites le même test trois mois plus tard, par exemple, et que vous courez cette fois 2,7 kilomètres, vous passez dans la catégorie « endurance aérobie élevée ». On peut également exprimer ces résultats en VO_2 max estimée, mais les formules mathématiques utilisées comportent des marges d'erreur pouvant dépasser 10 % dans certains cas, notamment lors d'un effort sous-maximal. Ces formules peuvent vous donner une idée de votre VO_2 max après un test, mais il s'agit seulement d'une approximation et non d'une mesure précise de cet indice.

Pour interpréter les résultats obtenus lors d'un test d'endurance aérobie, on peut également recourir à la notion de **normes santé** basée sur les catégories de bénéfices-santé définies par la Société canadienne de physiologie de l'exercice (Santé Canada). En effet, le niveau d'endurance aérobie est l'un des meilleurs indicateurs de longévité et de bien-être qui existe aujourd'hui. Le tableau 2.3 présente les catégories de normes santé en fonction des résultats obtenus lors de ces tests. La **norme santé minimale** correspond à la cote moyenne obtenue à partir du résultat du test.

TABLEAU 2.3 Les catégories de normes santé pour les tests d'endurance aérobie

Normes santé	Bénéfices pour la santé
Très élevée	Votre niveau d'endurance aérobie se situe dans une fourchette de résultats généralement associés à des bénéfices maximaux pour la santé. *Prenez garde toutefois au surentraînement* (chapitre 9).
Élevée	Votre niveau d'endurance aérobie se situe dans une fourchette de résultats généralement associés à des bénéfices considérables pour la santé.
Moyenne (norme santé minimale)	Votre niveau d'endurance aérobie se situe dans une fourchette de résultats généralement associés à plusieurs bénéfices pour la santé.
Faible	Votre niveau d'endurance aérobie se situe dans une fourchette de résultats généralement associés à quelques risques pour la santé.
Très faible	Votre niveau d'endurance aérobie se situe dans une fourchette de résultats généralement associés à des risques considérables pour la santé.

Source : Adapté des catégories bénéfices-santé de Santé Canada (2004). *Guide du conseiller en condition physique et habitudes de vie* (3e éd.), Ottawa. pages 7-32.

1. Le test de course de 12 minutes de Cooper. Ce test s'effectue, à l'aide d'un chronomètre, sur un parcours plat dont vous connaissez la **longueur en mètres** : une piste d'athlétisme de 400 mètres, le périmètre d'un gymnase, un terrain de football ou tout autre circuit dont la longueur a été préalablement mesurée.

Calculez la distance que vous parcourez en courant pendant 12 minutes. Vous pouvez marcher à certains moments si vous n'arrivez pas à garder le rythme de course tout le long du parcours. Une **application pour cellulaires intelligents** (test de Cooper), qui utilise la technologie GPS, permet de déterminer la distance parcourue en 12 minutes.

Dans l'idéal, pour trouver le bon rythme de course et vous familiariser avec la distance que vous pouvez parcourir en 12 minutes, vous devez faire un essai témoin quelques jours avant le vrai test.

Une fois le test terminé, consultez le tableau 2.4 pour connaître votre niveau d'endurance aérobie en fonction de la distance parcourue. **Une endurance aérobie moyenne correspond à la norme santé minimale associée à des bénéfices pour la santé.**

TABLEAU 2.4 Les résultats du test de course de 12 minutes de Cooper

	Hommes – Endurance aérobie[a]				
Cote	19 ans et moins	20-29 ans	30-39 ans	40-49 ans	50-59 ans
Supérieure	> 3 000	> 2 800	> 2 700	> 2 600	> 2 500
Très élevée	2 900-3 000	2 700-2 800	2 600-2 700	2 500-2 600	2 400-2 500
Élevée	2 600-2 800	2 500-2 600	2 400-2 500	2 300-2 400	2 200-2 300
Moyenne (norme santé minimale)	2 300-2 500	2 200-2 400	2 200-2 300	2 100-2 200	2 000-2 100
Faible	2 100-2 200	1 900-2 100	1 900-2 100	1 800-2 000	1 700-1 900
Très faible	< 2 100	< 1 900	< 1 900	< 1 800	< 1 700

	Femmes – Endurance aérobie[a]				
Cote	19 ans et moins	20-29 ans	30-39 ans	40-49 ans	50-59 ans
Supérieure	> 2 500	> 2 400	> 2 300	> 2 200	> 2 100
Très élevée	2 400-2 500	2 300-2 400	2 200-2 300	2 100-2 200	2 000-2 100
Élevée	2 200-2 300	2 100-2 200	2 000-2 100	1 900-2 000	1 800-1 900
Moyenne (norme santé minimale)	2 000-2 100	1 900-2 000	1 800-1 900	1 700-1 800	1 600-1 700
Faible	1 600-1 900	1 500-1 800	1 600-1 700	1 400-1 600	1 400-1 500
Très faible	< 1 600	< 1 500	< 1 500	< 1 400	< 1 400

a. Les valeurs sont exprimées en mètres et arrondies à la centaine la plus proche. Le symbole < signifie « inférieur à » et le symbole >, « supérieur à ».

Source : K.H. Cooper (1985). *The aerobics program for total well-being : Exercise, diet, emotional balance*, New York, Bantam Books, p. 141.

Vos résultats

1re fois ________________ m

cote ________________

date ________________

2e fois ________________ m

cote ________________

date ________________

Reportez vos résultats dans le bilan (fin du chapitre) ou dans MonLab.

1 test de course de 12 minutes de Cooper

2. Le test de natation de 12 minutes de Cooper. Ce test est conçu comme le précédent, à cette différence près qu'il consiste à nager dans une piscine, et non à courir. Il s'agit de calculer la distance que vous parcourez en nageant pendant 12 minutes. Le style de nage importe peu, pourvu que vous soyez à l'aise dans l'eau. Il est préférable de faire le test dans une piscine de 25 mètres ou de 50 mètres. Calculez la distance parcourue au tiers de longueur près: par exemple, si vous terminez le test au premier tiers de la longueur d'une piscine de 25 mètres, ajoutez 8 mètres à votre total (le résultat arrondi de 25 divisé par 3). Afin de trouver un bon rythme, nagez au moins une fois pendant 12 minutes en respectant un repos d'au moins 48 heures avant le test. Pendant cette période de repos, évitez tout exercice intense.

Ce test nécessite un chronomètre et la collaboration d'un partenaire, qui comptera, au tiers près, le nombre de longueurs de piscine que vous ferez en 12 minutes. Une fois le test terminé, inscrivez, dans l'**encadré** ci-dessous, le nombre de longueurs parcourues. Puis, reportez-vous au **tableau 2.5** pour connaître votre niveau d'endurance aérobie.

1re fois nombre de longueurs (________) × 25 m = ________ m; 2e fois: nombre de longueurs (________) × 25 m = ________ m

Reportez les longueurs parcourues à droite du tableau 2.5.

TABLEAU 2.5

Les résultats du test de natation de 12 minutes de Cooper

	Hommes – Endurance aérobie[a]				
Cote	19 ans et moins	20-29 ans	30-39 ans	40-49 ans	50 ans et plus
Très élevée	> 730	> 640	> 600	> 550	> 500
Élevée	640-730	550-640	500-600	460-550	410-500
Moyenne (norme santé minimale)	550-640	450-550	410-500	360-460	320-410
Faible	460-550	360-450	320-410	275-360	230-320
Très faible	< 460	< 360	< 320	< 275	< 230

	Femmes – Endurance aérobie[a]				
Cote	19 ans et moins	20-29 ans	30-39 ans	40-49 ans	50 ans et plus
Très élevée	> 640	> 550	> 500	> 450	> 410
Élevée	550-640	450-550	410-500	360-450	320-410
Moyenne (norme santé minimale)	450-550	360-450	320-410	275-360	230-320
Faible	360-450	275-360	230-320	180-275	140-230
Très faible	< 360	< 275	< 230	< 180	< 140

a. Les valeurs sont exprimées en mètres et arrondies au tiers de longueur près. Le symbole < signifie «inférieur à» et le symbole >, «supérieur à».

Source: K.H. Cooper (1985). *The aerobics program for total well-being: Exercise, diet, emotional balance*, New York, Bantam Books, p. 141.

Vos résultats

1re fois ________ m

cote ________

date ________

2e fois ________ m

cote ________

date ________

Reportez vos résultats dans le bilan (fin du chapitre) ou dans MonLab.

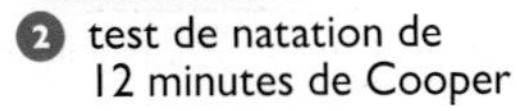

3. Le physitest aérobie canadien modifié. Le physitest aérobie canadien modifié (PACm) consiste à monter et descendre deux marches de façon continue. Ces marches ont la même hauteur que la plupart de celles qu'on trouve dans les maisons et les appartements.

Pour faire le test, vous avez besoin du matériel suivant :

- deux marches ergométriques, de 20,3 centimètres de hauteur chacune ;
- une marche ergométrique de 40,6 centimètres de hauteur ;
- l'extrait sonore du PACm ;
- un appareil audio ;
- un chronomètre, une montre ou une horloge munis d'une aiguille des secondes ;
- un cardiofréquencemètre (facultatif).

Si vous n'avez pas de cardiofréquencemètre, demandez à un partenaire de compter vos pulsations cardiaques ou comptez-les vous-même (figure 2.4).

FIGURE 2.4 Comment prendre son pouls

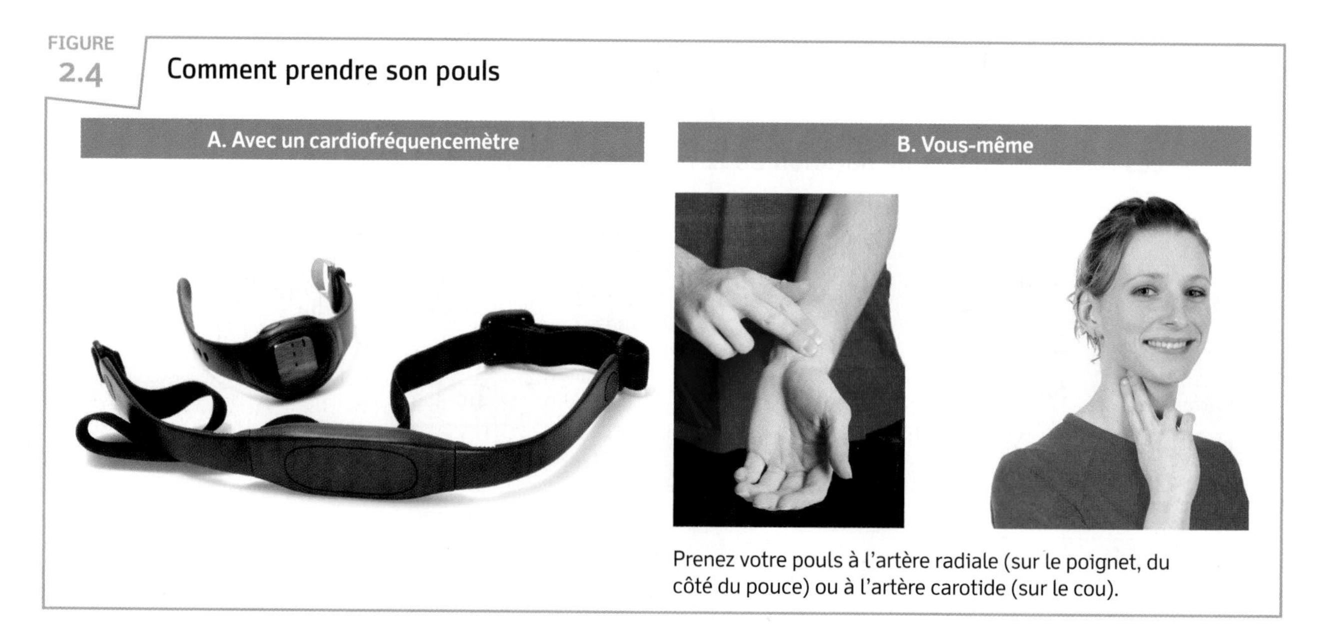

Prenez votre pouls à l'artère radiale (sur le poignet, du côté du pouce) ou à l'artère carotide (sur le cou).

Pour commencer, inscrivez votre poids ci-dessous.

1re fois votre poids ________ kg ; date ____________________

2e fois votre poids ________ kg ; date ____________________

Déterminez ensuite le palier de départ, selon votre âge. Un palier est un bloc d'effort de trois minutes, à une cadence préétablie qui augmente de palier en palier.

- Femmes
  de 15 à 39 ans : 3e palier
  de 40 à 49 ans : 2e palier
  de 50 à 59 ans : 1er palier
- Hommes
  de 15 à 29 ans : 4e palier
  de 30 à 49 ans : 3e palier
  de 50 à 59 ans : 2e palier

Puis, montez et descendez les deux marches de 20,3 centimètres selon la séquence indiquée à la **figure 2.5**. Pour un homme accédant au palier 7 ou une femme accédant au palier 8, le test se fait sur la marche de 40,6 centimètres. Exercez-vous à monter et descendre en suivant exactement la séquence prescrite. Après avoir atteint un premier palier de trois minutes en respectant le rythme imposé dans l'extrait sonore, notez votre fréquence cardiaque à l'aide du cardiofréquencemètre ou demandez à votre partenaire de le faire. **La fréquence cardiaque doit être prise pendant 10 secondes, immédiatement après la fin de l'exercice.** Une vidéo de ce test est présentée dans **MonLab**.

MonLab
vidéo : PACm

FIGURE 2.5

Le PACm : montées et descentes des marches

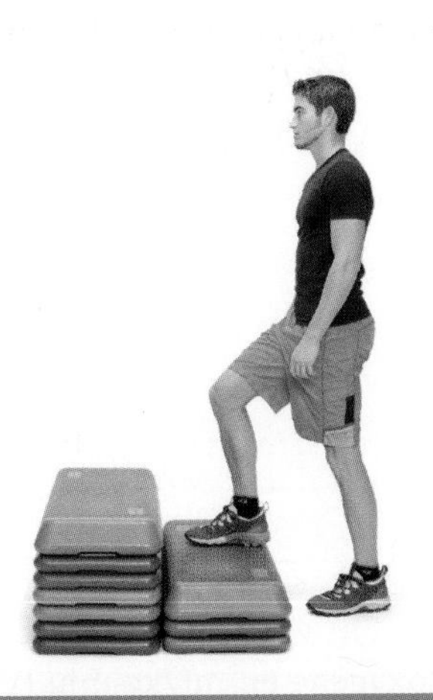

1. Posez le pied droit[a] sur la première marche.

2. Posez le pied gauche sur la deuxième marche.

3. Posez le pied droit sur la deuxième marche, près du pied gauche.

4. Posez le pied droit sur la première marche.

5. Posez le pied gauche sur le sol.

6. Posez le pied droit sur le sol, près du pied gauche.

a. Vous pouvez indifféremment commencer avec le pied gauche ou avec le pied droit.

Si votre fréquence cardiaque est égale ou supérieure à celle indiquée dans le **tableau A** pour votre groupe d'âge, arrêtez le test. Sinon, passez au palier suivant. Déterminez ensuite le coût énergétique du dernier palier exécuté à l'aide du **tableau B**.

TABLEAU A **La fréquence cardiaque limite en fonction de l'âge**

Hommes et femmes	
Âge	**Nombre de battements en 10 secondes**
16-24 ans	28
25-31 ans	28
32-38 ans	26
39-45 ans	25
46-52 ans	24
53-59 ans	23

TABLEAU B **Le coût énergétique[a] du dernier palier**

Palier	Femmes	Hommes
3	1,249	1,646
4	1,418	1,859
5	1,521	2,098
6	1,717	2,284
7	2,076	2,400
8	2,215	2,750

a. Le coût énergétique est exprimé en litres d'oxygène par minute (L/min).

Notez ci-dessous le numéro du dernier palier exécuté, votre poids et votre âge.

Vos résultats 1re fois palier ____________; votre poids ________; votre âge ______

2e fois palier ____________; votre poids ________; votre âge ______

Estimez ensuite votre consommation maximale d'oxygène en mL/kg/min (VO_2 max) à l'aide de la formule suivante.

VO_2 max = 42,5 + (16,6 × coût énergétique) – (0,12 × poids en kg) – (0,12 × FC finale) – (0,24 × âge)

Inspirez-vous de l'exemple ci-dessous.

Exemple Karine, 17 ans, 55 kilos, a atteint le palier 6 avec une fréquence cardiaque de 174 battements par minute. Selon le tableau B, le coût énergétique du dernier palier qu'elle a exécuté est de 1,717 L/min. Calculons à présent sa consommation maximale d'oxygène :

VO_2 max = 42,5 + (16,6 × 1,717) – (0,12 × 55 kg) – (0,12 × 174 batt./min) – (0,24 × 17 ans) = 39,4 mL O_2/kg/min.

Notez vos résultats (VO_2 max estimée) dans l'encadré suivant.

1re fois 42,5 + (16,6 × ____) – (0,12 × ____ kg) – (0,12 × ____ batt./min) – (0,24 × ____ ans) = ____ mL O_2/kg/min

2e fois 42,5 + (16,6 × ____) – (0,12 × ____ kg) – (0,12 × ____ batt./min) – (0,24 × ____ ans) = ____ mL O_2/kg/min

Enfin, déterminez votre niveau d'endurance aérobie à l'aide du **tableau 2.6** en vous inspirant de l'exemple ci-dessous.

Exemple

Avec une VO_2 max estimée de 38,8 mL O_2/kg/min, Karine a une endurance aérobie moyenne.

TABLEAU 2.6 **Les résultats du physitest aérobie canadien modifié (PACm)**

	Hommes – Consommation maximale d'oxygène (VO_2 max) estimée[a]				
Cote	**19 ans et moins**	**20-29 ans**	**30-39 ans**	**40-49 ans**	**50 ans et plus**
Très élevée	> 59	> 56	> 47	> 41	> 37
Élevée	58-59	52-56	46-47	40-41	36-37
Moyenne (norme santé minimale)	54-57	45-51	42-45	37-39	34-35
Sous la moyenne	44-53	40-42	38-41	34-36	31-33
Faible	< 44	< 40	< 38	< 34	< 31

	Femmes – Consommation maximale d'oxygène (VO_2 max) estimée[a]				
Cote	19 ans et moins	20-29 ans	30-39 ans	40-49 ans	50 ans et plus
Très élevée	> 42	> 39	> 36	> 34	> 29
Élevée	40-42	37-39	34-36	32-34	27-29
Moyenne (norme santé minimale)	37-39	35-36	31-33	27-31	25-26
Sous la moyenne	35-36	32-34	29-30	24-25	22-24
Faible	< 35	< 32	< 29	< 24	< 22

a. Les valeurs «estimées» sont exprimées en mL O_2/kg/min. Le symbole < signifie «inférieur à» et le symbole >, «supérieur à».

Source: Santé Canada (2004). *Guide du conseiller en condition physique et habitudes de vie* (3e éd.), Ottawa, p. 7.30.

Vos résultats

1re fois VO_2 max ____________ mL O2/kg/min; cote ____________; date ____________

2e fois VO_2 max ____________ mL O2/kg/min; cote ____________; date ____________

Reportez vos résultats dans le bilan (fin du chapitre) ou dans MonLab.

MonLab

3 physitest aérobie canadien modifié (PACm)

4. Le test progressif de course en navette de 20 mètres. Le test progressif de course en navette de 20 mètres (test de Léger-Boucher) a été mis au point par des Québécois. Il est fort pratique quand on ne dispose pas d'une grande surface. Il s'agit de courir le plus longtemps possible en faisant des allers-retours sur une distance de 20 mètres, par exemple dans un gymnase.

Pour faire ce test, vous avez besoin du matériel suivant:

- une trame sonore qui émet un bip toutes les 30 secondes*;
- un appareil audio et des haut-parleurs d'une puissance adéquate.

Tracez dans le gymnase deux lignes parallèles distantes de 20 mètres. Afin de trouver un bon rythme de course, exercez-vous quelques fois dans les jours précédant le test, mais pas la veille.

Dès que vous êtes prêt à faire le test, échauffez-vous. Courez le plus longtemps possible en faisant des allers-retours entre les deux lignes, tout en respectant le rythme de course imposé (**figure 2.6**). La vitesse augmente de 0,5 km/h toutes les minutes (1 minute correspondant à un palier), ce qui vous oblige à augmenter votre allure. Le test prend fin quand vous ne pouvez pas terminer le palier en cours ou suivre le rythme imposé par les bips (retard de 1 à 2 mètres que vous ne pouvez pas rattraper). Attention! **Un palier doit avoir été achevé pour être validé.** Les résultats du test sont présentés au **tableau 2.7**. Les personnes de plus de 30 ans doivent être prudentes, car il s'agit d'un test d'effort maximal entraînant un haut niveau de stress musculosquelettique (à cause des arrêts-départs) et cardiorespiratoire.

FIGURE 2.6 Le test progressif de course en navette de 20 mètres

* On peut se procurer la trame sonore auprès de la Fédération des kinésiologues du Québec (info@kinésiologue.com).

TABLEAU 2.7 Les résultats (palier atteint) du test progressif de course en navette de 20 mètres

	Hommes – Endurance aérobie[a]				
Cote	**16-19 ans[b]**	**20-29 ans[c]**	**30-39 ans[c]**	**40-49 ans[c, d]**	**VO_2 max estimée (16-19 ans)[e]**
Très élevée	11 et +	11,5 et +	9,5 et +	8,5 et+	54 et +
Élevée	9,5 -10,5	10,5-11,5	8,5-9	7,5-8,5	47-53
Moyenne (norme santé minimale)	8-9	9-10	7,5-8	6-7	40-46
Faible	6,5-7,5	7,5-6,5	6-7	4,5-5,5	36-39
Très faible	6 et –	7 et –	5,5 et –	4 et –	35 et –

	Femmes – Endurance aérobie[a]				
Cote	**16-19 ans[a]**	**20-29 ans[b]**	**30-39 ans[b]**	**40-49 ans[b, d]**	**VO_2 max estimée (16-19 ans)[d]**
Très élevée	7 et +	6,5 et +	6 et +	5 et +	45 et +
Élevée	5,5-6,5	5,5-6	4,5-5,5	4-4,5	41-44
Moyenne (norme santé minimale)	4-5	4,5-5	3,5-4	3-3,5	35-40
Faible	3-3,5	3-4	2,5-3	2-2,5	29-34
Très faible	2,5 –	2,5 et –	2 et –	1,5 et –	28 et –

a. Les valeurs sont exprimées en nombre de paliers.

b. Adapté de T.S. Olds et coll. (2006). Worldwide variation in the performance of children and adolescents: An analysis of 109 studies of the 20-m Shuttle Run Test in 37 countries, *Journal of Sports Science*, *24*(10), 1025-1038.

c. Adapté de L. Léger et coll. *Trousse d'évaluation de l'aptitude physique : Manuel d'instructions pour l'utilisation des tests* (révision 2008), Société canadienne de physiologie de l'exercice.

d. Comme c'est un test d'effort maximal, il faut vérifier que les personnes de 40 ans et plus ont la capacité musculosquelettique et cardiorespiratoire suffisante pour le faire.

e. Les valeurs sont exprimées en mL O_2/kg/min.

Vos résultats 1re fois palier ______________________; cote ______________________; date ______________

2e fois palier ______________________; cote ______________________; date ______________

Reportez vos résultats dans le bilan (fin du chapitre) ou dans MonLab.

MonLab

4 test progressif de course en navette de 20 mètres

Déterminez votre poids santé

Pour déterminer votre poids santé, vous devez mettre en relation votre indice de masse corporelle (IMC) avec votre tour de taille (estimation du gras abdominal). Pour ce qui est de votre équilibre énergétique, vous pourrez le vérifier au chapitre 7 en déterminant le rapport entre votre dépense calorique quotidienne et votre apport calorique quotidien.

Calculez votre indice de masse corporelle

L'indice de masse corporelle (IMC) est une mesure valable de la relation entre le poids et la santé. Cependant, cet indice seul ne suffit pas pour les personnes de 17 ans et moins, les femmes enceintes ou qui allaitent, et les personnes très musclées qui sont lourdes à cause de leur masse musculaire et non de leur masse grasse. Vous pouvez calculer votre IMC :

A. en utilisant la formule suivante :
poids (kg)/taille (m) au carré.

> François, très musclé, et Jonathan, peu musclé, pèsent 85 kilos et mesurent 1,80 mètre. Leur IMC est, pour l'un comme pour l'autre, de : $85/(1,8 \times 1,8) = 26$.

Même poids, même taille, même IMC, mais une différence : la quantité de gras (ou de muscle !).

B. en utilisant le calculateur de **MonLab**.

Exemple de calculateur IMC
COMPLÉTER ET CALCULER

Poids: 85 kg ou 188 lbs
Taille: 180 cm ou 5 pi 11 po
Calculer

Votre IMC est de: 26.2

14 18,5 25 30 35 40 45

Légende
Poids insuffisant
Poids santé (normal)
Excès de poids
Obésité classe I
Obésité classe II
Obésité classe III

Une fois que vous avez calculé votre IMC, reportez-vous au **tableau 2.8** pour savoir ce qu'il signifie pour votre santé.

Vos résultats 1re fois poids (kg) ______ /taille (cm) ______ × taille (cm ______) = ______ votre IMC ; date ______________

2e fois poids (kg) ______ /taille (cm) ______ × taille (cm ______) = ______ votre IMC ; date ______________

Reportez vos résultats dans le bilan (fin du chapitre) ou dans MonLab.

MonLab
12 calculateur IMC

TABLEAU 2.8
Interprétez votre IMC : avez-vous un poids santé ?

Cote	Catégorie de l'IMC (kg/m^2)[a]	Risque pour la santé	Votre IMC 1re fois	Votre IMC 2e fois
Poids insuffisant	< 18,5	Accru	______	______
Poids santé	18,5-24,9	Diminué	______	______
Excès de poids	25,0-29,9	Accru	______	______
Obésité classe I	30,0-34,9	Élevé	______	______
Obésité classe II	35,0-39,9	Très élevé	______	______
Obésité classe III	> = 40	Extrêmement élevé	______	______

a. Le symbole < signifie « inférieur à » et le symbole >, « supérieur à ».

Source : Santé Canada (2003). *Lignes directrices canadiennes pour la classification du poids chez les adultes*, Ottawa, Ministre des Travaux publics et Services gouvernementaux du Canada.

Reportez vos résultats dans le bilan (fin du chapitre) ou dans MonLab.

12 calculateur IMC

Mesurez votre tour de taille

Cette mesure est désormais incontournable quand on parle de poids santé. En effet, elle permet d'estimer les réserves de gras viscéral, le plus nocif des gras (p. 30). De plus, comme le montrent des études récentes[1], un tour de taille excessif est un facteur de risque majeur et indépendant de l'IMC. Pour connaître le niveau de risque lié à vos réserves de graisse et, surtout, à leur distribution, vous devez associer la mesure de votre tour de taille (**figure 2.7**) à votre IMC ; consultez ensuite le **tableau 2.9**.

Voici la façon de mesurer correctement votre tour de taille, selon Statistique Canada[2] :

1. Dégagez votre région abdominale de tout vêtement, ceinture ou accessoire. Tenez-vous debout devant un miroir, les pieds écartés à l'aplomb de vos épaules et l'abdomen détendu. Passez le galon ou ruban à mesurer autour de votre taille.
2. Utilisez le côté de la main ou de l'index, pas le bout des doigts, afin de localiser la partie supérieure de votre hanche droite en appuyant sur l'os (crête iliaque) vers le haut et vers l'intérieur. Conseil : Plusieurs personnes prennent la partie de l'os de la hanche située vers l'avant pour le haut de la hanche. Cette partie de l'os de la hanche n'est pas vraiment la plus haute, mais en la suivant vers le haut et vers l'arrière sur les côtés du corps, vous découvrirez le véritable point le plus haut de vos hanches.
3. À l'aide d'un miroir, alignez le bord inférieur du galon sur le haut de vos hanches des deux côtés du corps.
4. Vérifiez que le galon est parallèle au sol et qu'il n'est pas tordu.
5. Prenez une respiration normale, puis, à la fin de l'expiration, notez votre tour de taille à 0,5 centimètre près (figure 2.7). Le galon doit être ajusté sans s'enfoncer dans la peau.

Une vidéo de la façon de mesurer le tour de taille est présentée dans **MonLab**.

MonLab
vidéo : tour de taille

FIGURE 2.7 **La mesure du tour de taille**

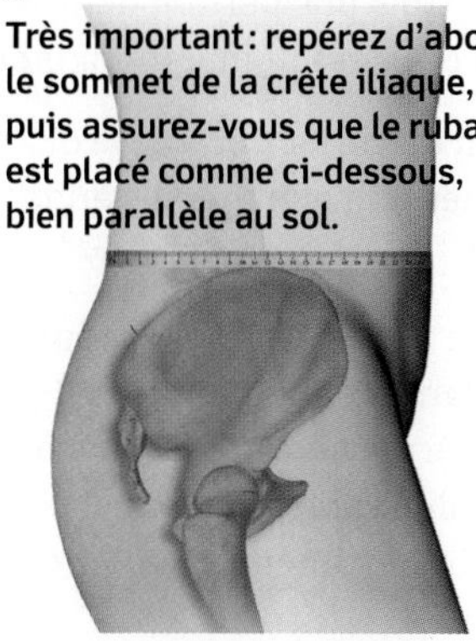

Très important : repérez d'abord le sommet de la crête iliaque, puis assurez-vous que le ruban est placé comme ci-dessous, bien parallèle au sol.

Vos résultats

1re fois Votre tour de taille __________ cm

date __________________

2e fois Votre tour de taille __________ cm

date __________________

Reportez vos résultats dans le bilan (fin du chapitre) ou dans MonLab.

MonLab
13 rapport IMC/tour de taille

1. B.J. Arsenault et coll. (2010). The hypertriglyceridemic-waist phenotype and the risk of coronary artery disease: Results from the EPIC-Norfolk Prospective Population Study, *Canadian Medical Association Journal, 182*(13) ; E.J. Jacobs et coll. (2010). *Cancer Prevention Study II*, American Cancer Society.
2. J. Patry-Parisien et coll. (2012). Comparaison de la circonférence de la taille mesurée selon les protocoles de l'Organisation mondiale de la santé et des National Institutes of Health, *Rapports sur la santé*, *23*(3), Statistique Canada.

TABLEAU 2.9 IMC, tour de taille, poids santé confirmé et risque de maladie[a]

	Catégories selon l'IMC (kg/m²)			
Tour de taille	Poids insuffisant < 18,5	Poids santé 18,5-24,9	Excès de poids 25-29,9	Obésité > 30
Hommes : < 101 cm Femmes : < 88 cm	Risque accru	Risque le moins élevé, et poids santé confirmé	Risque accru	Risque élevé
Hommes : 102 cm et + Femmes : 88 cm et +		Risque accru	Risque élevé	Risque très élevé

a. Diabète de type 2, hypertension, maladies cardiovasculaires, y compris AVC (accident vasculaire cérébral).

Source : Adapté de la Fondation des maladies du cœur et de l'AVC (2007). http://www.fmcoeur.qc.ca/site/c.kpIQKVOxFoG/b.3670555/ k.97F0/Point_de_vue__L8217embonpoint_l8217ob233sit233_les_maladies_du_coeur_et_l8217AVC.htm.

13 rapport IMC/tour de taille

Évaluez vos réserves de masse grasse

Pour compléter les données que vous avez relevées jusqu'à présent, vous pouvez évaluer l'importance de vos réserves de masse grasse. Des réserves élevées peuvent être associées à un tour de taille également élevé, mais ce n'est pas toujours avéré. Par exemple, les surplus de gras se logent principalement au niveau des hanches et des cuisses chez les femmes, alors que c'est souvent le cas au niveau du ventre chez les hommes. Or, c'est la graisse abdominale qui est le plus nuisible. Cela dit, on considère qu'il y a surplus de gras lorsque la masse grasse dépasse 20 % du poids corporel chez l'homme et 28 % chez la femme. À l'inverse, lorsqu'elle est inférieure à 5 % chez l'homme et à 10 % chez la femme, c'est un signal d'alerte : il faut se demander si nos habitudes alimentaires sont adéquates et si on mange suffisamment !

On peut estimer ses réserves de graisse en mesurant **l'épaisseur du pli cutané** à plusieurs endroits. Pour ce faire, on utilise un **adipomètre**, un appareil muni de pinces et calibré en millimètres. Des formules tenant compte de l'âge, du sexe et du nombre de plis donnent le pourcentage de graisse. La méthode à trois plis permet de déterminer, *grosso modo*[1], si on est maigre, gras ou très gras, ou si on n'est ni maigre ni gras.

On mesure habituellement les trois plis sur le côté droit du corps. Comme la distribution de la graisse varie selon le sexe, on ne prend pas les mesures aux mêmes endroits chez la femme et chez l'homme (**figure 2.8**).

On peut aussi estimer le pourcentage de masse grasse à l'aide d'un **impédancemètre**, un appareil qui a la forme d'une balance ou d'un volant à deux poignées (**figure 2.9**). Toutefois, cette méthode peut s'avérer très imprécise si vous avez bu beaucoup d'eau, ou trop peu, avant de prendre la mesure. De plus, la fiabilité varie beaucoup d'un appareil à un autre. Donc, utilisez toujours le même appareil pour estimer votre pourcentage de masse grasse.

cinq plis cutanés

1. Sa marge d'erreur est pratiquement la même que celle de la méthode à cinq plis (la différence est de 0,1 %). Pour en savoir plus sur la méthode à cinq plis, consultez MonLab.

FIGURE 2.8

La mesure de l'épaisseur des plis cutanés

Chez l'homme

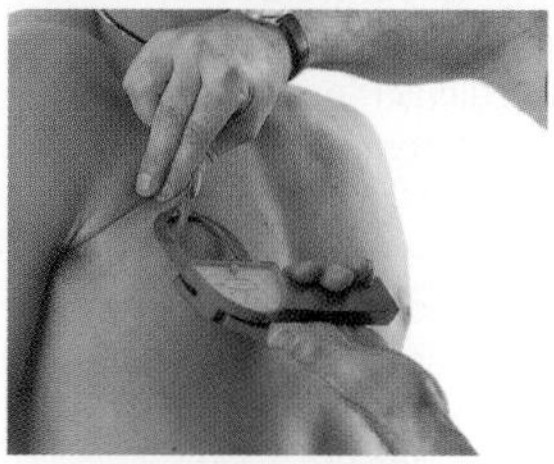

Pli à la poitrine

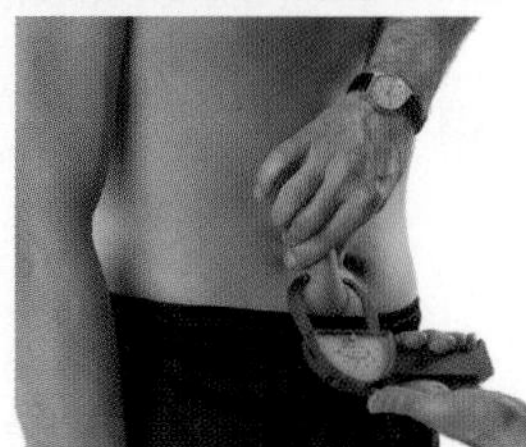

Pli à l'abdomen

Chez l'homme et la femme

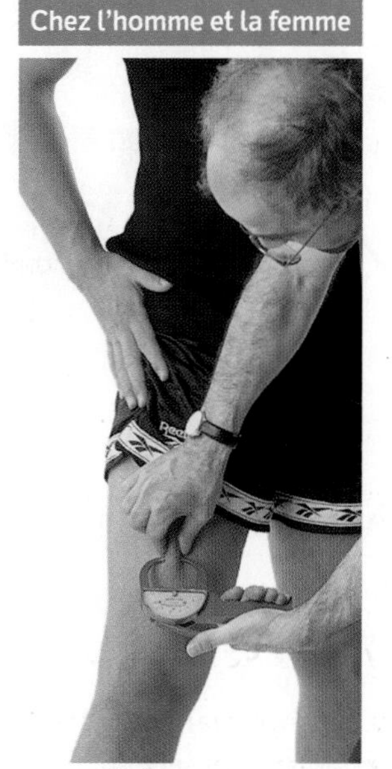

Pli à mi-cuisse

Chez la femme

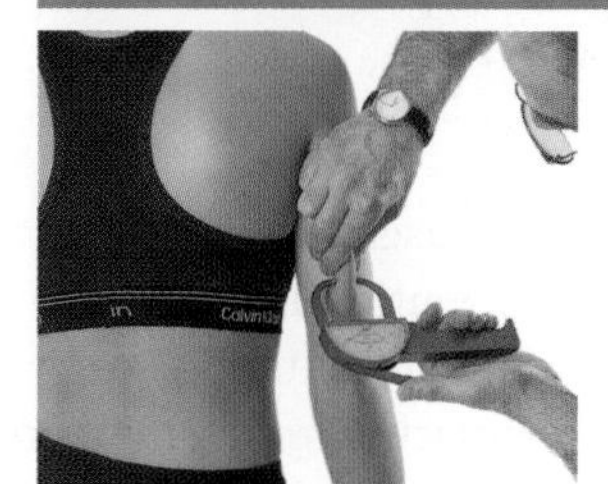

Pli au triceps

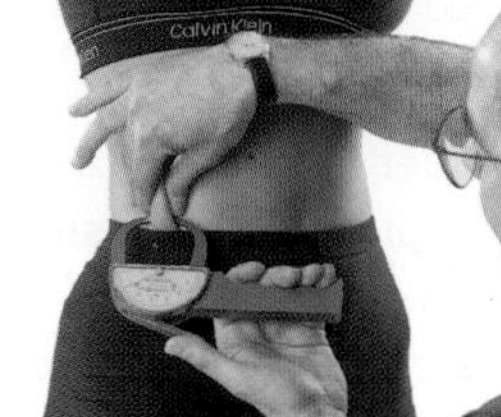

Pli au-dessus de l'os iliaque

Vos résultats

1re fois **Pli 1** ____ mm + **pli 2** ____ mm + **pli 3** ____ mm = ____ mm ____; date ________

2e fois **Pli 1** ____ mm + **pli 2** ____ mm + **pli 3** ____ mm = ____ mm ____; date ________

Reportez-vous au ***tableau 2.10*** *pour connaître votre pourcentage de graisse.*

14 estimation du pourcentage de graisse

TABLEAU 2.10

L'estimation du pourcentage de graisse

Hommes (17-27 ans)[a]		Femmes (17-27 ans)[a]	
Somme des trois plis (mm)	**Graisse estimée (%)**	**Somme des trois plis (mm)**	**Graisse estimée (%)**
< 20	< 5[b]	< 24	< 10[b]
21-41	5,1-12	24-36	10,1-15
42-56	12,1-16	37-55	15,1-22
57-88	16,1-25	56-89	22,1-32
89-110	25,1-30[c]	90-103	32,1-35[c]
> 110	> 30[c]	> 103	> 35[c]

a. Si vous avez plus de 27 ans, ajoutez 0,15 % par année.

b. Zone de maigreur prononcée.

c. Zone d'obésité.

FIGURE 2.9

Les impédancemètres courants

A

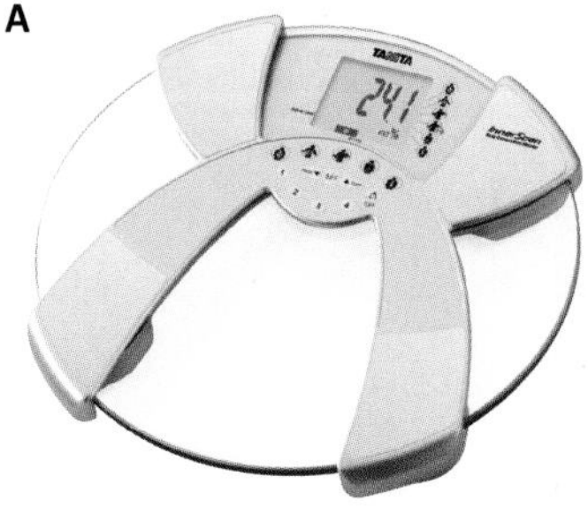

B

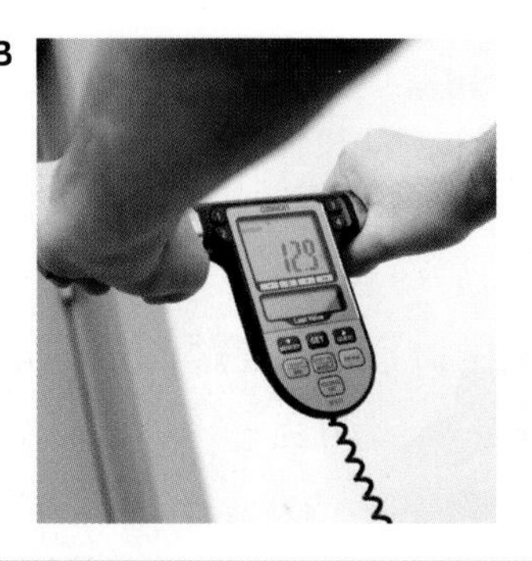

La méthode par impédance bioélectrique repose sur le fait que le courant électrique traverse plus facilement la masse maigre que la masse grasse. Par conséquent, on peut calculer le pourcentage de masse grasse en fonction du temps que met le courant électrique à parcourir le corps du sujet. Pour effectuer cette mesure, le sujet pose ses pieds nus sur une balance impédancemètre munie de deux plaques (photo A) où passe un faible courant électrique (on ne ressent rien), ou tient des deux mains un appareil muni de poignées (photo B).

Évaluez votre force musculaire

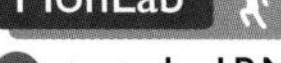

20 test du 1RM

21 test du saut vertical

Plusieurs tests permettent d'évaluer la force et la puissance musculaires. Nous vous présentons ici un test simple et rapide, et valide sur le plan scientifique : le test de la force de préhension. Vous trouverez également dans MonLab une présentation des tests du saut vertical et du 1RM. Le premier évalue la puissance musculaire des membres inférieurs et le second, la force des muscles sollicités.

Le test de la force de préhension à l'aide d'un dynamomètre

Ce test, qui nécessite un dynamomètre, mesure en réalité la force statique (ou isométrique) maximale des muscles de l'avant-bras, c'est-à-dire la force de préhension des mains. En règle générale, les individus qui ont une force de préhension élevée ont tendance à être forts aussi dans d'autres régions musculaires. C'est pourquoi ce test constitue un indicateur de la force globale d'un individu.

FIGURE 2.10

L'évaluation de la force musculaire à l'aide d'un dynamomètre

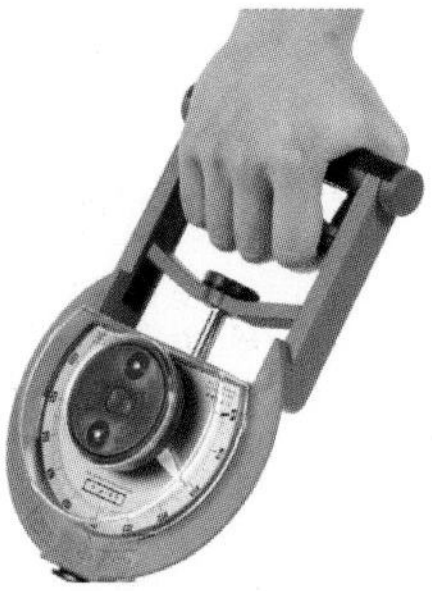

Une fois l'appareil en main, ajustez la prise de telle sorte que les phalanges moyennes (c'est-à-dire les os situés au milieu des doigts) de votre main dominante reposent sur l'extrémité mobile de la poignée du dynamomètre (figure 2.10). **Quand vous êtes prêt, serrez la poignée de toutes vos forces en gardant le bras allongé et éloigné du corps.** Expirez lentement pendant la contraction. Durant l'épreuve, ni votre main ni le dynamomètre ne doivent toucher à votre corps ou à quelque objet que ce soit. Faites deux essais pour chaque main et notez à chaque fois la tension enregistrée sur le cadran. Additionnez le *meilleur résultat* obtenu pour chacune des mains et consultez le tableau 2.11 pour connaître votre niveau de force musculaire.

Évaluez votre endurance musculaire

MonLab

28 test de l'extension du dos en position statique

Évaluer l'endurance musculaire exige habituellement de mesurer un effort répétitif ou un effort statique et prolongé. C'est ce que permettent le test des demi-redressements du tronc, le test des pompes et celui de la chaise. Dans MonLab, vous trouverez également le test de l'extension du dos en position statique.

TABLEAU 2.11 Les résultats du test de la force de préhension

Cote	Hommes – Force musculaire[a]				
	19 ans et moins	20-29 ans	30-39 ans	40-49 ans	50 ans et plus
Très élevée	> 107	> 114	> 114	> 107	> 100
Élevée	98-107	104-114	104-114	97-107	92-100
Moyenne	90-97	95-103	95-103	88-96	84-91
Faible	79-89	84-94	84-94	80-87	76-83
Très faible	< 79	< 84	< 84	< 80	< 75

Cote	Femmes – Force musculaire[a]				
	19 ans et moins	20-29 ans	30-39 ans	40-49 ans	50 ans et plus
Très élevée	> 67	> 69	> 70	> 68	> 61
Élevée	60-67	63-69	63-70	61-68	54-60
Moyenne	53-59	58-62	58-62	54-60	49-53
Faible	48-52	52-57	51-57	49-53	45-48
Très faible	< 48	< 52	< 51	< 49	< 44

a. Force musculaire combinée de la main droite et de la main gauche. Les valeurs sont exprimées en kilogrammes. Le symbole < signifie « inférieur à » et le symbole >, « supérieur à ».

Source : Santé Canada (2004). *Guide du conseiller en condition physique et habitudes de vie* (3e éd.), Ottawa, p. 7-48 et 7-49.

Vos résultats

1re fois main droite _____ kg ; main gauche _____ kg

Total main droite + main gauche : _____ kg ; cote _______ ; date ___________

2e fois main droite _____ kg ; main gauche _____ kg

Total main droite + main gauche : _____ kg ; cote _______ ; date ___________

Reportez vos résultats dans le bilan (fin du chapitre) ou dans MonLab.

19 test de la force de préhension à l'aide d'un dynamomètre

Le test des demi-redressements du tronc

Les abdominaux sont les muscles de la paroi antérolatérale de l'abdomen (figure 2.11). Il y en a quatre : le **droit de l'abdomen**, l'**oblique externe**, l'**oblique interne** et le **transverse** (le muscle le plus profond). Selon Tortora et Derrickson[1], la contraction du droit de l'abdomen, de l'oblique externe et de l'oblique interne permet la flexion de la colonne vertébrale et la compression de l'abdomen, compression qui facilite l'expulsion des selles et de l'urine ainsi que l'expiration forcée (par exemple, lors de l'accouchement). La contraction d'un côté des obliques (par exemple, les obliques du côté droit) permet la

1. G.J. Tortora et B. Derrickson (2007). *Principes d'anatomie et de physiologie* (2e éd.), Saint-Laurent, ERPI, p. 374.

rotation de la colonne vertébrale et sa flexion latérale, notamment dans la région lombaire. Enfin, la contraction du transverse entraîne, elle aussi, la compression de l'abdomen. C'est ce qui se produit, par exemple, quand on tousse ou qu'on se mouche.

FIGURE 2.11 Les muscles abdominaux

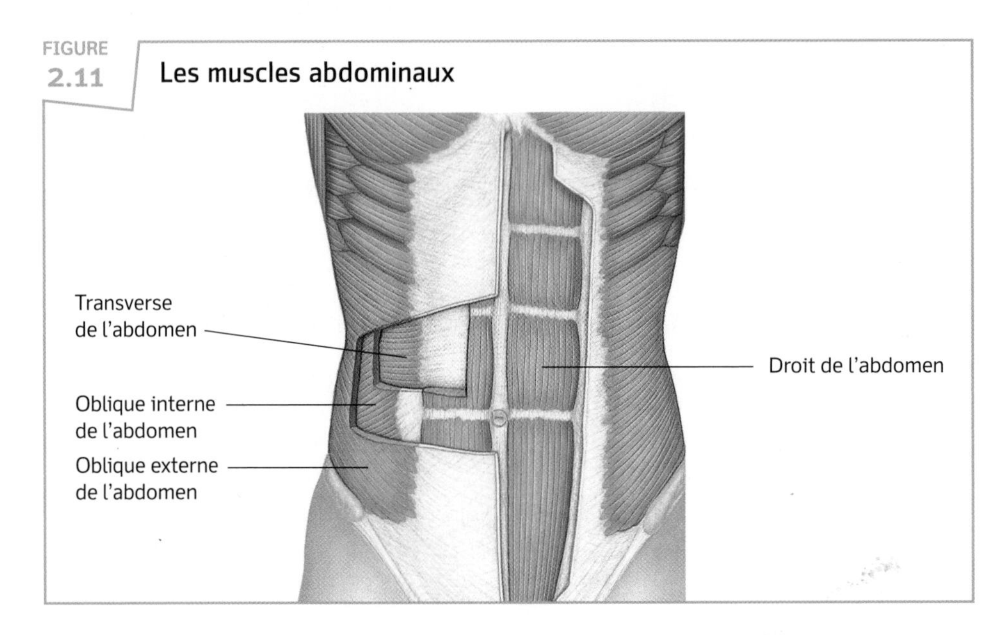

Si l'endurance musculaire en général est importante, celle des abdominaux l'est tout particulièrement. Au-delà de la raison esthétique – ventre plat et silhouette fine –, des abdominaux fermes jouent un rôle essentiel. Ils constituent, en effet, une *sangle naturelle* qui stabilise la posture et protège le bas du dos (chapitre 8), fixe le bassin et soutient les viscères. Des abdominaux faibles, au contraire, contribuent à l'apparition de douleurs dans le bas du dos et à la descente des viscères, elle-même associée à la constipation et aux hernies abdominales.

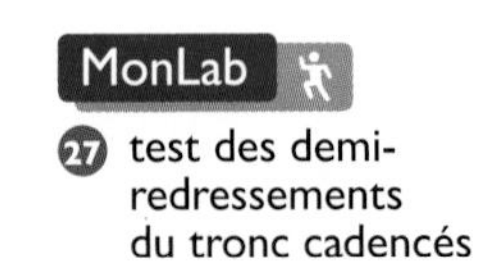

27 test des demi-redressements du tronc cadencés

Pour évaluer l'endurance des abdominaux, on utilise souvent des tests où on exécute des demi-redressements du tronc (ou demi-redressements assis). Certains exigent du matériel (tapis, métronome, ruban adhésif, etc.) et le concours d'un partenaire. (Vous trouverez un complément d'informations sur un de ces tests – les abdos cadencés – dans MonLab). D'autres ne requièrent pratiquement pas de matériel et peuvent se faire en groupe ou seul à la maison avec un minimum de préparation. Ces tests de terrain sont aussi valides que ceux exigeant plus de temps et d'accessoires.

Parmi eux, retenons **le test des demi-redressements pieds non retenus** (Sous la loupe, p. 78) **avec décollement complet des omoplates du sol**. Pour l'effectuer, allongez-vous sur le dos, les bras le long du corps et les genoux légèrement écartés et fléchis de façon que le bas du dos soit bien plaqué sur le sol (figure 2.12). Pointez le menton vers la poitrine et redressez le tronc en faisant glisser les mains jusqu'aux rotules, ce qui permet aux omoplates de se décoller complètement du sol; expirez pendant cette phase de l'exercice. Puis revenez au sol. Il est très important d'expirer pendant la levée du tronc. **Faites le maximum de répétitions pendant 60 secondes.** Vous pouvez ralentir la cadence ou vous arrêter quelques secondes: il s'agit d'une évaluation, pas d'une compétition. Quand vous n'arrivez plus à décoller complètement les omoplates, le test est terminé. Consultez alors le tableau 2.12 pour connaître votre niveau d'endurance. Une vidéo du test des demi-redressements est présentée dans MonLab.

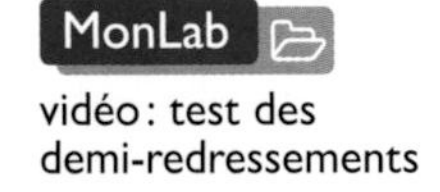

vidéo: test des demi-redressements

FIGURE 2.12 **Le test des demi-redressements du tronc**

Position de départ	Exécution du test
	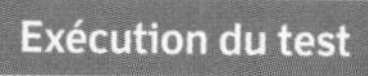

TABLEAU 2.12 **Les résultats du test des demi-redressements du tronc**

	Hommes – Endurance musculaire[a]		
Cote	**18-29 ans**	**30-39 ans**	**40-49 ans**
Très élevée	> 74	> 59	> 49
Élevée	61-74	51-59	41-49
Moyenne	46-60	41-50	26-40
Faible	31-45	26-40	16-25
Très faible	< 31	< 26	< 16

	Femmes – Endurance musculaire[a]		
Cote	**18-29 ans**	**30-39 ans**	**40-49 ans**
Très élevée	> 59	> 49	> 39
Élevée	51-59	41-49	31-39
Moyenne	41-50	26-40	16-30
Faible	26-40	16-25	5-15
Très faible	< 26	< 16	< 5

a. Les valeurs sont exprimées en nombre de répétitions exécutées en 60 secondes. Les normes ne sont pas disponibles pour les 50 ans et plus. Le symbole < signifie « inférieur à » et le symbole >, « supérieur à ».

Source : Adapté de R.A. Faulkner et coll. (1989). A partial curl-up protocol for adults based on two procedures, *Journal canadien des sciences appliquées au sport / Canadian Journal of Applied Sports Science, 14*, 135-141.

Vos résultats

1re fois _____ redr. assis ; cote _________ ; date _________

2e fois _____ redr. assis ; cote _________ ; date _________

Reportez vos résultats dans le bilan (fin du chapitre) ou dans MonLab.

MonLab 

23 test des demi-redressements du tronc

Test pour abdos : pieds tenus ou pas ?

Mieux vaut ne pas tenir les pieds de l'exécutant lors du test des redressements assis. En effet, cela active *de facto* les puissants fléchisseurs des hanches ou iliopsoas (voir l'illustration), ce qui peut masquer le niveau réel d'endurance des abdominaux. Des études en physiothérapie où on a utilisé l'électromyographie (mesure de l'activité électrique des muscles) ont même démontré qu'un patient n'ayant pratiquement aucun tonus abdominal pouvait quand même faire des redressements assis complets, pieds retenus, grâce à la seule force de ses fléchisseurs des hanches.

De plus, lorsque les pieds sont tenus, il n'est pas rare que l'exécutant utilise les muscles du bas du dos pour faire ses derniers redressements assis. Certains redressent même le tronc en cambrant le dos. Et ils peuvent le faire justement parce qu'on leur tient les pieds ! D'ailleurs, c'est pour cette raison que ce test n'est pas recommandé aux personnes ayant des problèmes au niveau lombaire.

Enfin, le fait de joindre les mains derrière la nuque (voir la photo) peut inciter l'exécutant fatigué à tirer sur son cou pour finir le test. Dans ce cas, il y a traction indue sur les vertèbres cervicales, sans compter que les derniers redressements assis ont bénéficié d'un coup de pouce, ou plutôt d'un coup de tête !

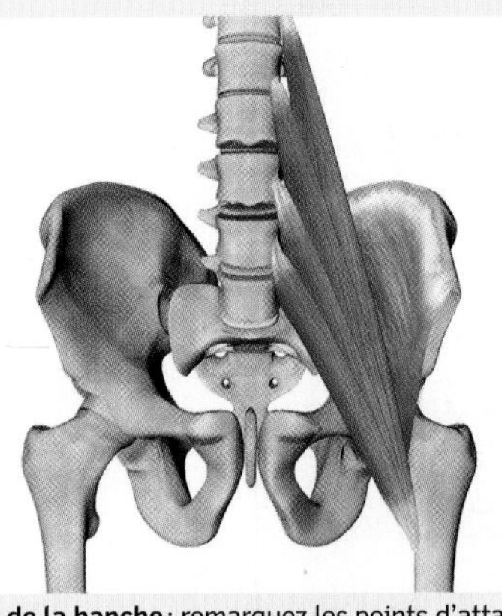

Les fléchisseurs de la hanche : remarquez les points d'attache sur les dernières vertèbres lombaires ; ils permettent le redressement du tronc même si les abdominaux sont faibles.

Avec les mains jointes derrrière la nuque, on risque de tirer sur le cou pour compléter le redressement du tronc.

Le test des pompes

Ce test évalue l'endurance des muscles du haut du corps (pectoraux et deltoïdes) et de l'arrière des bras (triceps). Ces muscles jouent un rôle de premier plan dans plusieurs activités physiques et tâches de la vie courante : pousser des meubles lourds, ranger des objets pesants sur des tablettes, gravir une côte en ski de fond, faire des smashs au tennis ou au volleyball, etc. L'un des meilleurs tests pour évaluer l'endurance de ces muscles est le test des pompes, ou extensions des bras.

Il consiste à exécuter correctement le plus grand nombre possible de pompes sans limite de temps. En position habituelle, les hommes exécuteront les pompes en appui sur les mains et les pieds, et les femmes, en appui sur les mains et les genoux. Étendez-vous sur le ventre en appui sur les mains (distantes de la largeur des épaules) et sur les pieds ou les genoux (collés ensemble), puis, sans plier le dos, faites une extension complète des bras. Revenez ensuite à la position de départ, le dos toujours droit, jusqu'à ce que le menton touche au tapis. Respirez normalement pendant le test (figure 2.13). Deux vidéos des pompes sont présentées dans MonLab.

MonLab
vidéo : test des pompes

Le test prend fin lorsque vous n'arrivez plus à exécuter correctement les mouvements après deux essais consécutifs. Le test des pompes peut également se faire à rythme imposé (MonLab). Une fois le test terminé, consultez le **tableau 2.13** pour interpréter votre résultat.

26 test des pompes cadencées

FIGURE 2.13

Le test des pompes

Position homme

Position femme

TABLEAU 2.13

Les résultats du test des pompes

	Hommes – Endurance musculaire[a]				
Cote	**19 ans et moins**	**20-29 ans**	**30-39 ans**	**40-49 ans**	**50 ans et plus**
Très élevée	> 38	> 35	> 29	> 21	> 20
Élevée	29-38	29-35	22-29	17-21	13-20
Moyenne	23-28	22-28	17-21	13-16	10-12
Faible	18-22	17-21	12-16	10-12	7-9
Très faible	< 18	< 17	< 12	< 10	< 7

	Femmes – Endurance musculaire[a]				
Cote	**19 ans et moins**	**20-29 ans**	**30-39 ans**	**40-49 ans**	**50 ans et plus**
Très élevée	> 32	> 29	> 26	> 23	> 20
Élevée	25-32	21-29	20-26	15-23	11-20
Moyenne	18-24	15-20	13-19	11-14	7-10
Faible	12-17	10-14	8-12	5-10	2-6
Très faible	< 12	< 10	< 8	< 5	< 2

a. Les valeurs sont exprimées en nombre de répétitions exécutées sans limite de temps.

Source : Santé Canada (2004). *Guide du conseiller en condition physique et habitudes de vie* (3e éd.), Ottawa, p. 7-48 et 7-49.

Vos résultats 1re fois ______ pompes ; cote ________ ; date ________

2e fois ______ pompes ; cote ________ ; date ________

Reportez vos résultats dans le bilan (fin du chapitre) ou dans MonLab.

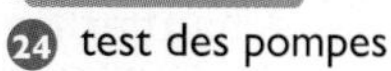

24 test des pompes

Le test de la chaise

Ce test permet d'évaluer l'endurance statique des muscles du devant de la cuisse (quadriceps). Pour le faire, il vous faut un chronomètre ou une montre ainsi qu'un mur. Adossez-vous au mur, les pieds écartés à la largeur du bassin, les genoux pliés à un angle de 90 degrés comme si vous étiez assis… mais sans chaise (**figure 2.14**) ! Chronomètre ou montre en main, tenez la position assise le plus longtemps possible. Le test se termine dès que votre bassin commence à bouger. Consultez le **tableau 2.14** pour connaître l'endurance statique de vos quadriceps.

FIGURE 2.14 Le test de la chaise

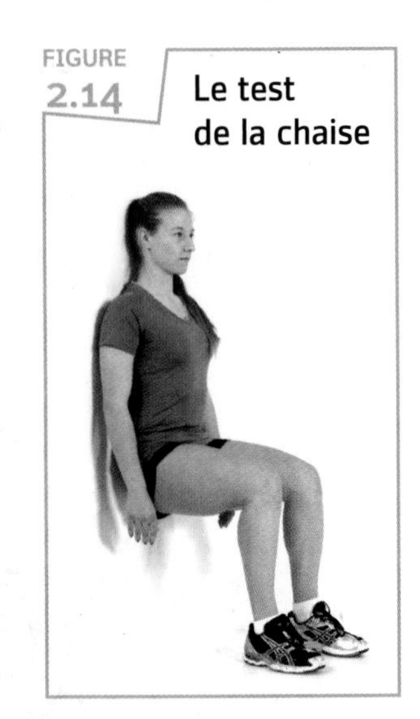

TABLEAU 2.14 Les résultats du test de la chaise

	Endurance statique des quadriceps[a]	
Cote	**Hommes**	**Femmes**
Très élevée	> 200	> 160
Élevée	159 -200	117 -160
Moyenne	99-158	77-116
Faible	69-98	57-76
Très faible	< 69	< 57

a. Les valeurs sont exprimées en secondes.

Source : Adapté de l'Université du Québec en Abitibi-Témiscamingue. École du dos. *Renforcer les quadriceps.* http://uriic.uqat.ca/chroniquep/03preparationphysique/index.asp.

Vos résultats 1re fois _____ s ; cote _________ ; date _________

2e fois _____ s ; cote _________ ; date _________

Reportez vos résultats dans le bilan (fin du chapitre) ou dans MonLab.

MonLab
25 test de la chaise

Évaluez votre flexibilité

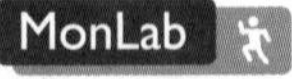

33 test de rotation du tronc
34 test de l'aine

En principe, on devrait évaluer la flexibilité de toutes ses articulations, mais cela exigerait des tests bien trop nombreux ! De plus, si les tests de flexibilité les plus précis permettent de mesurer directement l'amplitude de l'angle formé par l'articulation, soit l'amplitude angulaire, ils nécessitent des instruments spécialisés (goniomètre, flexomètre, clinomètre) et prennent beaucoup de temps. Nous vous suggérons donc des tests de terrain plus simples qui vous donneront néanmoins un bon aperçu de votre flexibilité. Les trois tests présentés ci-dessous permettent d'évaluer la flexibilité des épaules, de l'arrière des cuisses et du bas du dos, autant de régions qui risquent de subir des blessures en cas de raideur musculaire et articulaire excessive (pour d'autres tests de flexibilité, voir **MonLab**).

Consigne importante : ne faites pas ces tests si vos muscles sont froids. Vous devez au préalable les échauffer légèrement ou répéter le mouvement lentement à plusieurs reprises. Après quoi, vous pourrez effectuer chaque test de façon optimale et sûre.

Le test du lever du bâton en position couchée

Ce test permet d'évaluer la flexibilité de l'extension des épaules. Vous avez besoin d'un bâton (un manche à balai convient très bien). Couchez-vous à plat ventre, le menton appuyé contre le sol, les bras tendus devant vous dans le prolongement des épaules, les mains écartées à la largeur des épaules. Prenez le bâton et, *sans fléchir les poignets ni les coudes, et sans décoller le menton du sol*, levez lentement le bâton le plus haut possible et tenez la **position d'étirement maximal sans douleur** (chapitre 6, p. 220) pendant deux ou trois secondes (figure 2.15). Un partenaire évalue la hauteur à laquelle vous levez le bâton. Consultez le tableau 2.15 pour connaître le degré de flexibilité de vos épaules. Une vidéo du test du lever du bâton est présentée dans MonLab.

vidéo : test du lever du bâton

FIGURE 2.15 Le test du lever du bâton en position couchée

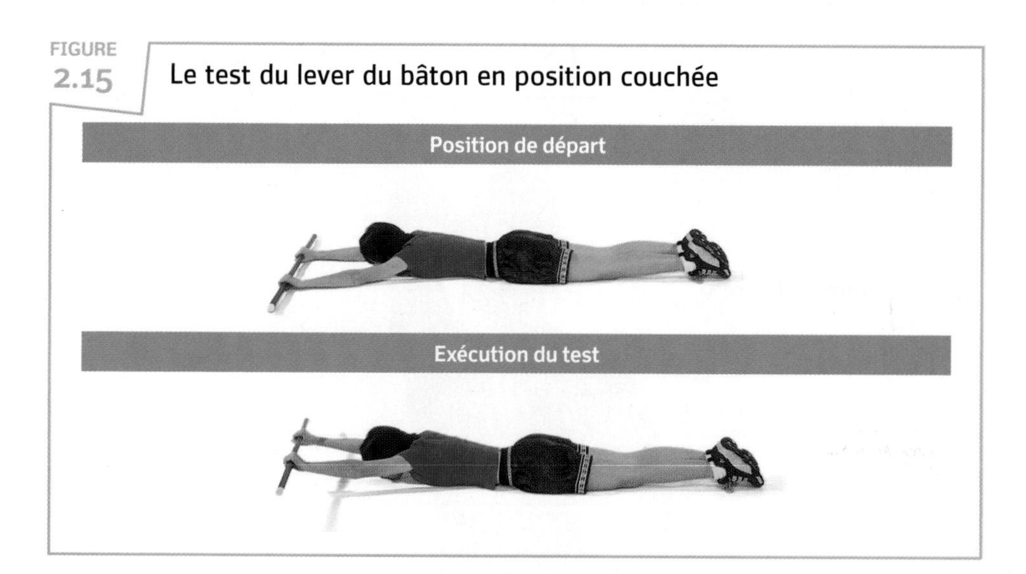

TABLEAU 2.15 Les résultats du test du lever du bâton en position couchée

Position atteinte	Degré de flexibilité – Cote
Bâton levé nettement plus haut que la tête.	Très élevé
Bâton levé juste au-dessus de la tête.	Élevé
Bâton levé au niveau de la tête.	Moyen
Bâton levé à peine au-dessus du sol.	Faible
Bâton qui reste collé au sol.	Très faible

Vos résultats 1re fois cote ____________________ ; date ______________

2e fois cote ____________________ ; date ______________

Reportez vos résultats dans le bilan (fin du chapitre) ou dans MonLab.

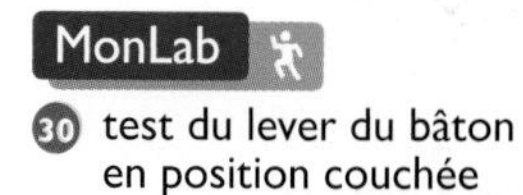

30 test du lever du bâton en position couchée

Le test des mains dans le dos en position debout

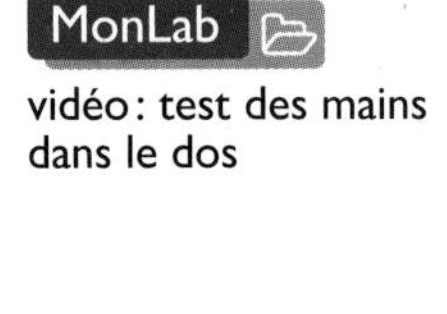
vidéo : test des mains dans le dos

Ce test, qui s'exécute debout, permet d'évaluer la flexibilité générale de chacune de vos épaules. Pour évaluer la flexibilité de l'épaule gauche, procédez comme suit. Passez votre main gauche, paume tournée vers vous, derrière la nuque puis par-dessus votre épaule gauche ; remontez ensuite votre main droite derrière le dos, paume retournée : essayez de joindre les deux mains et tenez la position d'étirement maximal sans douleur pendant 2 ou 3 secondes (figure 2.16). Pour évaluer la flexibilité de votre épaule droite, refaites le test en commençant cette fois par la main droite. Reportez-vous au tableau 2.16 pour interpréter vos résultats. Si vous constatez une grande différence entre la flexibilité de votre épaule dominante (la droite pour les droitiers) et celle de votre autre épaule, il serait sage d'assouplir d'abord votre côté le moins flexible. Une vidéo du test des mains dans le dos est présentée dans MonLab.

FIGURE 2.16 Le test des mains dans le dos en position debout

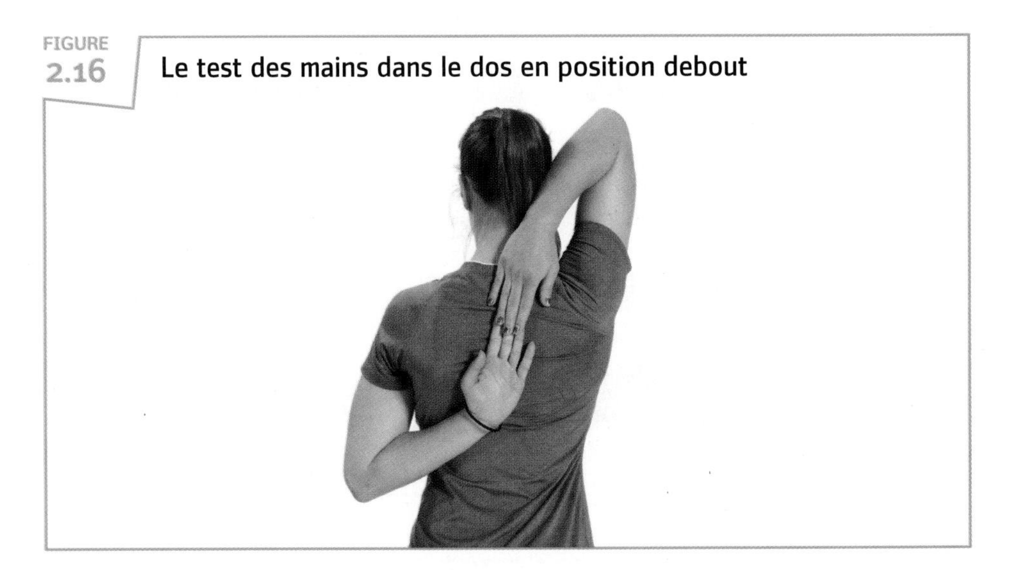

TABLEAU 2.16 Les résultats du test des mains dans le dos en position debout

Position atteinte	Degré de flexibilité – Cote
Les paumes des mains glissent l'une sur l'autre.	Très élevé
Les bouts des doigts glissent les uns sur les autres.	Élevé
Les bouts des majeurs se touchent.	Moyen
Les doigts ne se touchent pas du tout.	Faible
Les mains sont éloignées l'une de l'autre.	Très faible

Vos résultats

1re fois côté bras droit ________; côté bras gauche ________; date ________

2e fois côté bras droit ________; côté bras gauche ________; date ________

Reportez vos résultats dans le bilan (fin du chapitre) ou dans MonLab.

31 test des mains dans le dos en position debout

Le test de flexion du tronc en position assise

Ce test permet d'évaluer la flexibilité de la région lombaire et des muscles ischiojambiers (situés à l'arrière des cuisses). Nous vous en présentons deux versions : l'une, assis face à un mur, et l'autre, avec un flexomètre. Les deux se font en chaussettes.

1. Le test de flexion du tronc, assis face à un mur. Asseyez-vous, les jambes bien étendues, les pieds appuyés contre un mur (ou un meuble) et espacés à une distance équivalant à la largeur des épaules. Penchez le tronc lentement vers l'avant, sans plier les genoux, et tenez la position d'étirement maximal sans douleur pendant 2 ou 3 secondes (figure 2.17). Si vous ne pouvez pas toucher le mur du bout des doigts, c'est que votre région lombaire et vos ischiojambiers sont raides. Si vous le touchez du bout des doigts ou, mieux, avec les poings, bravo ! Votre tronc est flexible dans cette position (tableau 2.17). Une vidéo du test de flexion du tronc est présentée dans MonLab.

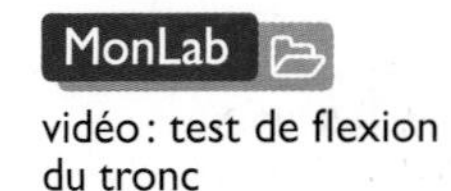

vidéo : test de flexion du tronc

FIGURE 2.17 Le test de flexion du tronc en position assise face à un mur

TABLEAU 2.17 Les résultats du test de flexion du tronc en position assise face à un mur

Position atteinte	Degré de flexibilité – Cote
Les paumes des mains touchent le mur.	Très élevé
Les poings touchent le mur.	Élevé
Le bout des doigts touche le mur.	Moyen
Le bout des doigts ne touche pas le mur.	Faible
Le bout des doigts n'atteint pas la cheville.	Très faible

Vos résultats 1re fois cote ________ ; date ________

2e fois cote ________ ; date ________

Reportez vos résultats dans le bilan (fin du chapitre) ou dans MonLab.

32 test de flexion du tronc

FIGURE 2.18 Le test de flexion du tronc en position assise avec flexomètre

MonLab

vidéo : test de flexion du tronc avec flexomètre

2. Le test de flexion du tronc, avec un flexomètre. Asseyez-vous, les jambes bien étendues, la plante des pieds contre le flexomètre et les pieds à une distance équivalant à la largeur des épaules. Ajustez la hauteur du flexomètre de façon que vos orteils reposent contre la barre supérieure. La face interne de la plante des pieds est placée à 2 centimètres du bord de la règle. Le test peut commencer. Jambes et bras tendus, paumes vers le sol, penchez-vous lentement en avant et poussez aussi loin que possible, du bout des doigts, la glissière le long de l'échelle (**figure 2.18**). Maintenez la position au moins 2 secondes. En baissant la tête, vous pourrez atteindre une plus grande distance. Si vous pliez les jambes, le test n'est pas valide. Faites l'exercice deux fois et enregistrez le meilleur résultat. Consultez le **tableau 2.18** pour connaître votre cote. Une vidéo du test avec flexomètre est présentée dans **MonLab**.

TABLEAU 2.18 Les résultats du test de flexion du tronc en position assise avec flexomètre

	Hommes – Flexion du tronc[a]			
Cote	15-19 ans	20-29 ans	30-39 ans	40-49 ans
Très élevée	> 38	> 39	> 37	> 34
Élevée	34-38	34-39	33-37	29-34
Moyenne	29-33	30-33	28-34	24-28
Faible	24-28	25-29	23-27	18-23
Très faible	< 24	< 25	< 23	< 18

	Femmes – Flexion du tronc[a]			
Cote	15-19 ans	20-29 ans	30-39 ans	40-49 ans
Très élevée	> 42	> 40	> 40	> 37
Élevée	38-42	37-40	36-40	34-37
Moyenne	34-37	33-36	32-35	30-33
Faible	29-33	28-32	27-31	25-29
Très faible	< 29	< 28	< 27	< 25

a. Les valeurs sont exprimées en centimètres. Le symbole < signifie « inférieur à » et le symbole >, « supérieur à ».

Source : Santé Canada (2004). *Guide du conseiller en condition physique et habitudes de vie* (3e éd.), Ottawa, p. 7-48.

Vos résultats 1re fois ________ cm ; cote ________ ; date ________

2e fois ________ cm ; cote ________ ; date ________

Reportez vos résultats dans le bilan (fin du chapitre) ou dans MonLab.

32 test de flexion du tronc

Pour en savoir plus

La rubrique « Pour en savoir plus » de MonLab offre des suggestions de lecture et de sites Internet à visiter.

VRAI OU **FAUX** ? RÉPONSES

Il n'y a ni bonnes ni mauvaises réponses. Toutefois, les réponses que vous avez données pourront être validées par les tests et mesures d'évaluation de votre condition physique que vous ferez dans votre cours d'éducation physique.

AU FIL D'ARRIVÉE !

La **condition physique** peut être définie comme la capacité du corps à s'adapter à l'effort physique en général. Plus cette capacité est grande, plus le niveau de condition physique est élevé, et vice-versa. Les déterminants variables de la condition physique associés à une bonne santé sont l'endurance aérobie, le poids santé lié à l'équilibre énergétique, la vigueur musculaire et la flexibilité. Certains auteurs ajoutent à cette liste la posture (chapitre 8) et la capacité à se détendre (chapitre 11).

L'**endurance aérobie** est la capacité à soutenir des efforts aérobies, c'est-à-dire des efforts d'intensité modérée et parfois élevée qui sollicitent, de manière rythmique, les grandes masses musculaires (bassin et membres inférieurs). L'endurance aérobie influe grandement sur la santé physique et mentale.

Le **poids santé lié à l'équilibre énergétique** renvoie à la capacité à maintenir, à long terme, ses réserves de graisse à un niveau favorable pour sa santé (poids santé) en conservant ou en ajustant, au besoin, son équilibre énergétique. Le poids santé est déterminé par l'indice de masse corporelle et le tour de taille.

La **vigueur musculaire** correspond à trois qualités-clés du muscle : son endurance, sa force et sa puissance. L'**endurance** est la capacité du muscle à répéter une contraction localisée (endurance dynamique) ou à la maintenir pendant un certain temps (endurance statique). La **force** est la capacité du muscle à produire une forte tension au moment d'une contraction maximale. La **puissance** est sa capacité à générer, de manière explosive, une force maximale ; cette qualité du muscle est surtout associée à la performance athlétique ou sportive.

La **flexibilité** est la capacité à bouger une articulation dans toute son amplitude sans ressentir de raideur ni de douleur.

Il existe des tests et des mesures permettant d'évaluer chacun de ces déterminants de la condition physique. Les plus pratiques et faciles d'accès ont été présentés dans ce chapitre.

Le bilan (p. 90) vous permet de faire le point sur l'évaluation de votre condition physique.

Nom: ______________________ Groupe: __________ Date: __________

Remplissez les cases vides du schéma à l'aide des mots-clés suivants:

l'endurance ☐ la vigueur musculaire ☑ tests et mesures ☑ le Q-AAP ☑ équilibre énergétique ☑ la force ☐
la condition physique ☑ efforts aérobies ☑ la flexibilité ☑ réserves de graisse ☑ manière explosive ☐

la capacité de s'adapter à l'effort physique en général

définit

le Q-AAP — détermine l'aptitude à évaluer → la condition physique

qui évaluent

sont les éléments déterminants de

l'endurance aérobie | la vigueur musculaire | la Flexibilités | le poids santé lié à l'équilibre énergétique

définit | sont les composantes de | définit | définit

endurance | force | la puissance

définit | définit | définit

la capacité du muscle à répéter une contraction localisée ou à la maintenir

la capacité du muscle à développer une forte tension au moment d'une contraction maximale

la capacité à bouger une articulation dans toute son amplitude sans ressentir de raideur ni de douleur

la capacité à soutenir des efforts aérobies

la capacité du muscle à générer de manière explosive une force maximale

la capacité à maintenir à long terme les réserves de graisse à un niveau favorable pour la santé en conservant un bon équilibre énergétique

La course de 12 min, les demi-redressements assis, la mesure du tour de taille, la flexion du tronc avec flexomètre, les pompes, le physitest aérobie canadien modifié, etc., sont des exemples de tests et mesures

Nom : ______________________ Groupe : ____________ Date : ____________

1 Nommez les quatre déterminants variables de la condition physique associés à une bonne santé.

1. endurance aérobie
2. vigueur musculaire
3. flexibilité
4. poids santé lié à l'équilibre énergétique

2 Quel est le déterminant le plus important pour le maintien d'une bonne santé ?

l'endurance aérobie

3 Avoir des muscles vigoureux présente divers avantages. Indiquez-en trois dans la liste suivante.

- [ ] **a)** Énergie accrue dans les activités quotidiennes.
- [ ] **b)** Grande liberté de mouvement.
- [x] **c)** Amélioration de la posture et de l'équilibre.
- [x] **d)** Équilibre favorable pour la santé entre la masse grasse et la masse maigre.
- [x] **e)** Renforcement des os et des tendons.
- [ ] **f)** Meilleur contrôle du poids corporel.
- [ ] **g)** Plus grande longévité en bonne santé.

4 En quoi consiste la condition physique ?

- [ ] **a)** C'est la capacité de courir le plus vite possible.
- [ ] **b)** C'est la capacité de lever des charges lourdes sans se blesser.
- [ ] **c)** C'est la capacité de faire des exercices aérobies.
- [x] **d)** C'est la capacité de s'adapter à l'effort physique en général.
- [ ] **e)** Aucune des réponses précédentes.

5 Associez à chacune des définitions suivantes le déterminant correspondant de la condition physique.

Définition	Déterminant de la condition physique
1. Capacité à faire bouger une articulation dans toute son amplitude, sans ressentir de raideur ni de douleur.	**a)** Flexibilité
2. Capacité à produire une forte tension au moment d'une contraction maximale, et à répéter ou à maintenir pendant un certain temps une contraction modérée.	**b)** Endurance aérobie
3. Capacité à fournir pendant un certain temps un effort modéré sollicitant l'ensemble des muscles.	**c)** Équilibre énergétique lié au poids santé
4. Capacité à maintenir, ou ajuster au besoin, l'équilibre entre l'apport calorique et la dépense calorique afin de conserver à long terme un poids santé.	**d)** Vigueur musculaire

À VOS MÉNINGES 2

Nom: ______ Groupe: ______ Date: ______

6 Sur quel déterminant de la condition physique les pompes influeront-elles?

- [x] a) La vigueur musculaire.
- [ ] b) La flexibilité.
- [ ] c) L'équilibre énergétique.
- [ ] d) L'endurance aérobie.

7 Le niveau de consommation maximale d'oxygène (VO2 max) est un indice

- [ ] a) de l'état de santé des artères du cœur.
- [ ] b) de la capacité anaérobie.
- [ ] c) de la capacité pulmonaire.
- [x] d) du niveau d'endurance aérobie.
- [ ] e) de la capacité à éliminer l'acide lactique.

8 Nommez trois tests utilisés pour évaluer l'endurance aérobie.

1. test navette 20m
2. Course 12m/h
3. natation 12 min

9 Comment détermine-t-on le poids santé?

- [ ] a) Par la pesée.
- [ ] b) Par la pesée et l'IMC.
- [ ] c) Par l'IMC.
- [x] d) Par le tour de taille et l'IMC.
- [ ] e) Par le tour de taille.

10 À quoi le Q-AAP sert-il?

- [ ] a) À estimer notre espérance de vie en bonne santé.
- [ ] b) À déterminer notre capacité vitale.
- [x] c) À déterminer notre aptitude à pratiquer l'activité physique.
- [ ] d) À déterminer notre aptitude à faire un exercice en force.
- [ ] e) À déterminer notre aptitude à faire un effort anaérobie.

11 Pourquoi est-il important d'évaluer les réserves de graisse abdominale?

- [ ] a) Parce qu'on accumule plus facilement ce type de graisse.
- [x] b) Parce que la graisse abdominale est dangereuse pour la santé.
- [ ] c) Parce que la graisse abdominale est difficile à éliminer.
- [ ] d) Parce que la graisse abdominale favorise les maux de dos.
- [ ] e) Aucune des réponses précédentes.

Nom : ______ Groupe : ______ Date : ______

12 Pourquoi le poids n'est-il pas un indicateur de santé suffisant ?

- ☐ **a)** Il ne prend pas en considération la masse grasse.
- ☐ **b)** Il ne prend pas en considération la distribution de la graisse.
- ☑ **c)** Il ne prend pas en considération la quantité de masse musculaire.
- ☐ **d)** Toutes ces réponses sont bonnes.
- ☐ **e)** Aucune de ces réponses n'est bonne.

13 Dans la liste d'effets bénéfiques suivants, indiquez-en trois qui découlent du poids santé lié à l'équilibre énergétique.

- ☑ **a)** Meilleure estime de soi liée à la satisfaction de son image corporelle.
- ☑ **b)** Meilleur soutien des viscères grâce à une sangle abdominale plus ferme.
- ☐ **c)** Récupération cardiorespiratoire plus rapide après un effort physique.
- ☐ **d)** Liberté de mouvement qui facilite la pratique assidue de l'activité physique.
- ☐ **e)** Renforcement des os et des tendons.
- ☑ **f)** Rapport favorable pour la santé entre la masse maigre (principalement les muscles) et la masse grasse (en particulier la graisse abdominale).

14 Associez chacun des tests suivants au déterminant de la condition physique correspondant.

Tests	Déterminants
Test de dynamomètre d)	**a)** Endurance musculaire
Test de course de 12 minutes c)	**b)** Flexibilité
Test des pompes a)	**c)** Endurance aérobie
Test de flexion du tronc en position assise b)	**d)** Force musculaire

Nom : ______________ Groupe : ______________ Date : ______________

DÉTERMINEZ VOS CAPACITÉS ET VOS BESOINS PHYSIQUES

À présent que vous avez évalué votre condition physique, vous pouvez faire le bilan de vos capacités physiques et de vos besoins associés à la pratique régulière et suffisante d'activités physiques. Déterminer vos besoins vous aidera à fixer vos objectifs de mise en forme spécifique aux chapitres 4 à 7. Reportez les résultats de vos tests dans le tableau qui suit. Vous pouvez aussi les noter directement dans le **Profil santé** de MonLab. Cet outil est particulièrement intéressant si vous avez fait une deuxième évaluation de votre condition physique durant la session ou lors de votre troisième cours d'éducation physique, car vous pouvez y inscrire un deuxième résultat et suivre ainsi l'évolution de votre condition physique tout au long de vos études.

MonLab

Les résultats aux divers tests sont calculés automatiquement dans le Profil santé.

		Vos capacités physiques					Vos besoins	
Déterminant	Tests	Très élevée	Élevée	Moyenne	Faible	Très faible	Oui	Non
Endurance aérobie		☐	☐	☐	☐	☐	☐	☐
Force musculaire	1.	☐	☐	☐	☐	☐	☐	☐
	2.	☐	☐	☐	☐	☐	☐	☐
Puissance musculaire		☐	☐	☐	☐	☐	☐	☐
Endurance musculaire	1.	☐	☐	☐	☐	☐	☐	☐
	2.	☐	☐	☐	☐	☐	☐	☐
	3.	☐	☐	☐	☐	☐	☐	☐
Flexibilité	1.	☐	☐	☐	☐	☐	☐	☐
	2.	☐	☐	☐	☐	☐	☐	☐
	3.	☐	☐	☐	☐	☐	☐	☐
	4.	☐	☐	☐	☐	☐	☐	☐

		Risque relatif de maladie : IMC + tour de taille (tableau 2.9, p. 72)				Besoin	
Poids santé lié à l'équilibre énergétique	Mesures	Très élevé	Élevé	Accru[a]	Le moins élevé	Oui	Non
	IMC : ______ Tour de taille (cm) : ______	☐	☐	☐	☐	☐	☐
	Votre bilan énergétique[b]	Je suis en état d'équilibre calorique. ☐ oui ☐ non Je suis en état de surplus calorique. ☐ oui ☐ non Je suis en état de déficit calorique. ☐ oui ☐ non				☐	☐

a. Le risque relatif est également accru si votre IMC est inférieur à 18,5 kg/m².

b. Reportez ici et dans MonLab (**Profil santé**), s'il y a lieu, le résultat du calcul de votre bilan énergétique (chapitre 7, bilan 7.1, p.273).

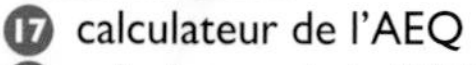

VRAI OU **FAUX** ? V F

1. Le bicarbonate de soude est efficace pour réduire la quantité de lactate dans les muscles. ☐ ☐
2. Le matin est le meilleur moment pour faire de l'exercice. ☐ ☐
3. L'entraînement intensif sept jours sur sept ne donne pas de meilleurs résultats que l'entraînement cinq jours par semaine. ☐ ☐
4. On peut cesser de s'entraîner et conserver quand même sa condition physique. ☐ ☐

Les réponses se trouvent en fin de chapitre, p. 108.

CHAPITRE 3

MAÎTRISEZ LES PRINCIPES DE BASE DE L'ENTRAÎNEMENT

SUR LA LIGNE DE DÉPART !

VOS OBJECTIFS SONT LES SUIVANTS :

- Comprendre le fonctionnement des trois systèmes qui produisent l'énergie nécessaire au travail des muscles.
- Connaître les principes de base de l'entraînement dans le but d'améliorer votre santé.
- Comprendre en quoi consiste une approche moins structurée de l'activité physique.
- Estimer votre dépense calorique hebdomadaire.

MonLab

Vrai ou faux ?

Autres exercices en ligne

> Il y a très longtemps, parce que les muscles au travail lui faisaient penser à des souris s'activant sous la peau, un homme de science leur a donné le nom de muscles, d'après le mot latin *mus*, qui signifie «petite souris».
>
> ELAINE N. MARIEB

Lorsque vous améliorez votre condition physique, vous augmentez votre capacité d'adaptation à l'effort physique. Votre organisme peut alors produire, et utiliser, un surcroît d'énergie pour répondre à des efforts physiques plus intenses et plus longs. Cette énergie est déjà en réserve non seulement dans vos cellules musculaires, mais aussi dans toutes les cellules de votre corps. C'est l'**adénosine triphosphate** (**ATP**), une source d'énergie universelle qui prend la forme d'une molécule composée d'acides aminés et de liaisons phosphate (Pi), véritables petites bombes d'énergie (figure 3.1). Ainsi, dès que vous bougez un muscle, grand ou petit, l'ATP libère instantanément l'énergie dont il a besoin pour se contracter. Une seule molécule d'ATP peut fournir quelque 7 kilocalories.

FIGURE 3.1 L'ATP : la pile universelle qui alimente l'activité biologique fournit l'énergie pour...

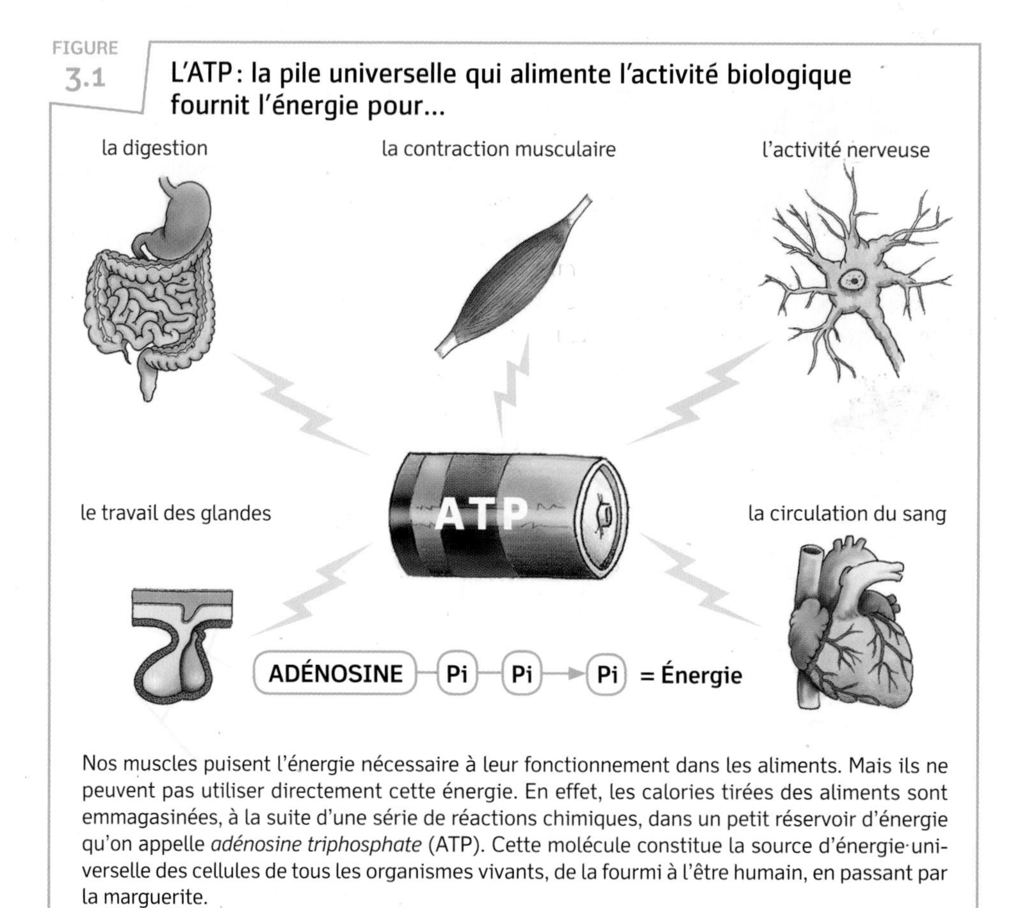

Nos muscles puisent l'énergie nécessaire à leur fonctionnement dans les aliments. Mais ils ne peuvent pas utiliser directement cette énergie. En effet, les calories tirées des aliments sont emmagasinées, à la suite d'une série de réactions chimiques, dans un petit réservoir d'énergie qu'on appelle *adénosine triphosphate* (ATP). Cette molécule constitue la source d'énergie universelle des cellules de tous les organismes vivants, de la fourmi à l'être humain, en passant par la marguerite.

LES TROIS SYSTÈMES PRODUCTEURS D'ATP

Les muscles ne contiennent cependant qu'une réserve d'ATP très limitée : au bout de 3 ou 4 secondes d'effort maximal, elle est à sec. C'est fâcheux si vous devez grimper à toute vitesse deux volées de marches pour être à l'heure à votre cours de maths ou courir l'équivalent d'un 50 mètres pour attraper le bus. Heureusement, votre organisme refait sans cesse le plein de ses réserves musculaires d'ATP, si bien que vous pourrez continuer à monter les escaliers ou à courir, mais moins vite qu'au début. Ce processus s'effectue par le biais de trois systèmes : le **système ATP-CP**, le **système à glycogène** et le **système à oxygène**. Les deux premiers sont **anaérobies**, c'est-à-dire qu'ils produisent l'ATP sans apport significatif d'oxygène. Ils nous donnent la rapidité et la force. Le troisième, plus lent, est **aérobie**, c'est-à-dire qu'il renouvelle l'ATP en présence d'oxygène. Il nous donne de l'endurance pendant l'effort. **Nos muscles travaillent, en quelque sorte, à trois vitesses !**

Le système ATP-CP : le 911 des muscles

Vif comme l'éclair, le système ATP-CP vous permet d'entrer en action à tout moment et avec force, s'il le faut. C'est la **première vitesse** du muscle. Grâce à son intervention, vous pourrez continuer à grimper les escaliers à une bonne vitesse ou à courir pour attraper l'autobus. Comment fonctionne ce « 911 musculaire » ? Les muscles utilisent d'abord l'ATP en réserve pendant les 3 ou 4 premières secondes d'un effort. Si l'effort se prolonge, une autre molécule extrêmement riche en énergie, la créatine phosphate (CP), prend la relève pour produire de l'ATP à une vitesse phénoménale. La CP s'apparente à un accumulateur qui recharge la pile d'ATP au fur et à mesure qu'elle se vide. Comme il contient plus de CP qu'il n'a de réserves d'ATP, le muscle peut soutenir un effort maximal pendant environ 10 secondes, au lieu de 3 à 4 secondes. Après quoi, l'accumulateur tombe lui-même à plat, car les réserves de CP sont épuisées (figure 3.2). C'est au moment où le système ATP-CP cesse d'agir que les muscles passent en **deuxième vitesse**. Toutefois, ce moment peut être retardé chez les personnes qui consomment des suppléments de créatine dans le but d'augmenter leurs réserves intramusculaires de CP. Nous y reviendrons au chapitre 5.

FIGURE 3.2 L'épuisement des réserves d'ATP et de CP

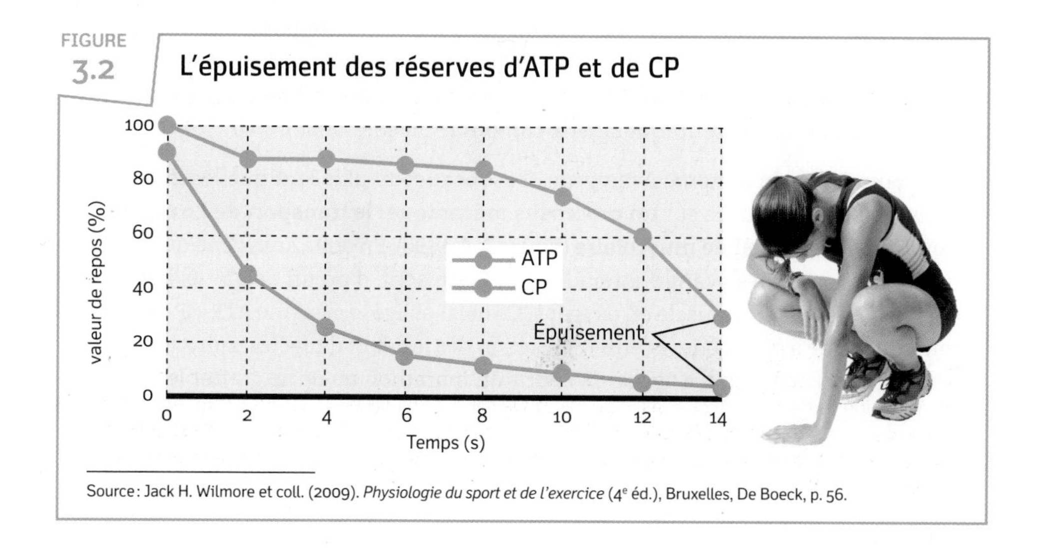

Source : Jack H. Wilmore et coll. (2009). *Physiologie du sport et de l'exercice* (4e éd.), Bruxelles, De Boeck, p. 56.

Le système à glycogène : puissant mais acidifiant

Outre la réserve d'urgence d'ATP-CP, chaque cellule musculaire contient une petite quantité de sucre emmagasinée sous la forme de granules de **glycogène** (figure 3.3), une substance composée de molécules géantes de glucose. Le système à glycogène puise dans ce réservoir de sucre pour fabriquer, toujours sans apport d'oxygène, de nouvelles molécules d'ATP. Une fois le système ATP-CP à bout de souffle, la relève est ainsi assurée, et l'organisme peut fournir un effort intense pendant quelque 120 secondes de plus. Hélas, il y a un prix à payer ! Quand il fabrique de l'ATP en l'absence d'oxygène (glycolyse), le glycogène augmente sa production d'acide lactique, lequel se transforme rapidement en lactate. Cette transformation libère de grandes quantités d'ions hydrogène (H^+), ce qui a pour effet d'augmenter le taux d'acidité dans le muscle. Ainsi, lors d'efforts intenses de moins de 1 minute, le potentiel hydrogène (pH) du muscle peut passer de 7,1 (valeur normale) à moins de 6,6. Un tel taux d'acidité risque de freiner la production d'ATP et de nuire à la contraction des muscles. En fin de compte, cela ralentit le travail musculaire.

Lorsque le muscle utilise du glycogène en l'absence d'oxygène et qu'il y a production de lactate, on est en présence de **conditions anaérobies lactiques**. Quand c'est le système ATP-CP qui fonctionne à plein régime – et parfois même avec un léger apport de glycogène, mais sans production importante de lactate –, on est en présence de **conditions anaérobies alactiques**. Dès qu'on réduit l'intensité de l'effort, l'oxygène circule à nouveau librement dans le tissu musculaire et décompose le lactate en eau et en gaz carbonique, ce qui réduit les douleurs musculaires associées à l'exercice intense.

L'arrivée en trombe de cet oxygène dans les muscles a pour effet de les faire passer en **troisième vitesse**. C'est la vitesse de croisière aérobie.

Le système à oxygène : une énergie lente mais illimitée

Nous avons vu que les deux premiers systèmes sont anaérobies : ils produisent rapidement de grandes quantités d'ATP sans apport significatif d'oxygène. Cette superproductivité tient au fait que les cellules musculaires contiennent déjà de la créatine phosphate et du glycogène, de même que les enzymes nécessaires à leur transformation en ATP. Rappelons que les enzymes sont des protéines ; celles-ci, en l'occurrence, accélèrent les réactions biochimiques. Il suffit ainsi d'une impulsion nerveuse pour activer immédiatement le processus de fabrication de l'ATP. En somme, la voie anaérobie se caractérise par des réactions biochimiques d'une rapidité extraordinaire, qu'on pourrait comparer à celle d'un super-ordinateur (quoique la comparaison soit faible).

Il en va autrement du système à oxygène. Il est beaucoup plus lent que les deux autres parce qu'il repose en partie sur **un processus mécanique : le transport de l'oxygène des poumons jusqu'à la cellule musculaire** (figure 3. 4, p. 96). En effet, l'oxygène qu'on inhale met plusieurs secondes avant d'atteindre le muscle actif, d'où un délai inévitable dans l'approvisionnement du muscle en oxygène. Ce délai oblige le système ATP-CP – et parfois même le système à glycogène – à entrer en action dès le début d'un effort physique, quelle que soit son intensité, qu'il s'agisse de courir un marathon ou de se gratter le nez.

FIGURE 3.3 **Du muscle à la cellule musculaire**

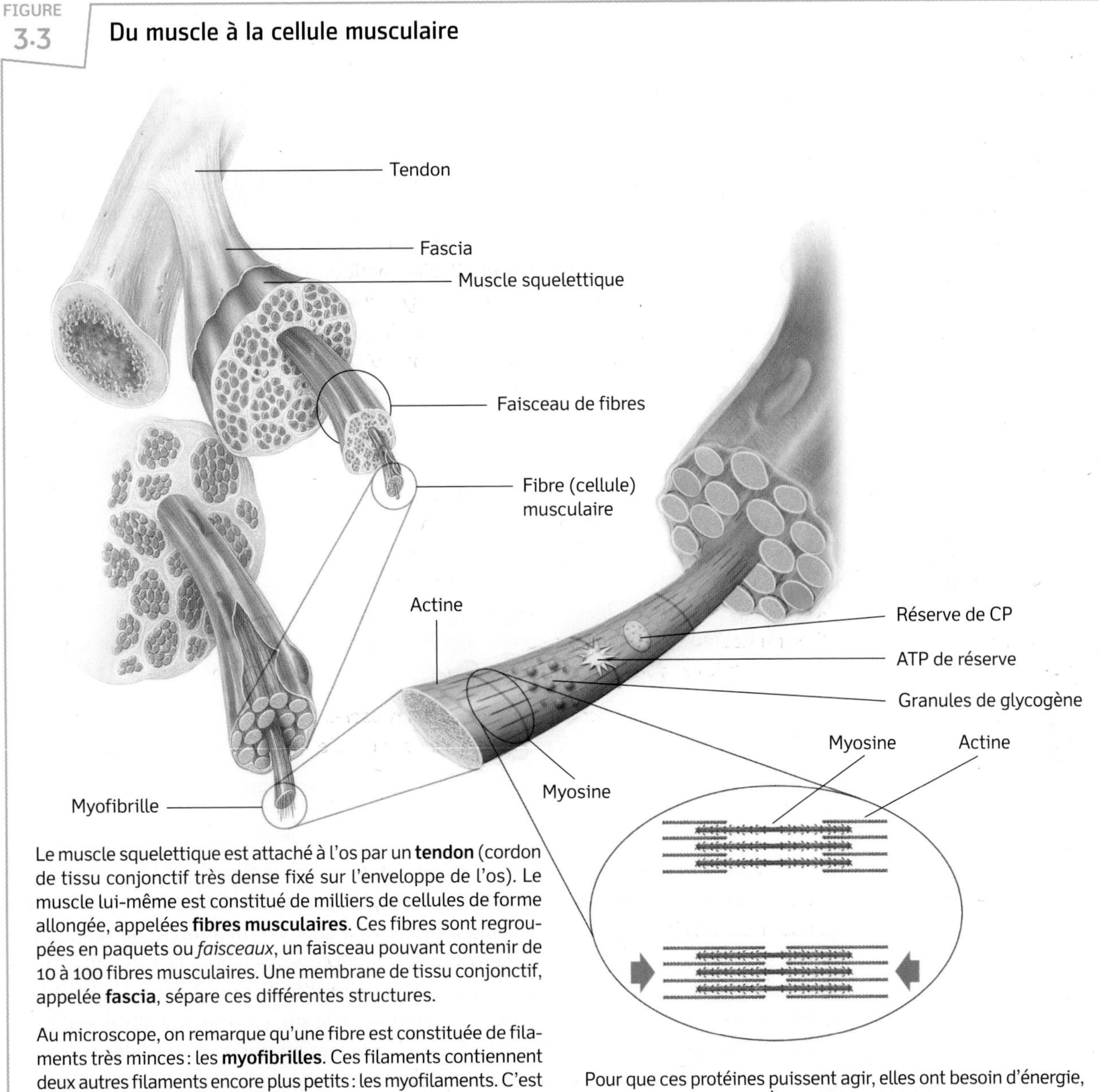

Le muscle squelettique est attaché à l'os par un **tendon** (cordon de tissu conjonctif très dense fixé sur l'enveloppe de l'os). Le muscle lui-même est constitué de milliers de cellules de forme allongée, appelées **fibres musculaires**. Ces fibres sont regroupées en paquets ou *faisceaux*, un faisceau pouvant contenir de 10 à 100 fibres musculaires. Une membrane de tissu conjonctif, appelée **fascia**, sépare ces différentes structures.

Au microscope, on remarque qu'une fibre est constituée de filaments très minces : les **myofibrilles**. Ces filaments contiennent deux autres filaments encore plus petits : les myofilaments. C'est à ce niveau que s'effectue la contraction du muscle. Les myofilaments contiennent, en effet, deux protéines spécialisées qui peuvent se contracter et se relâcher : **l'actine et la myosine**. Quand le muscle se contracte, les myofilaments se rapprochent en glissant l'un sur l'autre. Quand le muscle se relâche, l'étau se desserre, pourrait-on dire ; l'actine et la myosine s'éloignent alors l'une de l'autre.

Pour que ces protéines puissent agir, elles ont besoin d'énergie, en l'occurrence d'**ATP**. À l'intérieur de la cellule musculaire, il y a une petite réserve d'ATP, mais aussi une réserve de **créatine phosphate (CP)** ainsi que des **granules de glycogène** au cas où l'effort se prolongerait (système ATP-CP et système à glycogène). Si l'effort devait durer plusieurs minutes, l'oxygène apporté par les vaisseaux sanguins serait alors mis à contribution (système à oxygène).

Source : Adapté de G.J. Tortora et B. Derrickson (2007). *Principes d'anatomie et de physiologie* (2e éd.), Saint-Laurent, ERPI, p. 312. Reproduit avec la permission de John Wiley & Sons, Inc.

FIGURE 3.4 Le système de transport de l'oxygène

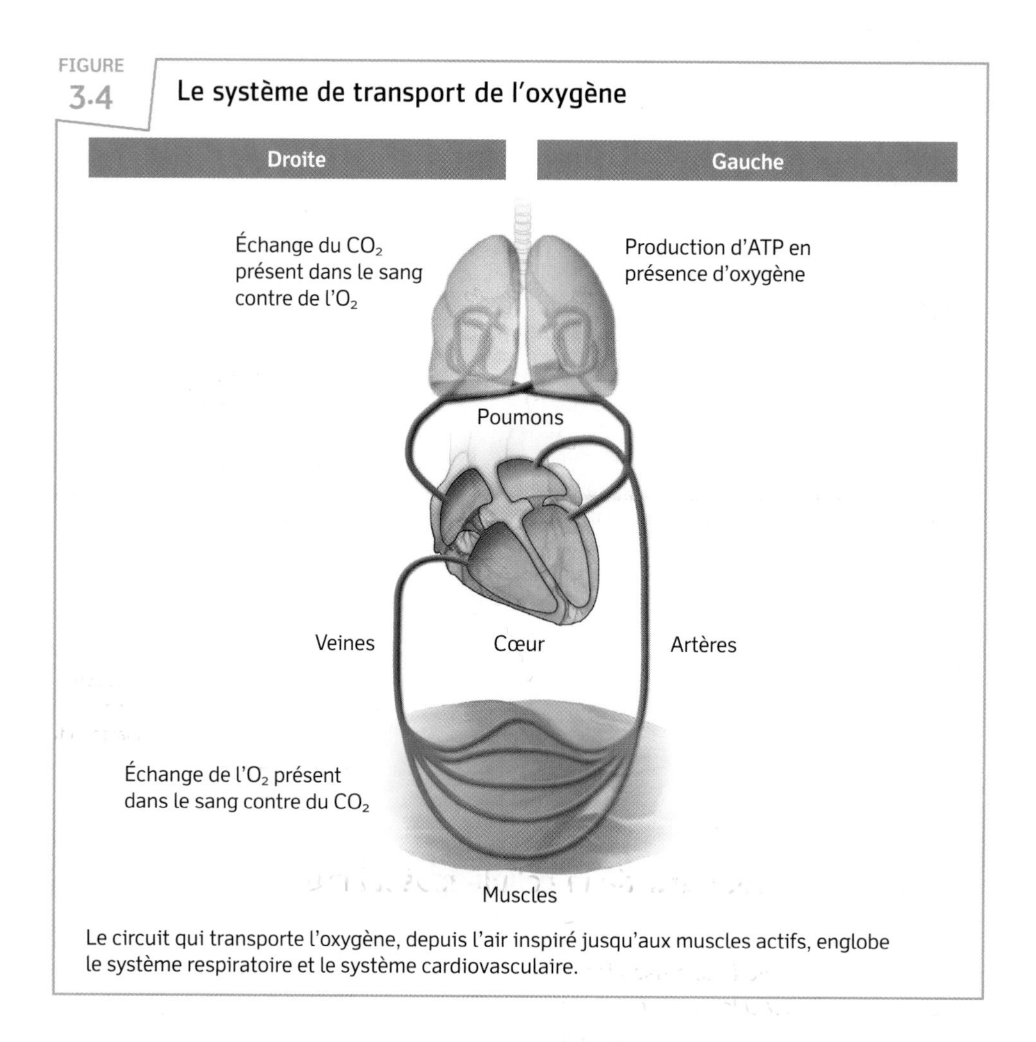

Le circuit qui transporte l'oxygène, depuis l'air inspiré jusqu'aux muscles actifs, englobe le système respiratoire et le système cardiovasculaire.

Lorsque **l'oxygène arrive dans les cellules musculaires, c'est le début d'une production pratiquement illimitée d'ATP**. Il y a deux raisons à cela. Premièrement, la fabrication d'ATP en présence d'oxygène (voie aérobie) ne produit presque pas de lactate ; or, comme nous l'avons vu, une forte concentration de lactate acidifie le muscle, ce qui ralentit du même coup la production d'énergie. Deuxièmement, le sang qui circule librement dans le muscle lui apporte de façon continue de grandes quantités de sucre (glucose) et de graisses (acides gras libres). On trouve donc réunis, et en abondance, tous les ingrédients – oxygène, sucre et graisses – nécessaires pour produire de l'ATP pendant longtemps. Cette production a lieu dans de microscopiques centrales énergétiques présentes dans les muscles : les **mitochondries** (**Sous la loupe**).

En résumé, lorsqu'on fait un effort intense et bref, ce sont les filières énergétiques anaérobies qui entrent en action et parfois se chevauchent. En revanche, le système aérobie assure l'essentiel du travail lors d'un effort prolongé, par exemple quand on fait un marathon, une longue randonnée en ski de fond sur le plat ou une simple promenade à pied (**figure 3.5**).

FIGURE 3.5 Les trois vitesses du muscle en action

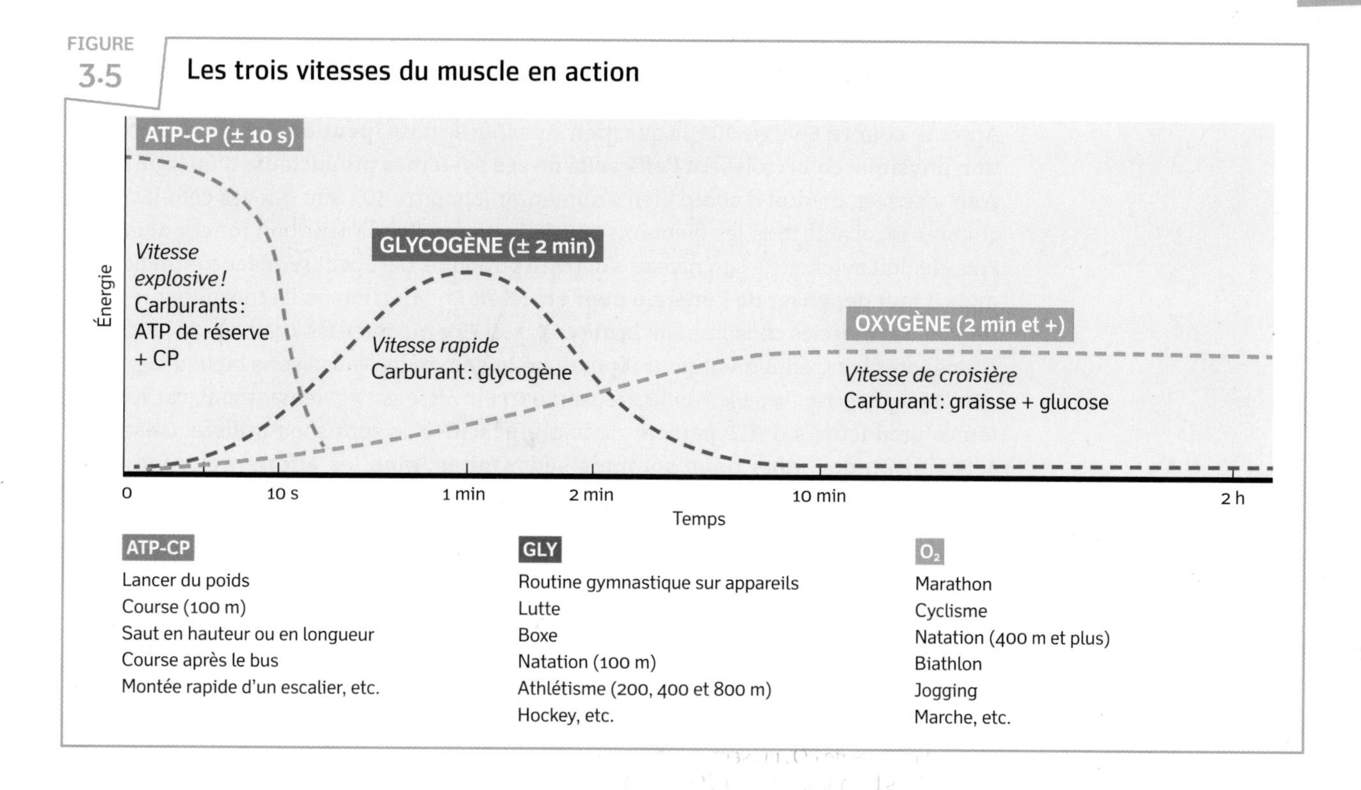

Au cœur de la cellule musculaire

Lorsque l'oxygène coule à flots dans les muscles actifs, les molécules de graisse (acides gras libres) et de sucre (glucose) quittent le sang, pénètrent dans la cellule puis dans les mini-centrales énergétiques que sont les mitochondries, d'où sortiront de grandes quantités d'ATP. Cette fabrication d'ATP en présence d'oxygène a des résidus – l'eau (H_2O) et le gaz carbonique (CO_2) –, qui se retrouvent dans le sang veineux.

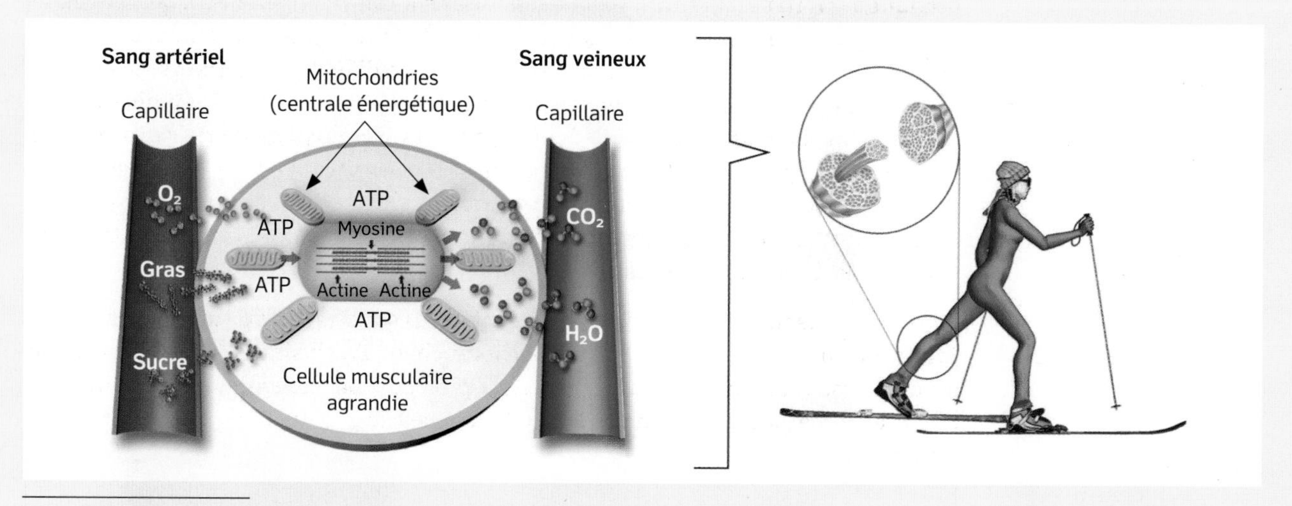

Source : Adapté de R. Chevalier et coll. (1979). *Le conditionnement physique*, Montréal, Éditions de l'Homme, p. 63.

L'ACTIVITÉ PHYSIQUE : LA GÉNÉRATRICE D'ATP

Après ce cours d'Énergie 101, la question suivante se pose : **peut-on améliorer sa condition physique en accroissant l'efficacité de ses systèmes producteurs d'énergie?** Oui ! Pour y arriver, on doit d'abord bien s'alimenter (chapitre 10), afin que les cellules musculaires reçoivent tous les éléments nutritifs nécessaires à leur bon fonctionnement. Puis, on doit augmenter son niveau d'activité physique. Cela peut sembler contradictoire, mais **il faut dépenser de l'énergie pour en créer**. En effet, lorsqu'ils travaillent régulièrement, les muscles consomment beaucoup d'ATP, ce qui force les « usines » productrices à améliorer leur rendement pour répondre à la demande. Nous avons bien là la preuve que *la fonction crée l'organe*. Malheureusement, l'inverse est également vrai, car les systèmes producteurs d'ATP perdent de leur efficacité s'ils sont sous-utilisés. C'est pour cette raison que, **plus nous sommes sédentaires, plus les efforts nous fatiguent rapidement**.

Selon le type d'activité physique pratiquée, on développe en priorité l'un ou l'autre des systèmes ou encore les trois à la fois. Par exemple, en augmentant sa capacité à lever des charges de plus en plus lourdes, l'haltérophile améliore la puissance de son système ATP-CP. Le nageur qui s'entraîne pour l'épreuve du 200 mètres accroît sa capacité à fournir des efforts intenses prolongés et, par le fait même, l'efficacité de son système à glycogène tout comme sa capacité à tolérer une forte concentration de lactate (état d'acidose) dans ses muscles actifs. Le marathonien, lui, a développé à un haut niveau sa capacité à fournir des efforts de longue durée et, du même coup, l'efficacité de son système à oxygène. En combinant ces trois types d'efforts (puissance, force et endurance), les **triathloniens**, quant à eux, améliorent simultanément le rendement des trois systèmes. La **figure 3.6** résume les effets de l'entraînement sur les systèmes producteurs d'ATP.

FIGURE 3.6 Les effets de l'entraînement sur les systèmes producteurs d'ATP

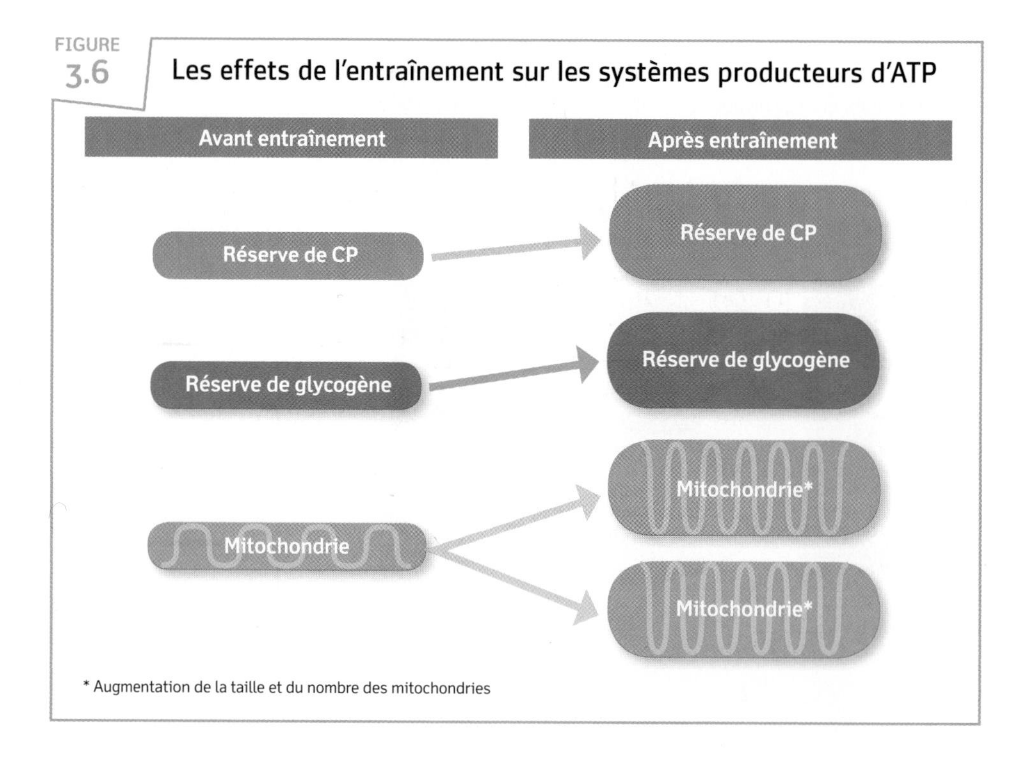

en mouvement

Un parcours de 20 minutes pour améliorer les trois systèmes producteurs d'ATP

Le fartlek, vous connaissez? Mis au point à la fin des années 1930 par un entraîneur d'athlétisme suédois, Gosta Holmer, cette méthode d'entraînement combine judicieusement les efforts aérobies et anaérobies sous la forme d'un parcours continu pouvant durer 20 minutes ou 2 heures. C'est comme si, sans le savoir, Holmer avait inventé la méthode idéale pour entraîner simultanément les trois systèmes producteurs d'ATP. Pour vous donner une idée d'un parcours de fartlek, nous vous en illustrons un exemple sous la forme d'un graphique où alternent des exercices anaérobies brefs (système ATP-CP), des exercices anaérobies longs (système à glycogène) et des exercices aérobies encore plus longs (système à oxygène). On peut exécuter ces exercices à pied (jogging et marche rapide), en raquettes, en ski de fond, en vélo, en patins à glace ou à roues alignées, à la nage. On peut même faire du fartlek chez soi sur un vélo d'exercice ou un appareil elliptique, à condition d'alterner les efforts modérés et les efforts intenses, et de respecter les temps de récupération. Ce type d'entraînement (qui est un exemple d'entraînement par intervalles, voir chapitre 4, p. 126) exige des efforts intenses sur le plan cardiovasculaire et musculaire. Vous avez intérêt à débuter progressivement si vous n'êtes pas en forme.

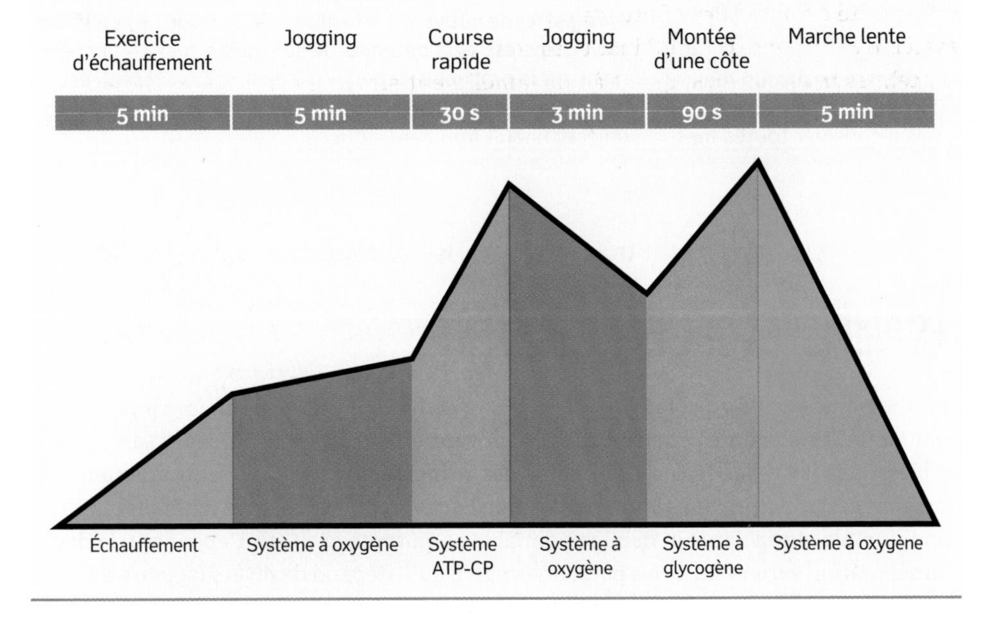

ZONE ÉTUDIANTE

Jean-Christophe Lacasse

CÉGEP DE SHERBROOKE

À 19 ans, Jean-Christophe est un passionné qui confesse en souriant sa « dépendance positive » au triathlon ; il en est à la 5e session de ses études en génie civil.

C'est devant la télévision que mon intérêt pour le **triathlon** s'est éveillé. Je suivais une émission qui résumait l'Ironman d'Hawaï de 2007 (3,8 km de nage, 180 km de vélo et 42,2 km de marathon). Le déclic s'est fait ! J'ai donc commencé à m'entraîner seul et pour des triathlons de courtes distances. Puis, j'ai joint le club de triathlon de Sherbrooke et je m'entraîne à l'université, entre 8 et 14 heures par semaine. Ce temps est réparti entre les trois composantes de mon sport.

Appartenir à un club, c'est très motivant, parce que ça me fait rencontrer des passionnés de triathlon comme moi, et je peux mesurer l'amélioration de mes performances, ce qui est très encourageant. Le multisport est rempli de défis et de petits objectifs qui donnent des points de repère pour évaluer ses progrès. Ça permet de rester motivé, concentré et prêt à poursuivre les efforts, l'objectif final.

Bien sûr, depuis que je m'entraîne, je passe beaucoup moins de temps à regarder la télévision (et ça ne me dérange pas le moins du monde) ! Mais si je réussis à concilier toutes mes activités, c'est que je planifie bien ce que j'ai à faire dans ma journée. Je suis capable de décider quand mettre l'accent sur le cégep et quand le mettre sur le triathlon. Par exemple, durant la fin de session, il est sûr que mon volume d'entraînement baisse : je mets la priorité sur mes travaux d'étudiant. Ainsi, je réussis à m'entraîner, à étudier à temps plein et à travailler le week-end.

Après une bonne séance d'entraînement, je sens que ma journée a été productive et amusante. **J'ai un sentiment de léger épuisement et c'est d'autant plus plaisant que je me sens libéré des stress futiles**, que j'ai l'esprit calme et que les tensions de mon corps sont relâchées. Je suis d'attaque pour la suite de la journée. **Normal : allégé, mon cerveau est prêt à enregistrer de nouvelles informations. Fatigué de son effort, mon corps est plus détendu.** Je suis prêt à focaliser entièrement sur la prochaine activité qui, dans le cas présent, est de m'appliquer aux études. Ensuite ? Je ne perds pas de vue mon objectif final : l'Ironman !

LES PRINCIPES DE L'ENTRAÎNEMENT

Comme nous l'avons vu, il faut augmenter son activité physique pour améliorer le rendement de ses systèmes énergétiques. Si on veut être efficace et procéder sans risque de blessures, il y a des règles à respecter : **les principes de base de l'entraînement**. En intégrant ces principes dans votre pratique de l'activité physique, vous améliorerez votre condition physique dans un délai raisonnable et en toute sécurité. Cependant, le degré d'amélioration variera selon les personnes parce qu'il dépend de divers facteurs tels que l'hérédité, la condition physique initiale, l'alimentation, la motivation, le mode de vie et l'influence de l'environnement. À ne pas oublier si on veut se comparer à d'autres !

Les principes de l'entraînement sont les suivants : la **spécificité**, la **surcharge**, la **progression** et le **maintien**. Certains auteurs y ajoutent la **réversibilité**, laquelle est en réalité une conséquence de l'arrêt de l'entraînement : si on cesse d'être physiquement actif pendant un moment, on peut perdre une partie des gains obtenus sur le plan de la condition physique. Voyons sommairement en quoi consistent ces principes.

1. Le principe de la spécificité

Le corps s'adapte de façon spécifique à chaque type d'activité physique. Autrement dit, à un exercice donné correspond une adaptation donnée. Par exemple, si vous voulez améliorer votre capacité à faire des longueurs de piscine, vous devez nager et non patiner ! Si vous voulez fortifier vos bras, inutile de faire du jogging, mieux vaut soulever des poids libres. De même, pour perfectionner votre technique au badminton, suivez un cours et pratiquez souvent ce sport. En faisant des exercices appropriés, vous pouvez également vous améliorer dans un sport, sans le pratiquer à proprement parler, en mimant la gestuelle qui lui est propre (**figure 3.7**). En somme, appliquer le principe de la spécificité revient à choisir les exercices ou les activités physiques favorisant l'objectif visé.

FIGURE 3.7 **Exemples d'application du principe de la spécificité à certains sports**

2. Le principe de la surcharge

Pour améliorer sa condition physique, et donc sa capacité d'adaptation à l'effort, il faut faire plus d'effort physique qu'à l'habitude : par exemple, passer de la marche au jogging, jouer au badminton pendant 60 minutes au lieu de 45, ou étirer ses muscles 4 fois par semaine au lieu de 2. Cela signifie qu'on doit **quitter temporairement sa zone de confort pour en faire un peu plus**. C'est le principe de la surcharge, lequel repose sur trois variables que nous pouvons résumer par l'acronyme FIT : la fréquence, l'intensité et le temps (ou durée). Quand on augmente ainsi la charge, le corps travaille plus fort. Mais, en même temps, il s'adapte au surplus de travail, de sorte que l'effort intense qui, au début, faisait suer et souffrir devient un effort modéré au bout de quelques semaines.

L'application continue d'une surcharge provoque à la longue une adaptation physiologique (la fréquence cardiaque et la respiration sont plus lentes pour un même effort) et psychologique (en faire davantage rebute moins parce qu'on s'est habitué à l'effort physique). Cependant, ce principe de mise en forme doit être **bien dosé** et **respectueux de vos capacités et de vos besoins** (chapitre 2). Si la surcharge est insuffisante, les gains de condition physique seront faibles. Inversement, si elle est excessive et ne s'accompagne pas de périodes de récupération, elle entraîne un risque accru de blessures, une perte de motivation et même de la fatigue physique (figure 3.8). C'est pourquoi le principe de surcharge est intimement lié au principe de la progression, que nous aborderons plus loin.

FIGURE 3.8 Du bon au mauvais dosage de la surcharge

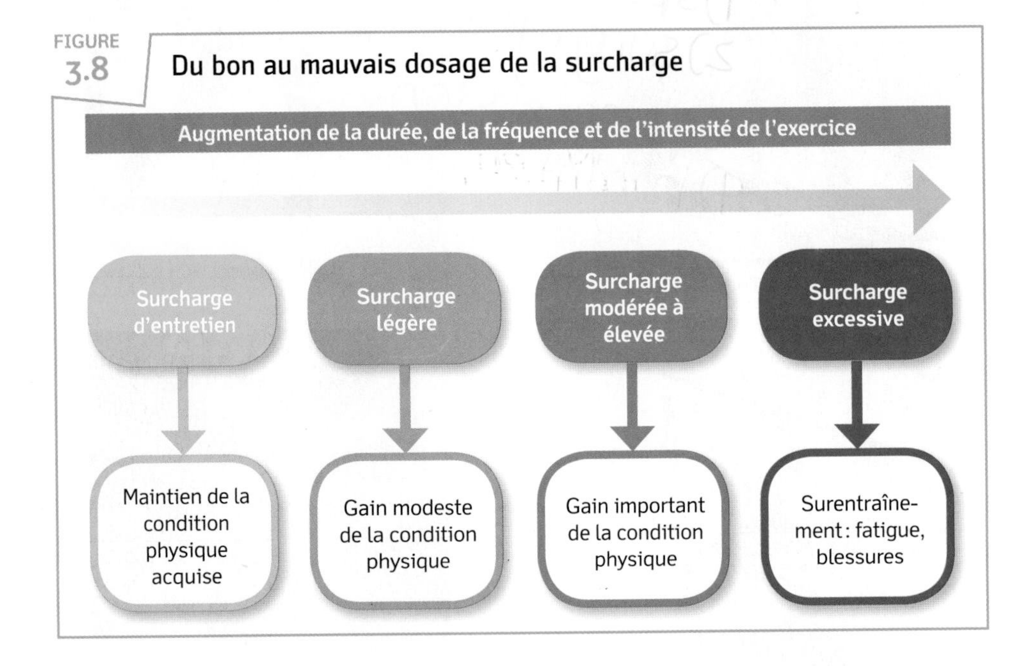

Quant au type de surcharge, il dépend de l'objectif visé. Par exemple, si vous voulez améliorer votre endurance aérobie, vous devez pratiquer des activités aérobies suffisamment fréquentes, intenses et prolongées. Cela revient à appliquer le principe de la spécificité. Comme vous le voyez, **les principes de la mise en forme sont interdépendants**. Le tableau 3.1 illustre l'application conjointe des principes de la spécificité et de la surcharge.

TABLEAU 3.1

Exemples d'application des principes de la spécificité et de la surcharge

Objectif visé	Principe de la spécificité	Principe de la surcharge		
		Fréquence[a]	Intensité[a]	Temps ou durée[a]
Érik, 18 ans, veut améliorer son endurance aérobie.	Faire des longueurs de piscine (chapitre 4).	Au moins 3 fois par semaine.	Modérée à élevée selon la FCC[b].	Au moins 30 min.
Sandra, 17 ans, veut améliorer sa force musculaire.	Faire 8 exercices de 2 séries de 10 levées d'une charge donnée (chapitre 5).	Au moins 3 fois par semaine.	Élevée.	Le temps nécessaire pour faire les 2 séries pour chacun des 8 exercices.
Thomas, 19 ans, veut réduire ses réserves de graisse et rétablir ainsi son équilibre énergétique.	Combiner jogging et musculation (chapitre 4 et 5).	Cinq fois par semaine.	Modérée selon la FCC[b].	Au moins 60 min : 40 min d'exercices aérobies et 20 min de musculation.
Natasha, 22 ans, veut améliorer sa flexibilité au niveau du bas du dos.	Faire des étirements du bas du dos (chapitre 6).	Tous les jours.	Jusqu'à la limite d'étirement du muscle sans ressentir de douleur (p. 220).	De 20 à 30 secondes par exercice d'étirement, 2 fois.

a. Pour en savoir plus sur ces modalités d'entraînement, consulter les chapitres 4 à 7.

b. Fréquence cardiaque cible (voir p. 131).

3. Le principe de la progression

Le principe de la progression consiste à augmenter la surcharge lorsque celle-ci devient insuffisante pour poursuivre l'amélioration de sa condition physique. Au bout d'un certain temps, la surcharge de départ, par exemple 10 minutes de jogging ou 10 levées d'une charge de 30 kilos, devient trop peu exigeante. C'est la preuve tangible que le corps a augmenté sa capacité d'effort en s'adaptant. Pour poursuivre sur cette lancée, il faut ajuster *régulièrement* la surcharge, en l'augmentant *progressivement*. On passera donc à 12 minutes de jogging ou à 10 levées d'une charge de 35 kilos. Cet ajustement, essentiel pour maintenir l'efficacité de la surcharge, modifie inévitablement la fréquence, l'intensité et la durée d'une activité physique, comme nous le verrons aux chapitres 4 à 7. Un exemple d'application du principe de la progression est présenté à la **figure 3.9**. Précisons que la périodisation (**Sous la loupe**) est une variante, de plus en plus utilisée, du principe de la progression.

FIGURE 3.9 **Exemple d'application du principe de la progression**

En raison de son résultat (désastreux!) au test de 12 minutes, Julien, 19 ans, a décidé d'améliorer son endurance aérobie en faisant du jogging. Comme son cardio est faible, il commencera son programme de 12 semaines par du jogging léger. Voici la progression qu'il entend suivre.

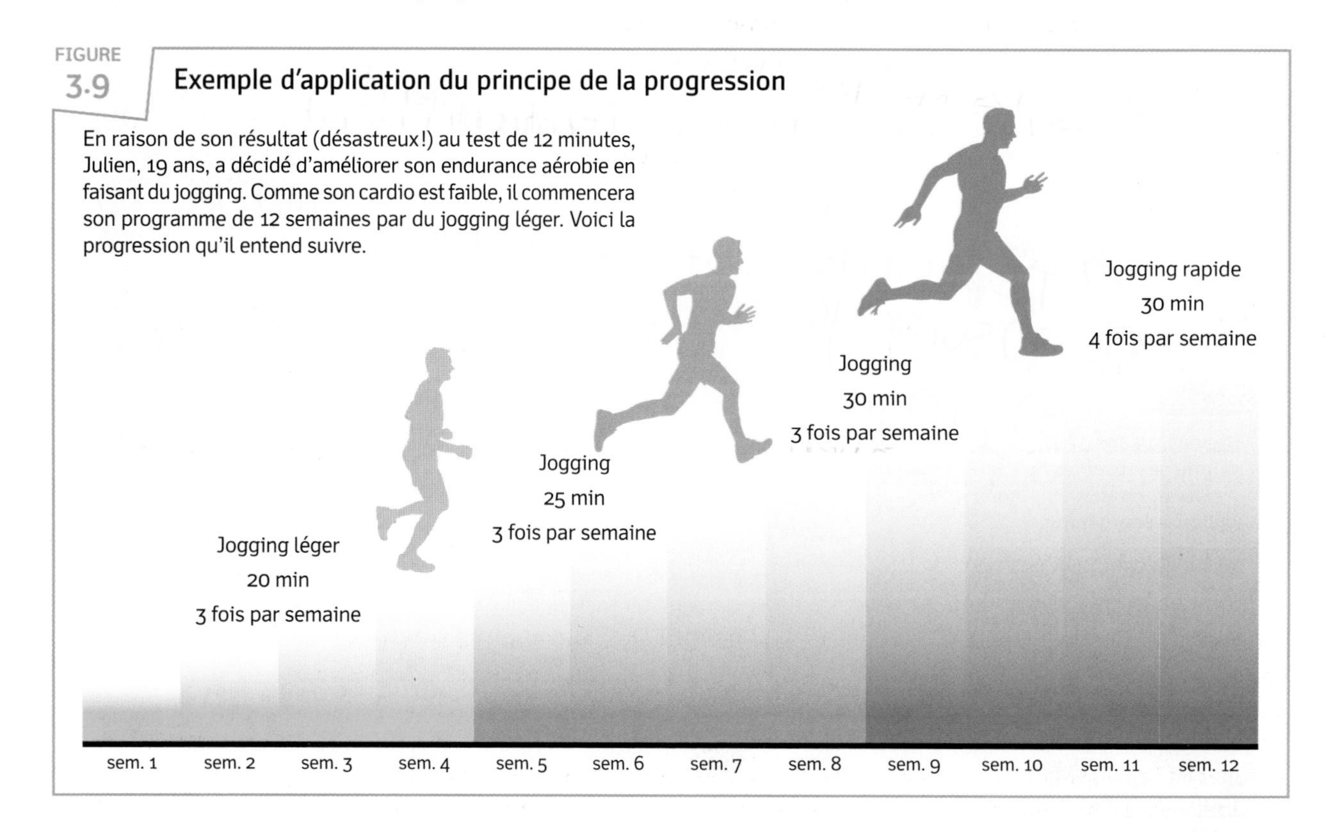

Une fois votre objectif atteint, vous pouvez vous limiter à une surcharge d'entretien, ce qui nous amène au principe du maintien.

4. Le principe du maintien

Vous avez atteint un bon niveau de condition physique dont vous profitez pleinement jour après jour. Arrive la période des examens, et vous avez également un emploi à temps partiel qui vous occupe 12 heures par semaine. Bref, vous devez réduire temporairement le temps consacré à votre mise en forme physique. Que faire si vous voulez conserver votre niveau actuel? Appliquez le principe du maintien! Ce principe est plutôt séduisant:

SOUS LA
LOUPE

La périodisation

Le principe de la progression se raffine dans l'univers athlétique où la performance prime. En effet, les entraîneurs recourent systématiquement à une technique d'entraînement – certains parlent même d'un « principe » – qu'on appelle la **périodisation.** Celle-ci consiste à varier, à la hausse comme à la baisse, le volume d'exercice et l'intensité des efforts ; pour ce faire, on module les combinaisons d'exercices. Il a été démontré que **cette façon de procéder permet au sujet de continuer à progresser dans son programme d'entraînement, tout en évitant la fatigue, les blessures et le surentraînement (chapitre 1).** Sur le plan psychologique, la périodisation permet de briser la monotonie grâce aux différents menus qui sont proposés, ce qui n'est pas à négliger. D'ailleurs, on utilise de plus en plus cette technique avec les débutants qui souhaitent simplement se mettre en forme, et ce, dans le but de réduire le risque de douleurs musculaires (douleurs pendant l'effort et courbatures) et soutenir la motivation. Nous y reviendrons aux chapitres 4 et 5. L'illustration qui suit présente un exemple de périodisation chez un athlète qui s'entraîne en vue de participer à un triathlon (natation, cyclisme et course à pied), une épreuve d'ultra-endurance qui fait appel à l'endurance aérobie ainsi qu'à la force, à la puissance et à l'endurance musculaires.

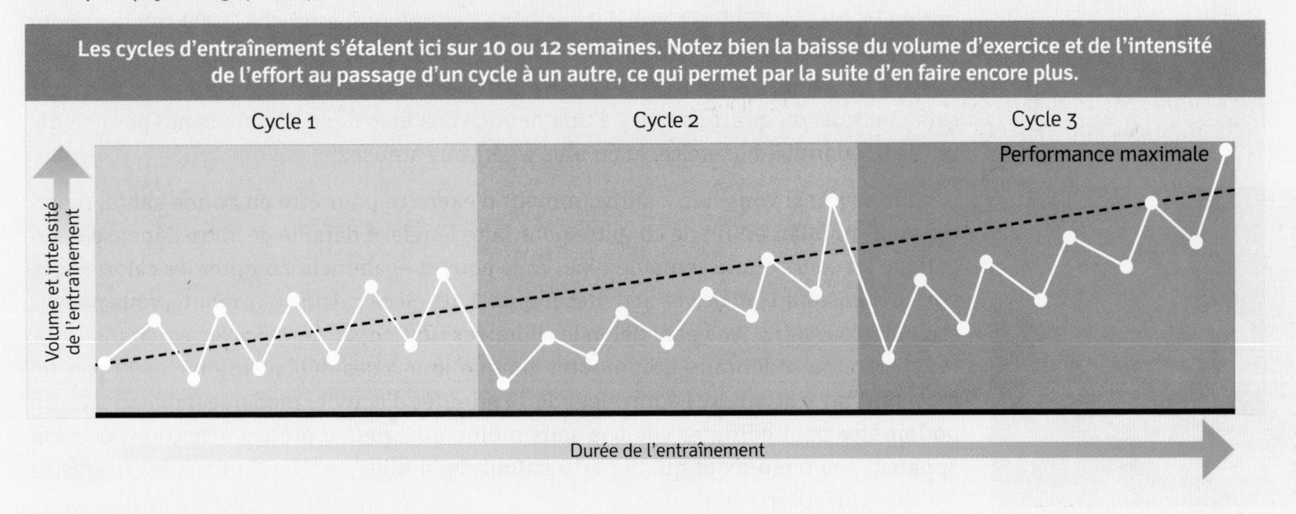
Les cycles d'entraînement s'étalent ici sur 10 ou 12 semaines. Notez bien la baisse du volume d'exercice et de l'intensité de l'effort au passage d'un cycle à un autre, ce qui permet par la suite d'en faire encore plus.
Cycle 1
Cycle 2
Cycle 3
Performance maximale
Volume et intensité de l'entraînement
Durée de l'entraînement

il permet de conserver ses acquis, tout en en faisant moins. **Mais attention ! Si on peut réduire la fréquence et la durée de l'effort, on ne doit pas réduire son intensité**. Supposons que Mila a atteint l'endurance aérobie souhaitée après 8 semaines de cardio, à raison de 4 séances de 30 minutes par semaine. Si elle veut conserver cette forme, elle peut, par exemple, réduire son volume total d'exercices à 2 séances de 20 minutes par semaine, mais à condition de maintenir le même pouls à l'effort, soit la même intensité d'effort cardiorespiratoire.

Dans le cas de la vigueur musculaire, on peut réduire le nombre et la durée des séances d'exercice, ainsi que le nombre de séries (blocs de répétitions), mais pas le nombre de répétitions (nombre d'exécutions consécutives du mouvement) ni la charge à soulever. Quant à la souplesse, on peut la conserver, même en se contentant d'une seule séance d'étirement par semaine, pourvu que la durée des étirements et la tension ressentie dans les muscles restent les mêmes.

En fait, le principe du maintien met en lumière une réalité physiologique incontournable : **si vous arrêtez tout, votre niveau de condition physique va baisser** parce que les effets de l'entraînement, hélas, ne sont pas permanents !

UNE APPROCHE MOINS STRUCTURÉE PEUT AUSSI ÊTRE EFFICACE

Les principes de l'entraînement peuvent aussi être appliqués dans le cas d'une pratique moins structurée de l'activité physique. Par exemple, vous jouez trois ou quatre fois par semaine au badminton pour votre plaisir ou vous ne voulez pas, pour diverses raisons, suivre un programme formel d'activité physique. Comment procéderez-vous pour profiter des effets bénéfiques de l'exercice sur votre santé ?

Comme nous l'avons vu au chapitre 1, il suffit de faire 30 minutes d'exercice modéré par jour, soit l'équivalent d'une dépense énergétique moyenne de 1 000 calories par semaine pour une personne pesant 70 kilos. Il n'est même pas nécessaire de faire ces 30 minutes en une seule fois. On peut fractionner l'effort en 3 séances d'environ 10 minutes chacune. Toutefois, il s'agit là de la **quantité minimale d'exercice** permettant d'obtenir une certaine protection contre des maladies chroniques très répandues comme les maladies coronariennes, l'hypertension, le cancer et le diabète de type 2. Pour une **protection optimale**, on visera plutôt une dépense énergétique qui approche 2 000 calories (pour une personne de 70 kilos), soit 300 à 400 minutes d'exercice d'intensité modérée ou élevée par semaine. Pour reprendre l'exemple du badminton, si vous jouez chaque semaine trois ou quatre parties d'une heure, vous êtes dans la zone santé pour ce qui est de la quantité d'exercice, et en plus vous vous amusez!

Afin de savoir si vous faites suffisamment d'exercice pour être en bonne santé, reportez-vous au **bilan** en fin de chapitre pour faire le relevé détaillé de votre dépense énergétique au cours d'une semaine type. Vous pouvez également compter les calories que vous dépensez au gré de vos activités (**figure 3.10**). Si ce calcul vous rebute, vous pouvez toujours compter... vos pas ! Selon les données du Cooper Aerobics Research Institute, une personne sédentaire doit ajouter chaque jour à ses déplacements 5 000 pas, en moyenne, pour atteindre l'équivalent de 30 minutes d'activité modérée (**tableau 3.2**). Un **podomètre** peut compter vos pas sans même que vous y prêtiez attention. Ce petit appareil, peu onéreux et qu'on porte autour de la taille, est vendu dans les magasins d'articles de sport.

Avec une approche moins structurée, vous pouvez donc parfaitement respecter les principes de l'entraînement. Ainsi, le principe de la spécificité couvre plusieurs types d'activité physique : transport actif (aller au cégep à pied, en vélo ou en patins à roues alignées), sports, exercices de conditionnement physique, activités de plein air (randonnée pédestre, ski de fond, etc.), activités d'expression corporelle (ballet, danse moderne, etc.). Le principe de la surcharge consiste à fixer, pour chaque type d'activité physique, une durée (de 30 à 60 minutes), une intensité (modérée à élevée) et une fréquence (plusieurs fois par semaine) suffisantes.

Quant au principe de la progression, vous pouvez aussi bien compter des calories que des minutes ou des pas. Par exemple, vous pouvez débuter par 15 minutes d'activité physique modérée par jour au lieu de 30 minutes, puis augmenter graduellement la durée. Enfin, pour le principe du maintien, veillez à réduire le temps et la fréquence de vos activités physiques, tout en augmentant l'intensité de l'effort. Par exemple, au lieu de 30 minutes d'activité modérée par jour, vous pouvez vous limiter à 15 minutes d'activité vigoureuse, 3 fois par semaine.

Il ne vous reste plus qu'à choisir l'approche qui vous convient : formelle ou informelle. Ce qui importe, c'est d'en choisir une et de passer à l'action !

FIGURE 3.10 Temps nécessaire pour dépenser 500, 1000 ou 2000 calories par semaine

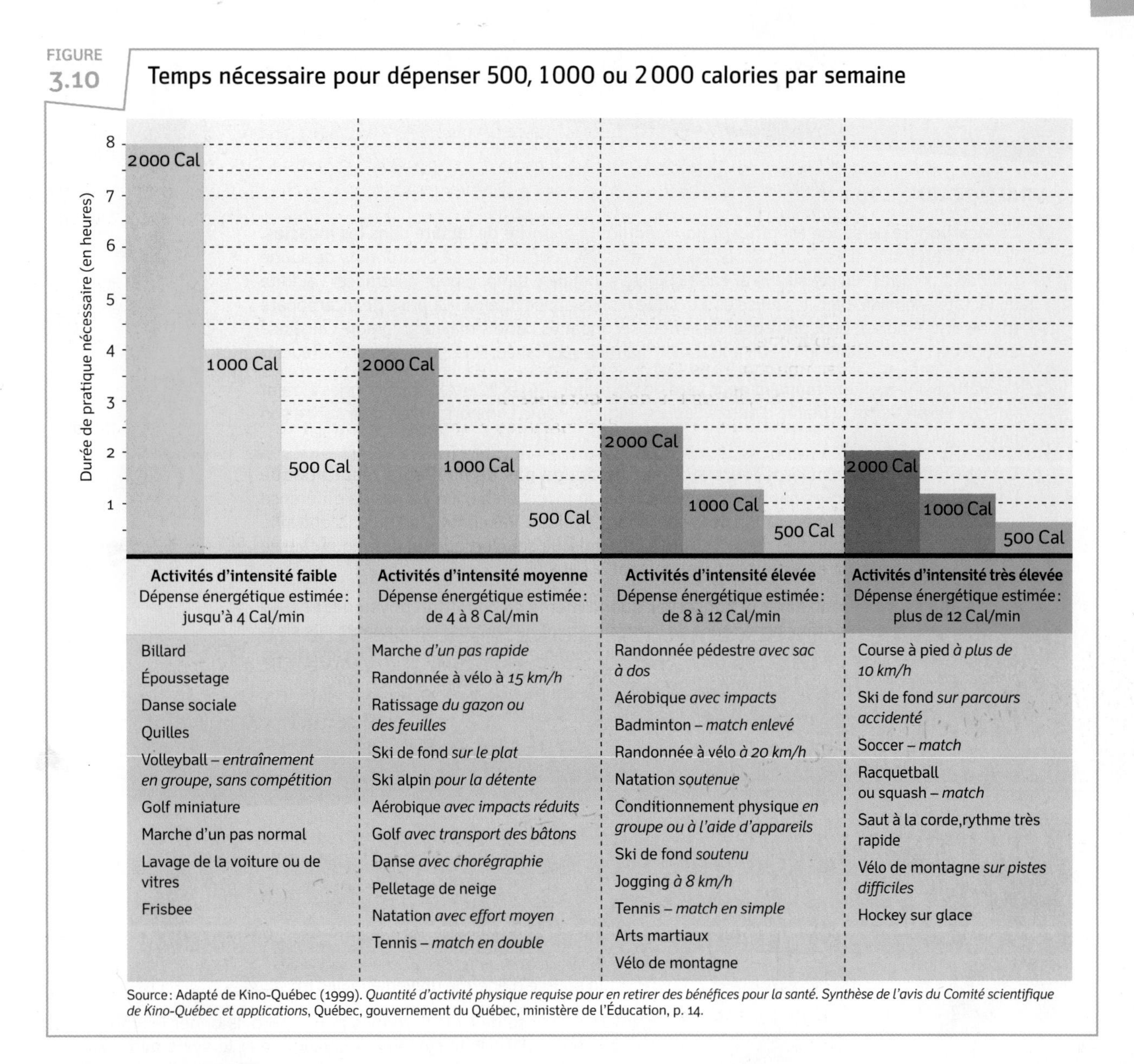

Durée de pratique nécessaire (en heures)
8
7
6
5
4
3
2
1
2000 Cal
1000 Cal
500 Cal
2000 Cal
1000 Cal
500 Cal
2000 Cal
1000 Cal
500 Cal
2000 Cal
1000 Cal
500 Cal
Activités d'intensité faible
Dépense énergétique estimée : jusqu'à 4 Cal/min
Billard
Époussetage
Danse sociale
Quilles
Volleyball – entraînement en groupe, sans compétition
Golf miniature
Marche d'un pas normal
Lavage de la voiture ou de vitres
Frisbee
Activités d'intensité moyenne
Dépense énergétique estimée : de 4 à 8 Cal/min
Marche d'un pas rapide
Randonnée à vélo à 15 km/h
Ratissage du gazon ou des feuilles
Ski de fond sur le plat
Ski alpin pour la détente
Aérobique avec impacts réduits
Golf avec transport des bâtons
Danse avec chorégraphie
Pelletage de neige
Natation avec effort moyen
Tennis – match en double
Activités d'intensité élevée
Dépense énergétique estimée : de 8 à 12 Cal/min
Randonnée pédestre avec sac à dos
Aérobique avec impacts
Badminton – match enlevé
Randonnée à vélo à 20 km/h
Natation soutenue
Conditionnement physique en groupe ou à l'aide d'appareils
Ski de fond soutenu
Jogging à 8 km/h
Tennis – match en simple
Arts martiaux
Vélo de montagne
Activités d'intensité très élevée
Dépense énergétique estimée : plus de 12 Cal/min
Course à pied à plus de 10 km/h
Ski de fond sur parcours accidenté
Soccer – match
Racquetball ou squash – match
Saut à la corde, rythme très rapide
Vélo de montagne sur pistes difficiles
Hockey sur glace

Source : Adapté de Kino-Québec (1999). *Quantité d'activité physique requise pour en retirer des bénéfices pour la santé. Synthèse de l'avis du Comité scientifique de Kino-Québec et applications*, Québec, gouvernement du Québec, ministère de l'Éducation, p. 14.

TABLEAU 3.2 Nombre de pas par jour et niveau d'activité physique

Nombre de pas par jour	Niveau d'activité physique
Moins de 5 000	Sédentaire
Entre 5 000 et 7 500	Légèrement à modérément actif
Entre 7 500 et 10 000	Modérément actif à actif
10 000 et plus	Actif à très actif

Source : Adapté de Kino-Québec (2005). *Mon style de marche*, Québec, gouvernement du Québec.

Vous trouverez des suggestions de lecture et de sites Internet dans la rubrique « Pour en savoir plus » de **MonLab**.

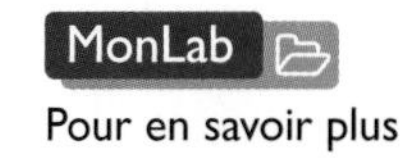

Pour en savoir plus

VRAI OU **FAUX**? **RÉPONSES**

1. **Le bicarbonate de soude est efficace pour réduire la quantité de lactate dans les muscles.** **NI VRAI NI FAUX!** Les études sur le sujet ne sont pas concluantes. Le bicarbonate de soude (ou de sodium) est un sel alcalin qui agit comme substance tampon pour neutraliser l'acidité du lactate accumulé dans les muscles à la suite d'un exercice intense. La prise de bicarbonate (plus de 300 mg/kg) peut provoquer des effets secondaires parfois majeurs, comme l'alcalose associée à l'hyperventilation ou un épisode de diarrhée spontanée, chez 50 % des utilisateurs.
2. **Le matin est le meilleur moment pour faire de l'exercice.** **FAUX!** Certaines personnes aiment faire de l'exercice tôt le matin, d'autres l'après-midi ou le soir. L'important, c'est de suivre son horloge biologique.
3. **L'entraînement intensif sept jours sur sept ne donne pas de meilleurs résultats que l'entraînement cinq jours par semaine.** **VRAI!** Selon la recherche, il n'y a pas de différence significative quant à l'amélioration de la condition physique. Par contre, lorsqu'on s'entraîne intensément tous les jours, les risques de blessures musculosquelettiques et de fatigue causée par le surentraînement augmentent sensiblement.
4. **On peut cesser de s'entraîner et conserver quand même sa condition physique.** **FAUX!** Malheureusement, les effets bénéfiques de l'entraînement ne sont pas permanents ; ils s'estompent en quelques semaines quand on arrête l'entraînement. La bonne nouvelle, c'est qu'on peut appliquer le principe du maintien pour préserver sa condition physique (p. 104).

AU FIL D'ARRIVÉE!

L'**ATP** est la source d'énergie universelle des muscles.

L'organisme dispose de trois systèmes pour approvisionner les muscles en ATP: le **système ATP-CP**, le **système à glycogène** et le **système à oxygène**. Les deux premiers sont anaérobies (production d'ATP sans apport significatif d'oxygène) et donnent la puissance, la force et la rapidité. Le troisième est aérobie (production d'ATP en présence d'oxygène) et donne de l'endurance pendant l'effort.

Selon le type d'activité physique choisie, on peut développer en priorité l'un ou l'autre des systèmes, ou les trois à la fois lorsqu'on s'entraîne comme dans le Fartlek ou pour le triathlon.

Pour augmenter de manière efficace et sécuritaire la productivité des trois systèmes énergétiques – ce qui revient à hausser son niveau de condition physique –, il faut appliquer les principes de base de l'entraînement, résumés dans le tableau ci-contre.

Principes	Définitions
Spécificité	Le corps s'adapte de façon spécifique à chaque type d'activité physique. Pour appliquer correctement ce principe, il faut choisir le bon exercice, par exemple faire un exercice aérobie pour améliorer son cardio.
Surcharge	Pour améliorer sa capacité d'adaptation à l'effort physique, il faut faire plus d'effort physique qu'à l'habitude. On touche ici à trois variables-clés de l'effort : sa fréquence, son intensité et sa durée.
Progression	Pour continuer à améliorer sa capacité d'adaptation à l'effort physique, il faut ajuster *régulièrement* la surcharge, mais en l'augmentant *progressivement* afin de ne pas surmener l'organisme.
Maintien	Pour maintenir pendant quelque temps sa condition physique, on peut diminuer la fréquence et la durée des exercices, à condition de conserver la même intensité d'effort.

Nom: ______________________ Groupe: ____________ Date: ____________

Remplissez les cases vides du schéma à l'aide des mots-clés suivants:

la fréquence ☐ les efforts exigeant de l'endurance ☐ le maintien ☐ de la graisse et du glucose ☐
le système à oxygène ☐ la durée ☐ intensité ☐ le système ATP-CP ☐ la voie anaérobie ☐ la surcharge ☐
l'ATP ☐

la source d'énergie universelle → est → ______________

produisent de

______________ | le système à glycogène | ______________ → utilise → ______________

constituent | utilise | constitue

______________ | du glucose | la voie aérobie

favorise | favorise

les efforts exigeant force, puissance et rapidité | ______________

améliorent la capacité à faire

les principes de l'entraînement

sont

la spécificité | ______________ | la progression | ______________

sont les variables de | consiste

______________ | l'intensité | ______________ | à réduire la durée et la fréquence des entraînements, mais pas leur ______________

Nom : ______________________ Groupe : __________ Date : __________

1 Si une situation d'urgence vous oblige à quitter les lieux à toute vitesse, quelle source d'énergie immédiatement disponible vous permettra de le faire ?

- [ ] **a)** Les granules de glycogène dans les muscles.
- [ ] **b)** Le glucose dans le sang.
- [x] **c)** L'ATP de réserve et la créatine phosphate dans les muscles.
- [ ] **d)** Les lipides dans le sang.
- [ ] **e)** Aucune des composantes précédentes.

2 Pendant combien de temps les muscles peuvent-ils fournir un effort maximal grâce à leur seule réserve d'ATP ?

- [ ] **a)** Plus de 2 minutes.
- [ ] **b)** 1 seconde.
- [ ] **c)** Au moins 30 secondes.
- [x] **d)** 3 ou 4 secondes.
- [ ] **e)** Plus de 10 secondes.

3 Comment définiriez-vous l'ATP ?

- [ ] **a)** C'est une hormone à haute teneur en énergie.
- [ ] **b)** C'est un hydrate de carbone mis en réserve uniquement dans les muscles.
- [ ] **c)** C'est une protéine qui permet la contraction du muscle.
- [x] **d)** C'est une molécule à base d'acides aminés à haute teneur en énergie.
- [ ] **e)** Aucune des réponses précédentes.

4 Sur combien de systèmes ou de filières énergétiques le corps peut-il compter pour alimenter les muscles en ATP ?

- [ ] **a)** Un système.
- [ ] **b)** Deux systèmes.
- [x] **c)** Trois systèmes.
- [ ] **d)** Quatre systèmes.
- [ ] **e)** Cinq systèmes.

5 Parmi les systèmes suivants, lequel fournit de l'ATP aux muscles ?

- [ ] **a)** Le système nerveux central.
- [ ] **b)** Le système endocrinien.
- [ ] **c)** Le système hormonal.
- [x] **d)** Le système à glycogène.
- [ ] **e)** Le système sympathique.

À VOS MÉNINGES 3

Nom : ______________________ Groupe : __________ Date : __________

6 Dans lequel des systèmes de production d'ATP suivants le muscle se contracte-t-il sans présence d'oxygène ?

☐ **a)** Le système aérobie.

☐ **b)** Le système aérobie lactique.

☒ **c)** Le système anaérobie lactique.

☐ **d)** Le système aérobie alactique.

☐ **e)** Aucun des systèmes précédents.

7 Que se passe-t-il dans la cellule musculaire quand un exercice intense dure plus de 30 secondes ?

☐ **a)** Il y a de plus en plus d'oxygène dans la cellule.

☒ **b)** Il y a de plus en plus de lactate dans la cellule.

☐ **c)** Il y a de plus en plus de glycogène dans la cellule.

☐ **d)** Il y a de moins en moins de glucose dans la cellule.

☐ **e)** Il y a de plus en plus d'ATP disponible dans la cellule.

8 Complétez les phrases suivantes.

a) Le système ATP-CP représente la voie Anaérobie sans production d'acide lactique.

b) Pour éliminer le lactate, il n'y a qu'une solution : reduit l'intensité de l'effort.

c) Lorsque l'oxygène arrive dans les cellules musculaires, une production d'ATP pratiquement illimitée peut commencer.

9 Associez les systèmes producteurs d'ATP et les activités physiques.

Systèmes	Activités
1. Système ATP-CP.	a) Marathon.
2. Système à glycogène.	b) Départ au sprint.
3. Système à oxygène.	c) Course de 400 mètres.

10 Associez chacun des principes de l'entraînement à sa définition.

Principe de l'entraînement	Définition
1. Surcharge.	a) Il faut augmenter le volume d'exercice petit à petit.
2. Spécificité.	b) On peut maintenir sa forme en faisant moins d'exercice.
3. Progression.	c) Pour améliorer sa capacité d'adaptation à l'effort physique, il faut faire plus d'effort physique qu'à l'habitude.
4. Maintien.	d) Le corps s'adapte de façon spécifique à chaque type d'activité physique.

Si pour améliorer sa capacité d'adaptation ...

Nom : ______________________ Groupe : __________ Date : __________

11 Dans la liste ci-dessous, cochez les trois variables du principe de surcharge.

- [x] **a)** La fréquence.
- [ ] **b)** Le type d'exercice.
- [x] **c)** La durée.
- [ ] **d)** La température ambiante.
- [x] **e)** L'intensité.

12 Trouvez l'intrus parmi les activités aérobies suivantes.

- [ ] **a)** Courir un marathon.
- [ ] **b)** Faire une randonnée pédestre.
- [x] **c)** Faire 1 heure de musculation.
- [ ] **d)** Faire du canot pendant 2 heures.
- [ ] **e)** Nager 1000 mètres à la piscine municipale.

13 Quelle substance est indispensable pour fournir à vos muscles l'ATP dont ils ont besoin pour courir un marathon ?

- [x] **a)** O_2.
- [ ] **b)** CO_2.
- [ ] **c)** Créatine phosphate.
- [ ] **d)** Glycogène.
- [ ] **e)** Acide lactique.

14 Pourquoi le système à oxygène est-il plus lent que les deux autres systèmes de production d'ATP?

- [ ] **a)** Parce qu'il produit l'ATP de façon moins efficace.
- [ ] **b)** Parce que la présence d'oxygène dans les cellules ralentit le processus.
- [x] **c)** Parce qu'il repose sur un processus mécanique qui fait en sorte que l'oxygène met du temps à arriver dans les cellules.
- [ ] **d)** Parce qu'il met en jeu des enzymes moins efficaces que celles des deux autres systèmes.

Nom : ______ Groupe : ______ Date : ______

ESTIMEZ VOTRE DÉPENSE ÉNERGÉTIQUE HEBDOMADAIRE

En plus de l'énergie nécessaire au train-train quotidien, il faut dépenser au moins 1000 calories par semaine pour jouir des bénéfices de l'activité physique associés à la santé physique et mentale. Pour obtenir un effet plus marqué, on vise une dépense d'environ 1500 calories par semaine, et pour obtenir un effet optimal, il faut atteindre 2000 calories. Le but de ce bilan est de vous permettre d'estimer votre dépense calorique au cours d'une semaine type, afin de la situer par rapport à cet objectif optimal de 2000 calories. Les résultats seront donc révélateurs de votre niveau d'activité physique.

Marche à suivre

1. Pesez-vous, car vous aurez besoin de votre poids pour établir votre dépense énergétique.
2. Chaque jour, pendant une semaine, compilez dans la fiche descriptive qui suit les calories que vous dépensez en faisant diverses activités physiques. Pour connaître la dépense énergétique liée à chacune d'elles, utilisez le **calculateur de calories dépensées** fourni dans MonLab.

MonLab

16 calculateur de calories dépensées par activité

Voici un exemple de compilation de la dépense énergétique

Andréa, 62 kilos, a joué lundi après-midi au soccer (pratique) pendant une heure sans arrêt. Dans la soirée, elle a fait 30 minutes d'un entraînement léger en musculation. Elle a calculé comme suit sa dépense énergétique pour la journée de lundi.

Activités	Durée (minutes)	Dépense énergétique (selon le calculateur)
Lundi matin		
1.		
2.		
Lundi après-midi		
1. *Soccer*	*60*	*434*
2.		
Lundi soir		
1. *Musculation*	*30*	*93*
2.		
	TOTAL	*527*

Nom : ______ Groupe : ______ Date : ______

Fiche descriptive de votre dépense énergétique par semaine

Votre poids : ______ kg

Activités	Durée (minutes)	Dépense énergétique (selon le calculateur)
Lundi matin		
1. ______	______	______
2. ______	______	______
Lundi après-midi		
1. ______	______	______
2. ______	______	______
Lundi soir		
1. ______	______	______
2. ______	______	______
	TOTAL	______

Activités	Durée (minutes)	Dépense énergétique (selon le calculateur)
Mardi matin		
1. ______	______	______
2. ______	______	______
Mardi après-midi		
1. ______	______	______
2. ______	______	______
Mardi soir		
1. ______	______	______
2. ______	______	______
	TOTAL	______

BILAN 3

Nom : ______________________ Groupe : ______________ Date : ______________

Activités	Durée (minutes)	Dépense énergétique (selon le calculateur)
Mercredi matin		
1. ______________	______________	______________
2. ______________	______________	______________
Mercredi après-midi		
1. ______________	______________	______________
2. ______________	______________	______________
Mercredi soir		
1. ______________	______________	______________
2. ______________	______________	______________
	TOTAL	______________

Activités	Durée (minutes)	Dépense énergétique (selon le calculateur)
Jeudi matin		
1. ______________	______________	______________
2. ______________	______________	______________
Jeudi après-midi		
1. ______________	______________	______________
2. ______________	______________	______________
Jeudi soir		
1. ______________	______________	______________
2. ______________	______________	______________
	TOTAL	______________

Nom : ____________________ Groupe : __________ Date : __________

Activités	Durée (minutes)	Dépense énergétique (selon le calculateur)
Vendredi matin		
1. ______	______	______
2. ______	______	______
Vendredi après-midi		
1. ______	______	______
2. ______	______	______
Vendredi soir		
1. ______	______	______
2. ______	______	______
	TOTAL	______

Activités	Durée (minutes)	Dépense énergétique (selon le calculateur)
Samedi matin		
1. ______	______	______
2. ______	______	______
Samedi après-midi		
1. ______	______	______
2. ______	______	______
Samedi soir		
1. ______	______	______
2. ______	______	______
	TOTAL	______

BILAN 3

Nom: ______________________ Groupe: __________ Date: __________

Activités	Durée (minutes)	Dépense énergétique (selon le calculateur)
Dimanche matin		
1. ______________	______________	______________
2. ______________	______________	______________
Dimanche après-midi		
1. ______________	______________	______________
2. ______________	______________	______________
Dimanche soir		
1. ______________	______________	______________
2. ______________	______________	______________
	TOTAL	______________

Dépense énergétique de la semaine

Somme des résultats de la colonne «Dépense énergétique»: __________

Interprétation du résultat obtenu:

Dépense énergétique hebdomadaire	Cochez	Vous êtes une personne
Moins de 500 calories	☐	… sédentaire
Entre 500 et 1 000 calories	☐	… légèrement active (500) à active (1 000)
Entre 1 000 et 2 000 calories	☐	… active (1 000) à très active (2 000)
2 000 calories et plus	☐	… très active

Si vous êtes sous la barre des 1 000 calories par semaine, que pourriez-vous faire pour accroître votre dépense énergétique?

____

____

____

____

____

____

VRAI OU **FAUX** ? V F

1. L'entraînement musculaire en circuit permet aussi d'améliorer l'endurance aérobie.
2. S'entraîner à l'endurance aérobie peut faire baisser la fréquence cardiaque au repos à moins de 50 battements par minute.
3. L'asthme est une contre-indication à l'exercice cardio.
4. La chaussure minimaliste est supérieure à la chaussure de jogging traditionnelle pour la course à pied.
5. Avoir un bon cardio est associé à une meilleure santé en général.

Les réponses se trouvent en fin de chapitre, p. 146.

CHAPITRE 4

AMÉLIOREZ VOTRE ENDURANCE AÉROBIE

SUR LA LIGNE DE DÉPART !

VOS OBJECTIFS SONT LES SUIVANTS :

- Utiliser de façon appropriée les informations scientifiques sur les modalités de l'entraînement à l'endurance aérobie et sur les effets physiologiques qui en découlent.
- Concevoir un programme personnel d'amélioration ou de maintien de votre endurance aérobie qui respecte les principes de l'entraînement, les règles de sécurité, vos besoins, vos capacités et vos choix d'activités aérobies.

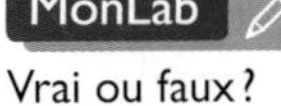

Vrai ou faux ?

Autres exercices en ligne

> **Entretenir sa santé cardiovasculaire par l'exercice ne requiert même pas 2 % des heures disponibles dans une semaine. Pas le temps, dites-vous ?**
>
> ANONYME

Avec ce chapitre, vous amorcez le virage qui mène à la prise en main de votre condition physique. Vous apprendrez, pour chacun des déterminants associés à la santé, comment concevoir un programme personnel d'amélioration ou de maintien de votre condition physique :

- conforme aux principes de base de l'entraînement ;
- respectueux de vos capacités et besoins déterminés lors de l'évaluation de votre condition physique, ainsi que de vos choix d'activités fondés sur vos facteurs de motivation.

Commençons par le plus important des déterminants de la condition physique associés à une bonne santé : l'endurance aérobie.

LES EFFETS PHYSIOLOGIQUES DE L'ENTRAÎNEMENT À L'ENDURANCE AÉROBIE

Rappelons que l'**endurance aérobie est la capacité de soutenir des efforts aérobies**, c'est-à-dire des efforts d'intensité modérée et parfois élevée qui sollicitent, de manière rythmique, les grandes masses musculaires du bassin et des membres inférieurs. Ce type d'efforts met principalement à contribution le système à oxygène. Mis à part les facteurs invariables (âge, sexe et hérédité), le niveau d'endurance aérobie – ou cardio – est influencé par la pratique régulière et suffisante d'activités aérobies (jogging, marche rapide, natation, ski de fond, cardiovélo, etc.). Plus vous en faites, plus votre endurance aérobie s'améliore et, comme nous l'avons vu au chapitre 2, plus votre santé physique et mentale en profite.

En fait, le corps s'adapte à l'exercice de bien des façons. Ainsi, dès les premières minutes d'un effort aérobie, il s'ajuste pour répondre aux besoins énergétiques accrus des muscles. Le cœur se met alors à pomper plus de sang (augmentation du débit cardiaque) et les poumons plus d'air (augmentation de la ventilation pulmonaire). En même temps, le sang est redistribué davantage vers les muscles que vers les organes (**figure 4.1**). Grâce à ces ajustements, les muscles reçoivent plus d'oxygène et plus de nutriments, comme le glucose et les lipides. Et si ces ajustements se répètent plusieurs fois par semaine pendant des mois, le corps s'adapte à cette surcharge et améliore son fonctionnement.

Après environ 12 mois, une fois qu'on a atteint le maximum des **changements de fonctionnement** (par exemple, le cœur bat plus lentement au repos), c'est le corps lui-même qui se transforme (par exemple, les parois du cœur s'épaississent) pour entrer dans la phase des **changements structuraux**. Voyons cela de plus près.

FIGURE 4.1 Lors d'un effort, le sang est redistribué surtout vers les muscles

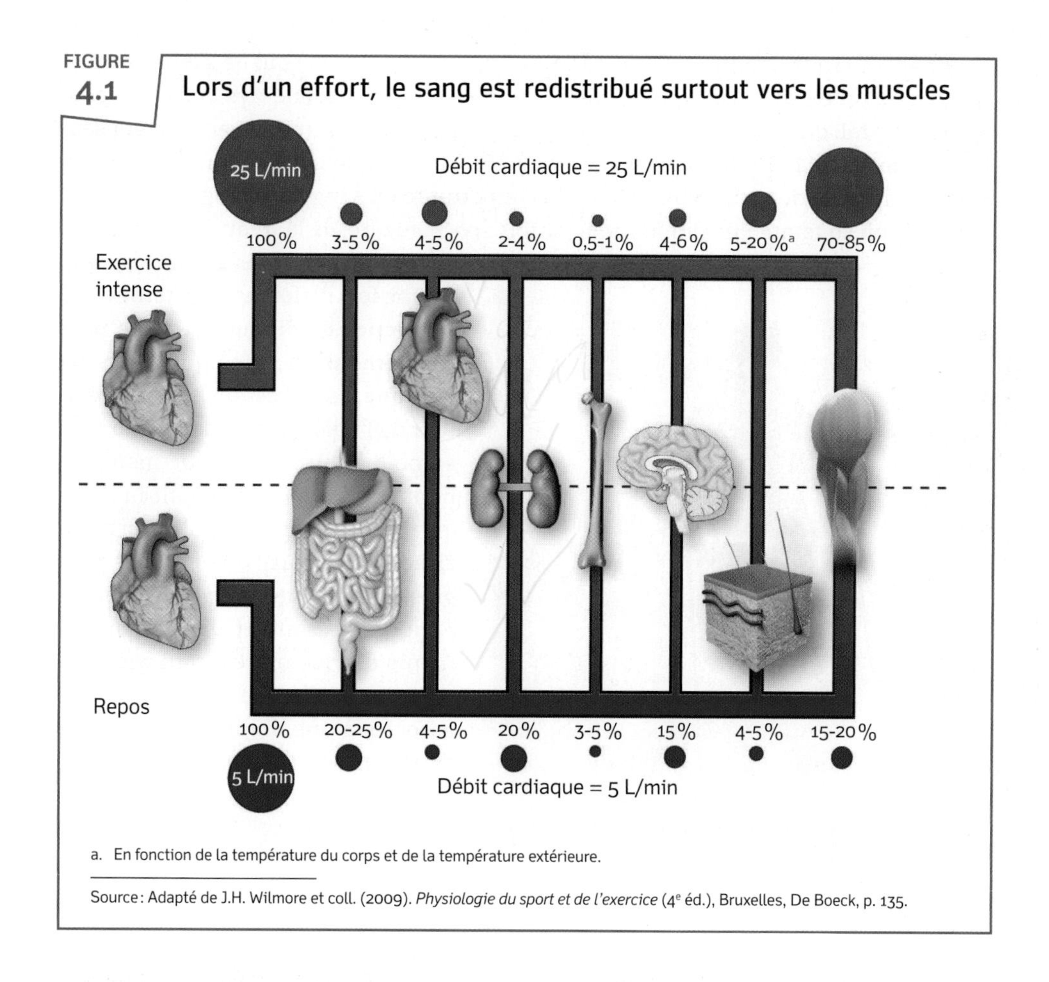

a. En fonction de la température du corps et de la température extérieure.

Source : Adapté de J.H. Wilmore et coll. (2009). *Physiologie du sport et de l'exercice* (4e éd.), Bruxelles, De Boeck, p. 135.

Les effets sur les poumons

L'exercice aérobie ne modifie **ni la capacité vitale (quantité maximale d'air expirée après une inspiration maximale) ni la structure des poumons**. Autrement dit, les poumons ne deviennent pas plus gros. Cependant, les muscles respiratoires se renforcent et gagnent en endurance, permettant ainsi une meilleure utilisation des poumons. Ces changements améliorent la capacité maximale à pomper de l'air et permettent même à une personne entraînée sur le plan aérobie de pomper 50 % plus d'air qu'une personne non entraînée. Concrètement, cela revient à dire qu'on s'essouffle moins rapidement quand on a un bon cardio. De plus, l'**entraînement aérobie limite la perte d'élasticité des poumons et de la cage thoracique due au vieillissement**.

Les effets sur le cœur

Si les poumons ne deviennent pas plus gros, le cœur, qui est un muscle, le devient, en particulier son ventricule gauche. **Le cœur grossit de deux manières : ses cavités augmentent de volume et ses parois s'épaississent**. Cela a pour effet d'augmenter sa puissance de contraction. Par conséquent, à chaque battement, le cœur d'une personne entraînée peut propulser dans le réseau sanguin une plus grande quantité de sang que le cœur d'une personne sédentaire, et ce, au repos comme à l'effort. Par exemple, au repos, le cœur d'une personne qui s'entraîne beaucoup peut éjecter jusqu'à 120 mL de sang par battement, contre seulement 75 mL pour une personne qui ne s'entraîne pas. Au cours d'un exercice presque maximal, le cœur d'une personne très entraînée peut éjecter 220 mL de sang, alors que celui d'une personne non entraînée en éjectera seulement de 100 à 110 mL. Grâce à l'exercice aérobie, chaque contraction du cœur, ou **systole**, entraîne donc une circulation plus importante du sang dans l'organisme. C'est pourquoi on constate une diminution, parfois spectaculaire, de la fréquence cardiaque au repos comme à l'effort (tableau 4.1). Et, une fois l'effort aérobie terminé, **la fréquence cardiaque retourne plus rapidement au repos quand on est entraîné**, ce qui est un indice révélateur de l'amélioration de l'endurance aérobie (figure 4.2). Enfin, mentionnons un autre changement majeur : les artères coronaires (celles qui nourrissent le cœur) deviennent plus grosses avec le temps, ce qui améliore l'apport de sang et donc de nutriments dans le muscle cardiaque lui-même. Ces effets de l'exercice ont été associés à une diminution marquée du risque de maladies cardiaques.

TABLEAU 4.1 La capacité de travail du cœur selon le niveau d'entraînement aérobie (hommes)

Niveau d'entraînement aérobie	Quantité de sang éjectée du ventricule gauche par battements au repos (mL)	Fréquence cardiaque au repos (batt./min)	Capacité de pompage maximale ou débit cardiaque maximal (L/min[a])
Cœur d'une personne non entraînée	60-75	70-85	14-20
Cœur d'une personne moyennement entraînée	80-95	55-65	20-25
Cœur d'une personne très entraînée	105-120	50 et moins	30-40

a. L/min : litres de sang pompés en 1 minute.

FIGURE 4.2 La récupération cardiaque post-exercice[a]

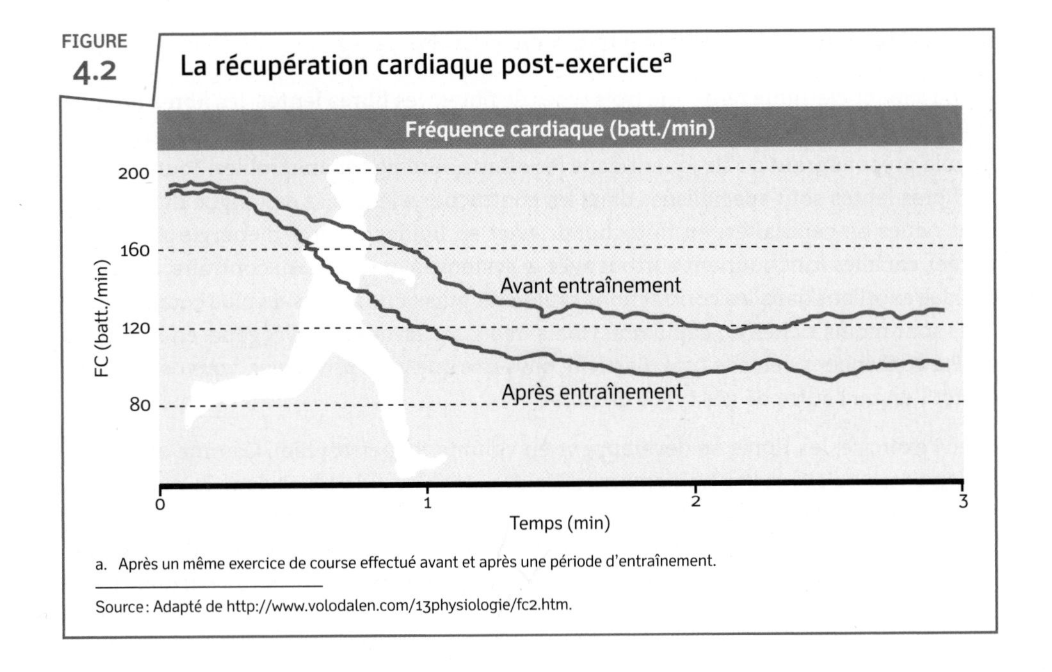

a. Après un même exercice de course effectué avant et après une période d'entraînement.

Source : Adapté de http://www.volodalen.com/13physiologie/fc2.htm.

PLAN DE MATCH POUR CHANGER UN COMPORTEMENT

Avez-vous l'habitude des efforts cardiorespiratoires ?

	OUI	NON
Faites-vous partie d'une équipe sportive récréative ou compétitive ?	☐	☐
Êtes-vous capable de faire 20 minutes d'effort aérobie sans pause ?	☐	☐
Pouvez-vous facilement presser le pas pour arriver à l'heure à un cours ou à un rendez-vous ?	☐	☐
Pouvez-vous monter deux étages sans être essoufflé ?	☐	☐

Si vous avez répondu *oui* à une des deux premières questions, votre cardio est probablement au-dessus de la moyenne de votre groupe d'âge. Si vous avez répondu *oui seulement* aux deux dernières questions ou *non* à toutes les questions, votre cardio a peut-être besoin d'un coup de pouce.

Voici quelques défis simples à relever pour prendre l'habitude de faire plus souvent des efforts cardiorespiratoires.

Dès demain, vous...

- marcherez d'un pas rapide (115-120 pas par minute) 10 minutes par jour durant la semaine.
- prendrez les escaliers au lieu de l'ascenseur pour monter un étage ou deux

D'ici à deux semaines, vous...

- marcherez d'un pas encore plus rapide (125-130 pas par minute) 15 minutes par jour durant la semaine.
- prendrez connaissance des cours ou activités de mise en forme offerts par votre cégep ou votre centre communautaire (par exemple, YMCA).

D'ici à la fin de la session, vous...

- marcherez d'un pas très rapide (135-140 pas par minute) 30 minutes par jour durant la semaine.
- OU suivrez un cours de mise en forme ou ferez une activité de type aérobie autre que la marche pour maintenir vos 30 minutes d'effort cardiorespiratoire modéré par jour.

Source : Adapté de S.K. Powers et coll. (2014). *Total fitness & wellness*, Pearson, p. 58.

Les effets sur les muscles squelettiques

Le muscle squelettique renferme trois types de fibres : les **fibres lentes**, les **fibres rapides** et les **fibres intermédiaires**. Nous parlerons ici surtout des deux premiers types en raison du rôle prépondérant qu'ils jouent dans les efforts aérobies et anaérobies. Tout d'abord, les fibres lentes sont spécialisées dans les contractions lentes et de longue durée. Elles sont riches en capillaires, en mitochondries et en lipides (source d'énergie de longue durée), car elles fonctionnent surtout avec le système à oxygène. Au contraire, les fibres rapides excellent dans les contractions rapides et puissantes, mais de plus courte durée. Elles sont moins riches en capillaires, mais mieux pourvues en glycogène, en ATP et en CP. Par conséquent, selon le type d'activité physique que vous privilégiez, vous développez plutôt l'un ou l'autre de ces types de fibres.

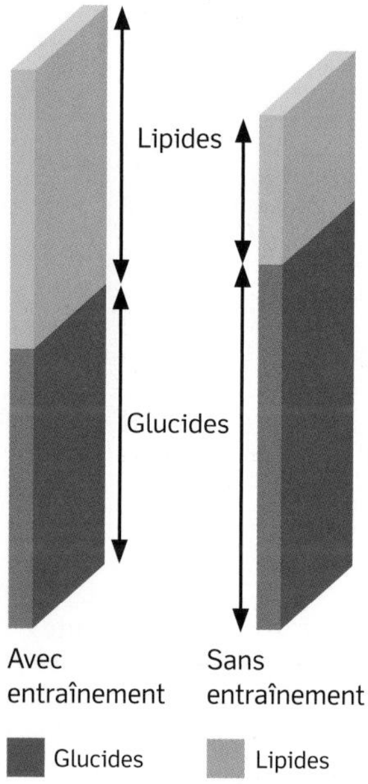

Avec l'exercice, les fibres se développent en volume (hypertrophie). Comme elles sont plus grosses qu'avant l'entraînement, elles occupent plus de place dans le muscle. On le constate d'ailleurs lorsqu'on prélève un fragment de muscle (**biopsie musculaire**) chez différents groupes d'athlètes. Ainsi, lorsqu'on observe les mollets des marathoniens, on voit que les fibres lentes y occupent un plus grand volume que les fibres lentes. C'est l'inverse dans les mollets des sprinteurs. Si vous combinez les deux types d'efforts (aérobie et anaérobie), vous développez, jusqu'à un certain point, les deux types de fibres musculaires.

Lipides
Glucides
Avec entraînement
Sans entraînement
Glucides
Lipides

Source : Adapté de W.D. McArdle et coll. (2004). *Nutrition et performances sportives*, Bruxelles, De Boeck, p. 157.

À long terme, au bout de quelques années d'exercice aérobie, d'autres changements apparaissent dans les muscles :

✓ **Les cellules musculaires extraient plus efficacement l'oxygène** ;

✓ Lors d'efforts aérobies prolongés, les sources d'énergie utilisées par les muscles se modifient : **la part des lipides augmente** par rapport à celle du glucose ;

✓ **Les réserves d'ATP se reconstituent plus vite.**

L'effet sur la consommation maximale d'oxygène

Les effets de l'entraînement aérobie sur les cellules musculaires mais, surtout, sur le débit cardiaque se traduisent par une **augmentation de la consommation maximale d'oxygène** (p. 60). Comme votre réserve d'oxygène est désormais plus élevée, vous pouvez faire avec plus de facilité un même effort aérobie, par exemple jogger à 8 km/h (**figure 4.3A**). Toutefois, cette amélioration n'est pas sans fin ; il y a une limite génétique qu'on pourrait appeler la **VO_2 max maximale**. Une fois cette limite atteinte, souvent après deux ou trois ans d'entraînement aérobie intensif, vous pouvez quand même augmenter votre endurance aérobie, c'est-à-dire, d'un point de vue physiologique, **votre aptitude à travailler à un pourcentage plus élevé de votre VO_2 max maximale** (**figure 4.3B**), notamment parce que vous pouvez tolérer des taux élevés de lactate sanguin.

Par exemple, le fameux marathonien Alberto Salazar, qui a remporté plusieurs fois le marathon de New York, avait une VO_2 max de seulement 70 mL O_2/kg/min, alors que cet indice est habituellement plus élevé chez les marathoniens d'élite (75 mL O_2/kg/min et plus). Les chercheurs ont toutefois constaté que Salazar était capable de courir très longtemps à 86 % de sa VO_2 max, soit un pourcentage nettement plus élevé que chez les autres marathoniens d'élite.

SOUS LA LOUPE L'exercice, les veines et les varices

Nos **veines** subissent, depuis notre naissance, la loi de la gravité. Jour après jour, ces vaisseaux sanguins ramènent au cœur, depuis le bout des pieds, des dizaines de litres de sang en empruntant un chemin aussi reposant que la paroi nord de l'Everest! Simultanément, le sang éjecté du cœur se déverse dans les artères qui, elles, profitent de la gravité et de la force de la pression sanguine. Heureusement, la nature a pourvu nos veines d'un double mécanisme antigravité: les valvules et la pompe musculaire.

Les **valvules** consistent en deux petites portes qui s'ouvrent uniquement dans un sens: vers le cœur. Chaque fois qu'une pression s'exerce sur la paroi des veines, les valvules s'ouvrent pour laisser passer le sang. C'est ainsi que, de valvule en valvule, le sang « grimpe » vers le cœur.

Les veines profitent aussi de ce qu'on appelle la **pompe musculaire**. Par exemple, chaque fois qu'ils se contractent, les mollets pressent les veines profondes situées entre les muscles et les os. Cela propulse le sang vers le cœur et, du même coup, fait chuter la pression au niveau des veines, qui passe de 100 à 20 mm Hg en quelques secondes!

À l'inverse, l'inactivité physique favorise la « fatigue » des veines à cause de l'imposante colonne de sang qu'elle y maintient. À la longue, cette pression constante sur les parois peut affaiblir les valvules, surtout s'il y a une prédisposition génétique, et conduire à la formation de varices (veines dilatées qui font saillie sous la peau). En somme, si l'exercice est bon pour nos artères, il l'est aussi pour nos veines!

L'effet de « pompe » des muscles sur les veines

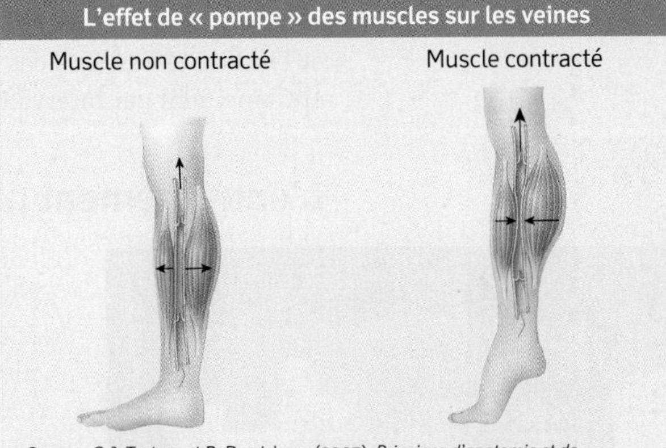

Source: G.J. Tortora et B. Derrickson (2007). *Principes d'anatomie et de physiologie* (2e édition), Saint-Laurent, ERPI, figure 21.9, p. 804.

FIGURE 4.3 La VO_2 max et l'endurance aérobie: le cas de Martin

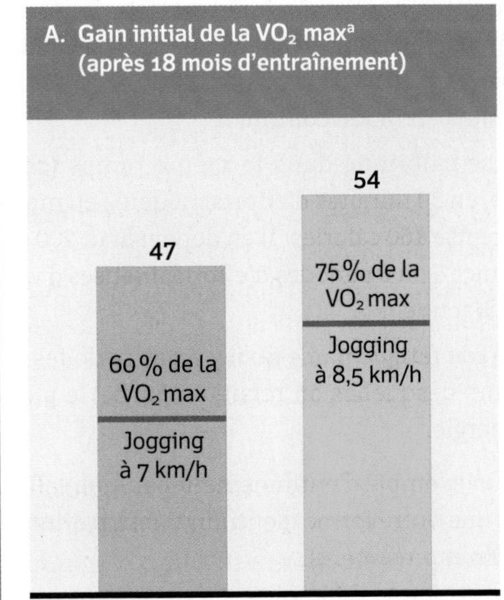

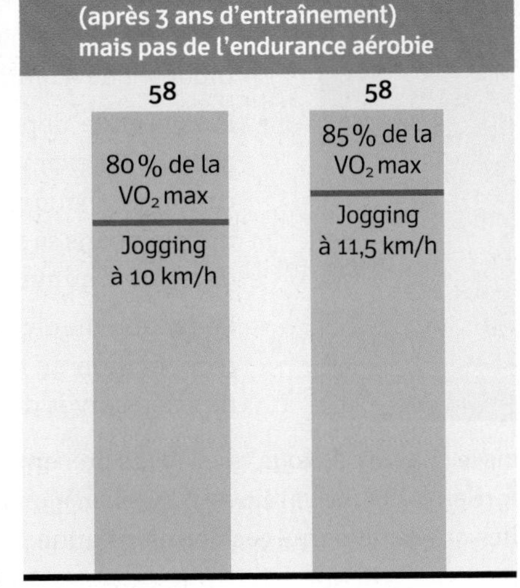

a. En mL O_2/kg/min.

Ligne d'endurance aérobie

A. Quand il a commencé à faire du cardio, Martin joggait à 7 km/h et à 60 % de sa VO_2 max selon la mesure obtenue par un test d'effort maximal. Après 18 mois d'entraînemen aérobie, Martin a augmenté sa VO_2 max de plus de 15 % (elle est passée de 47 à 54 mL), et peut jogger plus vite (8,5 km/h) et à 75 % de sa nouvelle VO_2 max.

B. Martin poursuit l'entraînement, mais, au bout de trois ans, sa VO_2 max, mesurée par un test d'effort maximal, n'augmente plus. Toutefois, son endurance aérobie, elle, continue à progresser puisqu'il peut désormais faire des efforts plus intenses et prolongés, par exemple jogger à 11,5 km/h à 85 % de sa VO_2 max, contre 10 km/h à 80 % de sa VO_2 max auparavant.

LES MÉTHODES D'ENTRAÎNEMENT AÉROBIE

Il existe deux méthodes de base pour améliorer son endurance aérobie et, par ricochet, sa capacité aérobie (VO_2 max) : l'entraînement continu et l'entraînement par intervalles.

L'entraînement continu

L'entraînement continu est la méthode la plus courante. Elle consiste à faire un exercice aérobie pendant un certain temps sans s'arrêter, tout en maintenant une intensité cardiorespiratoire relativement constante (**figure 4.4A**). Par exemple, si vous joggez ou pédalez au même rythme pendant 20 ou 30 minutes, vous faites de l'entraînement continu. Au bout de quelques semaines d'entraînement, vous pouvez augmenter la durée et l'intensité des séances cardio en mode continu, ou vous pouvez passer en mode entraînement par intervalles.

L'entraînement par intervalles

L'entraînement par intervalles consiste, pendant la séance, à faire alterner des périodes d'exercices, ou intervalles d'efforts, avec des périodes de récupération (**figure 4.4B**). La récupération peut être active et prendre la forme d'efforts très légers ou modérés. La durée d'une période d'efforts varie de 10 secondes à 3 minutes, et même plus, selon l'objectif, l'intensité (un effort très intense ne peut être soutenu très longtemps) et le niveau de la condition physique. Cette méthode offre plusieurs avantages :

- Reprise d'exercice plus facile pour une personne sédentaire parce qu'on fractionne l'effort en insérant des périodes de récupération.
- Amélioration de l'endurance aérobie et de la VO_2 max en moins de temps qu'en entraînement continu. Par exemple, une séance cardio de 30 minutes où l'on intercale 7 périodes de 30 secondes d'efforts très intenses peut être l'équivalent d'une séance cardio modérée de 45 minutes en mode continu.
- Plus grande dépense calorique dans le même temps (chapitre 7). Par exemple, en 30 minutes d'efforts modérés en mode continu, Arnaud dépense 160 calories ; il en dépenserait 200 s'il intégrait dans sa séance 5 ou 6 périodes d'efforts intenses d'une durée de 1 minute chacune.
- Réduction du niveau de fatigue parce qu'il y a des périodes de récupération au cours desquelles on refait, en partie, le plein de ses réserves d'énergie.

Dans le chapitre 3, nous vous avons présenté un exemple d'entraînement par intervalles, le fartlek (p. 99). Le cardiovélo, ou *spinning*, est une autre forme d'entraînement par intervalles qui est apparue ces dernières années (**En mouvement**).

FIGURE 4.4 **Exemples d'entraînement en mode continu et par intervalles**

A. Entraînement en mode continu

Durée : 30 min
Vitesse : 8 km/h
Fréquence cardiaque : 160 batt./min
Jogging continu

B. Entraînement par intervalles

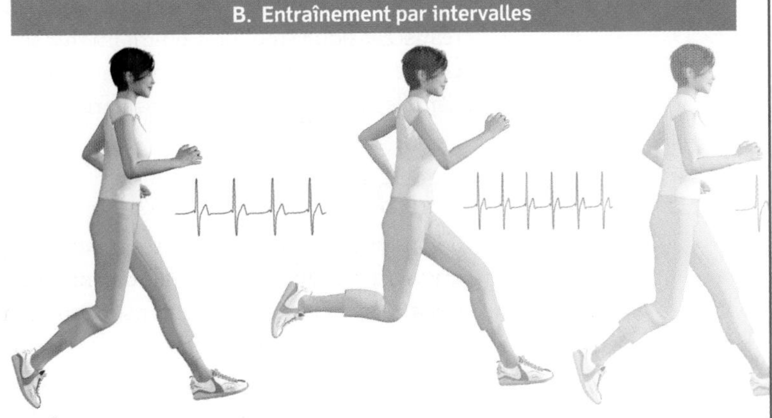

Durée : 20 min
Fréquence cardiaque : 160 batt./min (intervalle d'intensité modérée)
Durée : 3 min
Vitesse : 8 km/h
Fréquence cardiaque : 195 batt./min (intervalle d'intensité élevée)
Durée : 1 min
Vitesse : 12 km/h

Le cardiovélo : par monts et par vaux sans rouler !

Pédaler seul devant un mur peut rapidement devenir ennuyeux. Mais si vous pédalez en groupe au son d'une musique entraînante en suivant les consignes d'un chef de peloton dynamique, bref si vous faites du cardiovélo, ou *spinning*, l'ennui peut faire place au plaisir même si vous êtes toujours assis sur un vélo d'exercice. Le plaisir est décuplé quand on sait qu'une séance de *spinning* de 50 minutes peut faire dépenser au moins 500 calories en plus de procurer des gains sur les plans aérobie et musculaire ! Le chef de file, assis lui aussi sur un vélo d'exercice, fait face au groupe. Cette position permet aux participants de bien entendre les consignes indiquant des changements de rythme et de charge de pédalage. Ils modifient alors l'intensité de l'effort en tournant la roulette de réglage de la résistance, ainsi qu'en changeant la position de leurs mains et de leur corps (tantôt assis, tantôt debout). La position où l'on tient les mains rapprochées sur le guidon correspond à un effort facile ; on roule sur le plat. Lorsque les mains sont éloignées, l'effort est plus intense. Bref, le *spinning* est une variante cardio stimulante, et qui a le mérite de ménager les articulations.

LES PRINCIPES DE L'ENTRAÎNEMENT AÉROBIE

Comme nous l'avons vu au chapitre 3, les principes de base, ou règles d'efficacité, à respecter pour améliorer ou maintenir sa condition physique sont la spécificité, la surcharge, la progression et le maintien. Pour améliorer ou maintenir son niveau d'endurance aérobie, on applique les mêmes principes. Voyons comment.

La spécificité

Selon vos besoins, vos capacités et vos facteurs de motivation (chapitre 9), vous choisissez une ou plusieurs activités aérobies : jogging, saut à la corde, danse sur marche (*step*), marche sportive, natation, danse aérobie, patinage à roulettes, aéroboxe, entraînement sur des exerciseurs (tapis roulant, elliptique, vélo d'exercice, appareil d'escalade, rameur, etc.), vélo, ski de fond, etc. Ces activités peuvent être pratiquées en mode continu ou en mode par intervalles.

La surcharge

Une fois la spécificité déterminée, vous devez appliquer les variables FIT (fréquence, intensité, temps ou durée) de la surcharge en fonction de l'objectif poursuivi :

- **mise en forme aérobie de base**, pour améliorer sa santé physique et mentale ; ou
- **mise en forme aérobie intensive**, pour accroître ses performances dans sa pratique sportive ou accomplir une épreuve d'endurance de longue durée comme un marathon.

En se fiant à ce que recommandent les experts, on peut alors envisager trois scénarios d'entraînement de base fondés sur la recherche scientifique (**tableau 4.2**). En vous inspirant de ces scénarios, vous pouvez concevoir le vôtre, puisque les combinaisons « FIT » sont nombreuses.

Nous verrons plus loin dans ce chapitre **comment on détermine l'intensité d'une activité aérobie**. Rappelons que, pour ne pas tomber dans le piège du surentraînement (chapitre 1), vous devez éviter de faire du cardio de manière intensive sept jours sur sept.

La progression

La progression se fait en fonction de votre niveau initial d'endurance aérobie, tel que vous l'avez évalué en effectuant les tests présentés au chapitre 2. Si votre endurance aérobie est faible, vous appliquerez le principe de la surcharge de façon lente et progressive. En revanche, si votre niveau d'endurance aérobie est déjà élevé, vous pourrez l'appliquer plus rapidement. **En règle générale, lorsqu'on n'a pas un bon cardio, on doit commencer par faire un effort dont l'intensité et la durée sont réduites, mais on effectue cependant au moins trois séances par semaine** afin de prendre l'habitude de bouger régulièrement.

TABLEAU 4.2 Les trois scénarios d'entraînement de base

	Scénario A Programme de base d'entraînement continu	Scénario B Programme plus intensif d'entraînement continu	Scénario C Programme de base d'entraînement par intervalles
Fréquence	Au minimum 3 fois par semaine.	Au minimum 3 fois par semaine.	Au minimum 3 fois par semaine.
Durée et intensité	Accumuler au moins 150 minutes d'activités aérobies d'**intensité modérée.**	Accumuler au moins 75 minutes d'activités aérobies d'**intensité élevée.**	Effectuer une combinaison équivalente d'activités aérobies d'**intensité modérée, élevée et très élevée.**
Exemples	3 × 50 min 4 × 35-40 min 5 × 30 min	3 × 25 min 4 × 20 min	Ici, les combinaisons FIT sont nombreuses. Exemple : 3 × 40 min ou 4 × 30 min d'exercice aérobie modéré avec des intervalles d'efforts d'intensité élevée de 30 à 60 secondes, toutes les 3 minutes.

Source : Ces scénarios reposent sur les recommandations de plusieurs groupes d'experts, notamment l'American College of Sports Medicine, la Société canadienne de physiologie de l'exercice et le Comité scientifique de Kino-Québec (voir le chapitre 1, p. 35).

Après avoir appliqué cette surcharge légère pendant deux ou trois semaines, vous pouvez augmenter petit à petit l'intensité et la durée de l'effort de façon à respecter le scénario A (tableau 4.2). Gardez toutefois à l'esprit que, même si vous débutez, vous pouvez intercaler dans votre séance d'entraînement continu quelques brèves périodes (par exemple, de 15 secondes) d'efforts un peu plus intenses. Pour vous faire une meilleure idée de la façon d'appliquer le principe de la surcharge, consultez les exemples de programmes progressifs de mise en forme aérobie aux pages 143 et suivantes.

Le maintien

Une fois votre objectif atteint, vous pouvez réduire la fréquence et la durée de vos séances d'entraînement aérobie, mais pas l'intensité de vos efforts. Par exemple, si vous vous êtes entraîné pendant 3 mois à raison de 4 séances de 40 minutes par semaine à une intensité modérée, vous pouvez conserver, *grosso modo*, le niveau d'endurance aérobie que vous avez atteint, en réduisant votre volume total d'entraînement, par exemple à 2 séances de 30 minutes par semaine, à condition toutefois de conserver la même intensité d'effort.

Pierre Lavoie et son Grand Défi viennent dans les cégeps

« Perdre son enfant, c'est comme tomber dans le vide sans jamais toucher le sol. On n'a plus de repères et on a mal partout », dit Pierre Lavoie qui, avec sa conjointe, a vécu cette tragédie à deux reprises. En 1998, ils perdaient Laurie, âgée de 4 ans, et en 2000, leur petit Raphaël de 20 mois, emportés par la même maladie héréditaire, l'acidose lactique, causée par la déficience d'une enzyme, la COX, qui fournit leur énergie aux cellules. En conséquence, l'organisme s'affaiblit gravement, l'acide lactique s'accumule dans le sang, et l'enfant ne peut plus résister aux infections.

En 1999, un an après la disparition de sa fille et sachant son fils atteint, Pierre Lavoie lance la première édition du Défi qui porte son nom. Et c'est vraiment un défi ! L'Homme de fer s'engage à parcourir, à travers sa région natale (le Saguenay–Lac-Saint-Jean), 650 kilomètres à vélo en 24 heures. Son objectif : faire connaître l'acidose lactique et amasser des fonds pour la recherche. Défi relevé à tous points de vue.

Les exploits que Pierre Lavoie accomplit ensuite sont à ce point couronnés de succès qu'en 2009 le Défi devient le Grand Défi. Il s'agit d'un véritable « *happening* santé », avec des milliers de cyclistes amateurs qui se relaient pour l'accompagner de Saguenay à Montréal : 1 000 kilomètres parcourus en 40 heures consécutives.

Les cégeps relèvent le défi ! En 2013, le Grand Défi vient dans les cégeps sous la forme d'une course à pied de 500 kilomètres en 50 heures, de La Baie jusqu'à Montréal ! Le succès est immédiat. C'est là une initiative exceptionnelle d'un père de famille qui a su transcender son drame personnel et devenir un modèle pour des milliers de jeunes et leurs parents. Le sport a changé la vie de cet ex-fumeur. « Je suis devenu un autre homme, tenace, discipliné, organisé, respectueux, engagé, sensible aux autres. Sur la base de ces valeurs, tous les êtres humains peuvent réussir, peu importe ce qu'ils ont devant eux, épreuves ou défis. Je le dis aux jeunes : il n'est jamais trop tard pour commencer. Je me suis bien mis au sport à 21 ans, malgré un passé totalement sédentaire ! »

LES MODALITÉS D'APPLICATION DE L'INTENSITÉ EN ENDURANCE AÉROBIE

La question de l'intensité de l'effort est capitale quand on sollicite son système cardiorespiratoire en faisant de l'exercice. C'est **une question d'efficacité** : on doit faire travailler son cœur à une intensité suffisante pour qu'il se renforce. Mais qu'est-ce qu'une « intensité suffisante » ? Voici la réponse des experts : pour la plupart des personnes apparemment en bonne santé, **un effort aérobie en mode continu dont l'intensité varie entre 55 et 85 % de la VO_2 max constitue une surcharge suffisante pour améliorer l'endurance aérobie sans risque**. Cette surcharge est appelée **zone d'entraînement aérobie**. Elle correspond à des efforts d'intensité modérée à élevée. En mode par intervalles, néanmoins, il arrive fréquemment qu'on fasse des efforts correspondant à 100 % de sa capacité aérobie, ou VO_2 max, voire plus encore (effort supra-maximal).

Pour respecter ces pourcentages, le hic, c'est qu'il faut connaître sa consommation maximale d'oxygène réelle, et non estimée, en passant un test d'effort maximal. Heureusement, des méthodes plus pratiques permettent de déterminer sa zone d'entraînement aérobie: la méthode du pourcentage de la fréquence cardiaque maximale, la méthode de Karvonen (réserve cardiaque), la méthode subjective, la méthode MET et la méthode des vitesses cibles (**MonLab**).

méthode vitesses cibles

ZONE ÉTUDIANTE

Véronique T. Pedneault

CÉGEP RÉGIONAL DE LANAUDIÈRE

Étudiante en sciences de la nature, Véronique est une sportive heureuse. Ce qui la branche : repousser ses limites.

Pour moi, le sport est essentiel au bonheur et à la santé. J'ai commencé la danse à l'âge de sept ans. Au secondaire, j'ai continué (la danse fait partie de ma personnalité !), et j'ai commencé la compétition en hip hop. J'ai pris une concentration en basketball (j'ai eu la piqûre en suivant l'un de mes frères), et je me suis mise à la course. Maintenant, je suis membre de la troupe de danse du cégep, je fais du judo (je me défoule tout en développant de nouvelles habiletés), et je pratique l'aérobique 3 ou 4 fois par semaine (j'anime aussi un midi cardio). Évidemment, je m'entraîne régulièrement au gym, où je fais du cardiovélo.

L'activité physique me libère de tout mon stress et de toutes mes préoccupations. Après, je suis plus concentrée en classe et mes résultats scolaires sont meilleurs. Le sport a un effet très thérapeutique.

Je gère mon agenda consciencieusement, en prévoyant en premier les périodes de sport. Quand j'ai une journée de libre, je m'amuse et je vois mes amis. Et puis je travaille une fin de semaine sur deux (dans les cosmétiques ; qui a dit que les sportives étaient des garçons manqués ? J'aime briser les idées reçues !). J'étudie au cégep pendant mes périodes libres ou le soir en rentrant. La conciliation entre toutes mes activités se fait très bien mais, c'est clair, je ne m'attarde jamais devant l'ordinateur. Quand on veut vraiment quelque chose, on trouve toujours le temps. Facile à dire ? La facilité, c'est de baisser les bras, de trouver des excuses.

Pour aimer le sport, il faut en essayer plusieurs et trouver celui qui nous fait vibrer. Ensuite, quand on comprend tout le bien qu'il nous fait, la motivation suit. Comme dit Nietzsche, l'homme qui vit vraiment est celui qui repousse sans cesse ses propres limites. Tenter d'atteindre mon but m'a toujours motivée au plus haut point. Une médaille d'or, ça me pousse à vouloir faire encore mieux !

Un grand plaisir pour moi : avoir décidé mes parents à s'entraîner au gym avec moi ! En faisant du sport, j'ai rencontré beaucoup de gens extraordinaires qui m'ont encouragée. Un jour, à mon tour, je serai là pour la relève.

1. La méthode du pourcentage de la fréquence cardiaque maximale

Il y a une bonne corrélation entre la fréquence cardiaque à l'effort et l'intensité de l'effort. Autrement dit, une fréquence cardiaque élevée indique habituellement un effort d'intensité élevée. Par conséquent, une façon simple d'atteindre la zone d'entraînement aérobie consiste à élever la fréquence de ses pulsations jusqu'à sa plage de fréquence cardiaque cible (FCC). On établit cette dernière en calculant une fourchette de pourcentages à partir de sa fréquence cardiaque maximale (FCM). **Pour une séance d'exercice aérobie en mode continu, l'American College of Sports Medicine[1] recommande** une fourchette comprise entre 65 et 90% de la FCM. Ces pourcentages correspondent, *grosso modo*, à 55% et à 85% de la VO_2 max (tableau 4.3). Si vous n'êtes pas en forme, utilisez au départ une fourchette comprise entre 65 et 75% de votre FCM; si vous êtes moyennement en forme, une fourchette entre 75 et 85%; si vous êtes en forme ou très en forme, une fourchette entre 85 et 90%. Toutefois, **nous recommandons aux personnes sédentaires de moins de 30 ans en bonne santé d'utiliser la fourchette des personnes moyennement en forme (de 75 à 85%)** pour obtenir un gain notable d'endurance aérobie dans un délai raisonnable.

TABLEAU 4.3 **Correspondance entre la VO_2 max, la fourchette de la FCC et le niveau de condition physique**

	Zone d'entraînement aérobie	
Niveau de condition physique	En pourcentage de la VO_2 max[a]	FCC[b] en pourcentage de la FCM[c]
Faible	55% - 65%	65% - 75%
Moyen	65% - 75%	75% - 85%
Élevé	75% - 85%	85% - 90%

a. VO_2 max: consommation maximale d'oxygène.
b. FCC: fréquence cardiaque cible.
c. FCM: fréquence cardiaque maximale.

Il ne vous reste plus maintenant qu'à **déterminer votre FCM**, laquelle diminue avec l'âge. La façon la plus précise d'y arriver est de passer un test d'effort maximal avec enregistrement en continu de votre fréquence cardiaque jusqu'à l'atteinte du plafonnement de cette dernière vers la fin de l'épreuve. Ouf! Voilà une méthode coûteuse qui n'est pas à la portée de tous. Mais vous pouvez également prendre votre fréquence cardiaque immédiatement après un effort maximal, par exemple à la fin du test de course en navette (chapitre 2). Seulement, votre cœur battra si vite que vous risquez de rater quelques battements, à moins d'utiliser une **montre cardiofréquencemètre** de bonne qualité.

Cela dit, vous pouvez aussi estimer votre FCM grâce à des formules mises au point par des experts en physiologie de l'exercice. S'il en existe plusieurs, toutes comportent une marge d'erreur pour la simple raison qu'elles visent seulement à donner une estimation de la FCM. C'est pourquoi on a tout intérêt à choisir la formule la plus simple et la plus répandue:

[220 − votre âge] × pourcentages de la fourchette de fréquences cardiaques

Exemple Si vous avez 18 ans et êtes moyennement en forme, vous utiliserez la fourchette de 75 à 85% de la FCM, ce qui donne:

[220 − 18] × 75% = 151 batt./min (FCC minimale)

[220 − 18] × 85% = 172 batt./min (FCC maximale)

1. C.E. Garber et coll. (2011). Quantity and quality of exercise for developing and maintaining cardiorespiratory, musculoskeletal, and neuromotor fitness in apparently healthy adults: Guidance for prescribing exercise, *Medicine and Science in Sports and Exercise, 43*(7), 1134-1359.

Si vous vous entraînez en faisant des longueurs de piscine, le calcul de votre FCM sera quelque peu différent. En effet, des recherches ont montré que la FCM des nageurs, qu'ils soient entraînés ou débutants, est inférieure de 13 battements par minute en moyenne à celle des joggeurs. Par conséquent, **si vous vous entraînez en faisant des longueurs, soustrayez 13 battements à votre FCM avant de faire vos calculs.**

Pour déterminer votre FCC selon la méthode du pourcentage de la FCM, consultez la **figure 4.5** ou utilisez le calculateur de FCC dans **MonLab**.

MonLab
10 calculateur FCC

La **figure 4.6** (p. 134) montre l'évolution de la FCC selon la méthode du pourcentage de la FCM lors d'une séance de cardio type. Une telle séance débute toujours par un échauffement, suivi du bloc d'exercice aérobie, et se termine par le retour au calme :

✓ L'**échauffement** permet une transition graduelle entre l'état de repos et l'état d'effort physique. Il comporte habituellement un exercice aérobie léger et quelques étirements dynamiques (chapitre 6).

✓ Le **retour au calme** permet un ralentissement graduel de la fonction cardiorespiratoire. Il s'agit souvent de faire un exercice aérobie léger de 3 ou 4 minutes au lieu de s'arrêter brusquement après un effort cardiorespiratoire prolongé. Le retour au calme est complété par quelques étirements statiques (chapitre 6), afin de détendre les muscles qui ont été sollicités pendant le bloc d'exercice aérobie. Nous reviendrons sur ces notions au chapitre 9.

FIGURE 4.5 La fréquence cardiaque cible en fonction de l'âge et de la condition physique (méthode du pourcentage de la fréquence cardiaque maximale)[a]

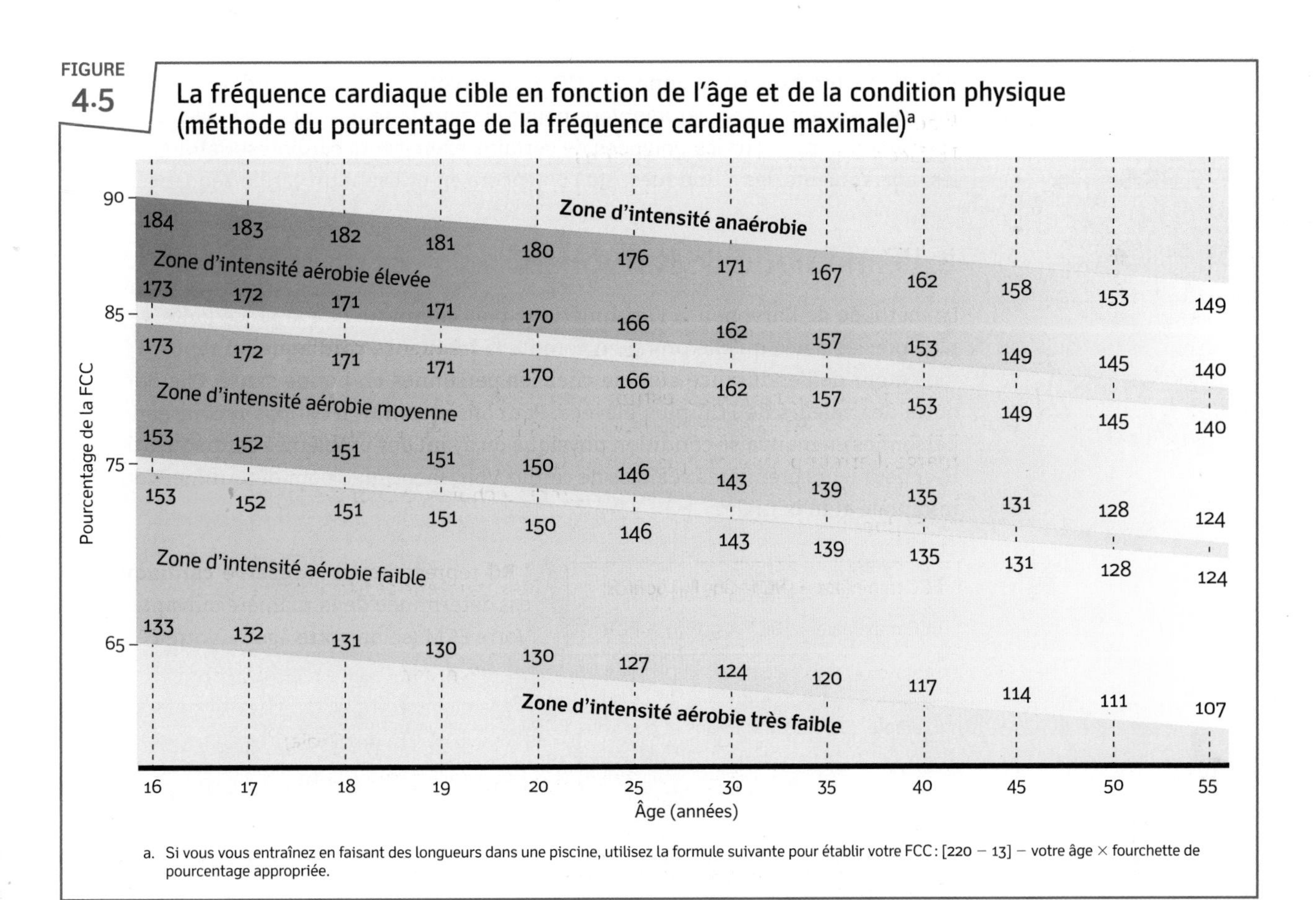

a. Si vous vous entraînez en faisant des longueurs dans une piscine, utilisez la formule suivante pour établir votre FCC : [220 − 13] − votre âge × fourchette de pourcentage appropriée.

FIGURE 4.6 L'évolution de la fréquence cardiaque lors d'une séance de cardio type

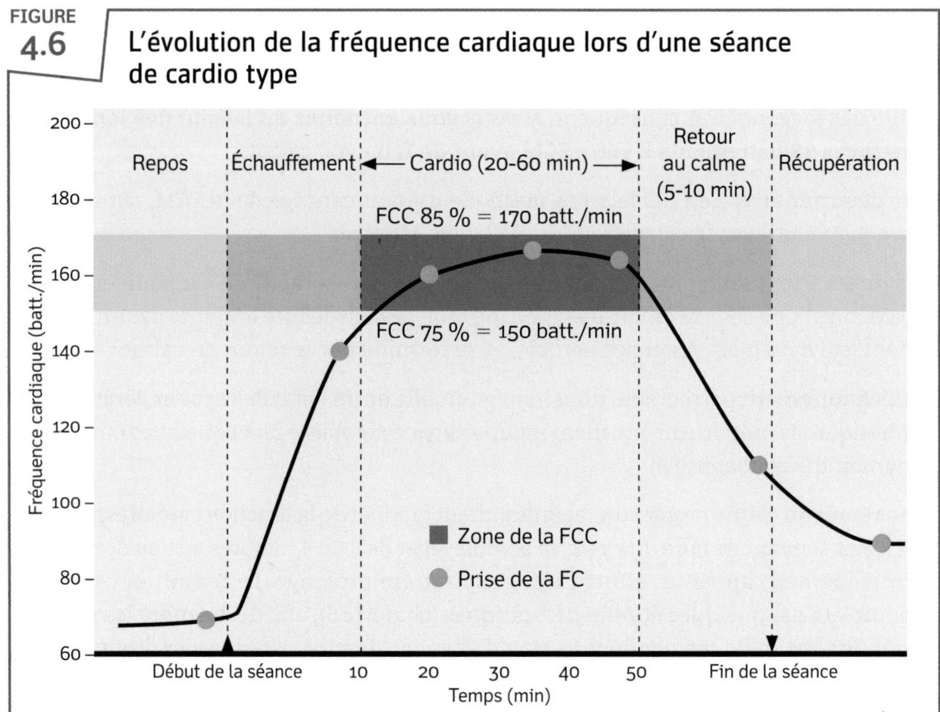

Afin de rester dans votre zone de FCC, prenez votre fréquence cardiaque à quelques reprises pendant l'effort aérobie. Vous pouvez le faire manuellement, à l'aide de capteurs spéciaux (installés sur les poignées de certains exerciseurs cardiorespiratoires tels que les tapis roulants, les elliptiques, etc.) ou encore en utilisant un cardiofréquencemètre.

2. La méthode de Karvonen

La méthode de Karvonen, à l'arithmétique plus complexe que la précédente, est aussi plus précise parce qu'elle prend en compte la **fréquence cardiaque au repos (FCR)**, un indicateur de l'endurance aérobie chez les personnes en bonne santé. Elle donne en outre des valeurs de FCC plus élevées. Par conséquent, il n'est pas recommandé aux personnes en mauvaise condition physique ou ayant des problèmes cardiaques de l'utiliser pour leurs premières séances de cardio. Voici la formule pour déterminer votre FCC minimale et maximale :

FCC minimale = [RC* × 65 %] + FCR

FCC maximale = [RC* × 90 %] + FCR

* **RC** représente ici la **réserve cardiaque**, qui est déterminée de la manière suivante : Votre FCM (selon votre âge) − votre FCR.

Exemple Si vous avez 18 ans et que votre FCR est de 72, votre RC sera de 130 :

220 − 18 = 202 − 72 = 130.

Connaissant votre RC, vous pouvez appliquer la formule de Karvonen :

FCC minimale = [130 × 65 %] + 72 = 156 batt./min

FCC maximale = [130 × 90 %] + 72 = 189 batt./min

Prenez votre FCR le matin, debout à côté de votre lit. Attendez 1 minute avant de commencer à compter les battements. L'idéal est de prendre votre FCR trois fois dans la semaine, toujours dans les mêmes conditions, puis de faire une moyenne. Une fois que vous connaissez cette valeur, vous pouvez utiliser la formule précédente ou le calculateur FCC qui est fourni dans **MonLab**, et que nous illustrons par un exemple dans la figure 4.7. Comme ce calculateur établit votre FCC de deux façons, selon la méthode de Karvonen et selon la méthode du pourcentage de la FCM, vous verrez tout de suite la différence entre les deux manières d'établir votre zone d'entraînement aérobie.

10 calculateur FCC

FIGURE 4.7 Exemple de calculateur FCC

Entrez votre âge : 18

Pour calculer votre FCC avec la méthode de Karvonen, entrez votre pouls au repos :

70

Calculer

Méthode du pourcentage de la FCM			
Pourcentage de l'effort	**Fréquence à l'effort/minute**	**Fréquence à l'effort/15 secondes**	**Fréquence à l'effort/10 secondes**
50	101	25	16
55	111	27	18
60	121	30	20
65	131	32	21
70	141	35	23
75	151	37	25
80	161	40	26
85	171	42	28
90	181	45	30

Méthode de Karvonen			
Pourcentage de l'effort	**Fréquence à l'effort/minute**	**Fréquence à l'effort/15 secondes**	**Fréquence à l'effort/10 secondes**
50	136	34	22
55	142	35	23
60	149	37	24
65	155	38	25
70	162	40	27
75	169	42	28
80	175	43	29
85	182	45	30
90	188	47	31

3. La méthode subjective

Cette méthode est dite subjective parce qu'**elle repose sur la capacité de parler et sur différentes sensations physiques ressenties ou perçues** (respiration et perception de ses battements cardiaques) lors d'une activité physique. Elle n'est peut-être pas aussi précise que les méthodes précédentes, mais elle a le mérite de nous obliger à être à l'écoute de notre corps en mouvement. Le Suédois Gunnar Borg a mis au point une échelle qui permet d'estimer l'intensité d'un effort en lui attribuant une cote comprise entre 6 et 20 (**tableau 4.4**). Une fois multiplié par 10, ce nombre donne *grosso modo* la fréquence cardiaque durant l'effort. Ainsi, le niveau 15 correspondrait approximativement à 150 battements par minute. Si vous utilisez souvent cette échelle, tout en vérifiant également votre fréquence cardiaque pendant vos séances d'entraînement, vous arriverez tôt ou tard à évaluer l'intensité de vos efforts sans avoir à prendre votre fréquence cardiaque.

TABLEAU 4.4 L'intensité de l'effort perçue selon l'échelle de Borg

Cote	Intensité de l'effort perçue	Respiration	Capacité de parler	Battements cardiaques	Lien avec une séance d'entraînement
6	Extrêmement facile	Normale	Normale	À peine perceptibles	Échauffement et retour au calme (50 % de la VO_2 max et moins)
7					
8					
9	Très facile	Accentuée	Normale	Perceptibles	
10					
11	Facile à modérée	Légèrement accélérée	Normale, mais phrases plus courtes	De plus en plus perceptibles	Zone d'entraînement aérobie (de 55 à 85 % de la VO_2 max)
12					
13	Modérée à élevée	Rapide	Phrases de plus en plus courtes	Très perceptibles	
14					
15	Élevée	Très rapide (essoufflement prononcé)	Phrases très courtes	Sensation de palpitation au niveau du cou	
16					
17	Très élevée	Très très rapide (essoufflement très prononcé)	Mots	Forte sensation de palpitation généralisée	Zone d'entraînement anaérobie (90 % de la VO_2 max et plus)
18					
19	Extrêmement élevée	À bout de souffle !	Sans voix !	Très forte sensation de palpitation généralisée	
20					

Source : Adapté d'une infographie du site internet « Promotion de l'activité physique au bureau médical », www.paprica.ch/WP_1/?cat=25.

4. La méthode MET

La méthode MET consiste à déterminer l'intensité d'une activité physique par rapport à la dépense d'énergie au repos, laquelle a été établie à **1 MET (Metabolic Equivalent)**, c'est-à-dire 3,5 millilitres d'oxygène par kilogramme de poids corporel par minute. Si vous connaissez votre VO_2 max réelle, vous pouvez la traduire en METS : il vous suffit de la diviser par 3,5. Ainsi, une VO_2 max de 47 mL O_2/kg/min équivaut à 13,5 METS (47/3,5). Rappelons que les experts recommandent aux personnes en forme de rester dans une fourchette comprise entre 75 et 85 % de leur VO_2 max lors d'un entraînement aérobie. C'est votre cas si votre VO_2 max est de 47 mL O_2/kg/min. Il est facile de traduire cette fourchette en METS en faisant le calcul suivant :

13,5 METS × 75 % = 10 METS

13,5 METS × 85 % = 11,5 METS

11 calculateur MET

Vous pouvez utiliser aussi le calculateur MET dans **MonLab**.

Il vous suffit ensuite de consulter l'**annexe 1** de votre manuel pour trouver une activité physique dont la valeur est comprise entre 10 et 11,5 METS. Par exemple, faire du jogging à 9,5 km/h correspond à 10 METS ; faire du vélo à 22,5 km/h, à 10 METS ; et nager à une bonne vitesse, à 11 METS.

ÉLABOREZ VOTRE PROGRAMME D'ENDURANCE AÉROBIE

Vous y êtes ! Le moment est venu de concevoir un programme d'entraînement aérobie qui colle à votre niveau d'endurance aérobie, à votre besoin sur ce plan et à vos choix d'activités aérobies. **Voici les quatre étapes à suivre pour y arriver** : vous fixer un objectif ; appliquer les principes de l'entraînement à l'endurance aérobie ; déterminer les conditions de réalisation de votre programme ; et respecter les règles de sécurité propres à ce type d'entraînement.

Étape 1 Fixez-vous un objectif de type « SMART »

Vous devez déterminer votre objectif selon votre niveau d'endurance aérobie, tel que vous l'avez évalué au chapitre 2 (p. 60 et suivantes). Une fois votre besoin clairement établi, il vous sera plus facile de vous fixer un objectif réaliste à court terme. Vous pouvez, par exemple, décider d'**améliorer votre niveau d'endurance aérobie** (s'il est très faible, faible ou moyen) ou de **maintenir votre niveau actuel** (s'il est élevé ou très élevé). De plus, votre objectif doit être de type « SMART », c'est-à-dire **S**pécifique, **M**esurable, orienté vers l'**A**ction, **R**éaliste et limité dans le **T**emps. Voici trois exemples pour vous aider à formuler cet objectif (**bilan 4.2**).

Jonathan **17 ans, peu en forme**

Jonathan a couru 2,1 kilomètres au test de course de 12 minutes de Cooper, ce qui correspond à un niveau d'endurance aérobie faible. Il se fixe comme objectif de courir 2,5 kilomètres en 12 minutes d'ici à 6 semaines, ce qui le fera passer à un niveau d'endurance aérobie moyen. Cet objectif est **spécifique** (course à pied), **mesurable** (courir 2,5 kilomètres en 12 minutes), orienté vers l'**action** (voir à l'étape 2 les moyens que Jonathan utilise pour atteindre son objectif), **réaliste** (arriver à courir 0,4 kilomètre de plus en 12 minutes au bout de 6 semaines, c'est faisable en dosant bien ses efforts et en s'entraînant avec régularité) et limité dans le **temps** (6 semaines).

Roxanne **19 ans, en forme**

Roxanne a atteint le palier 5 dans le test de course en navette de 20 mètres, ce qui correspond à un niveau d'endurance aérobie élevé. Membre de l'équipe de soccer de son cégep, elle souhaite améliorer son endurance aérobie à l'approche des séries de fin de saison. Pour ce faire, elle se fixe comme objectif de pratiquer la course à pied et le vélo de montagne pour atteindre le palier 7 (niveau très élevé) lors d'une reprise du test en navette dans 5 semaines. Cet objectif est **spécifique** (course à pied et vélo de montagne), **mesurable** (niveau 7), orienté vers l'**action** (voir à l'étape 2 les moyens que Roxanne utilise pour atteindre son objectif), **réaliste** (gagner 2 paliers en 5 semaines, c'est faisable pour Roxanne qui est habituée à s'entraîner) et limité dans le **temps** (5 semaines).

Dimitri **22 ans, vraiment pas en forme**

Dimitri a parcouru 450 mètres lors du test de 12 minutes en natation, ce qui correspond à un niveau d'endurance aérobie très faible. Déterminé à changer les choses, et plutôt à l'aise dans l'eau, il se fixe comme objectif de nager au moins 550 mètres (niveau moyen) en 12 minutes d'ici à 7 semaines. Cet objectif est **spécifique** (natation), **mesurable** (nager 550 mètres en 12 minutes), orienté vers l'**action** (voir à l'étape 2 les moyens que Dimitri utilise pour atteindre son objectif), **réaliste** (arriver à nager 100 mètres de plus en 12 minutes au bout de 7 semaines, c'est faisable en dosant bien ses efforts et en s'entraînant avec régularité) et limité dans le **temps** (7 semaines).

Étape 2 Appliquez les principes de l'entraînement

Pour atteindre votre objectif, vous devez appliquer correctement les principes de l'entraînement à l'amélioration de l'endurance aérobie. Voyons comment Jonathan, Roxanne et Dimitri le font en fonction de leurs objectifs respectifs.

Jonathan

Spécificité : Jogging léger.

Surcharge :

- *Fréquence* : Trois fois par semaine (lundi, mercredi et samedi).
- *Intensité* : Modérée, selon la méthode choisie pour déterminer sa zone d'entraînement aérobie (Sous la loupe, p. 141).
- *Temps (durée)* : 20 minutes.

Progression : Il appliquera en partie la progression suggérée au tableau 4.5 pour parvenir à faire 20 minutes de jogging en continu.

Maintien : Une fois son objectif atteint, pendant la période d'examens au cégep, il réduira son programme et se limitera à 2 séances par semaine, à raison de 20 minutes par séance, tout en maintenant la même intensité d'effort, soit la même vitesse de jogging.

Roxanne

Spécificité : Jogging rapide et vélo de montagne en terrain accidenté.

Surcharge :

- *Fréquence* : a) Jogging : 3 fois par semaine (lundi, mardi, jeudi) ; b) vélo de montagne : 1 fois par semaine (samedi).
- *Intensité* : Variable (entraînement continu et par intervalles), de modérée à élevée, selon la méthode choisie pour déterminer sa zone d'entraînement aérobie et anaérobie (Sous la loupe, p. 141).
- *Temps (durée)* : 40 minutes par séance de jogging et 60 minutes par séance de vélo de montagne.

Progression : Après la première semaine en mode continu, elle intercalera toutes les 4 minutes dans ses séances de jogging des intervalles d'effort très intense d'une durée de 30 secondes. Au cours des 2 dernières semaines, ses intervalles passeront de 30 à 45 secondes. Comme elle fera du vélo de montagne en terrain accidenté (plats et pentes), sa séance sera donc d'intensité variable et non structurée à cet égard.

Maintien : Une fois son objectif atteint, elle cessera les sorties en vélo de montagne, réduira son entraînement et se limitera à 3 séances par semaine de 20 minutes de jogging rapide, tout en maintenant la même intensité et en participant à ses matchs de soccer.

Dimitri

Spécificité : Natation sous la forme de longueurs dans une piscine de 25 mètres.

Surcharge :

- *Fréquence* : Trois fois par semaine (lundi, mercredi, vendredi).
- *Intensité* : Modérée, selon la méthode choisie pour déterminer sa zone d'entraînement aérobie (Sous la loupe, p. 141).
- *Temps (durée)* : 30 minutes par séance de natation.

Progression : Il appliquera en partie la progression suggérée au tableau 4.5 ou au tableau 4.6 (p. 144) pour être capable de nager pendant 30 minutes sans pause.

Maintien : Une fois son objectif atteint, il se limitera, pendant le congé des fêtes, à 2 séances de 20 minutes, tout en maintenant la vitesse de nage atteinte lors de la dernière semaine de son entraînement régulier.

Étape 3 Précisez les conditions de réalisation

Pour déterminer les conditions dans lesquelles vous allez mener à bien votre programme personnel de mise en forme, vous devez répondre à plusieurs questions : « Où vais-je faire de l'exercice ? Quand ? Et avec qui ? » Si vous négligez cette étape, vous risquez de vous retrouver comme un bateau sans gouvernail, qui change de cap au gré du vent et des courants. Prenez en charge votre programme : soyez clair, net et précis, comme le sont nos trois adeptes de l'entraînement, Jonathan, Roxanne et Dimitri. Voyons les réponses qu'ils ont apportées à ces trois questions.

Jonathan

Durée du programme : Six semaines, du 9 septembre au 20 octobre.

Où ? Sur le campus de mon cégep et, le samedi, dans mon quartier.

Quand ? Le lundi et le mercredi, de 12 h à 12 h 30*, et le samedi, de 11 h à 11 h 30.

Avec qui ? Mon copain François, qui est aussi peu en forme que moi et qui suivra le même programme.

Roxanne

Durée du programme : Cinq semaines, du 20 mai au 24 juin.

Où ? En semaine sur les pistes cyclables de la ville où j'habite et, le samedi, près du chalet sur une piste accidentée en montagne.

Quand ? Jogging : le lundi, le mardi et le jeudi, de 12 h à 12 h 50 ; vélo de montagne : le samedi, de 14 h à 15 h.

Avec qui ? Mes amis Philippe et Marina en semaine, et Philippe le samedi.

Dimitri

Durée du programme : Sept semaines, du 2 octobre au 20 novembre.

Où ? À la piscine de mon cégep.

Quand ? Le lundi, le mercredi et le vendredi de 12 h à 12 h 40.

Avec qui ? Seul.

* Les temps indiqués incluent l'échauffement et le retour au calme.

SOUS LA LOUPE Comment Jonathan, Roxanne et Dimitri ont fixé leur zone d'entraînement aérobie

Jonathan Comme il n'est pas en forme, il a choisi la méthode du pourcentage de la fréquence cardiaque maximale qui donne des FCC (fréquences cardiaques cibles) plus basses que la méthode de Karvonen. Voici ses calculs :

Fréquence cardiaque maximale :	220 − 17 = 203
Limite inférieure de la fourchette :	203 × 75 % = 152 batt./min
Limite supérieure de la fourchette :	203 × 85 % = 173 batt./min

Sa FCC se situe donc entre 152 et 173 battements par minute.

Roxanne Comme elle a déjà un niveau élevé d'endurance aérobie, elle a opté pour la méthode de Karvonen, mais aussi, en parallèle, pour la méthode subjective selon l'échelle de Borg. Voici ses calculs :

Fréquence cardiaque au repos (FCR) :	65
Réserve cardiaque (RC) :	[220 − 19 (âge)] − 65 (FCR) = 136
FCC minimale :	[136 × 80 %] = 109 + 65 = 174 batt./min
FCC maximale :	[136 × 85 %] = 115 + 65 = 180 batt./min

Sa FCC se situe donc entre 174 et 180 battements par minute. Selon la méthode du pourcentage de la fréquence cardiaque maximale, sa FCC se situerait entre 161 et 171 battements par minute (220 − 19 = 201 × 80 % et 85 %).

Lors des intervalles d'effort très intense, sa fréquence cardiaque sera pratiquement maximale (100 %). De plus, elle fera son jogging à une intensité de niveau 15-16 sur l'échelle de Borg (tableau 4.4, p. 136).

Dimitri N'étant vraiment pas en forme, il a choisi, comme Jonathan, la méthode du pourcentage de la fréquence cardiaque maximale. Voici ses calculs :

Fréquence cardiaque maximale :	220 − 22 = 198 − 13 (à cause de la natation) = 185
Limite inférieure de la fourchette :	185 × 75 % = 139 batt./min
Limite supérieure de la fourchette :	185 × 85 % = 157 batt./min

Sa FCC se situe donc entre 139 et 157 battements par minute.

Étape 4 Respectez les règles de sécurité propres à ce type d'entraînement

Pour augmenter vos chances d'atteindre votre objectif, vous devez être bien préparé sur le plan physique et sur le plan mental. Sans préparation, cela ne vaut pas la peine de vous lancer dans un tel projet. Nous reviendrons en détail sur cette préparation, qui touche aussi l'alimentation, aux chapitres 9 et 10. Voici déjà, sous la forme d'une liste de vérification, les éléments-clés à inclure dans votre préparation physique et mentale à l'exercice.

- Choisir une activité aérobie (ou deux) n'exposant pas au risque de blessures et, bien entendu, correspondant à ses goûts (chapitre 9).
- S'échauffer avant chaque séance.
- Terminer chaque séance par un retour au calme.
- S'accorder des périodes de repos entre les séances (**Sous la loupe**).
- Porter des chaussures de sport (**En mouvement**) et des vêtements appropriés (chapitre 9).
- Savoir ce qu'il faut manger, et quand le manger, au fur et à mesure qu'on devient physiquement plus actif (chapitre 10).
- Appliquer les règles prévenant la déshydratation (chapitre 10).
- Mettre en pratique les conseils de base pour rester motivé (chapitre 9).

La récupération est essentielle entre les séances d'entraînement

Il est essentiel de se ménager une période de repos (de 24 ou 48 heures) entre les séances d'entraînement. D'une part, cela évite que les systèmes sollicités (cardiorespiratoire, musculaire ou articulaire) ne subissent les conséquences du surentraînement (p. 33). D'autre part, cela contribue aux adaptations physiologiques escomptées. En effet, faire de l'exercice au bon rythme et selon le bon dosage entraîne les stimuli essentiels pour déclencher le processus des adaptations physiologiques; cependant, celles-ci ne s'effectuent que pendant les périodes de repos, y compris le sommeil. Mieux encore, **pendant la récupération**, le corps **fait plus que compenser** l'épuisement des réserves d'énergie résultant de la séance précédente: il augmente le niveau de ces réserves au-delà de leurs valeurs habituelles. Vous êtes ainsi prêt à faire votre prochaine séance d'aérobie avec d'importantes réserves d'énergie dans vos muscles, comme le montre l'illustration ci-contre.

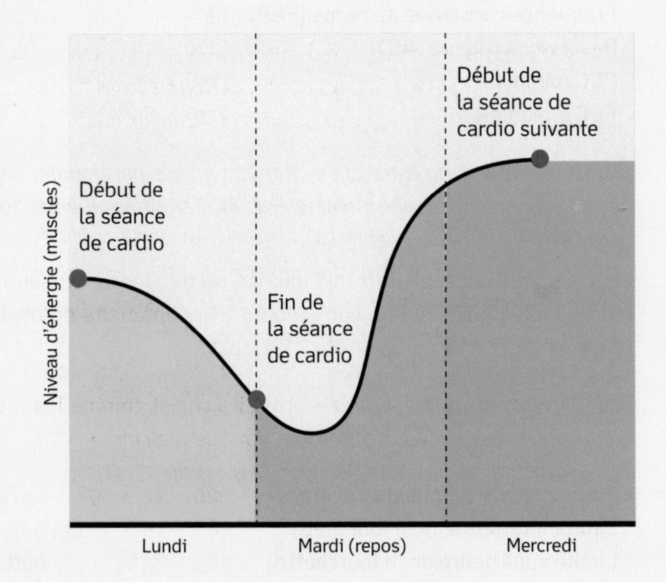

en mouvement

Chaussure minimaliste ou traditionnelle ?

La chaussure de course minimaliste est plus souple et plus légère que la chaussure de course traditionnelle, et le coussin de son talon est beaucoup plus fin. On dit que la plateforme est neutre. La conception de ces chaussures permet de se rapprocher le plus possible de la course pieds nus. Certains modèles minimalistes épousent même la forme du pied et des orteils, comme le montre la photo ci-contre.

La chaussure minimaliste favorise le contact avec le sol par le milieu ou l'avant du pied, plutôt que par le talon. Selon ses partisans, elle permet une foulée plus naturelle qui diminue les risques de blessures associées à la course (fracture de stress, périostite, tendinite, etc.). Cependant, les études publiées à ce jour sur le sujet ne sont pas concluantes. Il faudra donc attendre de nouvelles études, portant sur l'utilisation assidue et à long terme de ce type de chaussure, avant de pouvoir donner des recommandations claires pour ceux et celles qui voudraient expérimenter cette autre façon de courir. D'ici-là, si vous aimez la course à pied et que vous optez pour la chaussure minimaliste, **accordez-vous une période de transition** au cours de laquelle vous réduirez votre vitesse de course habituelle. Vous permettrez ainsi aux os et aux tendons de vos membres inférieurs de s'adapter graduellement à cette façon de courir.

QUELQUES EXEMPLES DE PROGRESSION DANS L'EFFORT

Avant de passer à l'action, rien ne vaut des exemples concrets de progression dans l'effort. Vous trouverez aux **tableaux 4.5** et **4.6** (p. 144) deux exemples d'application du principe de la **progression en mode continu et en mode par intervalles**. Ils illustrent la façon dont ce principe s'applique au fil des semaines.

progression marathon

Une précision s'impose. **Ces exemples s'adressent surtout aux personnes qui mènent une vie sédentaire** depuis quelque temps et qui sont donc « rouillées » sur le plan musculaire, articulaire et, aussi, aérobie. **Si vous êtes physiquement actif**, vous pouvez commencer un de ces programmes à la semaine qui correspond à votre forme physique actuelle, par exemple la semaine 3 ou 4, au lieu de la semaine 1. Vous trouverez aussi dans **MonLab** d'autres exemples de progression dans l'effort aérobie, **notamment pour se préparer** à courir un semi-marathon ou un marathon.

TABLEAU 4.5

Exemple de programme progressif en mode continu

	Surcharge : application des variables FIT[a]		
Semaine(s)	**Fréquence**	**Intensité (FCC[b] en % de la FCM[c])**	**Temps (durée par séance)**
1	3	65 % - 70 %	15 min
2	3	70 % - 75 %	20 min
3-4	3	75 % - 80 %	25 min
5-6	3	80 % - 85 %	30 min

a. FIT : fréquence, intensité, temps (durée de la séance).
b. FCC : fréquence cardiaque cible.
c. FCM : fréquence cardiaque maximale.

TABLEAU 4.6

Exemple de programme progressif en mode par intervalles

	Surcharge : application des variables FIT[a]		
Semaine(s)	**Fréquence**	**Intensité variable selon les intervalles**	**Temps (durée par séance)**
1	3	En continu à 65 %-70 % de la FCM	15 min
2	3	4 × (30 s − 3 min)[b]	14,5 min
		5 × (30 s − 3 min)	17,5 min
		5 × (1 min − 3 min)[c]	20 min
3-4	3	5 × (1 min − 3 min)	20 min
		6 × (1 min − 3 min)	24 min
		6 × (1 min − 3 min)	24 min
5-6	3	6 × (1 min − 3 min)	24 min
		7 × (1 min − 3 min)	28 min
		7 × (1 min − 3 min)	28 min

a. FIT : fréquence, intensité, temps (durée de la séance).
b. 4 × (30 s − 3 min) : faire 4 fois la séquence « 30 secondes d'efforts intenses puis 3 minutes d'efforts modérés ».
c. 5 × (1 min − 3 min) : faire 5 fois la séquence « 1 minute d'efforts intenses puis 3 minutes d'efforts modérés ».

MonLab
Pour en savoir plus

Consultez **MonLab** à la rubrique « Pour en savoir plus ». Vous y trouverez des suggestions de lecture et des sites Internet à visiter.

en mouvement

Pour marcher comme un joggeur

Si, pour quelque raison que ce soit, le jogging ne vous convient pas, optez pour la **marche d'entraînement**. Pour marcher à une vitesse qui se rapproche de celle du jogging, vous devez bien entendu presser le pas et accentuer le mouvement de va-et-vient des bras. Une façon simple de savoir si vous marchez assez vite consiste à compter le nombre de pas que vous faites en 1 minute (vous pouvez utiliser un podomètre, voir p. 106). Puis, à l'aide du tableau qui suit, déterminez la vitesse de marche équivalant à ce nombre. Pour avoir un point de comparaison, sachez qu'un jogging léger correspond à une vitesse de 7-7,5 km/h.

Pas par minute selon votre taille			
1,68 m ou moins	**Entre 1,68 et 1,83 m**	**Plus de 1,83 m**	**Vitesse de marche (km/h)**
130-140	125-135	120-130	6,5-7
140-150	135-145	130-140	7,5
155-165	150-160	145-155	> 8
Marcheurs olympiques (marche athlétique) : 200 et plus			13 km/h et plus

Source : Adapté d'un tableau du site de randonnée pédestre « Upper valley trails », www.uvtrails.org.

VRAI OU **FAUX**? RÉPONSES

1. **L'entraînement musculaire en circuit permet aussi d'améliorer l'endurance aérobie.** VRAI! Mais il y a des conditions à respecter. Tout d'abord, le circuit doit inclure des exercices sollicitant les grandes masses musculaires des cuisses et du bassin à une intensité au moins modérée. Ensuite, les temps de récupération entre les exercices doivent être brefs (moins de 30 secondes). Enfin, le circuit doit durer au moins 30 minutes afin que la consommation d'oxygène, et pas seulement la fréquence cardiaque à l'effort, puisse s'élever suffisamment. À ces conditions, comme la recherche l'a démontré, ce genre de circuit peut améliorer l'endurance aérobie.
2. **S'entraîner à l'endurance aérobie peut faire baisser la fréquence cardiaque de repos à moins de 50 battements par minute.** VRAI! Certains cyclistes professionnels et adeptes du biathlon (ski de fond de longue distance combiné au tir à la carabine) ont même une fréquence cardiaque inférieure à 40 battements par minute. Ce phénomène d'adaptation à l'effort cardiorespiratoire est expliqué à la page 121.
3. **L'asthme est une contre-indication à l'exercice cardio.** FAUX! L'asthme est une affection qui se contrôle très bien, au besoin avec une médication. Lorsqu'une personne asthmatique prévoit de faire un exercice plus vigoureux que d'habitude, elle peut prendre une dose ou deux de son médicament habituel de 20 à 30 minutes avant le début de l'activité et garder son médicament à portée de main. Par temps froid, elle portera un masque ou un foulard couvrant la bouche et le nez.
4. **La chaussure minimaliste est supérieure à la chaussure de jogging traditionnelle pour la course à pied.** NI VRAI, NI FAUX! Voir à ce sujet la rubrique Sous la loupe (p. 143).
5. **Avoir un bon cardio est associé à une meilleure santé en général.** VRAI! La recherche scientifique a démontré que la pratique régulière d'activités physiques aérobies favorise la longévité en bonne santé physique et mentale.

AU FIL D'ARRIVÉE!

L'endurance aérobie est la capacité de soutenir des efforts aérobies. Lorsqu'on l'améliore en faisant des séances d'activités aérobies, on augmente l'efficacité de ses muscles et de son cœur. Au bout du compte, on est en meilleure santé physique et mentale.

Il existe deux méthodes pour améliorer son endurance aérobie : l'entraînement continu et l'entraînement par intervalles.

- L'entraînement continu consiste à faire un exercice aérobie pendant un certain temps sans s'arrêter, tout en maintenant une intensité cardiorespiratoire relativement constante.
- L'entraînement par intervalles consiste à intégrer dans sa séance des périodes, ou intervalles, d'exercices plus intenses suivies de périodes de récupération.

Pour améliorer son endurance aérobie, on doit appliquer les principes de l'entraînement :

- Spécificité : choisir, selon ses besoins, ses capacités et ses facteurs de motivation (chapitre 9), une ou plusieurs activités aérobies qui peuvent être pratiquées en mode continu ou en mode par intervalles.

- Surcharge : appliquer les variables FIT (fréquence, intensité, temps ou durée) selon un des scénarios suivants :
  - *Scénario A – programme de base d'entraînement continu* : à raison d'au moins 3 séances par semaine, accumuler au minimum 150 minutes d'activités aérobies d'intensité modérée.
  - *Scénario B – programme plus intensif d'entraînement continu* : à raison d'au moins 3 séances par semaine, accumuler au moins 75 minutes d'activités aérobies d'intensité élevée.
  - *Scénario C – programme de base d'entraînement par intervalles* : à raison d'au moins 3 séances par semaine, faire une combinaison équivalente d'activités aérobies d'intensité modérée et d'intensité élevée.
- Progression : la définir en fonction de son niveau initial d'endurance aérobie et du mode d'entraînement (continu ou par intervalles).
- Maintien : une fois l'objectif atteint, on peut réduire la fréquence et la durée de ses séances d'entraînement aérobies, mais pas l'intensité de ses efforts.

Il existe différentes façons de déterminer l'intensité de la surcharge en endurance aérobie : la méthode du pourcentage de la fréquence cardiaque maximale ; la méthode de Karvonen ; la méthode subjective (échelle de Borg et capacité de parler) ; la méthode MET ; la méthode des vitesses cibles.

Pour élaborer un programme cardio, on doit suivre les étapes suivantes :

- Étape 1 : se fixer un objectif de type « SMART ».
- Étape 2 : appliquer correctement les principes de base de l'entraînement.
- Étape 3 : préciser les conditions de réalisation : Où ? Quand ? Avec qui ?
- Étape 4 : respecter les règles de sécurité propres à ce type d'entraînement.

Les **bilans** à la fin de ce chapitre aident à concevoir un programme d'entraînement aérobie qui respecte les principes de l'entraînement, ses besoins, ses capacités et ses choix d'activités aérobies.

PAUSE-RÉFLEXION

Nom : ____________________ Groupe : __________ Date : __________

Remplissez les cases vides du schéma à l'aide des mots-clés suivants :

la méthode subjective ☐ un pouls plus bas au repos ☐ la dépense d'énergie ☐ un cœur plus fort ☐ l'entraînement par intervalles ☐ la méthode de Karvonen ☐ des muscles plus capillarisés ☐ la capacité de parler ☐ le physitest canadien ☐

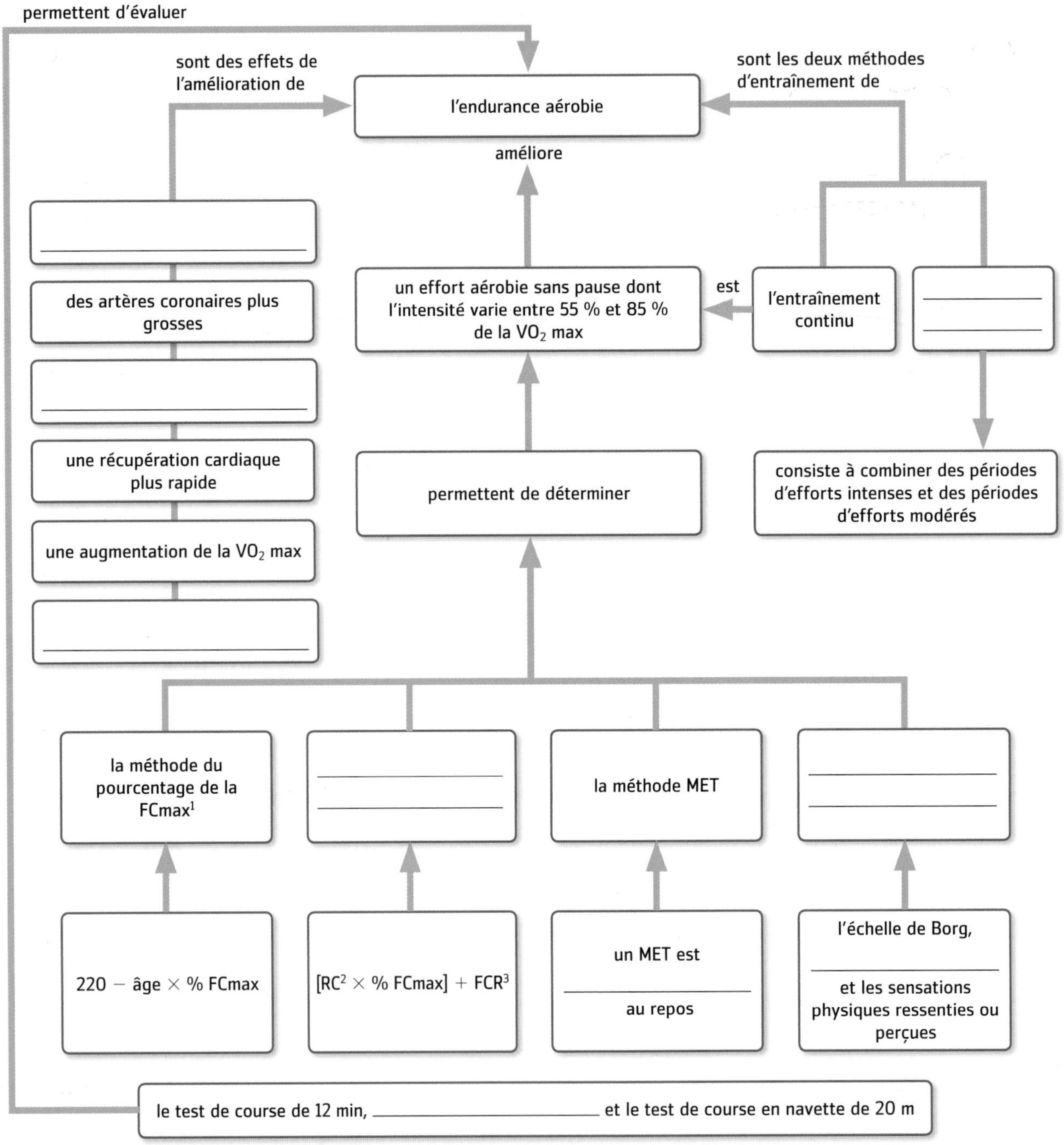

permettent d'évaluer

sont des effets de l'amélioration de

l'endurance aérobie

sont les deux méthodes d'entraînement de

améliore

____

des artères coronaires plus grosses

____

une récupération cardiaque plus rapide

une augmentation de la VO_2 max

____

un effort aérobie sans pause dont l'intensité varie entre 55 % et 85 % de la VO_2 max

est

l'entraînement continu

____

consiste à combiner des périodes d'efforts intenses et des périodes d'efforts modérés

permettent de déterminer

la méthode du pourcentage de la FCmax[1]

____

la méthode MET

____

220 − âge × % FCmax

[RC[2] × % FCmax] + FCR[3]

un MET est ____________________ au repos

l'échelle de Borg, ____________________ et les sensations physiques ressenties ou perçues

le test de course de 12 min, ____________________ et le test de course en navette de 20 m

1. Fréquence cardiaque maximale

2. Réserve cardiaque

3. Fréquence cardiaque au repos

Nom : ______________________ Groupe : ____________ Date : ____________

1 Après un entraînement aérobie de longue durée,

		Vrai	faux
a)	la capacité vitale augmente de façon marquée.	☒	☒
b)	une personne entraînée peut pomper à l'effort beaucoup plus d'air qu'une personne non entraînée.	☒	☐
c)	les artères coronaires deviennent plus grosses.	☒	☐
d)	les parois du ventricule droit du cœur s'épaississent.	☒	☐
e)	la fréquence cardiaque au repos demeure inchangée.	☐	☒

2 Quelles sont les deux méthodes d'entraînement à l'endurance aérobie ?

1. l'entrainement continue
2. l'entrainement parintervalle

3 Nommez trois effets physiologiques de l'entraînement aérobie sur les muscles squelettiques.

Augment du n.b d'ATP et de la taille

1. les cellules musculaire extraient plus efficacement l'oxygène
2. Les réserve d'ATP se reconstituent plus vite
3. La part des lipides augmente par rappoct à celle du glucose

Meilleur extraction de l'oxygène, Augmentation du n.b de capillaire Augmenta de la grosseur des fibres musculaire. Augmenta de la taille de la mitochondries,

4 Nommez les trois types de fibres que renferme le muscle squelettique.

1. fibre lentes
2. fibre intermédiaire
3. fibre rapides

5 Un MET équivaut à

- ☐ **a)** la dépense calorique pendant un effort.
- ☒ **b)** la dépense calorique au repos.
- ☐ **c)** la consommation maximale d'oxygène d'un individu.
- ☐ **d)** la dette d'oxygène après l'exercice.
- ☐ **e)** Aucune des réponses précédentes.

6 Quelles sont les quatre étapes à suivre lorsqu'on conçoit un programme d'entraînement cardiorespiratoire ?

Étape 1 : Se fixer un objectif

Étape 2 : appliquer corectement les principes de bases

Étape 3 : Déterminer les conditions de réalisation : Où Quand avec Qui ?

Étape 4 : Respecter les règles de sécurité propres à ce type d'entraînement

À VOS MÉNINGES 4

Nom : ______________________ Groupe : ____________ Date : ____________

7 Le niveau de consommation maximale d'oxygène (VO_2 max) est un indice

- ☐ **a)** de l'état de santé des artères du cœur.
- ☐ **b)** de la capacité anaérobie.
- ☐ **c)** de la capacité pulmonaire.
- ☒ **d)** du niveau d'endurance aérobie.
- ☐ **e)** de la capacité à éliminer l'acide lactique.

8 Parmi les activités physiques suivantes, laquelle correspond au principe de la spécificité quand on vise à améliorer son endurance aérobie ?

- ☐ **a)** La musculation.
- ☐ **b)** Le ski alpin.
- ☐ **c)** Les exercices exécutés à l'aide d'un gros ballon.
- ☒ **d)** Les exercices aérobies.
- ☐ **e)** Les exercices d'étirement.

9 Pour améliorer son endurance aérobie, on doit pratiquer l'activité à une intensité qui est au moins

- ☐ **a)** très faible.
- ☐ **b)** faible.
- ☒ **c)** modérée.
- ☐ **d)** élevée.
- ☐ **e)** très élevée.

10 Que faut-il faire pour maintenir le niveau d'endurance aérobie acquis ?

- ☐ **a)** Diminuer l'intensité de l'effort, mais ni la fréquence ni la durée des séances.
- ☐ **b)** Diminuer l'intensité et la fréquence de l'effort, mais pas la durée des séances.
- ☐ **c)** Diminuer l'intensité et la durée de l'effort, mais pas la fréquence des séances.
- ☒ **d)** Diminuer la fréquence et la durée des séances, mais pas l'intensité de l'effort.
- ☐ **e)** Toutes les réponses précédentes.

11 Pour améliorer l'endurance aérobie, quelle est l'intensité de l'effort adéquate (en pourcentage de la consommation maximale d'oxygène) ?

- ☐ **a)** De 30 à 65 %.
- ☐ **b)** De 40 à 75 %.
- ☒ **c)** De 55 à 85 %.
- ☐ **d)** De 60 à 95 %.
- ☐ **e)** Aucune des réponses précédentes.

Nom : ______________________ Groupe : __________ Date : __________

12 Parmi les méthodes suivantes, laquelle peut-on utiliser pour déterminer une zone d'effort aérobie à la fois efficace et sans danger ?

- [x] **a)** Élever sa fréquence cardiaque pendant l'effort jusqu'à sa plage de fréquence cardiaque cible (FCC).
- [ ] **b)** Élever sa fréquence cardiaque pendant l'effort jusqu'à ce qu'elle atteigne 25 battements de plus que sa fréquence cardiaque au repos.
- [ ] **c)** Prendre sa fréquence cardiaque avant et après l'effort.
- [ ] **d)** Prendre sa fréquence cardiaque pendant l'effort.
- [ ] **e)** Toutes les méthodes précédentes.

13 Complétez les phrases suivantes.

a) L'objectif choisi doit être de type SMART.

b) Les éléments-clés à inclure dans votre préparation physique et mentale à l'exercice sont les suivants :

- s'échauffer avant chaque séance ;
- terminer sa séance par un retour au déroulement calme ;
- porter des chaussure de sport et des vêtements appropriés ;
- savoir quoi et quand manger, au fur et à mesure qu'on devient physiquement plus actif ;
- appliquer les règles prévenant la déshydratation ;
- mettre en pratique les conseils de base pour rester motivé.

14 Comparez les deux méthodes suivantes de calcul des fréquences cardiaques cibles, la méthode de Karvonen et la méthode du pourcentage de la fréquence cardiaque maximale. Répondez par oui ou par non.

		Karvonen	PFCM
1.	Prend en compte la fréquence cardiaque de réserve.	X	
2.	Utilise la fréquence cardiaque maximale.	X	X
3.	Prend en compte l'âge.	X	X
4.	Prend en compte le sexe.	—	—
5.	Prend en compte la baisse de la fréquence maximale à cause de l'entraînement.	—	—

BILAN 4.1

Nom : ______________________ Groupe : ____________ Date : ____________

DÉTERMINEZ VOS CAPACITÉS PHYSIQUES ET VOTRE BESOIN SUR LE PLAN DE L'ENDURANCE AÉROBIE

1 Votre capacité sur le plan médical à faire en toute sécurité un entraînement de type aérobie modéré à intense (reportez-vous au Q-AAP, p. 58)

Aucune restriction médicale ______________________

Avec restriction médicale ______________________

☐ temporaire

☐ permanente

Précisez s'il y a une restriction : ______________________

____

2 Votre capacité sur le plan de l'endurance aérobie selon le résultat obtenu lors de l'évaluation de ce déterminant (Bilan du chapitre 2, p. 90)

Encerclez la cote correspondant au niveau obtenu[a] :

TE E M F TF

3 Votre besoin sur le plan aérobie

☐ améliorer ☐ maintenir[b]

a. TE : très élevé ; E : élevé ; M : moyen ; F : faible ; TF : très faible.

b. Seulement si votre niveau est élevé ou très élevé.

Nom : ______________________ Groupe : __________ Date : __________

CONCEVEZ VOTRE PROGRAMME D'ENDURANCE AÉROBIE

ÉTAPE A Fixez-vous un objectif

Selon le besoin que vous avez déterminé au bilan 4.1, fixez-vous un objectif de type « SMART », c'est-à-dire **S**pécifique, **M**esurable, orienté vers l'**A**ction, **R**éaliste et limité dans le **T**emps.

Mon objectif est le suivant (vous pouvez vous inspirer du cas de Jonathan, Roxanne ou Dimitri, p. 138) :

____

Précisez en quoi il est:

Spécifique : ______________________

Mesurable : ______________________

Orienté vers l'action : ______________________

Réaliste : ______________________

Limité dans le temps : ______________________

ÉTAPE B Déterminez votre zone d'entraînement aérobie

En tenant compte de votre âge et du résultat de l'évaluation de votre niveau d'endurance aérobie, choisissez l'une des méthodes suivantes pour déterminer l'intensité de vos efforts aérobies.

Âge : ______ ans Fréquence cardiaque au repos (FCR) : ________ batt./min

1. Méthode du pourcentage de la FCC

a) Déterminez votre fréquence cardiaque maximale (FCM).

220 − ______ (votre âge) = ______ batt./min

b) Déterminez votre fourchette de pourcentages en fonction de votre niveau d'endurance aérobie. **Si vous avez moins de 30 ans et êtes en bonne santé mais pas en forme, utilisez la fourchette de 75 à 85 %.**

65 à 75 % (pas en forme) ☐

75 à 85 % (moyennement en forme) ☐

85 à 90 % (en forme) ☐

c) Calculez votre FCC minimale et votre FCC maximale en fonction de votre fourchette de pourcentages (ou utilisez le calculateur dans **MonLab**).

MonLab
10 calculateur FCC

(FCM) × ______ % = ______ FCC minimale (______ batt./15 s ; ______ batt./10 s)

(FCM) × ______ % = ______ FCC maximale (______ batt./15 s ; ______ batt./10 s)

2. Méthode de Karvonen

Déterminez votre réserve cardiaque (RC).

BILAN 4.2

Nom : ______________________ Groupe : __________ Date : __________

220 – _____ (votre âge) = _____ batt./min (FCM) – _____ FCR = _____ batt./min (RC)

a) Déterminez votre fourchette de pourcentages en fonction de votre niveau d'endurance aérobie. **Si vous avez moins de 30 ans et êtes en bonne santé mais pas en forme, utilisez la fourchette de 75 à 85 %.**

65 à 75 % (pas en forme) ☐

75 à 85 % (moyennement en forme) ☐

85 à 90 % (en forme) ☐

b) Calculez votre FCC minimale et votre FCC maximale en fonction de votre fourchette de pourcentages et selon la formule de Karvonen (ou utilisez le calculateur dans **MonLab**).

MonLab
10 calculateur FCC

_____ batt./min (RC) × 65 % = _____ + _____ batt./min (FCR) = _____ FCC minimale

_____ batt./min (RC) × 90 % = _____ + _____ batt./min (FCR) = _____ FCC maximale

3. Autre méthode, s'il y a lieu (précisez laquelle et inscrivez votre zone d'entraînement aérobie selon les calculs obtenus)

Méthode : ______________________

Ma zone d'entraînement aérobie : ______________________

ÉTAPE C Appliquez les principes de l'entraînement à votre programme

Dans la conception de votre programme, vous devez appliquer les principes de l'entraînement à l'endurance aérobie.

Principes de l'entraînement	Modalités d'application
Spécificité ou activité(s) choisie(s)	______________________
Surcharge (FIT)	**Fréquence par semaine :** 3 fois 4 fois 5 fois 6 fois **Intensité pendant l'activité[a] :** a) FCC min : _____ batt./min ; FCC max : _____ batt./min (méthode du pourcentage de la FCC max) b) FCC min : _____ batt./min ; FCC max : _____ batt./min (méthode de Karvonen) c) Échelle de Borg (s'il y a lieu) : précisez les niveaux ciblés _____ **Temps (durée) de l'activité :** _____ minutes par séance
Progression	**Voir les bilans 4.3 et 4.4**
Maintien (ce que vous feriez si vous aviez à maintenir le niveau atteint)	Réduction du nombre de séances (de combien de fois) _____ Réduction de la durée des séances (de combien de minutes) _____

a. Si vous nagez, calculez votre FCC selon la formule pour la natation

Nom : ______________________ Groupe : ____________ Date : ____________

ÉTAPE D Précisez les conditions de réalisation

Où ?	À mon cégep	☐
	Dans un autre cégep ou école (précisez) ____________	☐
	Chez moi	☐
	Près de chez moi (précisez le type d'endroit) ____________	☐
	Dans un centre d'entraînement physique	☐
	Autre endroit (précisez) ____________	☐

Quand ?	Lundi de ________ à ________	☐
	Mardi de ________ à ________	☐
	Mercredi de ________ à ________	☐
	Jeudi de ________ à ________	☐
	Vendredi de ________ à ________	☐
	Samedi de ________ à ________	☐
	Dimanche de ________ à ________	☐

Avec qui ?	Seul	☐
	Ami(s)	☐
	Copain, copine, conjoint, conjointe	☐
	Coéquipier(s) d'une équipe sportive	☐
	Membres de la famille	☐
	Autre (précisez) ____________	☐

Nom : ______________________ Groupe : ____________ Date : ____________

ÉVALUEZ VOTRE PROGRESSION DANS L'EFFORT

Ce bilan vous aidera à établir une progression dans la surcharge, que vous appliquerez dans votre programme personnel **au cours des deux premières semaines**. Il suffit d'inscrire vos données dans les cases du tableau. Vous pouvez vous inspirer des tableaux 4.5 et 4.6.

Exemple

Semaine	Durée de l'effort (en minutes) et nombre de séances	Intensité de l'effort (FCC, échelle de Borg)	Commentaires ou précisions, s'il y a lieu
1	Séance 1 : *20 min*	Séance 1 : *155 batt./min*	*un peu difficile au début*
	Séance 2 : *20 min*	Séance 2 : *159 batt./min*	*rien de spécial*
	Séance 3 : *25 min*	Séance 3 : *166 batt./min*	*ressenti un point de côté*
	Séance 4 : *25 min*	Séance 4 : *164 batt./min*	*bonne séance !*
	Séance 5 : *28 min*	Séance 5 : *169 batt./min*	*ouf !*

Semaine	Durée de l'effort (en minutes) et nombre de séances	Intensité de l'effort (FCC, échelle de Borg)	Commentaires ou précisions, s'il y a lieu
1	Séance 1 : ______	Séance 1 : ______	______
	Séance 2 : ______	Séance 2 : ______	______
	Séance 3 : ______	Séance 3 : ______	______
	Séance 4 : ______	Séance 4 : ______	______
	Séance 5 : ______	Séance 5 : ______	______
2	Séance 1 : ______	Séance 1 : ______	______
	Séance 2 : ______	Séance 2 : ______	______
	Séance 3 : ______	Séance 3 : ______	______
	Séance 4 : ______	Séance 4 : ______	______
	Séance 5 : ______	Séance 5 : ______	______

Nom: ______ Groupe: ______ Date: ______

FAITES LE SUIVI DE VOTRE ENTRAÎNEMENT CARDIO

En vous inspirant de l'exemple qui suit, remplissez la fiche pour le cardio.

Exemple

Prénom: *Jonathan* **Nom:** *Cardia* **Groupe:** *1* **Prof.:** *Gilles P.* **Session:** A ✓ H ☐

Objectif: *Améliorer mon cardio pour atteindre le niveau moyen*; **Durée du programme:** *10 semaines* **Fréquence/semaine:** *3*;

Fréquence cardiaque cible (en mode continu) minimale: *38/15 s*; maximale: *43/15 s*

Échelle de Borg (s'il y a lieu): précisez les niveaux ciblés en mode continu: *13 à 16*

Séance	Date	Programme aérobie	Durée (min)	Échelle de Borg[a]	FC1[b]	FC2[c]	Commentaires
1	*12/9/14*	*Cardio sur elliptique en mode continu*	*20*	*13*	*156*	*145*	*Démarrage un peu difficile.*
2	*15/9/14*	*Cardio sur elliptique en mode continu*	*22*	*15*	*164*	*146*	
3	*17/9/14*	*Jogging en mode continu*	*25*	*15*	*162*	*144*	*Je suis parti un peu trop rapidement après l'échauffement.*
11	*13/11/14*	*Cardio elliptique, mode par intervalles: 6 × (1 min; 3 min)*[d]	*25*	*15-19*	*variable*	*140*	*Séance intense.*
12	*16/11/14*	*Cardio elliptique, mode par intervalles: 6 × (1 min; 3 min)*	*25*	*15-20*	*variable*	*141*	*J'ai poussé plus fort dans mon dernier intervalle.*

a. Si vous l'utilisez.

b. FC1: fréquence cardiaque immédiatement après l'effort.

c. FC2: fréquence cardiaque 1 minute après l'effort.

d. «6 × (1 min ; 3 min)» signifie: 1 minute à intensité élevée à très élevée puis 3 minutes à intensité modérée, séquence répétée 6 fois.

Fiche de suivi cardio*

Prénom: ______ **Nom:** ______ **Groupe:** ___ **Prof.:** ______ **Session:** A ☐ H ☐

Objectif: ______; **Durée du programme:** ______ **Fréquence/semaine:** ___;

Fréquence cardiaque cible (en mode continu) minimale: ______; maximale: ______

Échelle de Borg (s'il y a lieu): précisez les niveaux ciblés en mode continu: ______

Séance	Date	Programme aérobie	Durée (min)	Échelle de Borg	FC1	FC2	Commentaires
1							
2							
3							
4							
5							

MonLab fiche de suivi cardio

* Téléchargez la fiche complète à partir de MonLab.

Nom : ____________ Groupe : ____________ Date : ____________

ÉVALUEZ VOTRE PROGRAMME PERSONNEL

Avez-vous atteint votre objectif ou vos objectifs ?

☐ Oui ☐ Non

SI OUI, quels changements sur le plan physique et mental avez-vous observés entre le début et la fin de votre programme personnel ?

Sur le plan physique :

Sur le plan mental :

SI NON, peut-être avez-vous éprouvé des problèmes particuliers, à moins que vous n'ayez perdu votre motivation en cours de route. Précisez votre réponse.

AUGMENTEZ VOS CAPACITÉS MUSCULAIRES

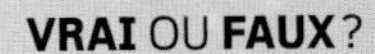

VRAI OU **FAUX** ?

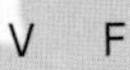

V F

1. Il est anormal que les muscles soient gonflés après une séance de musculation. 
2. La musculation entraîne un gain de force très rapide chez les débutants. 
3. Pour déployer une grande force, il faut faire de la musculation et avoir de gros muscles. 
4. Dès qu'un muscle devient totalement inactif, par exemple à la suite d'une blessure, il perd rapidement de sa force. 
5. Les femmes qui font de la musculation ont rapidement de gros muscles. 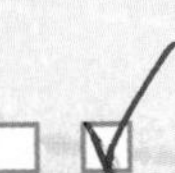

Les réponses se trouvent en fin de chapitre, p. 189.

SUR LA LIGNE DE DÉPART !

VOS OBJECTIFS SONT LES SUIVANTS :

- Utiliser de façon appropriée les informations scientifiques sur les modalités de l'entraînement musculaire et les effets physiologiques qui en découlent.
- Concevoir un programme personnel d'amélioration de vos capacités musculaires qui respecte les principes de l'entraînement, les règles de sécurité, vos besoins, vos capacités et vos choix d'exercices musculaires.

MonLab

Vrai ou faux ?

Autres exercices en ligne

Le palmarès des muscles :
- le plus minuscule : le stapédien (1 mm de long)
- le plus imposant : le grand fessier
- le plus rapide : le muscle de la paupière
- le plus puissant par rapport à sa dimension : le masséter
- le plus important : le muscle cardiaque

ANONYME

Dans votre quête d'une vie physiquement plus active, vous allez apprendre dans ce chapitre comment appliquer les principes de l'entraînement pour concevoir un programme personnel d'entraînement musculaire, parce que des muscles forts et endurants :

- facilitent la pratique d'une activité physique ou d'un sport ainsi que l'exécution de certaines tâches physiques quotidiennes comme monter un escalier, transporter des sacs d'épicerie pesants, déplacer une commode, aider un ami à déménager, etc. ;
- améliorent l'équilibre et la posture grâce à une répartition plus juste des tensions entre les muscles situés de part et d'autre du tronc ;
- renforcent les os et les tendons ;
- diminuent le risque de blessures grâce à une meilleure exécution des gestes ;
- rehaussent l'estime de soi grâce à la sensation de bien-être que procure un corps vigoureux ;
- favorisent une meilleure santé et une meilleure qualité de vie.

La démarche à suivre pour concevoir ce programme est identique à celle présentée au chapitre 4 : seules changent les modalités d'application. Les bilans proposés en fin de chapitre vous aideront à concrétiser votre démarche. Mais commençons par rappeler ce que sont les qualités musculaires.

LES QUALITÉS DU MUSCLE

Comme on l'a vu au chapitre 2, trois qualités-clés caractérisent le muscle : son endurance, sa force et sa puissance.

- L'**endurance musculaire**, appelée aussi **force-endurance** (figure 5.1A), est la capacité du muscle à répéter une contraction localisée (endurance dynamique) ou à la maintenir pendant un certain temps (endurance statique).
- La **force musculaire** (figure 5.1B) est la capacité du muscle à développer une forte tension lors d'une contraction maximale.

  Ouvrons ici une parenthèse. La force peut être **absolue**, si on ne tient pas compte du poids de la personne, ou **relative**, si on en tient compte. Par exemple, Audrey (55 kilos) et Mila (60 kilos) peuvent toutes deux lever 15 kilos en faisant une flexion des bras (p. 204). Elles ont donc une même force absolue (15 kilos) pour cet exercice, mais une force relative différente, celle d'Audrey étant plus grande (15 kilos/55 kilos) que celle de Mila (15 kilos/60 kilos). Une telle distinction peut être utile lorsqu'on souhaite augmenter sa force sans accroître notablement sa masse musculaire, par exemple si on pratique des activités exigeant de déplacer rapidement son propre poids, comme les courses de vitesse (sprint) ou le tennis. On voudra alors augmenter sa force relative en choisissant des paramètres de surcharge qui ne favorisent pas un gain de masse musculaire important. Toutefois, si on pratique des sports de contact comme le football, on visera la force absolue et un gain de masse musculaire. Fermons la parenthèse.

- La **puissance musculaire** (figure 5.1C) est la capacité du muscle à générer une force maximale de manière explosive. Pour bien distinguer force et puissance, prenons l'exemple de Vincent et Martin. Tous deux sont capables de soulever 50 kilos au développé-couché sur le banc (p. 205), mais Vincent peut le faire deux fois plus vite. Il est donc deux fois plus puissant que Martin.

Précisons que la force musculaire renvoie souvent à une autre qualité : l'**hypertrophie**, c'est-à-dire la capacité du muscle à gagner en volume. En effet, à la suite d'un entraînement prolongé, on constate fréquemment le grossissement des muscles. Le muscle s'adapte ainsi au stress qu'impose un entraînement caractérisé par un volume très élevé de travail musculaire. Poussé à l'extrême, le développement hypertrophique du muscle conduit au **culturisme**, ou *body-building*, un type d'entraînement qui vise un gain impressionnant de masse musculaire dans un but principalement esthétique (figure 5.1D).

Sur le **plan énergétique**, le développement de la force, de la puissance et de l'hypertrophie musculaires sollicitent principalement le système ATP-CP et le système à glycogène. Quant au développement de l'endurance musculaire, il fait surtout appel aux systèmes à oxygène et à glycogène (chapitre 3).

FIGURE 5.1 **Les qualités musculaires**

A. L'endurance (des membres inférieurs)

La marathonienne québécoise Suzanne Munger

B. La force

Le gymnaste canadien et champion olympique Kyle Shewfelt, aux anneaux

C. La puissance

L'haltérophile québécoise Maryse Turcotte en pleine action

D. L'hypertrophie

Le culturiste québécois Simon Lafontaine affichant son impressionnante masse musculaire lors d'un concours

LES EFFETS PHYSIOLOGIQUES DE L'ENTRAÎNEMENT MUSCULAIRE

Si l'amélioration de la vigueur musculaire procure divers bénéfices dans la vie de tous les jours, c'est parce qu'elle entraîne des changements considérables dans le muscle même.

L'effet sur les unités motrices

Depuis maintenant plus de 6 mois, David, 18 ans, fait de la musculation à raison de 3 séances de 50 minutes par semaine. Au bout de deux semaines déjà, il avait remarqué qu'il pouvait lever des charges plus lourdes. Bref, il était devenu plus fort, même si ses muscles n'avaient pas gagné en volume. Stéphanie, qui fait de la musculation avec David, a noté le même phénomène. Mais **comment peut-on devenir plus fort sans avoir des muscles plus gros?** La réponse se trouve dans l'unité motrice.

Avant d'expliquer ce qu'est une unité motrice, reprenons la figure 3.3 (p. 95). On y voit que le muscle est constitué de milliers de **fibres musculaires** qui sont, en fait, de longues cellules en forme de cylindre ayant la propriété de se contracter et de se relâcher. Ces fibres sont regroupées en **faisceaux**, chacun d'eux pouvant contenir de 10 à 100 fibres et plus. Pour qu'elles se contractent, les fibres doivent recevoir une décharge nerveuse, qui n'est ni plus ni moins qu'une décharge électrique. C'est là qu'intervient l'**unité motrice**.

L'unité motrice : un distributeur d'électricité. L'unité motrice se compose d'un neurone moteur et des fibres musculaires qu'il innerve (figure 5.2). Une unité motrice fonctionne comme un poste de distribution de l'électricité qui alimenterait un certain nombre de maisons. Ainsi, selon la grosseur du muscle et sa fonction, une unité motrice peut alimenter en influx nerveux quelques fibres seulement ou plusieurs centaines de fibres. Par exemple, dans les petits muscles qui font bouger les yeux, le neurone moteur de chaque unité motrice active à peine 15 fibres musculaires. Il faut dire que les mouvements oculaires requièrent de la finesse et non de la puissance. À l'autre extrême, un seul neurone moteur du quadriceps fémoral (muscle du devant de la cuisse) est connecté à plus de 2 000 fibres, et ce gros muscle contient des centaines de neurones moteurs !

Quand le neurone moteur produit son influx nerveux, **toutes les fibres qu'il innerve se contractent en même temps, et ce, de façon maximale**. Il n'y a pas de demi-mesure ! Plus la contraction du muscle est intense, plus il y a d'unités motrices qui entrent en action et de fibres qui se contractent. Supposons, par exemple, que votre biceps contient 250 unités motrices. Si vous soulevez un crayon, il est probable que seulement une ou deux unités motrices s'activeront, puisque la contraction est très légère. Mais si, dans votre cours de musculation, vous soulevez par une flexion de l'avant-bras un haltère très lourd, il y a de bonnes chances que plus de 150 unités motrices entrent en action. Plus vous faites des flexions de l'avant-bras avec un haltère, plus vous sollicitez d'unités motrices et plus vous devenez forts, même si vos biceps n'ont pas encore grossi. En somme, **les muscles apprennent à activer plus d'unités motrices**. C'est ce qui est arrivé à David et Stéphanie : ils sont devenus plus forts avant que leurs muscles ne gagnent en grosseur. Si vous faites régulièrement de la musculation, il vous arrivera la même chose parce que vous activerez de plus en plus d'unités motrices. **Autrement dit, c'est comme si on augmentait la force du courant électrique dans le muscle.** Un des premiers effets de l'entraînement musculaire est donc d'ordre nerveux.

FIGURE 5.2 L'unité motrice et ses composantes

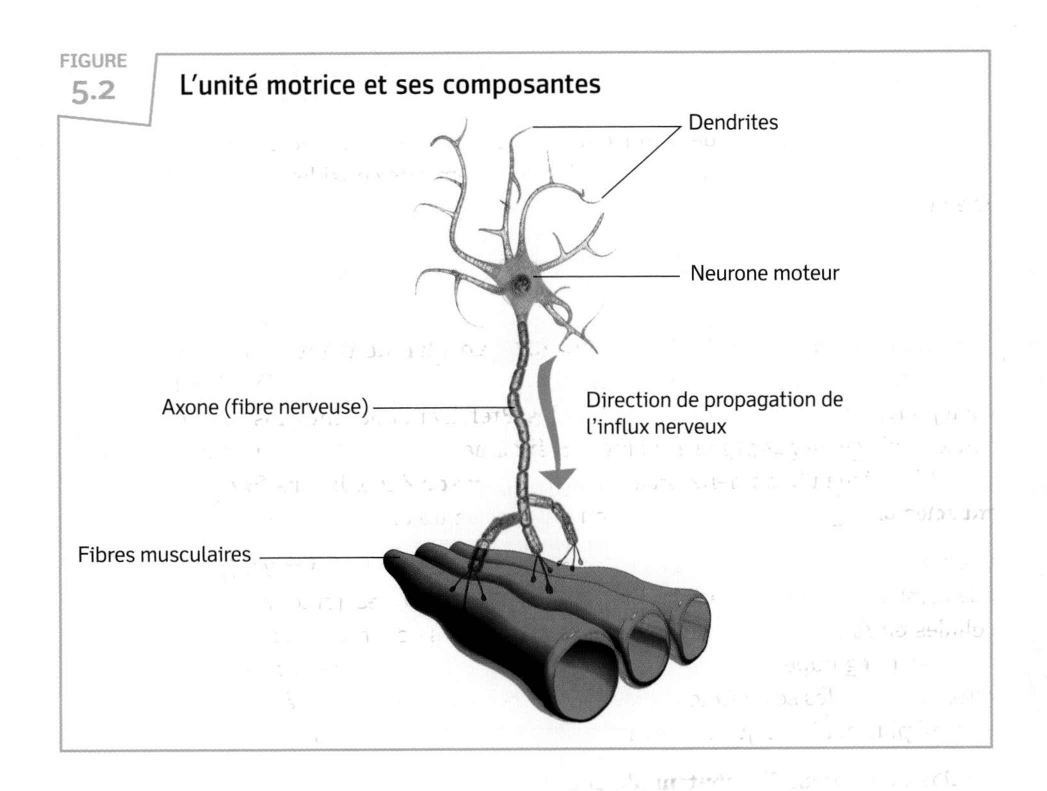

L'effet sur la grosseur des fibres

Avec le temps, David et Stéphanie observent d'autres effets de l'entraînement musculaire. Après plus de quatre mois de musculation, ils constatent non seulement qu'ils ont encore gagné en force et en endurance, mais aussi que leurs muscles ont grossi. C'est qu'à la longue leurs fibres musculaires sont devenues plus grosses : elles ont fabriqué plus de protéines contractiles (**anabolisme musculaire**). Précisons que, à l'inverse, l'insuffisance d'exercice conduit à une perte de protéines contractiles (**catabolisme musculaire**) et à l'atrophie du muscle, comme on l'a vu au chapitre 1.

Notons que l'hypertrophie est plus marquée chez l'homme que chez la femme parce que l'homme a un taux de testostérone dans le sang plus élevé. Cette hormone est un androgène, c'est-à-dire qu'elle accentue les caractères sexuels masculins. C'est pour cette raison que la prise de stéroïdes anabolisants combinée à la musculation provoque une hausse marquée de la masse musculaire, autant chez l'homme que chez la femme. Toutefois, la consommation de ces substances illégales présente des risques pour la santé (**Sous la loupe**, p. 164).

L'effet sur les types de fibres

Il existe d'autres effets qu'on constate seulement en recourant à une **biopsie musculaire** (p. 124) et à un microscope électronique. On découvre alors que s'entraîner à soulever un petit nombre de fois des charges lourdes, afin d'acquérir plus de force musculaire, augmente la taille des fibres rapides et intermédiaires (chapitre 4) et améliore leur capacité énergétique en augmentant les réserves d'ATP et de CP dans les muscles. La recherche a même démontré qu'après plusieurs mois ce type d'entraînement peut transformer des fibres lentes en fibres intermédiaires, voire rapides.

Soulever plusieurs fois des charges légères (amélioration de l'endurance musculaire) augmente surtout la capacité des fibres lentes et intermédiaires à utiliser l'oxygène et les graisses. Le **tableau 5.1** résume les effets physiologiques de l'entraînement musculaire.

TABLEAU 5.1 Les effets physiologiques de l'entraînement musculaire

Entraînement privilégiant la force	Entraînement privilégiant l'endurance
• Augmentation du nombre d'unités motrices sollicitées lors d'une contraction musculaire intense. • Amélioration de la réponse neuromusculaire grâce à l'apprentissage musculaire (répétition des mêmes mouvements). • Augmentation de la grosseur de tous les types de fibres. **Résultat**: des muscles plus forts et plus fermes. • Augmentation des réserves de CP et d'ATP dans les fibres rapides et intermédiaires.	• Augmentation de la grosseur des fibres à contraction lente. **Résultat**: des muscles plus endurants, mais pas beaucoup plus gros qu'avant l'entraînement. • Amélioration de la réponse neuromusculaire grâce à l'apprentissage musculaire (répétition des mêmes mouvements). • Amélioration de la capacité aérobie des fibres à contraction lente et des fibres intermédiaires en raison du nombre accru de capillaires par fibre lente (capillarisation).

Les stéroïdes anabolisants: danger!

Les stéroïdes anabolisants (stanozolol, cypionate de testostérone, oxymétholone, etc.) sont des molécules d'origine synthétique dont la structure s'apparente à celle de la testostérone. Ceux qui les consomment les surnomment souvent «jus» ou «poudre blanche». De tels produits ne peuvent être prescrits que pour des raisons médicales. **Ils ne sont donc pas en vente libre.** Pourtant, des athlètes, des adeptes du culturisme (hommes et femmes) et des jeunes qui souhaitent gonfler rapidement leurs muscles s'en procurent de façon illégale. Même des ados peuvent en obtenir dans certains centres d'entraînement. Le hic, c'est que les stéroïdes anabolisants, souvent consommés à forte dose, et parfois de qualité douteuse (on ignore le contenu de la «poudre» ou du «jus» vendus illégalement), sont associés à des risques sérieux pour la santé :

- réduction définitive de la taille par arrêt de la croissance en longueur des os chez les jeunes en période de croissance;
- effets féminisants chez l'homme (développement des seins, atrophie des testicules, etc.), car la dégradation de la testostérone produit des hormones femelles, les œstrogènes;
- effets masculinisants chez la femme (diminution du volume des seins, mue de la voix et développement du système pileux) à cause de l'augmentation du taux de testostérone dans le sang;
- modification de la personnalité (l'individu devient plus agressif, rageur et même violent);
- apparition de maladies cardiovasculaires et rénales, risque d'hépatite B et C (dans le cas des stéroïdes injectés) et même de cancer du foie.

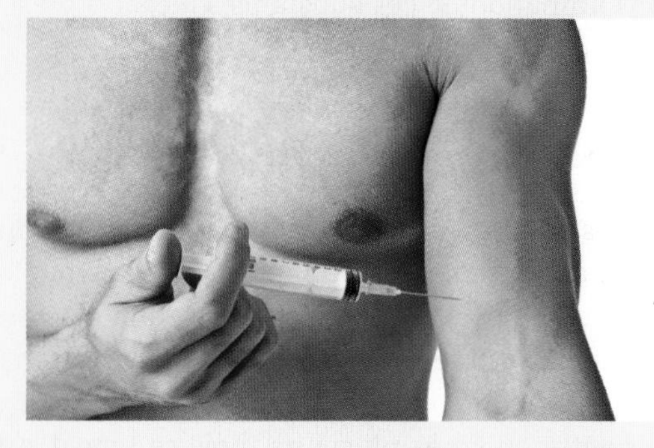

LA MÉTHODE D'ENTRAÎNEMENT MUSCULAIRE DE BASE : OPPOSER UNE RÉSISTANCE AUX MUSCLES

Pour rendre des muscles plus endurants, plus forts ou plus puissants dans un délai raisonnable, il est recommandé d'appliquer la méthode d'entraînement visant à leur opposer une résistance. La **musculation, qui consiste à répéter de façon structurée des exercices offrant une résistance lors de la contraction, est le moyen le plus rapide d'y arriver.** On peut créer cette résistance en contractant les muscles :

- sans qu'ils bougent, par exemple en poussant sur un mur ou en pressant l'une contre l'autre les paumes des mains ;
- alors qu'ils bougent, en déplaçant une charge qui peut être :
  - le poids du corps (par exemple, une traction à la barre horizontale) ou une partie de celui-ci (par exemple, un demi-redressement du tronc) ;
  - une résistance extérieure (par exemple, poids libres, appareils de musculation, bande élastique, gros ballon d'exercice et tout autre exerciseur).

Ces différentes façons d'opposer une résistance au muscle sont associées à deux grands types d'exercices utilisés en musculation : les exercices **statiques**[1] et les exercices **dynamiques**. À leur tour, les exercices dynamiques comprennent trois sous-types, selon qu'ils sont isotoniques, isocinétiques et pliométriques. Tous ces exercices peuvent être exécutés sur une **surface stable** (comme le plancher d'une salle de musculation) ou une **surface instable** (comme un gros ballon ou un « bosu »), ou encore une **surface fonctionnelle** (par exemple un court de tennis en terre battue, pour améliorer ses déplacements glissés, ou une piste de ski de fond pour parfaire son pas de patineur). Voyons-les plus en détail.

Les exercices statiques

Le muscle se contracte alors que la résistance est immobile (figure 5.3A). Pendant cette contraction, dite isométrique, la longueur du muscle ne change pas. Ce type d'exercices permet un gain d'endurance ou de force localisé surtout à l'angle où s'effectue la contraction isométrique. Par exemple, si vous faites une flexion du bras bloquée à 90 degrés, vous serez plus fort ou endurant à cet angle plutôt qu'à un angle de 120 degrés. Les contractions isométriques sont utiles quand on ne peut pas bouger un membre dans toute son amplitude, par exemple à la suite d'une blessure, ou si on souhaite renforcer ses muscles sans avoir à s'astreindre à une séance de musculation en bonne et due forme et sans avoir à se changer. **Pour entraîner un gain de force statique, la contraction isométrique doit durer au moins 5 ou 6 secondes et être aussi intense que possible.** Pour un gain d'endurance statique, la contraction isométrique doit être d'intensité modérée à élevée et durer le plus longtemps possible. Pour des exemples d'exercices à faire au travail, en classe, devant son ordinateur ou sa tablette numérique, voir MonLab.

FIGURE 5.3 Les exercices de musculation

A. L'exercice statique

La contraction musculaire est « statique », c'est-à-dire qu'elle n'entraîne aucun mouvement apparent.

MonLab

exercices isométriques au quotidien

1. Aussi appelés « exercices isométriques ».

FIGURE 5.3

B. L'exercice dynamique concentrique

Les fibres des muscles sollicités **raccourcissent** pendant l'effort.

C. L'exercice dynamique excentrique

Les fibres des muscles sollicités **allongent** pendant l'effort.

D. L'exercice dynamique pliométrique

Une contraction excentrique est déclenchée, suivie rapidement d'une contraction concentrique explosive.

E. L'exercice dynamique isocinétique

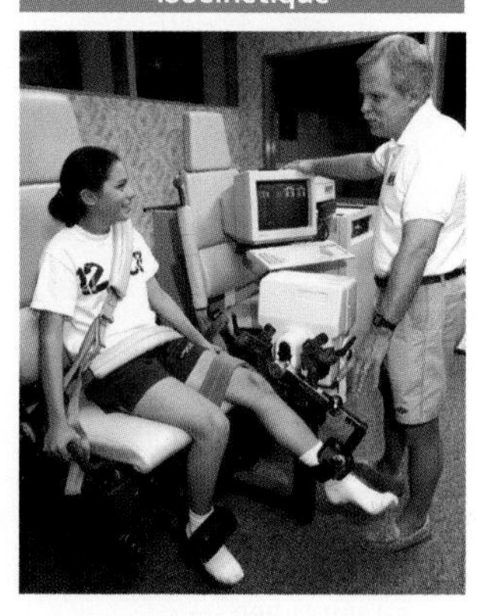

Les exercices dynamiques isotoniques

Le muscle se contracte alors que la résistance est mobile et la vitesse du mouvement, variable. Pendant ce type de contraction, la longueur du muscle change. Ainsi, les fibres du muscle sollicité raccourcissent lors de la **phase concentrique** (figure 5.3B), pendant qu'on soulève la charge, et s'allongent lors de la **phase excentrique**, pendant qu'on ramène la charge à son point de départ (figure 5.3C). La phase excentrique est très efficace pour améliorer la force musculaire, car le muscle y génère sa plus grande force. Toutefois, c'est aussi la phase qui occasionne le plus de douleurs musculaires post-exercice parce qu'elle sollicite moins d'unités motrices pour une charge donnée et se traduit par plus de fatigue et de microdéchirures dans les muscles sollicités. Les exercices dynamiques isotoniques s'exécutent la plupart du temps avec des poids libres ou des appareils de musculation (En mouvement). **Ce sont, de loin, les plus utilisés lors des entraînements musculaires.** Ils améliorent la force, la puissance ou l'endurance d'un muscle dans toute l'amplitude de son mouvement, et pas seulement à un angle déterminé, comme dans le cas des exercices statiques.

Les exercices dynamiques pliométriques

Le muscle s'allonge d'abord rapidement avant de se contracter de façon explosive (figure 5.3D). Il s'agit d'exercices avec rebond, comme lorsqu'on exécute un saut vertical ou qu'on saute de part et d'autre d'un banc d'exercice. On recourt souvent à la pliométrie pour développer l'impulsion verticale dans différents sports tels que le volleyball, le handball, le basketball ou le saut en hauteur.

Les exercices dynamiques isocinétiques

Le muscle se contracte alors que la vitesse du mouvement est constante grâce à un appareil conçu à cet effet (figure 5.3E). Ces exercices sont très efficaces pour développer la force et la puissance musculaires parce qu'ils permettent de contracter les muscles à leur maximum tout au long du mouvement. Toutefois, leur pratique suppose d'être déjà rompu aux efforts musculaires intenses, sous peine de blessures aux tendons. De plus, on doit avoir accès à des appareils spéciaux (et coûteux !) qui permettent une vitesse d'exécution constante. En somme, ce mode d'entraînement n'est pas accessible à tout le monde.

Les exercices par électrostimulation

Enfin, il existe un autre type de contraction musculaire, déclenchée celle-là par une impulsion électrique : la musculation par **électrostimulation**. Cette méthode est surtout réservée aux personnes faisant de la réhabilitation physique ou aux athlètes de haut niveau. Pour en savoir plus, consultez MonLab.

électrostimulation

en mouvement

Poids libres ou appareils de musculation ?

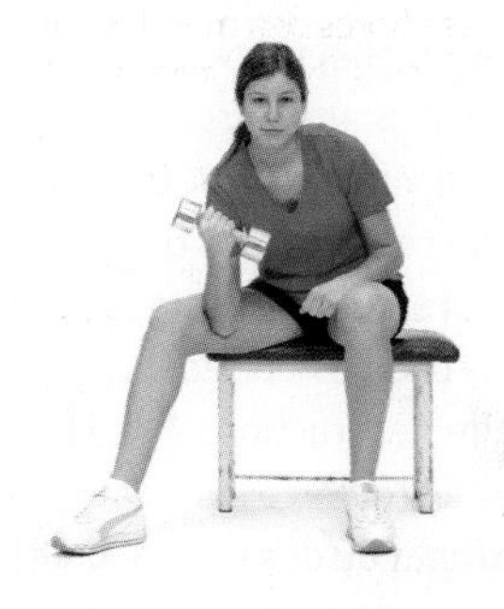

Les poids libres. Leur principal avantage tient à leur grande polyvalence. Ils permettent en effet d'exécuter tous les mouvements qu'autorise une articulation, donc tous ceux que peuvent nécessiter la pratique d'un sport ou les activités de la vie quotidienne. De plus, comme il faut manipuler la charge à soulever, on active un plus grand nombre d'unités motrices (p. 62) qu'avec les appareils de musculation, non seulement dans les muscles sollicités par le mouvement, mais aussi dans les muscles périphériques qui interviennent dans la manipulation de la barre ou de l'haltère de même que dans les muscles de l'équilibre postural. C'est sans doute pour ces raisons que les personnes qui visent un développement musculaire intégral, de même que les athlètes de haut niveau, préfèrent souvent les poids libres aux appareils. Avec les poids libres, il est cependant essentiel d'exécuter correctement les mouvements et de toujours veiller à ce que les poids soient bien retenus par les collets de serrage. Sinon, gare aux blessures !

Les appareils de musculation. Leur principal avantage est la sécurité du mouvement : c'est le mécanisme de l'appareil et non l'utilisateur qui détermine le déplacement de la charge. En permettant une grande stabilité du tronc (il faut toutefois boucler sa ceinture quand il y en a une), ces appareils protègent le bas du dos. Par ailleurs, grâce à leur conception (ils sont dotés d'une came, de pistons hydrauliques, etc.), la plupart des appareils de musculation offrent une résistance variable pendant l'effort. Cela permet aux muscles sollicités de développer le maximum de force tout au long du mouvement et quel que soit l'angle de l'articulation sollicitée. En revanche, ils coûtent cher, sont encombrants et nécessitent un entretien régulier. On peut cependant profiter de ces appareils sans débourser un sou grâce à son cours d'éducation physique ou à un coût raisonnable en s'abonnant à un centre d'activités physiques.

LES PRINCIPES DE L'ENTRAÎNEMENT MUSCULAIRE

Si vous souhaitez améliorer notablement vos capacités musculaires dans un délai raisonnable, et ce, en toute sécurité, vous devez appliquer les principes de base de l'entraînement (chapitre 3). Les modalités d'application générales de ces principes sont présentées ci-après. Mais il est possible que vous soyez réticent à faire de la musculation. Si c'est le cas, consultez le **Plan de match** à la page 174.

La spécificité

La spécificité renvoie au type d'exercices ou d'activités physiques que vous choisissez en fonction du déterminant de la condition physique que vous voulez améliorer. Dans le cas de l'entraînement musculaire, il s'agit bien souvent d'exercices dynamiques avec résistance qui sollicitent les groupes musculaires pour qu'ils deviennent, selon votre objectif, plus endurants, plus forts ou plus puissants. Vous pouvez être encore plus spécifique en privilégiant des exercices qui reproduisent, par exemple, des mouvements propres à une activité physique que vous pratiquez. C'est ce qu'on appelle l'*entraînement spécifique*, mieux connu sous le nom d'*entraînement fonctionnel* (**Sous la loupe**, p. 168).

L'entraînement spécifique

L'entraînement spécifique, ou fonctionnel, consiste à s'entraîner en effectuant un mouvement prédéterminé et non à faire travailler un muscle de façon isolée, comme c'est le cas dans l'entraînement dit traditionnel, ou analytique. Par exemple, pour renforcer ses biceps ou accroître son volume musculaire, il est approprié de fléchir l'avant-bras à répétition en soulevant une charge importante (entraînement analytique). En revanche, faire des tractions à la barre horizontale (entraînement spécifique) renforce les biceps, mais aussi les muscles des épaules, du haut du dos et de la poitrine, entre autres. C'est un exercice utile pour pouvoir soulever son corps ou pour le gymnaste qui commence sa routine à la barre fixe par une traction. En somme, **l'entraînement spécifique correspond à des mouvements qui imitent ceux de votre quotidien ou du sport que vous pratiquez**. Par exemple, si vous jouez au tennis, vous pouvez, avec une raquette lestée, faire des mouvements qui reproduisent le geste du service, du coup droit ou du revers.

Une séance d'entraînement spécifique peut se dérouler dans un gymnase, une piscine, un dojo, et pas seulement dans une salle de musculation. Parmi les équipements fréquemment utilisés, on retrouve les bandes élastiques, les « bosu balls » (p. 185), les planches d'équilibre, les cônes, les coussins d'air, les poids libres, les gros ballons, les ballons lestés, etc. Les mouvements exécutés sont pour la plupart polyarticulaires (figure 5.7, p. 184).

Toutefois, certains mouvements – comme les torsions rapides du tronc avec des charges tenues dans les mains ou les sauts avec charge sur les épaules suivis d'une flexion profonde – exigent une exécution adéquate, une bonne préparation physique ainsi que des articulations et des tendons en bon état. Par ailleurs, on constate, surtout aux États-Unis, où il est né, une certaine dérive dans ce type d'entraînement : les accessoires de toutes sortes se multiplient et l'exécution de certains exercices se complexifie de plus en plus. Ainsi, faire des flexions de jambes profondes (« squats ») avec une charge sur les épaules juché sur un ballon suisse présente pour le moins certains risques ! Il importe donc d'être supervisé par un entraîneur qualifié. Pour en savoir plus sur l'entraînement spécifique, ou fonctionnel, consultez MonLab.

MonLab
entraînement fonctionnel

La surcharge

La surcharge consiste à appliquer aux exercices choisis les variables FIT, c'est-à-dire la fréquence hebdomadaire, l'intensité des exercices et la durée de la séance, soit le temps mis pour exécuter tous les exercices.

La fréquence des séances

Voici les recommandations les plus récentes des experts[1] : de 2 à 3 séances par semaine pour les débutants (moins de 3 mois d'expérience en musculation), de 3 à 4 séances pour les personnes de niveau intermédiaire (de 3 à 12 mois) et de 4 à 5 séances pour les plus avancées (plus de 12 mois). Quel que soit votre niveau d'entraînement, **il est important de vous accorder au moins une journée de repos entre deux séances faisant travailler les mêmes groupes musculaires.** Cela permet aux muscles et tendons sollicités de récupérer et même de se renforcer (chapitre 4, p. 142). Si vous souhaitez vous entraîner cinq ou

1. C.E. Garber et coll. (2011). Quantity and quality of exercise for developing and maintaining cardiorespiratory, musculoskeletal, and neuromotor fitness in apparently healthy adults: guidance for prescribing exercise (ACSM), *Medicine & Science in Sports & Exercise*, *43*(7), 1334-1359.

six jours par semaine (gardez toujours une journée complète de repos), vous devez solliciter en alternance les différents groupes musculaires. Par exemple, le lundi vous exercez les muscles du haut du corps (bras, avant-bras et tronc), le mardi, les muscles du bas du corps (jambes, cuisses et bassin), et ainsi de suite. La figure 5.4 présente deux scénarios de fréquence d'entraînement musculaire : un **scénario minimaliste** de deux séances complètes par semaine et **un scénario intensif** de six séances par semaine faisant alterner les groupes musculaires sollicités. Vous trouverez dans MonLab d'autres scénarios de fréquence.

scénarios fréquence

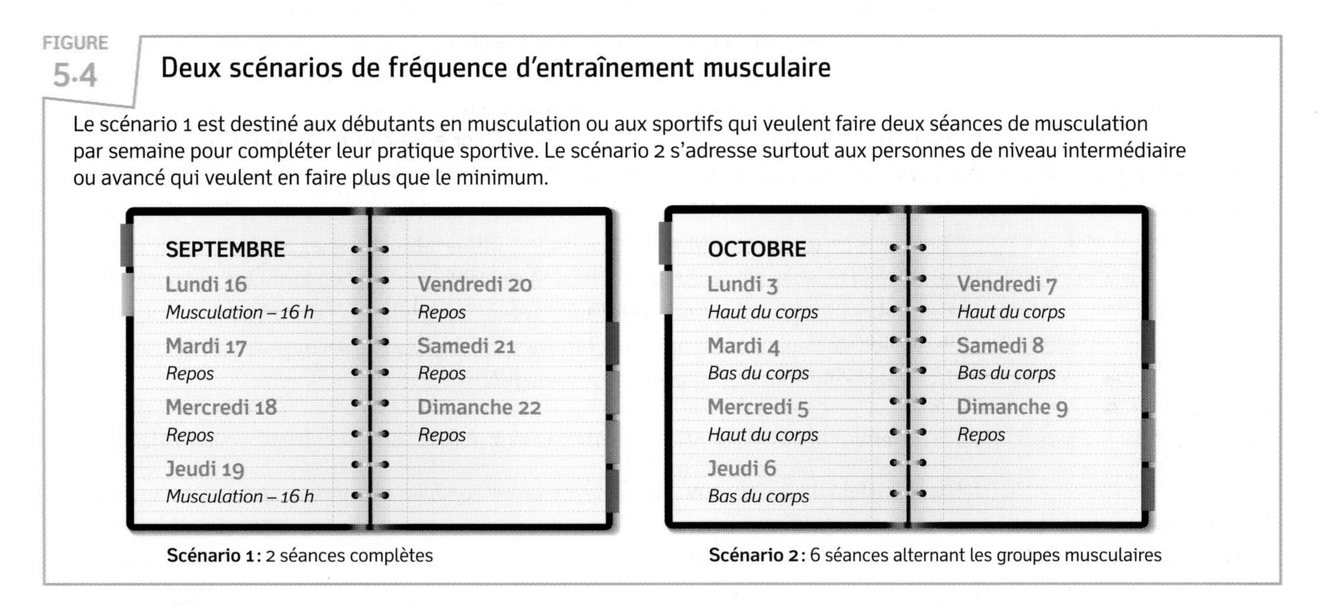

SEPTEMBRE
Lundi 16
Musculation – 16 h
Mardi 17
Repos
Mercredi 18
Repos
Jeudi 19
Musculation – 16 h
Vendredi 20
Repos
Samedi 21
Repos
Dimanche 22
Repos
OCTOBRE
Lundi 3
Haut du corps
Mardi 4
Bas du corps
Mercredi 5
Haut du corps
Jeudi 6
Bas du corps
Vendredi 7
Haut du corps
Samedi 8
Bas du corps
Dimanche 9
Repos

FIGURE 5.4 **Deux scénarios de fréquence d'entraînement musculaire**

Le scénario 1 est destiné aux débutants en musculation ou aux sportifs qui veulent faire deux séances de musculation par semaine pour compléter leur pratique sportive. Le scénario 2 s'adresse surtout aux personnes de niveau intermédiaire ou avancé qui veulent en faire plus que le minimum.

Scénario 1 : 2 séances complètes

Scénario 2 : 6 séances alternant les groupes musculaires

L'intensité des exercices

Les variables suivantes entrent en jeu pour déterminer l'intensité d'un exercice de musculation : la **charge à déplacer**, le nombre de fois qu'on la déplace (**répétitions et séries de répétitions**), la vitesse à laquelle on la déplace (**tempo**), **le temps de repos** entre les séries de répétitions, s'il y en a plus d'une, et le **nombre d'exercices** par séance.

La charge à déplacer. Pour les **exercices à mains libres**, la charge correspond à la partie du corps que vous déplacez. Par exemple, il s'agit du haut du corps si vous faites des demi-redressements assis, et de tout le corps si vous faites des tractions à la barre horizontale. Toutefois, avec ce type d'exercices, il peut s'avérer difficile d'avoir une charge suffisante, surtout si on souhaite travailler en force. Il faudra alors ajouter un poids supplémentaire (sac de sable sur les épaules, bracelets lestés aux chevilles, etc.). **Si vous utilisez des poids libres ou des appareils de musculation, la charge à déplacer est généralement exprimée en pourcentage du poids le plus lourd que vous pouvez soulever une seule fois, ou 1RM (résistance maximale).** Par exemple, supposons que votre 1RM pour la traction à un bras sur un banc (exercice 13, p. 207), estimée par la méthode proposée dans la rubrique Sous la loupe (p. 170), est de 5 kilos. Si vous devez faire 10 répétitions de ce mouvement avec une charge représentant 80 % de votre 1RM, la charge à soulever est théoriquement de 4 kilos (80 % de 5 kilos). **Nous disons *théoriquement*, car vous devez veiller à ce que, à la 10e répétition, vous ressentiez une fatigue localisée qui empêche presque d'exécuter correctement le mouvement.** Si vous êtes incapable de faire 10 répétitions ou, au contraire, si vous sentez à la 10e que vous pourriez en faire 2 ou 3 de plus, vous devrez ajuster la charge, à la baisse dans le premier cas, et à la hausse dans le second.

Comment estimer votre 1RM

Vous pouvez évaluer votre force en déterminant la charge la plus lourde que vous pouvez déplacer une seule fois à l'aide de poids libres ou d'appareils de musculation. Le test 1RM, ou résistance maximale, consiste, après un échauffement, à établir son 1RM en faisant des répétitions avec des charges de plus en plus lourdes, jusqu'au moment où on ne peut soulever la charge qu'une seule fois. Il est recommandé de s'accorder un repos de 1 à 3 minutes entre les séries. Il y a autant de 1RM à déterminer qu'il y a d'exercices à faire dans votre programme. Ce test est précis, exige beaucoup de temps, d'énergie et de précautions. De plus, si vous manquez d'entraînement musculaire ou si vos muscles sont insuffisamment échauffés, ou si vous ne soulevez pas correctement la charge, vous risquez de vous blesser ou de sous-estimer votre véritable 1RM. En fait, ce test s'adresse aux personnes expérimentées en musculation et exige la supervision d'un tiers. Il existe cependant des **formules qui permettent de prédire le poids maximal** qu'on peut soulever une seule fois (1RM) à partir d'une charge moins lourde déplaçable à plusieurs reprises. En voici deux – les formules de Brzycki et de Nebraska – qui sont très utilisées en musculation.

Formule de Brzycki : 1RM = poids soulevé (kg)/[1,0278 − (rép.* × 0,0278)]

Pour appliquer cette formule, vous devez savoir combien de fois vous pouvez soulever une charge donnée. Ce nombre ne doit pas dépasser 10, et la dernière répétition doit être difficile. Par exemple, si vous avez effectué 7 développés-couchés sur le banc (p. 205) avec une charge de 45 kilos, l'estimation de votre 1RM sera : 1RM = 45 kg/[1,0278 − (7 × 0,0278)] = 54 kg.

Formule de Nebraska : 1RM = poids soulevé (kg) × [1 + (0,0333 × rép.*)]

Si on reprend l'exemple précédent, soit 7 levées (rép.) d'un poids de 45 kilos, on obtient l'estimation suivante : 1RM = 45 kg × [1 + (0,0333 × 7 rép.)] = 55 kg.

Ainsi, si vous devez travailler entre 80 et 85 % du 1RM, il vous suffit de multiplier votre 1RM estimé par la fourchette de pourcentage prescrite, ce qui donnerait :

54 kg (formule de Brzycki) × 80 % = 43 kg (charge minimale)
54 kg (formule de Brzycki) × 85 % = 46 kg (charge maximale)

22 calculateur du 1RM

Vous pouvez aussi utiliser le calculateur du 1RM proposé dans MonLab. Ce calculateur vous donne deux résultats à partir de ces deux formules. **Rappelez-vous que ce sont des formules prédictives** et qu'après expérimentation vous devrez peut-être ajuster à la hausse ou à la baisse la charge à déplacer.

* rép. signifie « nombre de répétitions exécutées avant d'être fatigué ».

Le nombre de répétitions et de séries. Le nombre de répétitions dépend de l'objectif (endurance, force ou puissance). Si on travaille avec des poids libres ou des appareils de musculation, il varie de 1 à plus de 20, mais il peut de loin dépasser 50 si on fait des exercices à mains libres comme des demi-redressements du tronc ou des pompes. Quant au nombre de séries (ou blocs de répétitions), il varie de 1 à plus de 6 par exercice, selon l'objectif poursuivi, le niveau d'expérience que l'on a et le temps qu'on veut consacrer à ses séances de musculation.

Le tempo des répétitions. Autre variable à prendre en compte : **le temps pendant lequel le muscle est sous tension, c'est-à-dire le tempo**. Une répétition comprend quatre phases : la phase excentrique, la première phase neutre, ou statique, la phase concentrique et la deuxième phase neutre (voir les illustrations ci-dessous). C'est pourquoi certains auteurs incluent les phases neutres dans leur recommandation de tempo et la présentent sous la forme d'une suite de quatre chiffres. Par exemple, 2-0-1-0 signifie : une phase excentrique de 2 secondes, une première phase neutre de 0 seconde, une phase concentrique de 1 seconde et une deuxième phase neutre de 0 seconde. D'autres auteurs[1] suggèrent simplement une suite de deux chiffres, le premier correspondant à la durée de la phase excentrique, et le second, à celle de la phase concentrique. En conservant l'exemple précédent, cela donnerait un tempo de 2-1. En réalité, la phase neutre dure souvent 0 seconde ou, au plus, 1 seconde. Les experts s'entendent toutefois pour préconiser un tempo lent au départ pour les débutants en musculation. Après quelques semaines, on peut viser un tempo modéré, et un jour, peut-être, un tempo rapide, voire explosif (Sous la loupe, p. 173).

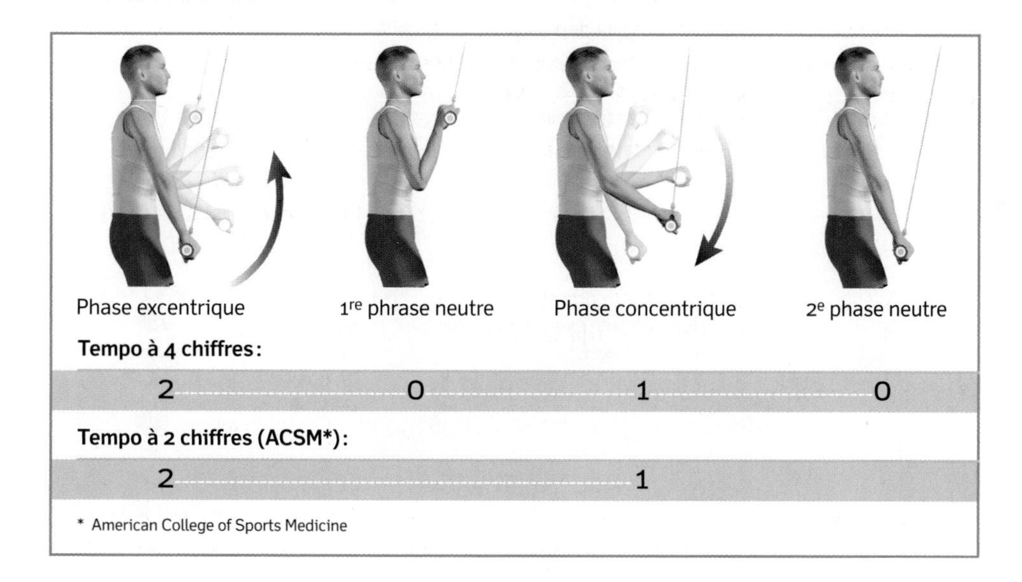

Le repos entre les séries. Après avoir fait 10, 15 ou 20 répétitions, il faut s'accorder un temps de repos, ce qui permet d'effectuer un plus grand nombre de séries et favorise ainsi un développement musculaire plus rapide. Ce temps varie en fonction de l'objectif visé, comme on le verra plus loin.

Le nombre d'exercices par séance. Si l'objectif est de solliciter l'ensemble des muscles, la séance devrait inclure de 8 à 10 exercices touchant l'ensemble de la musculature (**tableau 5.2**).

---

1. Notamment les experts de l'American College of Sports Medicine, un organisme qui fait autorité en la matière.

TABLEAU 5.2 Exemples d'exercices de base pour un entraînement musculaire complet

Principales régions musculaires	Principaux muscles sollicités[a]	Exemples d'exercices de musculation[b]	Exemples
Hanches et cuisses	Quadriceps, ischiojambiers, fessiers.	Balancé de la jambe (exercice 11, voir ci-contre et p. 206) ; flexion des jambes (exercice 9, p. 206) ; poussée des jambes (exercice 10, p. 206).	Balancé de la jambe
Tronc (haut du dos, bas du dos, épaules et poitrine)	Pectoraux, deltoïdes, trapèzes, grands dorsaux, rhomboïdes, érecteurs du rachis.	Développé-assis ou développé-couché (exercices 6 et 7, voir ci-contre et p. 205) ; papillon (exercice 5, p. 205) ; extension dorsale (exercice 18, p. 209).	Développé-assis
Bras, avant-bras	Biceps, triceps, muscles antérieurs et postérieurs de l'avant-bras.	Flexion de l'avant-bras en position assise (exercices 1 et 2, voir ci-contre et p. 204) ; extension de l'avant-bras en position assise (exercice 8, p. 205).	Flexion de l'avant-bras en position assise
Jambes	Jumeaux, soléaires.	Élévation sur la pointe des pieds en position debout (exercice 12, voir ci-contre et p. 206).	Élévation sur la pointe des pieds en position debout
Abdominaux	Droit de l'abdomen, transverse, petit et grand oblique.	Demi-redressement du tronc (exercice 21, voir ci-contre et p. 210).	Demi-redressement du tronc

a. Voir les planches anatomiques aux pages 202 et 203.

b. Les exemples sont tirés du répertoire d'exercices de musculation (p. 201 à 210). Vous trouverez d'autres exercices dans MonLab.

MonLab
photos et vidéos : exercices de musculation

Qu'est-ce qu'un tempo lent, modéré ou rapide?

On parle de **tempo lent** quand la phase excentrique dure au moins 3 secondes et la phase concentrique, 2 secondes (par exemple, 3-2, 4-2). On parle de **tempo modéré** quand la durée de la phase excentrique est de 1 à 2 secondes et la phase concentrique, de 1 à 2 secondes (par exemple, 2-2, 2-1). Enfin, on parle de **tempo rapide** quand la phase excentrique dure 1 seconde ou la phase concentrique 1 seconde (par exemple, 1-1). Quand le **tempo est très rapide** en phase concentrique, comme cela se produit lorsqu'on travaille en puissance, on symbolise alors cette phase explosive par un X, ce qui donnera par exemple 2-X, soit 2 secondes pour la phase excentrique et 0 seconde pour la phase concentrique.

La durée de la séance

La durée de la séance – soit le temps requis pour faire les exercices – est déterminée par le temps nécessaire pour exécuter les répétitions pour chacun des exercices choisis, le nombre de séries effectuées et les temps de repos entre les séries et les différents exercices. Comme le développement équilibré de la musculature nécessite plusieurs exercices sollicitant l'ensemble des muscles, une séance de musculation complète peut dépasser 40 minutes.

La progression

Si vous êtes débutant, limitez l'intensité et la durée des exercices de musculation lors des premières séances afin de réduire le risque de blessures, mais aussi les courbatures. Par exemple, si vous devez faire 2 séries de 10 1RM avec une **charge de 50 kilos, vous** pourriez commencer avec 1 série de 8 **RSM (répétitions sous-maximales)** avec une charge de 45 kilos. Cette période de rodage effectuée, respectez les prescriptions d'exercices (p. 175 à 178) en fonction de l'objectif poursuivi. Après un certain temps, la charge à lever devient insuffisante parce que vos capacités musculaires se sont améliorées. Vous devez alors ajuster la charge afin de maintenir la surcharge prescrite. **Habituellement, on augmente de 2 à 10 % la charge à déplacer lorsqu'on peut faire 1 répétition ou 2 de plus pendant 2 séances consécutives**. Reprenons l'exemple précédent : après 1 essai ou 2, votre nouvelle charge pourrait être de 55 kilos au lieu de 50 kilos. Vous allez donc faire 10 1RM en déplaçant une charge de 55 kilos. C'est là une preuve tangible que votre vigueur musculaire s'est accrue.

Vous pouvez optimiser votre progression, faciliter votre récupération et ménager vos muscles et tendons en ayant recours à la **périodisation**, c'est-à-dire en variant le volume, les groupes musculaires sollicités et l'intensité de vos séances (p. 105). En matière de musculation, on peut procéder à de multiples combinaisons de répétitions, de séries et de tempos.

Le maintien

Afin de conserver vos gains musculaires, une fois votre objectif atteint ou si votre horaire devient subitement très chargé pour quelque temps, appliquez à la musculation le principe du maintien. Vous pouvez réduire la fréquence et la durée de vos séances, mais pas l'intensité de vos efforts. Par exemple, si vous faisiez 3 séries de 10 répétitions à 80 % de votre 1RM, 3 fois par semaine, vous pouvez passer à 1 série de 10 répétitions à 80 % de votre 1RM, 1 fois par semaine.

PLAN DE MATCH POUR CHANGER UN COMPORTEMENT

Êtes-vous réticent à faire de la musculation ?

	OUI	NON
Êtes-vous intimidé quand vous voyez les autres s'entraîner dans une salle de musculation?	☐	☐
Savez-vous quoi faire pour vous lancer dans un programme de musculation?	☐	☐
Savez-vous comment utiliser correctement les poids libres et les appareils de musculation?	☐	☐
Votre emploi du temps est-il à ce point chargé que vous n'avez pas le temps de faire de la musculation?	☐	☐

Si vous avez répondu *oui* à une ou plusieurs questions, vous éprouvez sans doute quelques réticences à faire de la musculation.

Voici quelques trucs simples pour vous aider à vaincre les obstacles qui vous empêchent de passer à l'action.

Dès demain vous...

- ferez un premier pas concret pour surmonter votre appréhension en cherchant un centre d'activités physiques qui offre, à un prix abordable, une activité ou un cours de musculation s'adressant à tous. Un tel cours est-il offert dans le cadre du programme d'éducation physique de votre cégep? Vérifiez bien qu'un intervenant qualifié supervisera vos entraînements.

D'ici à deux semaines, vous...

- vous inscrirez, en vous inspirant de votre recherche, à un cours ou une activité de musculation qui correspond aux critères énoncés ci-dessus. L'important, c'est que vous vous sentiez à l'aise et bien accueilli à l'endroit que vous aurez choisi.
- visiterez la salle de musculation afin de vous familiariser avec les appareils de musculation et les poids libres. Vous vous sentirez ainsi en terrain connu quand vous commencerez vos séances.
- vérifierez que l'activité choisie est bien encadrée par un personnel qualifié qui pourra vous montrer comment utiliser correctement les équipements et vous initier à la musculation. Si vous avez choisi un cours de musculation dans le cadre du programme d'éducation physique de votre cégep, c'est votre enseignant en éducation physique qui vous initiera à la musculation.

D'ici à la fin de la session, vous...

- bloquerez deux périodes de 40 à 45 minutes sur deux jours non consécutifs (voir p. 168) pour vos séances de musculation, échauffement et retour au calme inclus. Si vous avez choisi l'option musculation dans votre cours d'éducation physique, celui-ci sera automatiquement inscrit dans votre horaire de cours de la prochaine session.

Source : Adapté de S.K. Powers et coll. (2014). *Total fitness & wellness* (6e éd.), Pearson, p. 86.

LES MODALITÉS D'APPLICATION DE LA SURCHARGE

La surcharge dépend de l'objectif visé et du niveau d'expérience en matière d'entraînement musculaire (débutant, intermédiaire ou avancé). Pour beaucoup d'entre vous, l'objectif sera d'améliorer votre endurance musculaire ou votre force musculaire. Toutefois, un certain nombre voudront aussi développer leur puissance ou accroître leur masse musculaire. Voici, à cet égard, les prescriptions d'exercices les plus récentes des experts de l'American College of Sports Medicine[1].

Pour améliorer votre endurance musculaire

Vous visez peut-être cet objectif parce que vous :

- n'êtes pas satisfait des résultats de vos tests d'endurance musculaire (chapitre 2) et souhaitez atteindre un niveau d'endurance plus élevé ;
- pratiquez des activités physiques qui exigent de l'endurance musculaire telles que le canotage sur un lac, la natation de longue distance, le vélo de longue distance, la randonnée pédestre, le taï-chi, l'escalade, le ski de fond, le jogging ou le patin à roues alignées ;
- souhaitez avoir des muscles plus fermes, mais pas nécessairement plus gros ;
- voulez simplement entretenir votre masse musculaire sans être obligé de lever des charges lourdes.

Les encadrés qui suivent illustrent aussi l'application du principe de progression puisqu'ils tiennent compte du niveau d'expérience en matière d'entraînement musculaire.

Ce que vous devez faire pour y arriver (entraînement de base)	
Fréquence	niveaux débutant et intermédiaire : 2 à 5 fois par semaine. niveau avancé : de 4 à 6 fois par semaine, en alternant les groupes musculaires sollicités.
Répétitions et charge	niveau débutant : de 13 à 20 répétitions à 50 %-60 % du 1RM* (p. 170). niveau intermédiaire : de 13 à 20 répétitions, et plus, à 60 %-70 % du 1RM. niveau avancé : de 13 à 25 répétitions à 60 %-80 % du 1RM.
Tempo	niveau débutant : lent à modéré (par exemple, 3-2** ou 2-2). niveaux intermédiaire et avancé : rapide (par exemple, 2-1 ou 1-1).
Nombre de séries par exercice	niveau débutant : de 2 à 3. niveaux intermédiaire et avancé : de 2 à 6, et plus.
Repos entre les séries	pour 10 à 15 répétitions : moins de 1 minute. pour 15 répétitions et plus : de 1 à 2 minutes.

* Plus le nombre de répétitions augmente, plus la charge à déplacer (en pourcentage de 1RM) diminue. Ainsi, 13 répétitions équivalent, grosso modo, à 60 % du 1RM et 20 répétitions à 50 %. Cette remarque vaut pour toutes les prescriptions d'exercices.

** 3-2 signifie : 3 secondes pour la phase excentrique et 2 secondes pour la phase concentrique.

1. C.E. Garber et coll. (2011). *Op. cit.*

Pour améliorer votre force musculaire

Vous visez peut-être cet objectif parce que vous:

- n'êtes pas satisfait des résultats de vos tests de force musculaire (chapitre 2) et souhaitez atteindre un niveau de force plus élevé;
- pratiquez des activités physiques qui exigent de la force musculaire telles que le hockey sur glace, le tennis, l'escalade, le football, les arts martiaux (karaté, kung-fu, judo, etc.) ou le kayak en eaux vives;
- souhaitez gagner un peu de masse musculaire.

Ce que vous devez faire pour y arriver (entraînement de base)	
Fréquence	niveaux débutant et intermédiaire: 2 à 5 fois par semaine. niveau avancé: de 4 à 6 fois par semaine, en alternant les groupes musculaires sollicités.
Répétitions et charge	niveau débutant: de 8 à 12 répétitions à 70 %-80 % du 1RM*. niveau intermédiaire: de 8 à 10 répétitions à 80 %-85 % du 1RM. niveau avancé: de 1 à 6 répétitions à 80 %-100 % du 1RM.
Tempo	niveau débutant: lent à modéré (par exemple, 3-2** ou 2-2). niveaux intermédiaire et avancé: variable (par exemple, 2-2, 3-2 ou 1-1).
Nombre de séries par exercice	niveau débutant: de 1 à 3. niveaux intermédiaire et avancé: de 2 à 5, et plus.
Repos entre les séries	pour les exercices sollicitant de gros muscles ou plusieurs articulations: de 2 à 5 minutes. pour les autres exercices: de 1 à 2 minutes.

* Plus le nombre de répétitions augmente, plus la charge à déplacer (en pourcentage de 1RM) diminue. Ainsi, 8 répétitions équivalent, grosso modo, à 80 % du 1RM et 12 répétitions à 70 %. Cette remarque vaut pour toutes les prescriptions d'exercices.

** 3-2 signifie: 3 secondes pour la phase excentrique et 2 secondes pour la phase concentrique.

Pour améliorer votre puissance musculaire

Vous visez peut-être cet objectif parce que vous:

- souhaitez à la fois être plus rapide et plus explosif dans les sports ou activités que vous pratiquez.

Notez qu'il est préférable d'avoir déjà fait de la musculation pendant plusieurs semaines avant de travailler en puissance, à cause de l'aspect explosif du mouvement lors de la phase concentrique.

Ce que vous devez faire pour y arriver	
Fréquence	2 à 5 fois par semaine.
Répétitions et charge	de 3 à 6 répétitions à 30 %-60 % du 1RM*.
Tempo	modéré pour la phase excentrique et très rapide pour la phase concentrique (par exemple, 3-X, 2-X).
Nombre de séries par exercice	de 3 à 6.
Repos entre les séries	de 2 à 4 minutes.

* Plus le nombre de répétitions augmente, plus la charge à déplacer (en pourcentage de 1RM) diminue. Ainsi, 3 répétitions équivalent, grosso modo, à 60 % du 1RM et 6 répétitions à 30 %. Cette remarque vaut pour toutes les prescriptions d'exercices.

Le tableau 5.3 présente un résumé de l'application des principes de la spécificité et de la surcharge.

TABLEAU 5.3 Recommandations générales des experts pour l'application de la spécificité et de la surcharge[a]

Surcharge (FIT)	Niveau d'expérience	Spécificité : exercices dynamiques avec charge — Endurance	Force	Puissance
Fréquence (séances par semaine)	Débutant	2 à 3	2 à 3	
	Intermédiaire	3 à 5[b]	3 à 5	3 à 5
	Avancé	4 à 6[b]	4 à 6	4 à 6
Charge à lever	Débutant	50 %-60 % du 1RM	70 %-80 % du 1RM	
	Intermédiaire	60 %-70 % du 1RM	80 %-85 % du 1RM	30 %-60 % du 1RM
	Avancé	60 %-80 % du 1RM	80 %-100 % du 1RM	30 %-60 % du 1RM
Répétitions	Débutant	13-20 1RM	8 à 12 1RM	
	Intermédiaire	13-20 1RM et +	8 à 10 1RM	3 à 6 1RM
	Avancé	13 à 25 1RM	1 à 6 1RM	3 à 6 1RM
Séries	Débutant	2 à 3	2 à 3	
	Intermédiaire	2 à 5 et +	2 à 5 et +	3 à 4
	Avancé	3 à 6 et +	3 à 6 et +	3 à 6
Tempo de l'exercice	Débutant	Lent à modéré (par exemple, 3-2, 2-2)	Lent à modéré (par exemple, 3-2, 2-2)	
	Intermédiaire et avancé	Rapide (par exemple, 2-1, 1-1)	Variable (par exemple, 3-2, 2-2, 1-1)	Modéré en phase excentrique, explosif en phase concentrique (par exemple, 2-X, 3-X)
Temps de repos entre les séries	Tous niveaux confondus	30 s à 1 min (10-15 1RM) 1 à 2 min (15-25 1RM)	2-5 min 1-2 min (exercices monoarticulaires)	2-3 min
Durée de la séance	Tous niveaux confondus	45 à 90 minutes selon l'expérience, l'objectif poursuivi et le temps disponible		

a. C.E. Garber et coll. (2011). *Op. cit.*

b. S'accorder au moins une journée de relâche entre les séances à moins de solliciter en alternance les différents groupes musculaires.

Pour améliorer à la fois votre endurance, votre force et votre puissance musculaires

Vous visez peut-être cet objectif parce que vous :

- pratiquez des activités physiques qui requièrent autant d'endurance que de force musculaire telles que les arts martiaux, l'aviron, le tennis, le soccer, le trekking ou le ski de fond en montagne ;
- visez un développement musculaire complet ;
- voulez diversifier vos entraînements.

Pour atteindre ce type d'objectifs, plusieurs méthodes d'entraînement musculaire s'offrent à vous. En voici quelques-unes parmi les plus pratiquées au Québec :

✓ **L'entraînement en circuit (« circuit training ») :** Cette méthode consiste à faire alterner, sans pause, les exercices de musculation et le cardio. Exemples : l'entraînement multiforme, ou CrossFit (**En mouvement**) et la méthode « Curves ».

✓ **La méthode mixte dite « des contrastes » :** Cette méthode combine diverses modalités d'application du principe de la surcharge. Par exemple, on peut faire une 1re série d'exercices en endurance musculaire (de 13 à 20 répétitions à 60 %-70 % du 1RM), suivie d'une 2e série en force (de 8 à 12 répétitions à 80 %-85 % du 1RM).

✓ **La méthode des super-séries et des bisériés :** Cette méthode consiste à faire sans pause deux séries d'exercices ou plus qui sollicitent l'un après l'autre des muscles agonistes et antagonistes (super-séries) ou les mêmes muscles sous un angle de travail différent (bisériés). Exemple de super-séries : biceps et triceps, pectoraux et haut du dos, quadriceps et ischiojambiers. Exemple de bisériés : développé-couché sur le banc suivi d'un écarté rapproché en position inclinée sur un banc.

L'entraînement multiforme

L'entraînement multiforme, qu'on appelle également **CrossFit**, gagne en popularité au Québec, car il a plusieurs attraits. La séance d'exercice est brève (habituellement de 30 à 45 minutes), intense et diversifiée. On saute, on grimpe, on sprinte, on frappe à grands coups de masse sur un gros pneu, on se lance des ballons lestés, on fait des pompes, quand ce n'est pas du rameur, en enchaînant le tout à un rythme trépidant et dans un ordre qui diffère d'une séance à l'autre ! Aucun risque de sombrer dans la routine ! En fait, le CrossFit est un mélange bien dosé d'aérobique, de musculation, d'haltérophilie, de mouvements de gymnastique et d'athlétisme. Résultat : vous améliorez non seulement votre endurance aérobie, mais aussi votre vigueur musculaire, votre équilibre, votre agilité et votre coordination motrice. Autre aspect intéressant du CrossFit : il se pratique toujours en groupe sous la supervision d'un entraîneur compétent. Pour rester motivé, il n'y a rien de tel que de voir son voisin faire les mêmes exercices et de suivre les encouragements de son entraîneur lorsqu'on est tenté d'en faire moins. Veillez cependant à choisir un entraîneur compétent qui ajustera l'intensité et la durée des séances en fonction de votre condition physique, tout en surveillant la bonne exécution des mouvements afin de réduire le risque de blessures. On qualifie ces mouvements de « fonctionnels » parce qu'ils sont tirés de situations réelles. Vous pouvez visionner des séances de CrossFit sur Crossfit.com. Le « boot camp » est une autre forme d'entraînement multiforme, inspirée de ce qui se pratique dans l'armée. Avec ces modes d'entraînement, vous êtes certain de suer abondamment !

ZONE ÉTUDIANTE

Albert-Dominic Larouche

COLLÈGE DE MAISONNEUVE

Âgé de 19 ans, Albert-Dominic est étudiant en 2ᵉ année de techniques policières et s'adonne depuis peu au CrossFit. Cette activité a changé sa vie. Pour son plus grand bien-être !

Je joue au hockey depuis plusieurs années et encore au moins une fois par semaine. Je pratique aussi des sports de planche (surf, planche à neige et planche nautique). Et, depuis huit mois, je me suis lancé à fond dans la pratique d'un nouveau concept d'entraînement : le **CrossFit**, à raison de cinq ou six fois par semaine (et parfois deux fois par jour !).

Le CrossFit se pratique en gymnase. Il est constitué de mouvements d'haltérophilie, de gymnastique et de pliométrie. L'entraînement est la plupart du temps basé sur une sorte de circuit, différent chaque jour. Quand je commence, je sais que ce ne sera pas facile. Mais à la fin, alors que je n'aurais jamais pensé y arriver, j'ai un sentiment de dépassement si fort que j'en suis devenu accro. C'est une dépendance tellement positive que je ne veux pas m'en guérir !

En techniques policières, on est encouragé à s'entraîner et à faire du sport. Les sacrifices à faire pour concilier études et entraînement ne sont pas difficiles pour moi. J'aime m'entraîner, c'est un grand besoin chez moi. Alors je fais des choix. Je sors moins qu'avant et je prends moins d'alcool, car je connais les conséquences des abus, le lendemain… À mes yeux, ce ne sont pas des sacrifices, ce sont des choix de vie. Et puis, je fais vraiment attention à ce que je mange. Avant, je mangeais n'importe quoi. Aujourd'hui, je suis conscient de ce qu'il me faut. Je vérifie toujours les ingrédients et je choisis mes aliments.

Le CrossFit, même s'il est très difficile, m'aide à trouver un équilibre dans ma vie. Il n'est pas rare, quand j'ai fini, que je m'effondre au sol tellement j'ai tout donné. C'est un sentiment d'inconfort, mais il dure au plus 15 minutes. Après, je suis content des résultats et j'en sors gagnant. **Depuis que je m'entraîne, j'ai gagné beaucoup d'assurance et de confiance en moi, je suis mieux dans ma tête et dans mon corps et ma concentration s'est renforcée.** Mes travaux scolaires me paraissent plus faciles et me procurent un sentiment de bien-être. Les résultats, dans les études comme dans les sports, sont une source de motivation grandissante. Alors, il ne faut jamais abandonner.

ÉLABOREZ VOTRE PROGRAMME D'ENTRAÎNEMENT MUSCULAIRE

Maintenant, à vous de jouer et d'élaborer votre programme personnel. Vous avez, pour l'essentiel, quatre étapes à suivre: vous fixer un objectif, appliquer les principes de l'entraînement musculaire, préciser les conditions de réalisation de votre programme et respecter les règles de sécurité et d'efficacité propres à ce type d'entraînement.

Étape 1: Fixez-vous un objectif de type «SMART»

Votre objectif doit correspondre à vos capacités musculaires et à vos besoins déterminés lors des tests d'évaluation de votre condition physique. Il doit être **spécifique, mesurable, orienté vers l'action, réaliste et limité dans le temps**. Cette étape est cruciale: c'est la nature de votre objectif qui permet de déterminer les groupes musculaires qui doivent être entraînés et comment ils le seront. Voyons quels objectifs se sont fixés Maryse et Georges.

Maryse 17 ans

Elle a obtenu 49 kilos au test du dynamomètre (force combinée de la main gauche et de la main droite), ce qui indique un niveau de force des membres supérieurs faible. Elle se fixe comme objectif d'améliorer sa force musculaire, notamment celle des membres supérieurs, en faisant de la musculation 3 fois par semaine pendant 10 semaines. Elle voudrait être capable d'obtenir à la fin de la session au moins 53 kilos au test du dynamomètre, soit la cote moyenne. Cet objectif est **spécifique** (effectuer des exercices dynamiques avec charge et un exercice isométrique), **mesurable** (obtenir 53 kilos au test du dynamomètre), orienté vers l'**action** (faire de la musculation 3 fois par semaine), **réaliste** (gagner 4 kilos au test du dynamomètre est faisable en 10 semaines) et limité dans le **temps** (10 semaines).

Georges 18 ans

Lors des tests des demi-redressements du tronc et des pompes, il a exécuté 36 demi-redressements assis (cote faible) et 24 pompes (cote moyenne). Il se fixe comme objectif de faire 1 minute de demi-redressements assis et 1 minute de pompes, 5 jours par semaine pendant 1 mois, afin de faire au moins 60 demi-redressements en 1 minute (cote moyenne) et au moins 35 pompes consécutives (cote élevée). Cet objectif est **spécifique** (effectuer des exercices dynamiques à mains libres et avec charge), **mesurable** (faire, en 1 minute, 60 demi-redressements et 35 pompes), orienté vers l'**action** (faire ces exercices à raison de 5 jours par semaine), **réaliste** (arriver à exécuter 24 demi-redressements et 11 pompes de plus en 1 minute est faisable en 4 semaines) et limité dans le **temps** (4 semaines). George se fixe aussi comme objectif secondaire d'améliorer son endurance musculaire globale en faisant de la musculation à raison de 2 séances de 40 minutes par semaine.

Étape 2 : Appliquez les principes de l'entraînement à la vigueur musculaire

Pour atteindre votre objectif, vous devez appliquer correctement les principes de l'entraînement à la vigueur musculaire. Voici comment Maryse et Georges ont franchi cette étape.

Maryse

Spécificité : Des exercices dynamiques avec charge (poids libres et appareils de musculation) et un exercice statique (écraser avec sa main une balle de tennis pendant 6 secondes).

Surcharge : fréquence, intensité et durée

- ***Fréquence :*** 3 séances par semaine pendant 10 semaines.
- ***Intensité :***
  - *Répétitions et séries :* 2 séries de 10 répétitions à 80 %-85 % du 1RM, et ce, à partir de 8 exercices sollicitant les muscles des bras, du haut du dos, de la poitrine, du ventre, des cuisses et des jambes. Elle choisira ses exercices dans le répertoire à la fin du chapitre (p. 204 à 210) et dans MonLab. Pour l'exercice avec la balle de tennis, elle fera deux contractions isométriques maximales de 6 secondes, de la main droite puis de la main gauche.
  - *Tempo :* À l'exception de l'exercice sollicitant les abdominaux, il sera de 3-2, soit 3 secondes pour la phase excentrique et 2 secondes pour la phase concentrique.
  - *Repos entre les séries :* 2 minutes pour les exercices sollicitant les gros muscles et 1 minute pour les autres.
- ***Durée de la séance :*** 50 minutes, y compris un échauffement de 10 minutes et 5 minutes de retour au calme avec des exercices d'étirement.

Progression et ajustement de la charge : Lors des 4 premières séances, Maryse lèvera des charges plus légères que celles prévues, soit à 60 %-70 % de son 1RM, afin d'habituer graduellement ses muscles à ces nouveaux efforts, donc 10 RSM*. Par la suite, elle lèvera les charges prévues dans son programme. Dès qu'elle pourra faire 2 répétitions de plus sans difficulté, et ce, pendant 2 séances consécutives, elle veillera à augmenter la charge pour revenir à un maximum de 10 répétitions.

Maintien : Une fois son objectif atteint, Maryse réduira, s'il y a lieu, son volume d'exercice de la façon suivante : elle passera à 2 séances par semaine et à une série de 10 répétitions, mais toujours à 80 %-85 % de son 1RM. Elle fera une seule contraction isométrique par main avec la balle de tennis.

Georges

Spécificité : Des exercices à mains libres pour les abdominaux, les muscles du haut du dos et de l'arrière des bras, et des exercices avec charge pour l'ensemble des muscles.

Surcharge : fréquence, intensité et durée

- ***Fréquence :*** 5 fois par semaine pour les exercices à mains libres et 2 fois par semaine pour la musculation.

MonLab
photos et vidéos : exercices de musculation

* RSM : répétitions sous-maximales.

- ***Intensité et durée:*** 1 minute de demi-redressements assis et 1 minute de pompes en reproduisant les mouvements des tests d'endurance musculaire, tous les jours, chez lui, pendant 4 semaines. Pour la musculation: 2 séries de 15 répétitions à 60 % du 1RM, et ce, à partir de 6 exercices sollicitant les muscles des bras, du haut du dos, de la poitrine, des cuisses et des jambes. Il choisira ses exercices dans le répertoire (p. 204 à 210).

Progression: Lors des 2 premières séances, Georges se limitera à 30 secondes de demi-redressements assis et de pompes par jour. Puis, lors des 2 séances suivantes, il passera à 45 secondes pour atteindre ensuite 60 secondes par séance. Pour la musculation, il commencera avec 13 répétitions à 50 % de son 1RM et 1 série pour les 2 premières séances.

Maintien: Une fois son objectif atteint, Georges préservera, s'il y a lieu, sa nouvelle vigueur musculaire en continuant à faire 1 minute de demi-redressements et de pompes, mais 3 fois par semaine au lieu de 5. Il limitera la musculation à une série de 15 répétitions à 60 % de son 1RM, 1 fois par semaine.

Étape 3: Précisez les conditions de réalisation de votre programme

Comme on l'a vu au chapitre précédent, préciser les conditions de réalisation revient à faire des choix importants dans la poursuite d'un programme d'entraînement physique. Cette étape consiste à répondre aux questions suivantes: « Où vais-je faire les exercices? Quand? Et avec qui? » Voyons les conditions de réalisation établies par Maryse et Georges.

Maryse

Durée du programme: 10 semaines, du 9 septembre au 15 novembre.

Où? À la salle de musculation de son collège.

Quand? Les lundis, mercredis et vendredis de 12 h à 12 h 50.

Avec qui? Sa copine Stéphanie, qui souhaite, elle aussi, améliorer sa force musculaire en vue de la saison de ski alpin.

Georges

Durée du programme: 4 semaines, du 5 au 31 octobre.

Où? Tantôt chez lui sur un tapis d'exercice dans sa chambre, pour les exercices à mains libres, tantôt à la salle de musculation de son cégep, pour les séances de musculation.

Quand? Du lundi au vendredi au lever, et le mardi et le jeudi sur l'heure du dîner, à la salle de musculation.

Avec qui? Seul chez lui, et avec d'autres personnes à la salle de musculation les mardis et jeudis.

Étape 4 : Respectez les règles de sécurité et d'efficacité propres à la musculation

Avant de passer à l'action, lisez les conseils qui suivent. Ils vous aideront à exécuter vos exercices de façon encore plus sécuritaire et efficace. Puis, jetez un coup d'œil au **Répertoire d'exercices de musculation** (à la fin du chapitre, p. 204 à 210, ainsi que dans **MonLab**) : vous y trouverez certainement ceux dont vous avez besoin pour développer vos capacités musculaires ou les maintenir.

photos et vidéos : exercices de musculation

1. **Visez un développement harmonieux et équilibré de votre musculature.** Pour y arriver, vous devez inclure des exercices sollicitant les muscles controlatéraux (gauches et droits), ceux du haut et du bas du corps ainsi que ceux qui s'opposent dans leur action (muscles agonistes et antagonistes). Précisons que le **muscle agoniste** se contracte pendant l'effort, tandis que le **muscle antagoniste** se détend et s'allonge pour permettre la contraction du muscle agoniste. Par exemple, lors de la contraction du biceps (agoniste), le triceps (antagoniste) se relâche pour permettre la flexion du bras ; l'inverse se produit lors de l'extension du bras : le triceps devient le muscle agoniste et le biceps, le muscle antagoniste (**figure 5.6**). Voici d'autres exemples de couples agonistes-antagonistes :
   - Biceps et triceps brachiaux
   - Deltoïde et grand dorsal (abduction et adduction de l'épaule seulement)
   - Pectoral et trapèze avec rhomboïdes
   - Droit de l'abdomen et érecteur du rachis
   - Quadriceps et ischiojambiers
   - Iliopsoas et grand fessier
   - Tibial antérieur et gastrocnémien (flexion-extension de la cheville seulement)
   - Muscles antérieurs de l'avant-bras et muscles postérieurs de l'avant-bras

FIGURE 5.6 Deux muscles agoniste et antagoniste : le biceps et le triceps

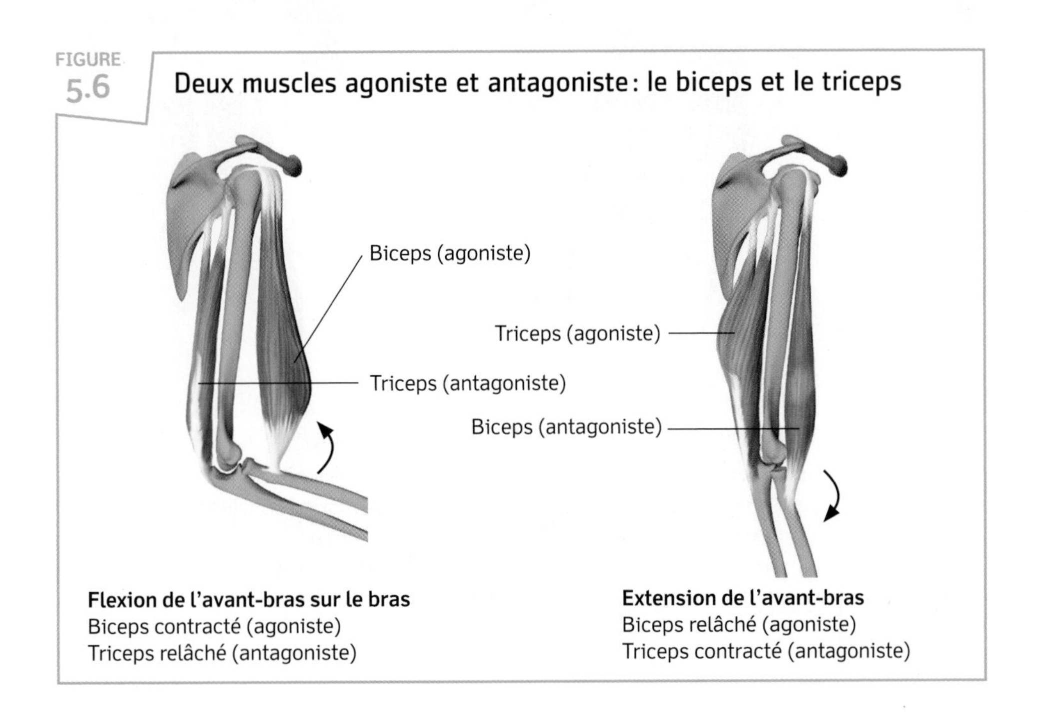

Flexion de l'avant-bras sur le bras
Biceps contracté (agoniste)
Triceps relâché (antagoniste)

Extension de l'avant-bras
Biceps relâché (agoniste)
Triceps contracté (antagoniste)

FIGURE 5.7

Exemples d'exercices polyarticulaire et monoarticulaire

Exercice monoarticulaire

Élévation sur la pointe des pieds en position debout

Exercice pluriarticulaire

Traction à un bras sur le banc

2. **Établissez votre séquence d'exercices de façon à préserver votre énergie.** L'ordre dans lequel on effectue les exercices est fondamental. Commencez toujours votre séance par ceux qui sollicitent les grands muscles (quadriceps, fessiers, pectoraux, etc.) ou plusieurs articulations (**figure 5.7**). Vous risquez de manquer d'énergie bien avant la fin de votre séance si vous commencez par des exercices sollicitant de petits muscles (triceps, mollets, pronateurs de l'avant-bras, etc.) ou une seule articulation (flexion du bras, extension du poignet). Terminez la séance par des exercices qui sollicitent les abdominaux et les dorsaux (voir la règle 3 ci-contre). Ces muscles aident à stabiliser la posture, et il serait inapproprié de les fatiguer dès le début de la séance de musculation. La **figure 5.8** montre une séquence type qui respecte cette règle. Enfin, pour obtenir un gain de force optimal, il est suggéré aux habitués de la musculation de privilégier les poids et haltères plutôt que les appareils, parce que les premiers reproduisent plus fidèlement la gestuelle naturelle.

FIGURE 5.8

Exemple de séquence de travail en musculation

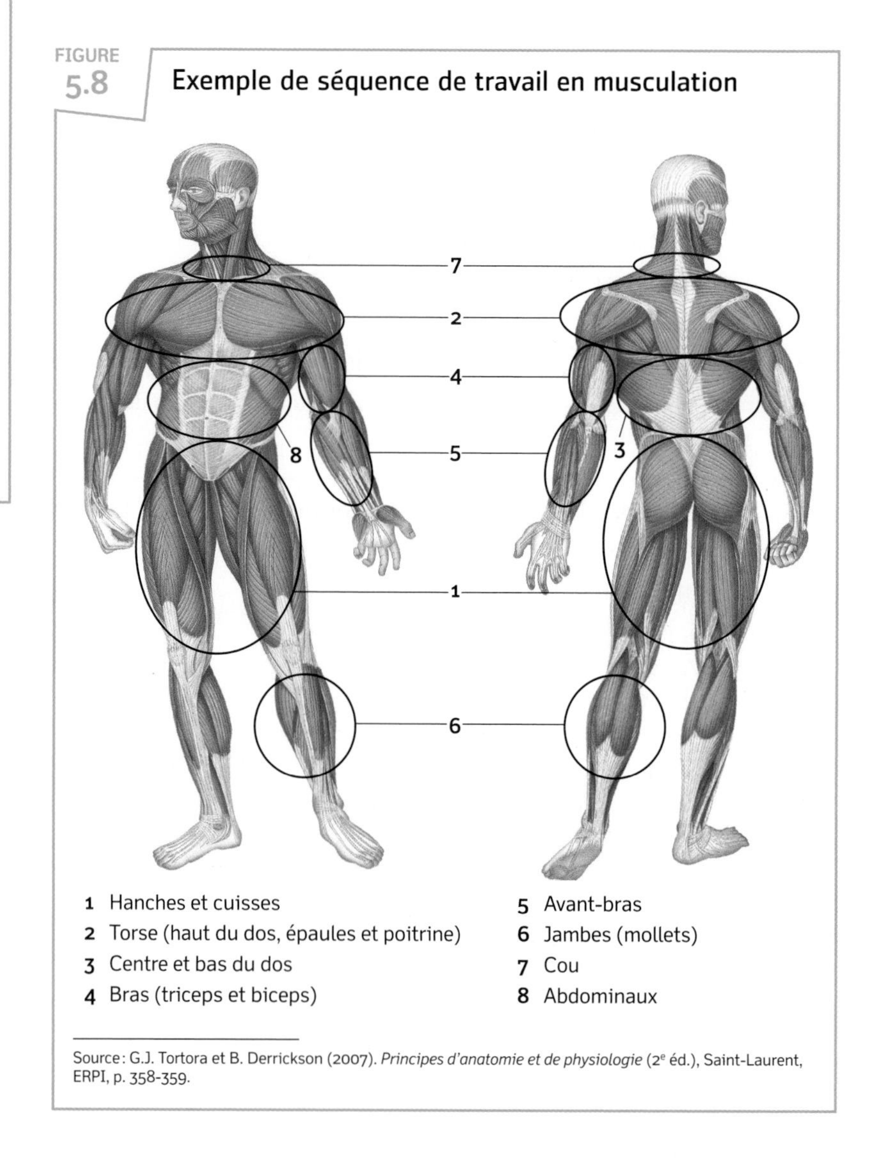

1 Hanches et cuisses
2 Torse (haut du dos, épaules et poitrine)
3 Centre et bas du dos
4 Bras (triceps et biceps)
5 Avant-bras
6 Jambes (mollets)
7 Cou
8 Abdominaux

Source : G.J. Tortora et B. Derrickson (2007). *Principes d'anatomie et de physiologie* (2e éd.), Saint-Laurent, ERPI, p. 358-359.

3. **Ajoutez à votre routine, au besoin, des exercices de gainage et des exercices sur des surfaces instables.** Les premiers renforcent principalement les muscles stabilisateurs du tronc (*core-training*), c'est-à-dire les muscles qui aident au maintien de la posture. Vous trouverez au chapitre 8 (p. 293) quelques exemples d'exercices de gainage pour la posture. Les seconds sont des **exercices dits de proprioception** (**Sous la loupe**) qu'on exécute sur une surface instable, par exemple un gros ballon, une planche d'équilibre ou un «bosu» (**figure 5.9**). L'instabilité de la surface d'appui augmente l'activité musculaire, notamment celle des muscles stabilisateurs.

FIGURE 5.9 Exercice de proprioception sur un «bosu»

SOUS LA LOUPE Comment améliorer sa proprioception

La proprioception est la perception que nous avons de notre corps dans l'espace. Autrement dit, sans avoir à le regarder, nous savons où se trouve, par exemple, notre bras ou notre jambe dans l'espace. Cette perception à l'aveugle est possible grâce à des récepteurs (**propriocepteurs**) qui nous informent de notre position dans l'espace. Ces capteurs de la tension et de la pression exercées sur notre système musculosquelettique sont situés dans les muscles, les tendons, les ligaments, la paume des mains et la plante des pieds. Un exercice simple de proprioception consiste à se tenir sur une jambe et à maintenir son équilibre en gardant le pied d'appui immobile. Si vous fermez les yeux, vous faites encore davantage appel à vos propriocepteurs, lesquels ont alors pour tâche de vous maintenir en équilibre sur une jambe. Exécuter régulièrement des exercices très lentement, en faisant varier l'amplitude du geste ou en les effectuant sur une surface instable, permet aussi d'améliorer sa proprioception. Résultat: les gestes deviennent plus fluides, l'équilibre statique et dynamique s'améliore et on réduit également son risque de blessure parce que les articulations sont plus stables.

4. **Adoptez une position qui stabilise votre corps.** De cette façon, vous isolez les muscles sollicités. Debout, tenez-vous solidement sur vos pieds, les genoux un peu fléchis et les abdominaux légèrement contractés (léger gainage), afin de maintenir une bonne posture au niveau lombaire. Si vos abdominaux sont relâchés alors que vous levez une charge en position debout, vous risquez de creuser le bas du dos. Pour certains exercices avec des poids libres comme le développé-couché sur le banc (p. 205), demandez l'aide d'un partenaire.

5. **Expirez pendant la phase la plus intense de l'effort.** C'est au moment où vous soulevez ou déplacez le poids (phase concentrique) que vous devez expirer : vous évitez ainsi de bloquer votre respiration, ce qui pourrait vous étourdir (**Sous la loupe**).

La manœuvre de Valsalva

Bloquer sa respiration (manœuvre de Valsalva) pendant un effort peut causer des étourdissements. Voici pourquoi. Avant un effort, le sang retourne librement au cœur, et la pression artérielle est alors normale (point A du graphique). Mais si vous bloquez votre respiration en faisant un effort, les veines (qui ramènent le sang au cœur) sont fortement comprimées à cause de la forte pression qui règne à l'intérieur des cavités abdominale et thoracique. Résultat : il y a moins de sang qui retourne au cœur, d'où une augmentation momentanée de la pression artérielle, qui compense la réduction de l'apport sanguin (point B du graphique). Mais comme de moins en moins de sang remplit les cavités cardiaques, la pression artérielle finit par chuter brusquement (point C du graphique). Dans ces conditions, on peut voir des « points noirs », pour ne pas dire des « étoiles », voire se sentir étourdi pendant l'effort. Si la pression artérielle descend en deçà d'un certain niveau, on peut même perdre connaissance. Par conséquent, expirez pendant que vous forcez !

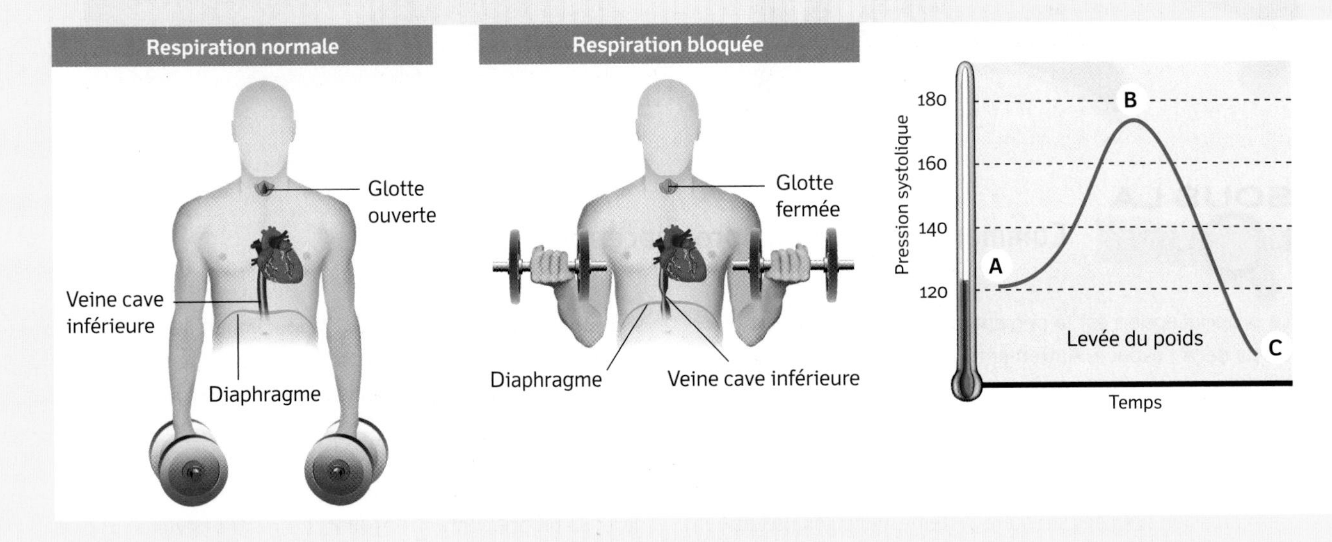

6. **Exécutez toujours correctement les exercices avec charge.** En matière de musculation, cette règle est capitale pour diminuer le risque de blessures dues à une mauvaise exécution du mouvement. Vous trouverez dans MonLab des exemples de mouvements fréquemment mal exécutés.

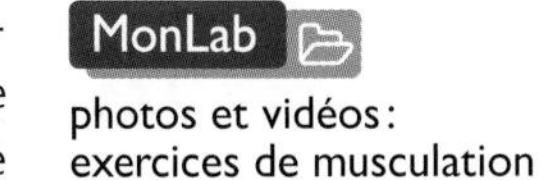

photos et vidéos : exercices de musculation

7. **Conciliez amplitude du mouvement et maintien de la tension musculaire.** Afin d'imposer une surcharge complète aux fibres musculaires, ne faites pas, lors de la phase excentrique, le mouvement jusqu'à la pleine amplitude : le muscle demeure ainsi contracté et donc sous tension.

8. **Arrêtez-vous dès que vous ressentez une douleur inhabituelle.** Si la douleur s'estompe, vous pouvez continuer, mais en réduisant la charge ou l'intensité de l'exercice. Toutefois, sachez qu'il est fréquent de ressentir des courbatures (douleurs apparaissant le lendemain ou le surlendemain d'un effort) au début d'un entraînement musculaire.

9. **Commencez par un échauffement et terminez par des étirements.** Vous maintiendrez ainsi un bon équilibre entre force et souplesse. Si vous voulez que vos muscles se raffermissent, vous ne voulez pas devenir raide comme un piquet ! Faites des étirements statiques lors du retour au calme et des exercices d'étirement dynamique lors de l'échauffement. Celui-ci dure en moyenne 10 minutes, le temps de faire un peu de cardio pour augmenter la température dans les muscles, des étirements dynamiques et quelques exercices spécifiques (par exemple avec une charge légère). Cette façon de faire maximisera l'entraînement qui va suivre. Pour les étirements à effectuer après la musculation, consultez le répertoire d'exercices du chapitre 6 (p. 245 à 248).

10. **Mangez bien et soyez bien hydraté.** Vous trouverez au chapitre 10 un ABC des choses à faire pour avoir une bonne alimentation et une bonne hydratation quand on est physiquement actif. Vous y découvrirez notamment que vous n'avez pas besoin de suppléments alimentaires, même si vous faites beaucoup de musculation. Consultez aussi la rubrique Sous la loupe, p. 188.

Les suppléments de créatine et de protéines : utiles ou pas ?

Comme on l'a vu au chapitre 3, la créatine en réserve dans les muscles permet de faire des efforts intenses. Un jour, des petits malins se sont donc dit : « Si on prenait des suppléments de créatine pour en augmenter les réserves dans les muscles ? » Et c'est ainsi qu'est apparu le marché, très lucratif, des suppléments de créatine, que Santé Canada considère pour le moment comme des suppléments alimentaires. Mais sont-ils efficaces ? Une grande consommation de suppléments de créatine en augmente effectivement les réserves dans le muscle, ce qui permet de faire des efforts intenses pendant plus longtemps. Il est donc tentant d'en prendre lorsqu'on fait de la musculation. Cette pratique présente toutefois quelques inconvénients qui doivent être pris au sérieux.

- ✓ Ces suppléments permettent de faire plus d'exercices intenses, d'où une augmentation des risques de blessures musculaires ou ligamentaires, en particulier chez les personnes qui n'ont pas l'habitude de faire beaucoup d'exercices intenses.
- ✓ La prise de fortes doses de créatine (de 20 à 30 grammes par jour pendant plus de 2 mois) augmente les risques de crampes musculaires, de nausées et de troubles digestifs.
- ✓ La créatine attirant l'eau dans les muscles, il faut, quand on en ingère de grandes quantités, boire de l'eau fréquemment afin de prévenir la déshydratation.

Pour ce qui est des suppléments de protéines, ils sont parfaitement inutiles si vous mangez en quantité suffisante et respectez le Guide alimentaire canadien (chapitre 10). Selon les Diététistes du Canada (http://www.dietitians.ca) et l'American College of Sports Medicine (www.ascm.org), notre apport quotidien en protéines suffit pour couvrir à la fois nos besoins et une augmentation de masse musculaire (fabrication de protéines dans les myofibrilles) due à l'exercice. En fait, ces experts ont établi à 1,3 g/kg de poids par jour, en moyenne, la quantité de protéines dont a besoin une personne physiquement active. Si, par exemple, vous pesez 75 kilos, vous avez besoin d'environ 98 grammes de protéines par jour (75 × 1,3). Pour des exemples d'aliments riches en protéines, consultez le chapitre 10.

Consommez-vous une telle quantité de protéines ? La réponse est probablement oui, et voici pourquoi. Au Canada, l'apport moyen en protéines est de 17 % de l'apport calorique quotidien. Puisque vous êtes physiquement actif, supposons que vous consommez quelque 2 600 calories par jour. Votre apport en protéines est alors d'environ 100 à 200 grammes par jour. Voici comment on fait ce calcul : 2 600 × 17 % = 442 calories sous la forme de protéines. Comme une protéine libère 4 calories par gramme, on obtient une consommation approximative de 110 grammes (442/4). Vos besoins en protéines seraient donc amplement satisfaits. Dans le cas d'une personne qui fait beaucoup de musculation (5 à 6 séances de 1 heure ou plus par semaine), ses besoins en protéines augmentent puisqu'elle doit synthétiser davantage de protéines musculaires. Pour ces personnes physiquement très actives, on recommande un apport moyen de protéines de 1,6 g/kg/j. Par exemple, pour un poids de 75 kilos, vos besoins quotidiens en protéines, compte tenu du programme intensif de musculation, sont donc de 120 grammes en moyenne par jour. Il est très probable que votre régime alimentaire comble déjà vos besoins. Ajoutons que les aliments riches en protéines vous apporteront, en prime, du fer, du zinc, des vitamines B, du calcium et d'autres nutriments que ne fournissent pas les suppléments. Par ailleurs, non seulement les suppléments de protéines sont chers, mais on ne sait pas toujours précisément ce qu'ils contiennent. **Ainsi, selon une analyse nutritionnelle récente portant sur 52 suppléments, 13 d'entre eux étaient contaminés par la présence de stéroïdes**. Consultez aussi la rubrique En mouvement du chapitre 10 (p. 363) pour connaître vos besoins précis en protéines.

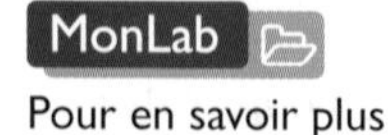

Pour en savoir plus

Consultez **MonLab** à la rubrique « Pour en savoir plus ». Vous y trouverez des suggestions de lecture et des sites Internet à visiter.

VRAI OU **FAUX** ? RÉPONSES

1. **Il est anormal que les muscles soient gonflés après une séance de musculation.** FAUX ! Ce phénomène, que les physiologistes appellent l'*hypertrophie transitoire*, est un simple œdème, non douloureux, dû à une infiltration dans le muscle sollicité de liquide provenant du plasma. Ce liquide y retournera quelques heures après l'exercice.
2. **La musculation entraîne un gain de force très rapide chez les débutants.** VRAI ! Un programme de musculation visant le développement de la force musculaire peut conduire à des gains de 25 à 40 %, parfois même davantage, en moins de 4 mois ! En fait, il n'est pas rare qu'en suivant un cours de musculation à raison de 2 séances par semaine pendant un trimestre, on arrive à doubler, voire tripler ses charges pour certains exercices.
3. **Pour déployer une grande force, il faut faire de la musculation et avoir de gros muscles.** FAUX ! Sous l'effet d'un stress intense (par exemple, une situation où leur vie est subitement mise en danger), certaines personnes peuvent générer une force souvent qualifiée de « surhumaine ». En effet, dans une situation extraordinaire, perçue par le cerveau comme une question de vie ou de mort, toutes les unités motrices sont activées en même temps, ce qui permet la contraction de 100 % ou presque des fibres des muscles sollicités.
4. **Dès qu'un muscle devient totalement inactif, par exemple à la suite d'une blessure, il perd rapidement de sa force.** VRAI ! Il faut moins de six heures pour que le rythme de la synthèse des protéines commence à ralentir. Cela signifie le début de l'atrophie du muscle, c'est-à-dire la diminution de son volume. De plus, lors de la première semaine d'inactivité musculaire, le muscle voit sa force diminuer de 3 à 4 % par jour. Par la suite, la perte de force est moins prononcée. Heureusement, la reprise de l'activité physique s'accompagne d'une récupération rapide de la force musculaire perdue.
5. **Les femmes qui font de la musculation ont rapidement de gros muscles.** FAUX ! L'hormone mâle, la testostérone, favorise le grossissement du muscle. Par conséquent, à entraînement égal, les hommes développeront de plus gros muscles que les femmes parce qu'ils produisent plus de testostérone.

AU FIL D'ARRIVÉE !

L'amélioration des capacités musculaires procure plusieurs bénéfices dans la vie de tous les jours parce qu'elle entraîne des **changements importants dans le muscle même** (augmentation du nombre d'unités motrices activées, de la grosseur des fibres musculaires, des réserves de CP et de glycogène dans les cellules musculaires, etc.).

Pour améliorer son endurance, sa force ou sa puissance musculaires dans un délai raisonnable, on fait de la **musculation** en appliquant correctement les **principes de l'entraînement**.

En matière de musculation, la **spécificité** consiste la plupart du temps à faire, de manière structurée, des exercices dynamiques contre une résistance créée soit par le poids de son corps ou une partie de celui-ci, soit par un objet extérieur (poids libres, appareils de musculation, bande élastique, gros ballon d'exercice, etc.). On peut être encore plus spécifique dans son choix d'exercices en privilégiant des exercices qui imitent la gestuelle propre à une activité physique qu'on pratique.

Les **trois variables de la surcharge** s'appliquent de la manière suivante. Bien qu'il existe plusieurs scénarios de **fréquence** hebdomadaire, la recommandation de base des experts est de faire 2 à 3 séances complètes (on sollicite tous les muscles) par semaine en s'accordant une journée de repos entre les séances. L'**intensité** met en jeu plusieurs variables : la charge à déplacer (exprimée en pourcentage du **1RM**), le nombre de fois qu'on la déplace (**répétitions** et **séries de répétitions**), la vitesse à laquelle on la déplace (**tempo**), le **temps de repos** entre les séries et le **nombre d'exercices** par séance. Les modalités d'application de ces variables dépendent de l'objectif visé (endurance, force ou puissance) et du niveau d'expérience en musculation (débutant, intermédiaire ou avancé). Quant à la **durée d'une séance**, elle peut varier de 30 minutes à plus de 1 heure.

Pour que les débutants améliorent leur **endurance musculaire**, on leur fait les recommandations suivantes : de 13 à 20 répétitions entre 50 et 60 % du 1RM, 2 ou 3 fois par semaine.

Pour que les débutants améliorent leur **force musculaire**, on leur fait les recommandations suivantes : de 8 à 12 répétitions entre 70 et 80 % du 1RM, 2 ou 3 fois par semaine.

La **progression** consiste à modifier, en fonction des progrès accomplis, les variables de l'intensité (répétitions, séries, tempo, etc.) et la fréquence hebdomadaire.

Le **maintien** des capacités musculaires acquises consiste à réduire la fréquence des séances et leur durée, mais pas l'intensité des efforts.

Pour **élaborer son programme de musculation**, on doit suivre les étapes suivantes : se fixer un objectif, appliquer les principes de l'entraînement musculaire, préciser les conditions de réalisation de son programme et respecter les règles de sécurité propres à ce type d'entraînement.

Nom : ______________________ Groupe : ____________ Date : ____________

Remplissez les cases vides du schéma à l'aide des mots-clés suivants :

les exercices dynamiques ☐ de manière explosive ☐ renforcement des os et des tendons ☐ la charge à déplacer ☐ la puissance ☐ le tempo ☐ l'intensité de la surcharge ☐ contraction maximale ☐ les exercices pliométriques ☐ diminution du risque de blessures ☐ localisée ☐ le nombre de répétitions ☐

les qualités du muscle

sont

- l'endurance, ou force-endurance, — est → la capacité du muscle à répéter ou à maintenir une contraction ____________
- la force — est → la capacité du muscle à développer une forte tension lors d'une ____________
- ____________ — est → la capacité du muscle à générer une force maximale ____________

sont quelques-uns des bénéfices découlant de

- énergie accrue dans les activités quotidiennes
- ____________
- ____________
- performance accrue dans la pratique sportive
- amélioration de l'estime de soi

opposer une résistance aux muscles — est la méthode de base pour développer → les qualités du muscle

sont différentes façons d'(opposer une résistance aux muscles) :

- les exercices statiques
- ____________ — comprennent:
  - les exercices isotoniques — sont les exercices les plus utilisés en musculation
  - ____________
  - les exercices isocinétiques

- ____________
- ____________
- le nombre de séries
- ____________
- le temps de repos entre les séries

sont les variables qui précisent → ____________ — quand on utilise → les exercices isocinétiques

À VOS MÉNINGES 5

Nom : ______________________ Groupe : ______________ Date : ______________

1 Nommez les trois principales qualités du muscle.

1. l'endurence musculaire
2. la force musculaires
3. la puissane musculaire

2 Complétez les phrases suivantes.

p.160 a) Un muscle est fort quand il peut développer une forte tension au moment d'une contraction maximale.

b) La puissance musculaire est l'aspect explosif de la vigueur musculaire.

c) L'hypertrophie renvoie au volume du muscle.

d) Un muscle est endurant quand il peut répéter ou maintenir pendant un certain temps une contraction localisé.

3 Lesquels des énoncés suivants sont vrais ?

p.162 163

- [x] a) L'unité motrice sert à acheminer l'influx nerveux dans les fibres musculaires.
- [ ] b) Une unité motrice peut alimenter en influx nerveux une seule fibre musculaire à la fois.
- [x] c) Plus la contraction du muscle est intense, plus il y a d'unités motrices qui entrent en action, donc de plus en plus de fibres se contractent.
- [x] d) Lors d'une contraction maximale, voire supramaximale (par exemple dans une situation de survie), 100 % des unités motrices sont activées au maximum. (vrai)
- [ ] e) Il est impossible de devenir plus fort sans avoir des muscles plus gros. (Faux)

4 À partir de la figure 5.2, relevez trois composantes de l'unité motrice.

1. Neurone moteur
2. fibre nerveuse (Axon)
3. Fibres musculaires • Dentdrites

5 Chez l'homme, l'hypertrophie du muscle est plus marquée que chez la femme, à cause

- [ ] a) de la concentration plus élevée d'insuline dans son sang.
- [x] b) de la concentration plus élevée de testostérone dans son sang.
- [ ] c) de la concentration plus élevée d'œstrogènes dans son sang.
- [ ] d) du plus grand nombre d'unités motrices dans ses muscles.
- [ ] e) Aucune des réponses précédentes.

Nom : ______________________ Groupe : ____________ Date : ____________

6 Nommez trois effets nuisibles pour la santé de la consommation de stéroïdes anabolisants.

1. Réduction définitives de la taille
2. effets masculisants ou féminisant
3. modification de la personalité

aparition de maladie cardio et rénales

tableau 5.1 p.164 sous la loupe

7 Nommez trois effets physiologiques de l'entraînement musculaire.

5. Augment possible du n.b de fibres musculaires
1. Augmen de n.b d'unité motrices sollicité lors d'une contrac musc intense
2. ↑ de la grosseur de tout type de fibres
3. Augmentation des réserve CP et ATP
4. ↑ de la réponse neuromusculaire

p.164 Tableau 5.1

8 Complétez les phrases suivantes.

a) L'exercice statique consiste à contracter le muscle alors que la résistance est immobile.

b) L'exercice dynamique isotonique consiste à contracter le muscle alors que la résistance est mobile et la vitesse du mouvement, variable.

c) L'exercice dynamique pliométrique consiste à exécuter un exercice avec un rebond.

d) L'exercice dynamique isocinétique fait appel à des appareils qui permettent d'exécuter un mouvement à une vitesse constante, quelle que soit la force générée pendant l'exécution.

p.166

9 Lequel des énoncés suivants est vrai ?

- ☐ a) L'exercice dynamique isotonique ne déplace pas la résistance.
- ☐ b) L'exercice isométrique n'améliore pas la force du muscle.
- ☒ c) L'exercice dynamique isotonique est exécuté à une vitesse variable.
- ☐ d) L'exercice isométrique déplace la résistance.
- ☐ e) L'exercice dynamique pliométrique est exécuté à une vitesse constante.

10 Quel est le type d'exercices le plus utilisé en musculation ?

- ☐ a) Les exercices isométriques.
- ☐ b) Les exercices pliométriques.
- ☐ c) Les exercices dynamiques isocinétiques.
- ☒ d) Les exercices dynamiques isotoniques.
- ☐ e) Les exercices excentriques.

À VOS MÉNINGES 5

Nom : __________ Groupe : __________ Date : __________

11 Qu'est-ce que le 1RM ?

☐ **a)** Un poids qu'on déplace au moins une fois.

☐ **b)** Un poids qu'on déplace lorsque le muscle est en contraction excentrique.

☐ **c)** Un poids tellement lourd qu'on ne peut pas le déplacer.

☒ **d)** Le poids le plus lourd qu'on peut déplacer une fois.

☐ **e)** Aucune des réponses précédentes.

12 Idéalement, combien de 1RM un débutant doit-il faire par série pour développer la force musculaire à l'aide de poids libres ?

☐ **a)** De 1 à 6.

p.176 ☒ **b)** De 8 à 12.

☐ **c)** De 13 à plus de 25.

☐ **d)** Plus de 25.

☐ **e)** Aucune des réponses précédentes.

13 Idéalement, à quel pourcentage du 1RM un débutant doit-il travailler pour développer sa force musculaire ?

☐ **a)** De 30 à 40 %.

☐ **b)** De 40 à 50 %.

☐ **c)** De 50 à 60 %.

☐ **d)** De 60 à 70 %.

☒ **e)** De 70 à 80 %.

14 En musculation, à quelle vitesse est-il souhaitable d'exécuter le mouvement aller-retour quand on est débutant et qu'on vise la force ?

☐ **a)** Rapide.

☐ **b)** Très lente.

☒ **c)** Lente à modérée.

☐ **d)** Modérée à rapide.

☐ **e)** La vitesse d'exécution n'a pas d'importance.

15 Par quels exercices devrait-on commencer une séance de musculation ?

☐ **a)** Ceux qui sollicitent les petits muscles.

☒ **b)** Ceux qui sollicitent les grands muscles.

☐ **c)** Ceux qui sollicitent une seule articulation.

☐ **d)** Ceux qui sollicitent les muscles stabilisateurs.

☐ **e)** Aucune des réponses précédentes.

16 Nommez cinq règles de sécurité et d'efficacité importantes quand on fait des exercices contre une résistance.

1. Adobter une position stabilisé
2. Expirer pendant la phase la plus intens
3. Arrêtez-vous dès que vous sente une douleur inhabituelle
4. Commencer par échau et finir par étir
5. Établiser votre séquence de façons à préserver énergie

Nom : ______________________ Groupe : ____________ Date : ____________

Ces bilans vous aideront à cerner vos capacités et vos besoins sur le plan musculaire et à concevoir, en conséquence, un programme de musculation sur mesure.

VOS CAPACITÉS PHYSIQUES ET VOS BESOINS SUR LE PLAN MUSCULAIRE

Reportez ici les résultats que vous avez obtenus lors de l'évaluation de vos capacités musculaires (bilan 2, p. 90). Encerclez la lettre correspondant au niveau obtenu.

Test 1 (demi-redressements assis en 1 minute)					
Résultat : ____________ Votre besoin : ☐ amélioration ☐ maintien[b]	TE[a]	E	M	F	TF

Test 2 (pompes : nombre maximal atteint)					
Résultat : ____________ Votre besoin : ☐ amélioration ☐ maintien	TE	E	M	F	TF

Test 3 (s'il y a lieu) : ____________					
Résultat : ____________ Votre besoin : ☐ amélioration ☐ maintien	TE	E	M	F	TF

Test 4 (dynamomètre)					
Résultat : ____________ Votre besoin : ☐ amélioration ☐ maintien	TE	E	M	F	TF

Test 5 : saut vertical (meilleur saut)					
Résultat : ____________ Votre besoin : ☐ amélioration ☐ maintien	TE	E	M	F	TF

Test 6 (s'il y a lieu) : ____________					
Résultat : ____________ Votre besoin : ☐ amélioration ☐ maintien	TE	E	M	F	TF

a. TE : très élevé ; E : élevé ; M : moyen ; F : faible ; TF : très faible.

b. Seulement si votre niveau est élevé ou très élevé.

BILAN 5.2

Nom: ______ Groupe: ______ Date: ______

CONCEVEZ VOTRE PROGRAMME DE MUSCULATION

ÉTAPE A Fixez-vous un objectif

Selon vos capacités physiques et vos besoins (bilan 5.1), fixez-vous un objectif de type « SMART », c'est-à-dire **S**pécifique, **M**esurable, orienté vers l'**A**ction, **R**éaliste et limité dans le **T**emps. Vous allez vous fixer un seul objectif (endurance, force ou puissance) en fonction du besoin que vous considérez comme prioritaire.

Mon objectif est le suivant (vous pouvez vous inspirer du cas de Maryse, s'il y a lieu, ou de Georges):

______

Précisez en quoi il est:

Spécifique: ______

Mesurable: ______

Orienté vers l'action: ______

Réaliste: ______

Limité dans le temps: ______

ÉTAPE B Appliquez les principes de l'entraînement à votre programme

La spécificité – Précisez le type d'exercices que vous allez utiliser dans votre programme:

a) Exercices dynamiques avec charge ☐

b) Exercices dynamiques à mains libres ☐

c) Autres types d'exercices (s'il y a lieu) ☐

La surcharge:

a) La fréquence: ______ fois par semaine.

b) L'intensité:

Choisissez, en fonction de votre objectif, les exercices qui solliciteront les groupes musculaires appropriés en endurance, en force ou en puissance. Vous pouvez utiliser le répertoire d'exercices à la fin du chapitre (p. 204 à 210) et dans MonLab pour faire vos choix. **Notez ceux-ci dans la fiche 1 qui suit en vous inspirant de l'exemple qui la précède.**

MonLab
photos et vidéos: exercices de musculation

Sur la même fiche, précisez les variables qui s'appliquent à votre surcharge de départ, soit la charge à déplacer (C), le nombre de répétitions (Rép.), le tempo des répétitions, le nombre de séries, le temps de repos entre les séries (TR) s'il y en a plus d'une. Pour les exercices à mains libres, vous n'avez pas à calculer votre 1RM puisque la charge à déplacer est le poids de votre corps ou d'une partie de celui-ci. Pour les exercices avec charge (poids libres ou appareils de musculation), servez-vous du calculateur du 1RM pour établir votre charge de départ (1RM) pour chacun des exercices choisis. Le calculateur est présenté dans MonLab.

MonLab
22 calculateur 1RM

c) La durée (approximative) des séances: ______ minutes.

Nom : ______________________ Groupe : ____________ Date : ____________

Exemple

Prénom : *Georges* **Nom :** *Sansnom* **Groupe :** *2* **Prof. :** *Guy Haltère* **Session :** *A*

Exercices choisis[a]	Principaux muscles sollicités	Intensité de la surcharge				
		C[b] (kg)	Rép.	Tempo	Séries	TR[c]
1. *Flexion de l'avant-bras*	*Biceps*	*25*	*10*	*3-2*	*2*	*2 min*
2. *Extension de l'avant-bras*	*Triceps*	*15*	*10*	*3-2*	*2*	*2 min*

a. Si vous choisissez vos exercices dans le répertoire (p. 204 à 210), recopiez le nom de l'exercice et celui des muscles sollicités.
b. Charge déterminée selon la formule du 1RM (calculateur dans MonLab) ou par essais et erreurs.
c. TR = temps de repos entre les séries.

22 calculateur 1RM

Fiche 1 Exercices choisis et intensité de la surcharge

Prénom : ____________ **Nom :** ____________ **Groupe :** ______ **Prof. :** ____________ **Session :** ______

Exercices choisis	Principaux muscles sollicités	Intensité de la surcharge				
		C (kg)	Rép.	Tempo	Séries	TR
1.						
2.						
3.						
4.						
5.						
6.						
7.						
8.						
9.						
10.						

La progression :

Il s'agit ici d'appliquer de manière progressive la surcharge que vous avez définie précédemment.

Le maintien (ce que vous feriez si vous aviez à maintenir le niveau atteint) :

a) Réduction du nombre de séances (de combien de fois) : ________

b) Réduction du nombre de séries (s'il y a lieu) : ________

BILAN 5.2

Nom : ______________________ Groupe : ____________ Date : ____________

ÉTAPE C Précisez les conditions de réalisation

Où ?	Cochez
À mon cégep	☐
Dans un autre cégep ou une autre école (précisez) ____________	☐
Chez moi	☐
Près de chez moi (précisez) ____________	☐
Dans un centre d'entraînement physique (précisez) ____________	☐
Autre endroit ____________	☐

Quand ?		
Lundi	de ____________	à ____________
Mardi	de ____________	à ____________
Mercredi	de ____________	à ____________
Jeudi	de ____________	à ____________
Vendredi	de ____________	à ____________
Samedi	de ____________	à ____________
Dimanche	de ____________	à ____________

Avec qui ?	Cochez
Seul	☐
Ami(s)	☐
Copain, copine, conjoint, conjointe	☐
Coéquipier(s) d'une équipe sportive	☐
Membre(s) de la famille	☐
Autre (précisez) ____________	☐

Nom : ______ Groupe : ______ Date : ______

ÉTAPE D Faites le suivi de vos entraînements

En vous inspirant de l'exemple qui suit, remplissez la **fiche 2**.

Exemple

Prénom : *Maryse* **Nom :** *Haltère* **Groupe :** *4* **Prof. :** *Diane S.* **Session :** A ✓ H ☐

Objectif : *Augmenter ma force musculaire pour atteindre le niveau moyen (test du manomètre)*

Fréquence/semaine : *2* ; **Durée du programme :** *10 semaines* ; **Tempo :** *3-2* ; **Temps de repos entre les séries :** *2 min*

Exercice	Date :	8/09	11/09	15/09	18/09	22/09	25/09	29/09	2/10	5/10	8/10
	Charge	*50*	*50*	*50*	*50*	*50*	*55*	*55*	*55*	*55*	*55*
1. *Extension des jambes*	Rép./série	*10*	*10*	*11*	*11*	*12*	*9*	*10*	*10*	*11*	*11*
	Série(s)	*2*	*2*	*2*	*2*	*2*	*2*	*2*	*2*	*2*	*2*

Fiche 2 Suivi de l'entraînement musculaire*

Prénom : ______ **Nom :** ______ **Groupe :** ______ **Prof. :** ______ **Session :** A ☐ H ☐

Objectif : ______

Fréquence/semaine : ______ ; **Durée du programme :** ______ ; **Tempo :** ______ ; **Temps de repos entre les séries :** ______

Exercice	Date :										
	Charge										
1. ______	Rép./série										
	Série(s)										
Exercice	Date :										
	Charge										
2. ______	Rép./série										
	Série(s)										
Exercice	Date :										
	Charge										
3. ______	Rép./série										
	Série(s)										
Exercice	Date :										
	Charge										
4. ______	Rép./série										
	Série(s)										

* Téléchargez la fiche complète à partir de MonLab.

fiche 2 musculation

Nom : ______ Groupe : ______ Date : ______

ÉVALUEZ VOTRE PROGRAMME PERSONNEL

Avez-vous atteint votre objectif ou vos objectifs ?

☐ Oui ☐ Non

Si oui, quels changements sur le plan physique et mental avez-vous observés entre le début et la fin de votre programme personnel ?

Sur le plan physique :

Sur le plan mental :

Si non, peut-être avez-vous éprouvé des problèmes particuliers, à moins que vous n'ayez perdu votre motivation en cours de route. Précisez votre réponse.

RÉPERTOIRE D'EXERCICES DE MUSCULATION DE BASE

MonLab
photos et vidéos : exercices de musculation

Ce répertoire présente quelques exercices de base conçus pour solliciter les principaux groupes musculaires. Certains s'exécutent à l'aide d'appareils de musculation, d'autres à l'aide de divers accessoires (poids libres, bande élastique, gros ballon, mur) ; d'autres, enfin, se font simplement à mains libres, comme les pompes. Vous trouverez aussi dans MonLab quelques exemples d'exercices statiques ainsi que des vidéos d'exercices sur des appareils. Le choix est donc varié et tous y trouveront leur compte. Si certains de ces exercices sont nouveaux pour vous, exécutez-les en présence d'une personne compétente. Cela vaut particulièrement pour ceux effectués à l'aide d'appareils ou de poids libres.

Pour chaque exercice, les muscles principalement sollicités sont indiqués ; les nombres entre parenthèses renvoient aux deux **planches anatomiques** (figures 5.10 et 5.11) qui vous aideront à bien localiser ces muscles.

Voici un mini-plan du répertoire d'exercices.

FIGURE 5.10 Planche anatomique des principaux muscles de la face antérieure

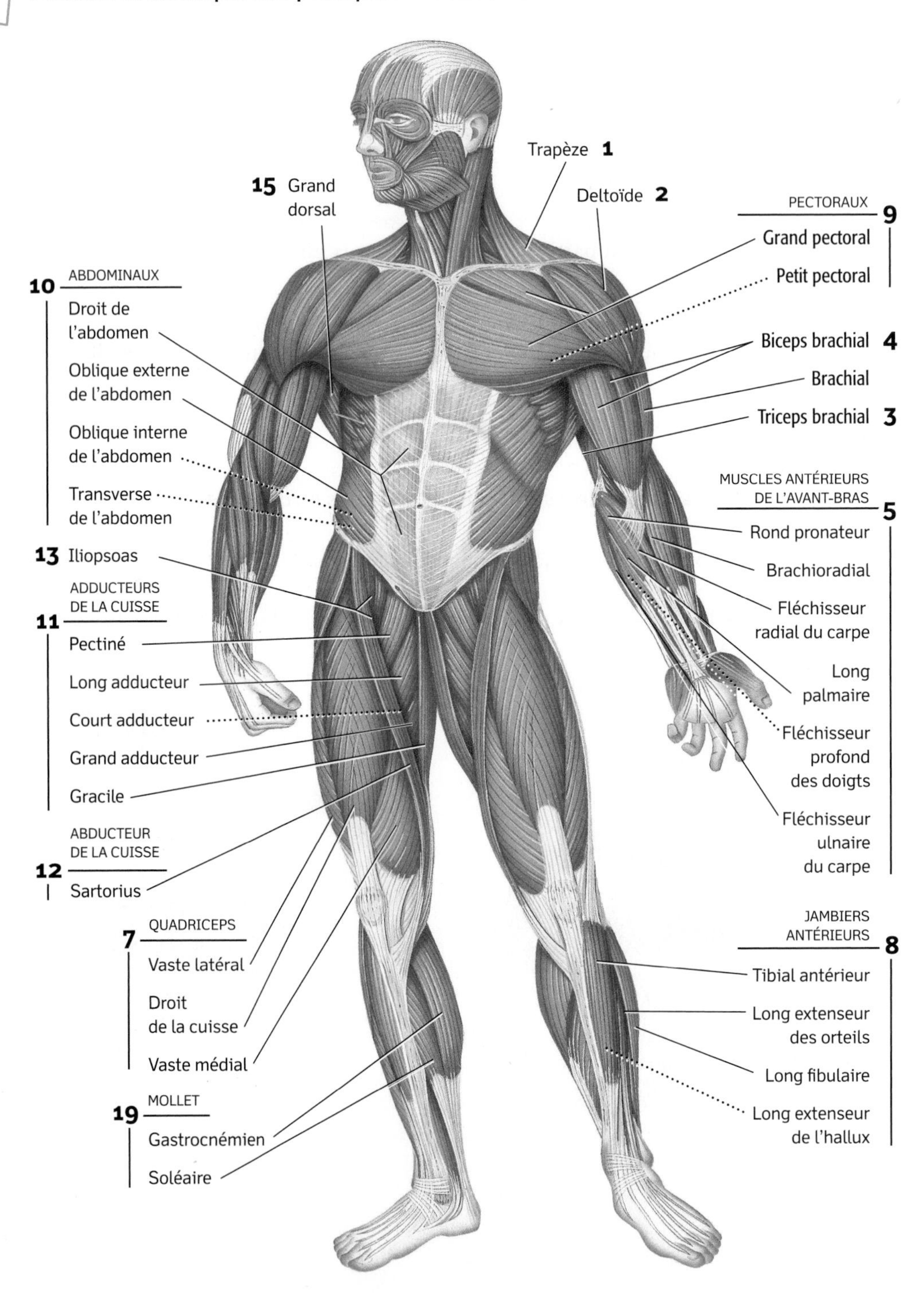

Légende : La ligne pointillée (…) signifie que le muscle identifié n'est pas visible parce que c'est un muscle profond.

Source : G.J. Tortora et B. Derrickson (2007). *Principes d'anatomie et de physiologie* (2e éd.), Saint-Laurent, ERPI, p. 358.

FIGURE 5.11

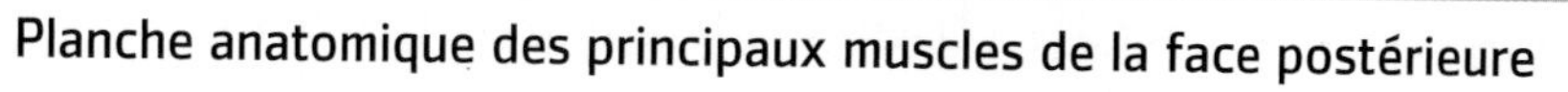

Planche anatomique des principaux muscles de la face postérieure

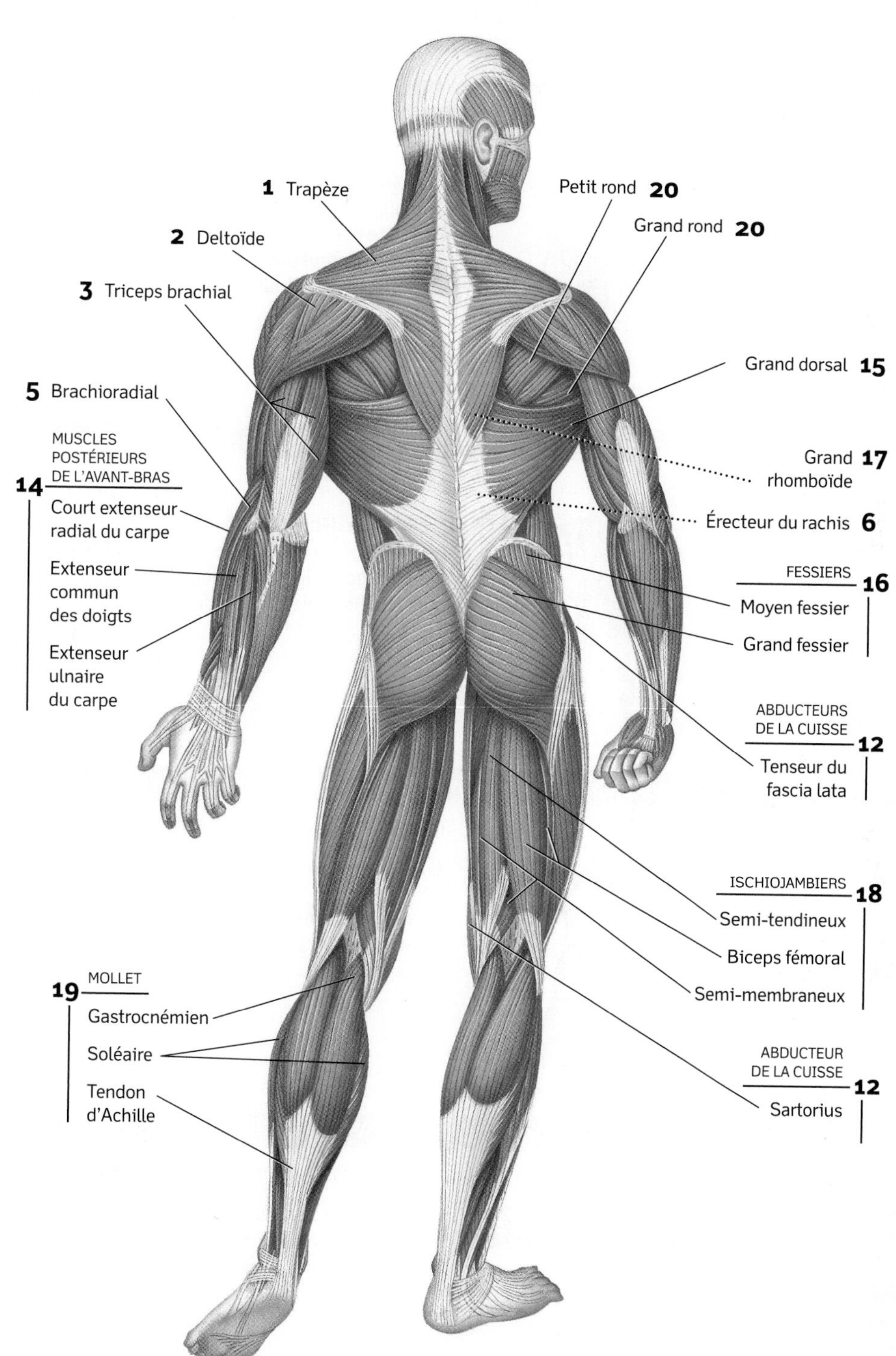

Légende : La ligne pointillée (…) signifie que le muscle identifié n'est pas visible parce que c'est un muscle profond.

Source : G.J. Tortora et B. Derrickson (2007). *Principes d'anatomie et de physiologie* (2e éd.), Saint-Laurent, ERPI, p. 359.

A Exercices effectués à l'aide d'appareils ou de poids libres

1. Flexion de l'avant-bras en position assise

A

B

Muscles principalement sollicités : **biceps** (4[a]).

En position assise, un haltère court dans la main droite, le coude droit appuyé contre l'intérieur de la cuisse droite (A), exécutez une flexion de l'avant-bras (B). Revenez à la position de départ. Exécutez le nombre de répétitions que vous vous êtes fixé et répétez l'exercice avec l'avant-bras gauche.

2. Flexion des avant-bras en position debout (variante)

A

B

Muscles principalement sollicités : **biceps** (4).

En position debout, les pieds écartés à la largeur des hanches, les genoux légèrement fléchis, les avant-bras en extension, les mains tenant la barre de l'haltère long (A), exécutez une flexion des avant-bras (B). Revenez à la position de départ.

3. Écarté-rapproché des bras en position couchée sur un banc incliné

A

B

Muscles principalement sollicités : **pectoraux** (9) et **deltoïdes** (2).

En position couchée sur un banc d'exercice incliné, les pieds écartés à la largeur des épaules, les bras à la verticale, les coudes légèrement fléchis, un haltère court dans chaque main (A), écartez les bras sur les côtés jusqu'à la hauteur des épaules (B). Revenez à la position de départ.

4. Élévation latérale des bras

A

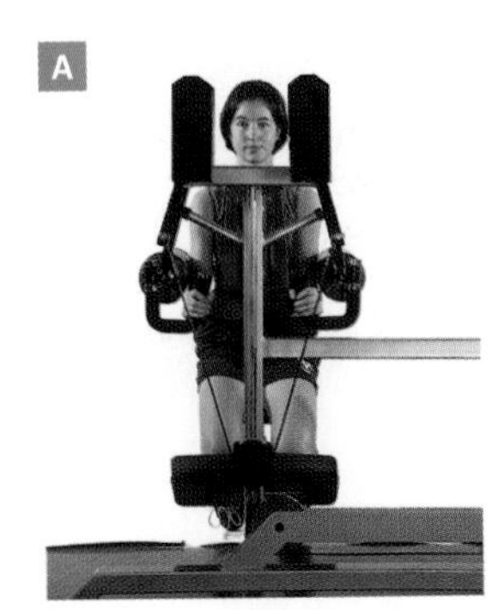

B

Muscles principalement sollicités : **deltoïdes** (2).

En position assise, les genoux fléchis et appuyés contre les rouleaux inférieurs, les avant-bras appuyés sous les rouleaux supérieurs (A), élevez les bras sur les côtés jusqu'à la hauteur des épaules (B). Revenez à la position de départ.

---

a. Les numéros entre parenthèses renvoient aux planches anatomiques (figures 5.10 et 5.11) ; cela vous aidera à mieux repérer les muscles.

5. Élévation latérale des bras avec le tronc fléchi (papillon)

A

B

Muscles principalement sollicités : **deltoïdes** (2), **rhomboïdes** (17) et **grands dorsaux** (15).

En position debout, les pieds légèrement écartés, les genoux fléchis, le tronc penché vers l'avant, un haltère court dans chaque main (A), élevez les bras sur les côtés jusqu'à la hauteur des épaules, les coudes légèrement fléchis (B). Revenez à la position de départ.

6. Développé-assis

A

B

Muscles principalement sollicités : **pectoraux** (9), **deltoïde antérieur** (2) et **triceps** (3).

En position assise, les pieds appuyés sur les cale-pieds, les avant-bras fléchis, les mains tenant les poignées horizontales de l'appareil (A), poussez ces dernières jusqu'à ce que les avant-bras soient presque entièrement dépliés (B). Revenez à la position de départ.

7. Développé-couché sur le banc

A

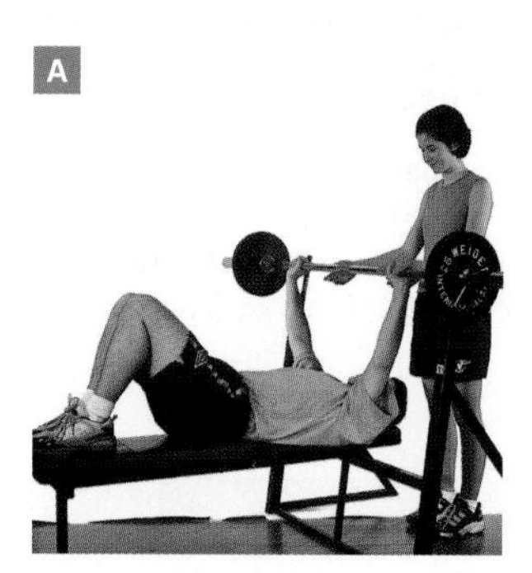

B

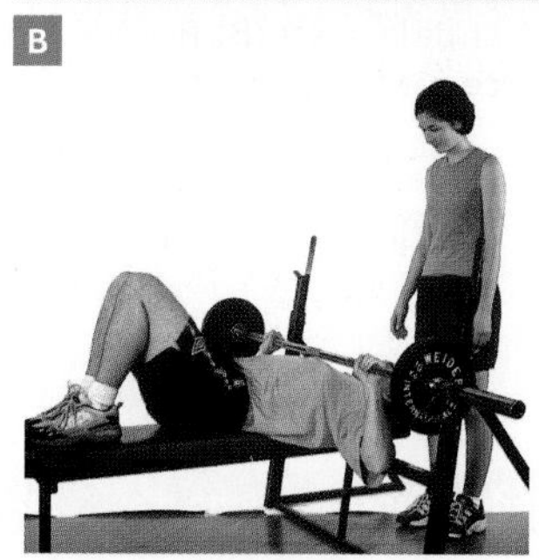

Muscles principalement sollicités : **pectoraux** (9), **deltoïde antérieur** (2) et **triceps** (3).

En position couchée, les genoux fléchis, les pieds appuyés solidement sur le banc, les bras en extension, les mains tenant la barre de l'haltère long (A), amenez la barre vers la poitrine (B). Revenez à la position de départ. (Cet exercice se fait avec l'aide d'un partenaire.)

8. Extension de l'avant-bras en position assise

A

B

Muscles principalement sollicités : **triceps** (3).

En position assise sur un banc d'exercice, la tête et le dos droits, le bras gauche allongé au-dessus de la tête, un haltère court dans la main gauche (A), fléchissez l'avant-bras pour amener l'haltère derrière la nuque (B). Revenez à la position de départ. Exécutez le nombre de répétitions que vous vous êtes fixé et répétez l'exercice avec l'autre bras.

9. Flexion des jambes

Muscles principalement sollicités : **ischiojambiers** (18).

En position couchée, les pieds sous les rouleaux, les genoux dépassant l'extrémité du banc et les mains tenant les poignées de l'appareil pour stabiliser le tronc (A), exécutez une flexion des jambes (B). Revenez à la position de départ en maintenant une légère flexion dans les genoux à la fin de l'extension.

10. Poussée des jambes

Muscles principalement sollicités : **quadriceps** (7), **ischiojambiers** (18) et **fessiers** (16).

Assis en position inclinée, le dos appuyé contre le dossier du siège de l'appareil, les pieds écartés à la largeur des hanches, les jambes à 90° (A), exécutez une poussée des jambes en maintenant une légère flexion dans les genoux à la fin de la poussée (B). Revenez à la positon de départ.

11. Balancé de la jambe

Muscles principalement sollicités : **grands fessiers** et **moyens fessiers** (16).

En position debout, la cuisse droite en flexion, l'arrière du genou droit appuyé contre le rouleau, les mains tenant les poignées de l'appareil pour garder l'équilibre (A), exécutez lentement une extension de la cuisse (B). Revenez à la position de départ. Répétez l'exercice avec la cuisse gauche.

12. Élévation sur la pointe des pieds en position debout

Muscles principalement sollicités : **gastrocnémiens** (19).

En position debout, tête et corps droits, l'haltère long appuyé sur les épaules, l'avant des pieds posés sur un bloc de bois (A), élevez-vous sur la pointe des pieds tout en maintenant le corps droit (B). Revenez à la position de départ.

13. Traction à un bras sur un banc (*one-dumbbell rowing*)

Muscles principalement sollicités : **grands dorsaux** (15) et **biceps** (4).

Le genou droit et la main droite en appui sur le banc, le pied gauche posé sur le sol, le genou gauche légèrement fléchi, un haltère court dans la main gauche (A), amenez l'haltère jusqu'à la poitrine (B). Revenez à la position de départ. Exécutez le nombre de répétitions que vous vous êtes fixé et répétez l'exercice avec l'autre bras.

B Exercices effectués à l'aide de bandes élastiques

Pour environ 20 dollars, vous pouvez vous procurer, dans un magasin d'articles de sport, une bande élastique conçue spécialement pour la musculation. Il existe même des ensembles de bandes offrant une gamme variée de degrés de résistance. Deux conseils d'utilisation importants : étirez et relâchez toujours la bande élastique de façon lente et continue ; pendant un exercice, conservez en tout temps une certaine tension dans la bande élastique.

14. Extension de l'avant-bras

Muscles principalement sollicités : **triceps** (3).

En position debout, une extrémité de la bande élastique dans chaque main, la main gauche placée dans le dos, à la hauteur des fesses, et la main droite au-dessus de la tête, les bras fléchis, exécutez une extension presque complète de l'avant-bras droit sans bouger la main gauche. Revenez à la position de départ. Exécutez le nombre de répétitions que vous vous êtes fixé. Répétez l'exercice avec l'autre bras.

15. Flexion de l'avant-bras

Muscles principalement sollicités : **biceps** (4).

En position debout, les jambes légèrement écartées, une extrémité de la bande élastique enroulée autour du pied droit, l'autre extrémité solidement empoignée par la main gauche, le poignet aligné avec l'avant-bras, exécutez une flexion presque complète du bras. Revenez à la position de départ. Exécutez le nombre de répétitions que vous vous êtes fixé. Répétez l'exercice avec l'autre bras.

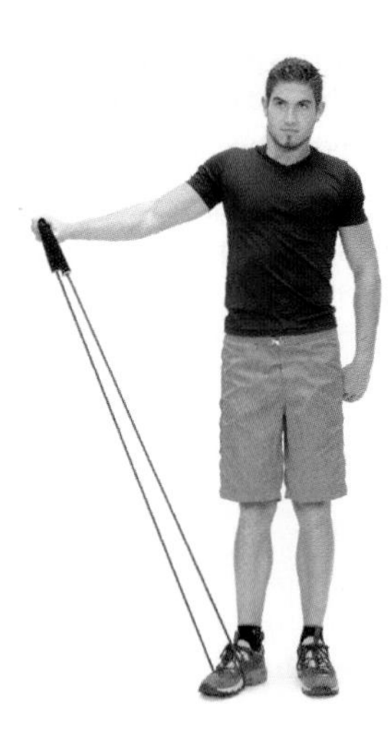

16. Élévation latérale du bras

Muscles principalement sollicités : **deltoïdes** (2).

En position debout, les jambes légèrement écartées, le milieu de la bande élastique passé sous le pied droit et ses extrémités solidement empoignées par la main droite, levez le bras droit, en gardant le coude légèrement fléchi, jusqu'à la hauteur de l'épaule. Revenez à la position de départ. Exécutez le nombre de répétitions que vous vous êtes fixé. Répétez l'exercice avec l'autre bras.

17. Pompe

Muscles principalement sollicités : **triceps** (3), **trapèzes** (1), **pectoraux** (9) et **deltoïdes** (2).

En appui sur les pieds et les mains, le corps droit, la bande élastique passée dans le dos à la hauteur des omoplates et solidement tenue, exécutez des pompes à un rythme lent.

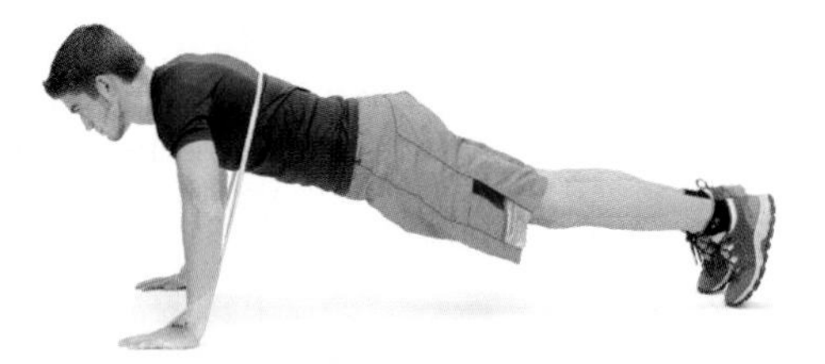

C Exercices de proprioception (p. 185) effectués à l'aide d'un gros ballon

Vous pouvez acheter un gros ballon d'exercice dans les grandes surfaces ou dans les magasins d'articles de sport. Son prix varie de 20 à 45 dollars selon le format et la marque. En règle générale, la grosseur de ballon recommandée aux débutants est celle qui permet d'avoir, en position assise, les cuisses parallèles au sol, c'est-à-dire les genoux pliés à 90 degrés. Au début, il vaut mieux ne pas trop gonfler le ballon. Un ballon mou est en effet plus facile à maîtriser.

Votre taille (m)	Diamètre du ballon d'exercice (cm)
< 1,50	45
1,50 - 1,70	55
1,71 - 1,88	65
> 1,88	75

Le symbole < signifie « inférieur à » et le symbole >, « supérieur à ».

18. Extension dorsale

Muscles principalement sollicités : **érecteurs du rachis** (6), **grands dorsaux** (15) et **fessiers** (16).

Les genoux appuyés sur le sol et bien écartés, l'abdomen appuyé sur le ballon, les mains aux oreilles (A), relevez lentement le tronc jusqu'à ce que la poitrine ne touche presque plus le ballon (B). Revenez lentement à la position de départ.

19. Écarté des bras sur gros ballon

Muscles principalement sollicités : **deltoïdes** (2), **grands dorsaux** (15), **rhomboïdes** (17) et **grands ronds** (20).

Les genoux appuyés sur le sol et bien écartés, l'abdomen appuyé sur le ballon, la tête maintenue dans l'alignement du tronc, les mains à peine au-dessus du sol de chaque côté, un haltère court dans chaque main (A), tout en gardant les coudes fléchis, écartez lentement les bras de côté jusqu'à ce que les mains soient à la hauteur des épaules (B). Revenez lentement à la position de départ.

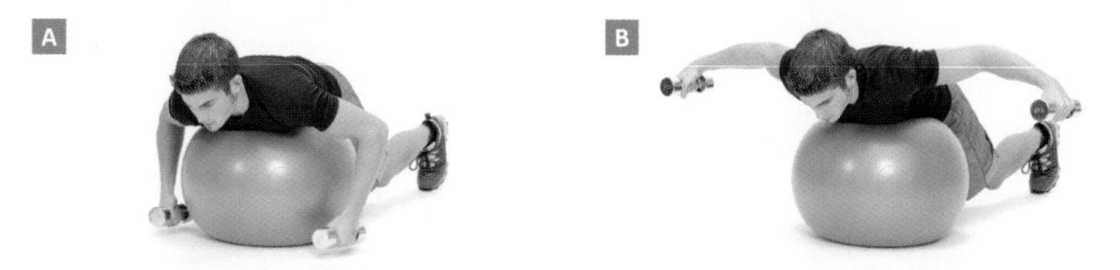

20. Élévation du bassin

Muscles principalement sollicités : **ischiojambiers** (18), **érecteurs du rachis** (6) et **fessiers** (16).

Allongé sur le dos, les mollets rapprochés et appuyés sur le ballon, les bras allongés sur le sol de chaque côté du corps (A), décollez lentement les fesses du sol jusqu'à ce que les cuisses et le tronc forment une ligne oblique (B). Revenez lentement à la position de départ.

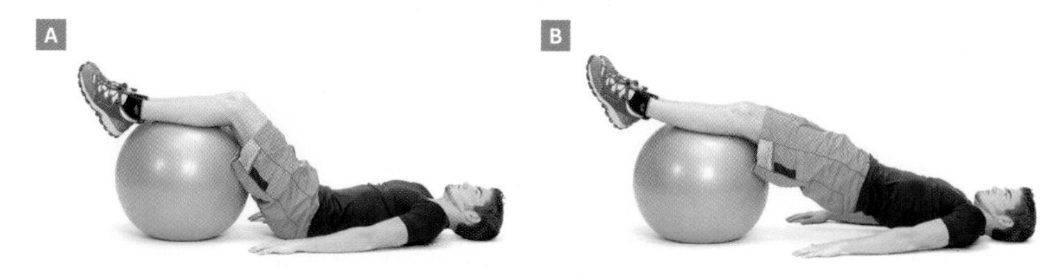

21. Demi-redressement du tronc

Muscles principalement sollicités : **abdominaux** (10).

Les fesses et le dos appuyés sur le ballon, les pieds écartés à la largeur des épaules sur le sol, les bras croisés sur la poitrine (les mains peuvent se trouver à la hauteur des oreilles ou plus bas) (A), relevez lentement le tronc jusqu'à ce que le bas du dos touche à peine le ballon (B). Revenez lentement à la position de départ.

VRAI OU **FAUX** ? V F

1. La musculation réduit la flexibilité. ☐ ☐
2. Il n'est pas nécessaire de s'échauffer avant une séance d'étirements. ☐ ☐
3. Il est souhaitable d'étirer l'ensemble de ses muscles. ☐ ☐
4. La meilleure façon de devenir plus flexible est de s'étirer avec élan et rebond. ☐ ☐
5. On ne doit pas ressentir de douleur quand on étire un muscle. ☐ ☐

Les réponses se trouvent en fin de chapitre, p. 233.

CHAPITRE 6

DÉVELOPPEZ VOTRE FLEXIBILITÉ

SUR LA LIGNE DE DÉPART !

VOS OBJECTIFS SONT LES SUIVANTS :

- Connaître les méthodes d'étirement musculaire.
- Utiliser de façon appropriée les informations scientifiques sur les modalités et les bénéfices du développement de la flexibilité.
- Concevoir un programme personnel d'amélioration de votre flexibilité qui respecte les principes de l'entraînement, les règles de sécurité, vos besoins, vos capacités et vos choix d'exercices de flexibilité.

MonLab

Vrai ou faux ?

Autres exercices en ligne

> Quand le vent se déchaîna, le roseau plia, mais le chêne cassa.
>
> À la manière de Jean de La Fontaine

Vous faites du vélo. Vous levez des haltères. Vous skiez. Vous faites du patin à roues alignées. Vous nagez. Vous jouez au soccer. Bref, vos muscles ne sont pas en manque de contractions. Tant mieux pour votre cardio et votre vigueur musculaire! Mais il se pourrait que vos muscles soient en manque d'étirements. Or, des muscles raides se braquent, comme si on étirait un vieil élastique, alors que des muscles souples nous obéissent et s'allongent en douceur. En fait, la souplesse du tissu musculaire renvoie à une notion plus large : la flexibilité.

LES BÉNÉFICES DE LA FLEXIBILITÉ

La flexibilité est **la capacité de bouger une articulation dans toute son amplitude sans ressentir ni raideur ni douleur**. Il y a autant de degrés de flexibilité qu'il y a d'articulations. Ainsi, vous pouvez être flexible au niveau des épaules, mais pas au niveau des hanches. Vous pouvez même être flexible à l'épaule droite, mais pas à l'épaule gauche, comme vous l'a peut-être révélé le test des mains dans le dos (chapitre 2, p. 82). Cela dit, améliorer sa flexibilité grâce à un entraînement approprié procure plusieurs bénéfices (**encadré ci-dessous**).

Les bénéfices de la flexibilité

Les bénéfices de la flexibilité
Réduction de la raideur ou de la douleur associée aux tensions musculaires
Plus grande liberté de mouvement
Diminution du risque de blessures et de la fatigue lombaire
Plus grande mobilité de la colonne vertébrale
Gestes plus fluides, plus précis et plus puissants
Flexibilité durable
Reprise plus aisée de l'activité physique après une blessure

Réduction de la raideur ou de la douleur associées aux tensions musculaires

Dès les premières secondes d'un étirement musculaire, on se sent mieux physiquement, comme si on était libéré de la tension musculaire accumulée dans ses muscles souvent à son insu. Ce bien-être physique procure aussi un bien-être mental. On se sent ragaillardi après quelques étirements. En outre, les étirements aident à réduire la raideur et même la douleur qu'on ressent parfois à la nuque, aux épaules et au dos en raison de mauvaises postures ou du stress (chapitre 8).

Plus grande liberté de mouvement

Quand on fait régulièrement des étirements, les muscles finissent par s'allonger de manière durable. Les articulations gagnent alors en amplitude, ce qui permet une plus grande liberté de mouvement.

Diminution du risque de blessures et de la fatigue lombaire

En augmentant l'amplitude de mouvement de ses articulations, on réduit le risque de blessures. Nos membres peuvent ainsi faire des mouvements plus amples avant que les fibres musculaires ne s'endommagent et causent, par exemple, une élongation du muscle. De plus, les étirements dans le bas du dos atténuent la sensation de lourdeur et de fatigue lombaire fréquente chez les personnes qui travaillent longtemps debout. Enfin, en cas de blessure, ce sont d'abord les exercices d'étirement qui redonneront au muscle touché sa mobilité antérieure.

Plus grande mobilité de la colonne vertébrale

Les étirements assouplissent les muscles et les tissus conjonctifs rattachés à la colonne vertébrale, qui devient ainsi plus mobile. Des gestes simples, comme se pencher vers l'avant ou l'arrière, ou tourner la tête en stationnant sa voiture, gagnent alors en aisance.

Gestes plus fluides, plus précis et plus puissants

Être flexible, c'est être plus fluide, plus gracieux dans ses mouvements parce que les muscles agonistes et antagonistes (p. 183) travaillent en synergie. En fait, des muscles souples nous obéissent mieux et favorisent une meilleure circulation de l'influx nerveux. Ce sont là les conditions idéales pour avoir une meilleure coordination motrice et, par conséquent, une plus grande puissance musculaire lors de certains gestes tels que le bloc défensif au volleyball, le service au tennis, le smash au badminton ou le départ au 100 mètres. C'est précisément pour cette raison que les montagnes de muscles que sont les sprinteurs font des étirements musculaires (*stretching*) tous les jours.

Flexibilité durable

Si on l'étire régulièrement, le muscle peut rester souple jusqu'à un âge très respectable. Les octogénaires adeptes du yoga ou du taï-chi en sont la preuve vivante ! Ils sont d'une flexibilité prodigieuse.

Reprise plus aisée de l'activité physique

Après une blessure ou une longue période d'inactivité physique, faire des étirements facilite la reprise de l'activité physique.

Étirez-vous pour chasser les tensions musculaires dues au stress

Vous venez d'assister à deux heures de cours ou vous êtes à quelques minutes d'une entrevue importante, et vous vous sentez tendu ? Tout en respirant un peu plus profondément que de coutume, roulez les épaules de l'arrière vers l'avant, et vice-versa, ou exécutez quelques haussements d'épaules ou de petites rotations de la tête. Si vous le pouvez, avant-bras fléchis, exécutez aussi quelques cercles avec les coudes. La détente musculaire que vous ressentirez sera instantanée. Après une heure de travail intense à l'ordinateur, faites une pause et étirez les bras vers le haut en vous grandissant. Bref, à défaut de faire du cardio ou de la musculation pour chasser le stress, rien ne vaut quelques étirements pour détendre ses muscles.

LES FACTEURS QUI INFLUENT SUR LA FLEXIBILITÉ

Comme on vient de le voir, étirer ses muscles régulièrement procure divers bénéfices, mais il faut savoir que plusieurs facteurs influent sur le degré de flexibilité de chaque individu (**encadré ci-dessous**). Voyons-les en détail.

Les facteurs associés à la flexibilité

Les facteurs associés à la flexibilité
L'âge et le sexe
Le type d'articulation
La capsule articulaire, les ligaments, les tendons, l'alignement articulaire et les gènes
La température et le moment de la journée
Les mécanismes de protection du muscle
Les blessures et l'arthrose
Le niveau d'activité physique

L'âge et le sexe

Au fil des décennies, nos articulations et nos tendons perdent en élastine (protéine qui possède des propriétés élastiques) et en collagène. Il en résulte une baisse de la flexibilité qu'il est toutefois possible de contrecarrer en pratiquant des activités physiques qui développent un haut degré de souplesse, par exemple le yoga. Le sexe influe également sur la flexibilité : les femmes sont généralement plus souples que les hommes, et cela tient à leurs hormones, notamment les œstrogènes, ainsi qu'à leur masse musculaire moindre. Le graphique de la **figure 6.1** illustre cette observation avec la flexion du tronc.

FIGURE 6.1 La souplesse moyenne des femmes et des hommes selon le test de flexion du tronc

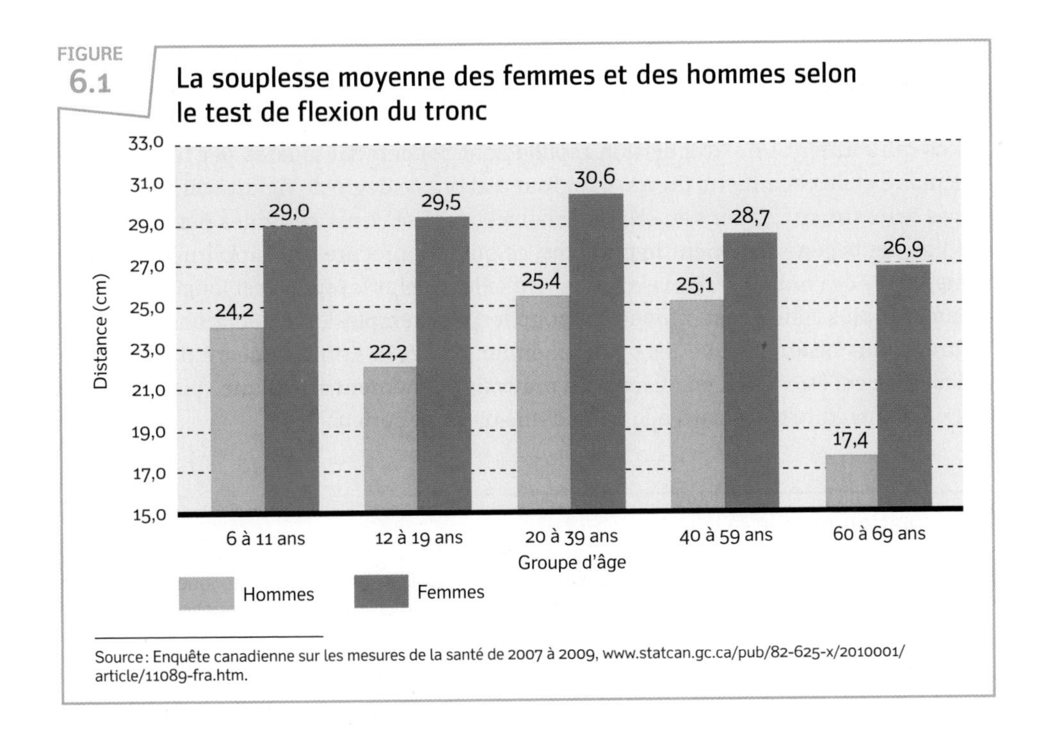

Source : Enquête canadienne sur les mesures de la santé de 2007 à 2009, www.statcan.gc.ca/pub/82-625-x/2010001/article/11089-fra.htm.

Le type d'articulation

Il existe plusieurs types d'articulations, chacun offrant une amplitude de mouvement différente. Par exemple, l'articulation du coude ou celle du genou (articulations trochléennes) ne permettent qu'un mouvement d'ouverture (extension) et de fermeture (flexion), semblable à la charnière d'une porte. En revanche, l'articulation de la hanche et celle de l'épaule (articulations sphéroïdes) permettent des mouvements dans plusieurs directions, ce qui les dote d'une plus grande amplitude que celle des articulations de type charnière (**figure 6.2**).

FIGURE 6.2 Deux types d'articulations, deux degrés d'amplitude articulaire

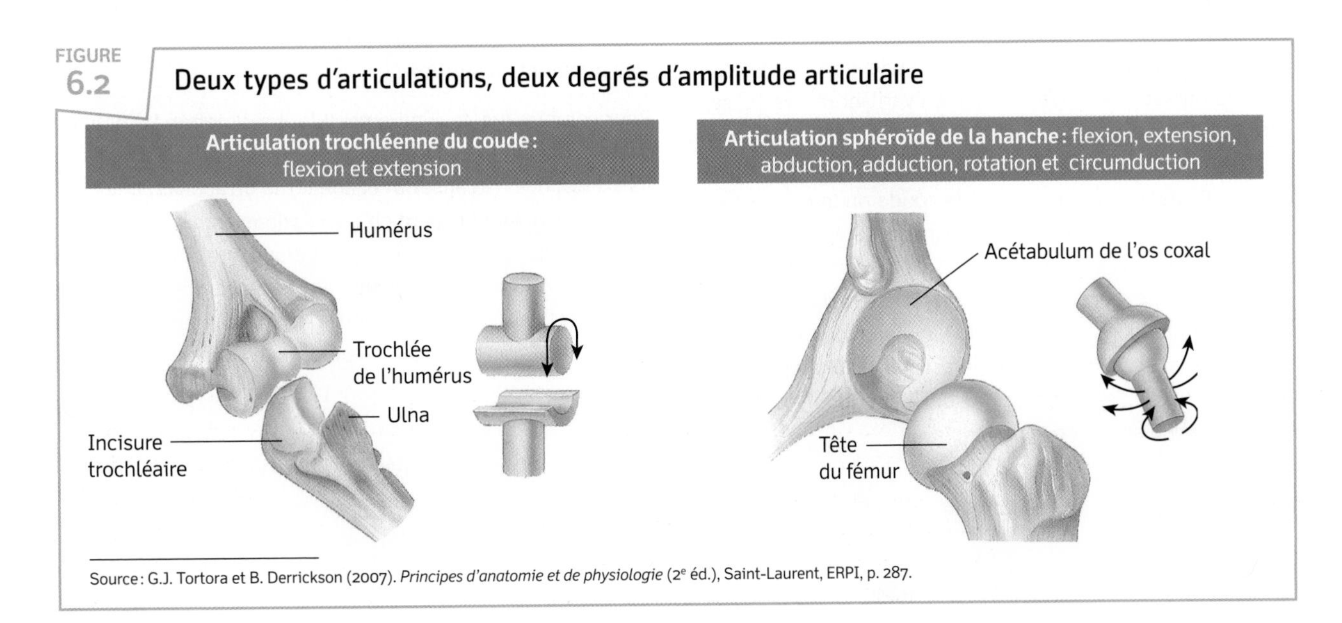

Source : G.J. Tortora et B. Derrickson (2007). *Principes d'anatomie et de physiologie* (2e éd.), Saint-Laurent, ERPI, p. 287.

La capsule articulaire, les ligaments, les tendons, l'alignement articulaire et les gènes

Les os qui forment une articulation mobile sont solidement ajustés par une capsule articulaire et des ligaments (figure 6.3). Tout d'abord, le degré de rigidité ou d'élasticité de ces deux structures tient au premier chef à l'hérédité. Ainsi, certaines personnes ont des ligaments génétiquement **hyperlaxes**, ce qui leur procure une amplitude de mouvement hors de l'ordinaire (Sous la loupe). Par ailleurs, plus le tendon est long par rapport au muscle, plus celui-ci est difficile à assouplir : par exemple, les ischiojambiers (p. 203) s'étirent plus aisément que les gastrocnémiens (p. 203). Enfin, le degré d'amplitude articulaire peut être réduit en raison d'un **mauvais alignement articulaire**, que ce dernier soit dû à l'hérédité ou apparu à la suite d'une blessure sérieuse.

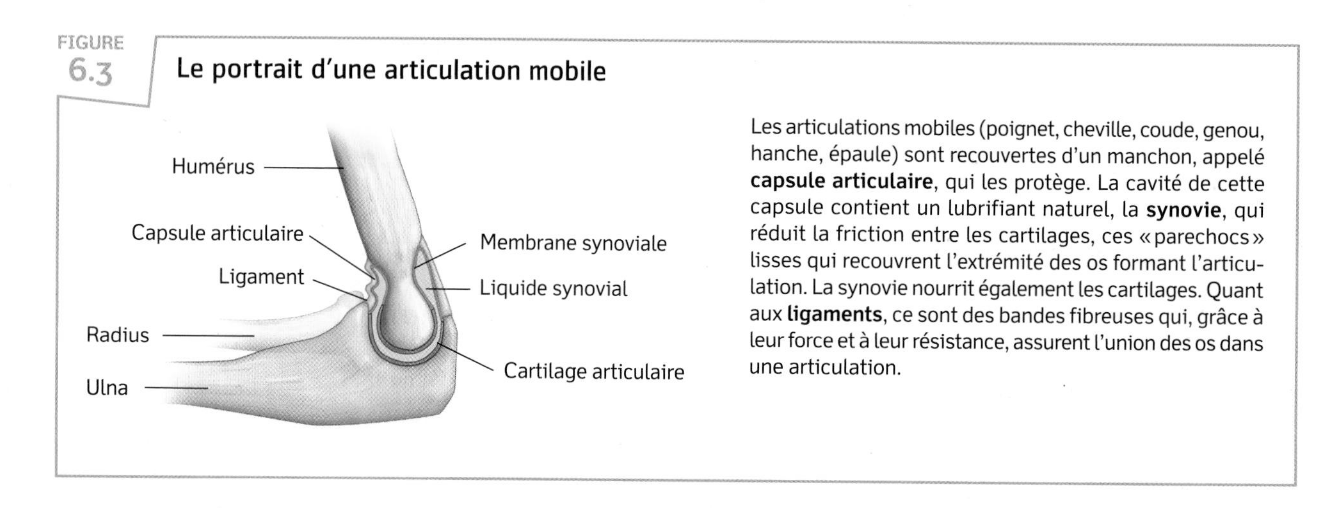

FIGURE 6.3 Le portrait d'une articulation mobile

Les articulations mobiles (poignet, cheville, coude, genou, hanche, épaule) sont recouvertes d'un manchon, appelé **capsule articulaire**, qui les protège. La cavité de cette capsule contient un lubrifiant naturel, la **synovie**, qui réduit la friction entre les cartilages, ces « parechocs » lisses qui recouvrent l'extrémité des os formant l'articulation. La synovie nourrit également les cartilages. Quant aux **ligaments**, ce sont des bandes fibreuses qui, grâce à leur force et à leur résistance, assurent l'union des os dans une articulation.

Les hypersouples

Nous avons tous vu, au cirque ou à la télévision, de jeunes contorsionnistes appuyées sur les avant-bras, les fesses par-dessus la nuque, le sourire aux lèvres comme si elles étaient assises dans un *lazy-boy*. Ou peut-être nous souvenons-nous d'amis d'enfance qui étendaient le coude ou le genou bien au-delà de 180 degrés, ramenaient le majeur sur le dos de leur main ou formaient des nœuds bizarres avec leurs doigts comme s'il s'agissait de morceaux de pâte à modeler. Ébahis devant de telles contorsions, nous nous demandions comment ils faisaient ! En fait, la plupart des « personnes caoutchouc » sont nées comme ça. C'est le **syndrome de l'hypermobilité articulaire**, comme disent les experts.

Des ligaments hyperlaxes

Pour comprendre ce syndrome, il faut savoir que la mobilité d'une articulation est limitée, notamment, par des bandes de tissu élastiques (à cause du collagène) qu'on appelle ligaments. Chez les personnes hypermobiles, ces ligaments sont très élastiques, ce qui donne à leurs articulations une amplitude hors du commun. Cette laxité ligamentaire se rencontre surtout chez les jeunes filles (les contorsionnistes masculins sont plus rares) et semble se transmettre de génération en génération.

La température et le moment de la journée

La chaleur assouplit, la froideur raidit. Ainsi, une élévation de la température corporelle, par exemple à la suite d'un échauffement, rend le liquide contenu dans la capsule articulaire (synovie) moins visqueux, ce qui améliore la flexibilité. À l'inverse, un refroidissement du corps est associé à une baisse de la flexibilité. De la même façon, on est habituellement plus flexible l'après-midi que le matin parce que les muscles sont un peu plus chauds qu'au réveil. Il en va de même après un échauffement suffisamment long (au moins 10 minutes) pour augmenter la température des muscles.

Les mécanismes de protection du muscle

Le muscle contient des récepteurs spécialisés sensibles à l'étirement des fibres ou à leur contraction, qui déclenchent deux réflexes musculaires.

- Le premier, le **réflexe myotatique**, survient dès qu'un muscle est soudainement étiré : le muscle se contracte pour résister à cet étirement qui pourrait lui causer une blessure. Mais ce réflexe disparaît au bout de quelques secondes, favorisant alors le relâchement des fibres.
- Le deuxième, le **réflexe myotatique inverse**, ou **réflexe tendineux**, se produit lors d'une forte contraction du muscle. Ce réflexe prend naissance dans l'attache du muscle (tendon), où se trouvent des récepteurs spécialisés (organes tendineux de Golgi). Il détend le muscle afin d'empêcher la production d'une trop grande force, qui pourrait endommager le muscle lui-même, les tendons, voire l'os où est fixé le muscle. Par exemple, si quelqu'un dépose sur vos avant-bras un objet plus lourd que vous ne le pensiez, ces derniers vont s'allonger pendant une seconde ou deux avant de fléchir à nouveau pour soutenir l'objet. Ces deux réflexes influent momentanément sur la flexibilité d'une articulation.
- Il en existe également un troisième, le **réflexe de l'inhibition réciproque** : il permet à un muscle agoniste qui se contracte de relâcher son antagoniste (figure 5.6, p. 183) afin de ne pas gêner le mouvement, ce qui facilite la coordination motrice. Nous verrons plus loin que ces réflexes jouent un rôle important dans les méthodes qui visent à améliorer la flexibilité.

Les blessures et l'arthrose

Les blessures, anciennes ou récentes, peuvent affecter de façon temporaire ou permanente la flexibilité d'une articulation, de même que l'érosion de son cartilage, laquelle conduit à l'arthrose (figure 6.4). Soulignons ici que certains athlètes victimes du surentraînement, de blessures à répétition ou, pire, des deux souffrent d'arthrose précoce (usure du cartilage) et voient leur flexibilité réduite.

FIGURE 6.4 L'articulation : quand l'arthrose s'y met

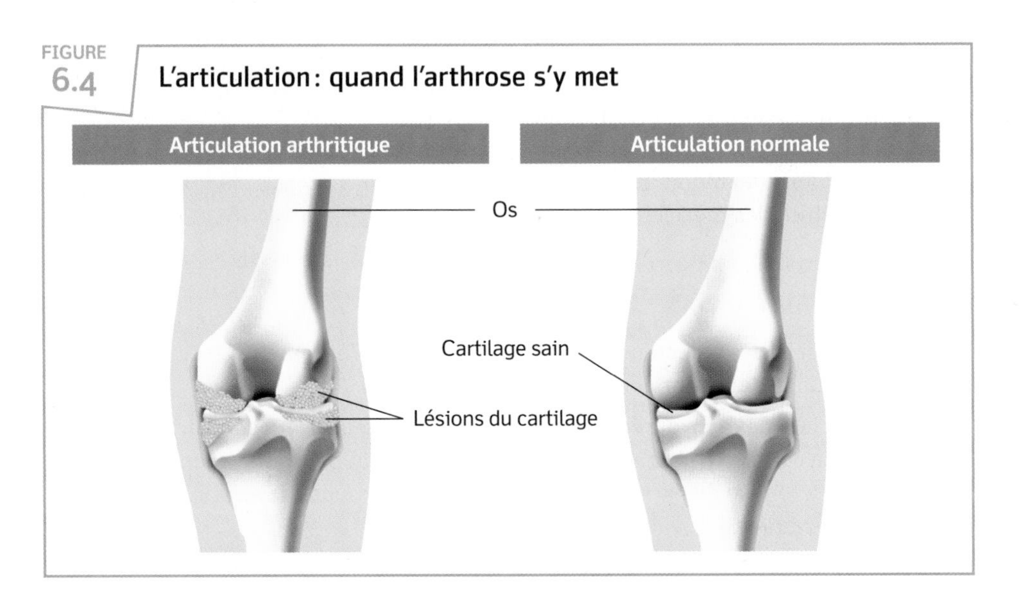

Le niveau d'activité physique

Ce facteur joue un rôle-clé dans la flexibilité. Tout entraînement ou activité physique qui occasionne un allongement des fibres musculaires et de leur enveloppe – le fascia (figure 3.3, p. 95) – améliore l'amplitude de mouvement. Mieux encore, **l'exercice accroît la lubrification des articulations en augmentant la production de synovie et en rendant moins visqueux ce liquide protecteur**. C'est une bonne nouvelle pour les cartilages qui baignent alors dans l'huile ! Vous l'aurez compris, ce chapitre traite du seul facteur sur lequel on peut agir pour améliorer ou maintenir sa flexibilité de façon durable, c'est-à-dire le facteur activité physique.

PLAN DE MATCH POUR CHANGER UN COMPORTEMENT

Vos muscles sont-ils trop raides?

	OUI	NON
Avez-vous souvent l'impression d'avoir la nuque raide?	☐	☐
Votre mobilité est-elle réduite lorsque vous tournez la tête à droite ou à gauche?	☐	☐
Avez-vous de la difficulté à vous laver le dos?	☐	☐
Votre région lombaire vous semble-t-elle raide ou ressentez-vous une certaine fatigue dans le bas du dos lorsque vous êtes assis pendant vos cours?	☐	☐
Vos pieds et vos chevilles vous semblent-ils raides lorsque vous vous levez le matin?	☐	☐

Si vous avez répondu *oui* à une ou plusieurs questions, vous souffrez un peu de raideur et auriez besoin d'améliorer votre flexibilité.

Voici quelques trucs simples pour intégrer des exercices de flexibilité dans votre routine quotidienne.

Dès demain, vous...

- vous assoirez sur le bord de votre lit au réveil et ferez avec votre pied droit, puis avec votre pied gauche, 10 cercles vers la droite et 10 autres vers la gauche. Vous ferez aussi 10 flexions-extensions des chevilles.
- détendrez vos muscles du cou, des épaules et du haut du cou pendant votre douche. Tout en réchauffant quelques instants ces muscles sous l'eau chaude, vous ferez 10 rotations des épaules vers l'avant, puis 10 vers l'arrière, et terminerez en tournant doucement la tête de droite à gauche une dizaine de fois.
- étirerez le cou et les épaules lorsque vous travaillerez longtemps à l'ordinateur. Toutes les 30 minutes, vous ferez pendant 5 minutes les mêmes exercices que sous la douche.

D'ici à deux semaines, vous...

- augmenterez la flexibilité de vos épaules en faisant un exercice simple à l'aide d'une serviette: en la tenant de la main droite, vous l'amènerez derrière votre nuque et essaierez d'en attraper l'autre extrémité de la main gauche, que vous aurez passée derrière votre dos. À la fin de ces deux semaines, vous devriez y parvenir. Essayez alors de tirer la serviette de haut en bas et de bas en haut. Profitez de cet exercice pour refaire le test des mains dans le dos (chapitre 2, p. 82).

D'ici à la fin de la session, vous...

- vous assoirez de temps à autre sur un gros ballon au lieu d'une chaise (devant l'ordinateur) ou d'un divan (devant la télévision). Vous ferez ainsi travailler vos muscles stabilisateurs pour qu'ils vous maintiennent en équilibre sur le ballon.

Source: Adapté de S.K. Powers et coll. (2014). *Total fitness & wellness* (6e éd.), Pearson, p. 86.

LES MÉTHODES D'ÉTIREMENT MUSCULAIRE

Comme on va le voir, on peut étirer un muscle de plusieurs façons. Mais quelle que soit la méthode utilisée, on doit s'arrêter avant de ressentir de la douleur. En effet, la douleur peut indiquer qu'un ligament, un tendon ou un muscle a été blessé, et parfois sérieusement. Il faut donc étirer le muscle jusqu'à la **zone d'étirement maximal sans douleur**. Cette zone idéale correspond à la **zone 2** de la figure 6.5. Dans cette figure sont également représentées la **zone 1**, où l'étirement n'a pas d'effet sur la flexibilité, et la **zone 3**, où il y a un risque élevé de blessures. Afin que vous puissiez évaluer plus finement l'intensité de vos étirements, nous avons associé l'échelle de Borg à ces trois zones.

Il existe quatre méthodes d'étirement musculaire : l'étirement avec élan et rebond, ou **étirement balistique** ; l'étirement en mouvement, ou **étirement dynamique** ; l'étirement avec maintien de la position d'étirement, ou **étirement statique** ; l'étirement avec contraction préalable du muscle, ou **étirement FNP**.

Vous choisirez votre méthode d'étirement en fonction de votre objectif : **échauffer vos muscles** et les assouplir avant une séance d'activité physique ; **détendre les muscles** sollicités lors du retour au calme ; **augmenter votre flexibilité** générale ou votre flexibilité fonctionnelle (spécifique à une activité que vous pratiquez) ; **améliorer votre posture** (chapitre 8). Examinons à présent ces différentes méthodes.

FIGURE 6.5 La zone d'étirement idéale associée à l'échelle de Borg

Longeur de l'étirement →

Zone 1	Zone 2 (zone idéale)	Zone 3
Étirement minimal Aucune tension musculaire	**Étirement maximal** (sans douleur) Tension musculaire	**Étirement maximal** (avec douleur) Douleur

Échelle de Borg

6	7	8	9	10	11	12	13	14	15	16	17	18	19	20

Zone 1	Zone 2	Zone 3
La **zone 1** est la portion de l'amplitude totale potentielle où on ne ressent pas de tension musculaire. Maintenir l'étirement dans cette zone est inefficace et ne permet pas de développer la flexibilité.	La **zone 2** est la portion de l'amplitude totale potentielle où on ressent une tension musculaire. Cette zone efficace comporte les limites minimale et maximale d'un étirement sans douleur : c'est ce qu'on appelle le « seuil d'étirement du muscle ».	La **zone 3** est la zone où l'étirement du muscle provoque de la douleur. Maintenir l'étirement dans cette zone est aussi inefficace que dans la zone 1, à la différence que le muscle aura tendance à se protéger en se contractant, voire à déclencher un spasme. Il faut donc éviter cette zone, car on augmente en plus le risque de blessure musculosquelettique.

Source : Y. Campbell (2005). Troubles musculosquelettiques et exercice. KIN 3024, Université de Montréal, Département de kinésiologie, p. 22.

L'étirement balistique

L'étirement balistique consiste en **une suite rapide de fortes contractions des muscles agonistes dans le but d'améliorer la mobilité des muscles antagonistes**[1]. Ce type d'étirement repose sur l'effet rebond, grâce auquel un muscle subitement étiré gagne de la flexibilité. On s'étire donc par à-coups (**figure 6.6A**). Par exemple, pour augmenter l'amplitude de leur coup de pied, les joueurs de soccer exécutent des balancés vigoureux de la jambe qui imitent le coup de pied. Bref, il s'agit d'un étirement **spécifique**, ou **fonctionnel**, qui vise à assouplir les muscles qui seront sollicités dans l'activité qui suit. Toutefois, l'étirement balistique comporte un risque élevé de blessures s'il est pratiqué par des personnes sédentaires, peu flexibles ou peu échauffées au niveau de l'articulation sollicitée. En effet, les étirements balistiques, plutôt brusques, sollicitent davantage le réflexe myotatique, lequel déclenche une contraction pendant l'étirement, ce qui peut finir par causer une blessure. De plus, si on contrôle mal la vitesse du mouvement, l'articulation peut aller au-delà de son amplitude normale. **Les étirements balistiques conviennent surtout aux personnes ayant déjà atteint un bon degré de flexibilité;** elles les exécutent, de préférence, après un bon échauffement et à la suite d'étirements plus progressifs et plus doux.

L'étirement dynamique

L'étirement dynamique consiste à **répéter plusieurs fois le même mouvement, tout en augmentant progressivement son amplitude**[1]. Il s'agit d'un mouvement ample à vitesse variable, comme ceux qu'on fait pour échauffer ses articulations: cercles des bras, des poignets, des chevilles, du tronc, etc. (**figure 6.6B**). **On utilise les étirements dynamiques au cours de l'échauffement parce qu'ils préparent bien à l'activité qui suit.** De plus, comme ils peuvent reproduire la gestuelle sportive ou quotidienne, ils contribuent à développer une flexibilité fonctionnelle. La recherche scientifique indique que les étirements dynamiques augmentent l'amplitude du mouvement en améliorant la flexibilité des muscles autour d'une articulation. Pour accroître la flexibilité de manière durable, ils sont cependant moins efficaces que les étirements statiques ou les étirements FNP.

L'étirement statique

L'étirement statique consiste à **étirer lentement un muscle ou plusieurs muscles jusqu'à ce qu'on atteigne la zone d'étirement maximal sans douleur**. On maintient ensuite cette position pendant un certain temps (**figure 6.6C**) afin d'éliminer l'effet du réflexe myotatique (contraction réflexe) et de profiter du réflexe myotatique inverse (décontraction réflexe). Selon certaines études[2], lorsqu'on exécute pendant l'échauffement des étirements statiques de longue durée (plus de

FIGURE 6.6 **Les différentes méthodes d'étirement musculaire**

A. Étirement balistique

On s'étire en prenant un élan et par à-coups (rebond).

B. Étirement dynamique

On s'étire en bougeant, mais sans à-coups.

C. Étirement statique

On s'étire, puis on maintient la position d'étirement un certain temps.

1. Définition de l'Office de la langue française du Québec.
2. D.G. Behm et coll. (2004). Effect of acute static stretching on force, balance, reaction time and movement time, *Medicine & Science in Sports & Exercise, 36*(8), 1397-1402; J.T. Cramer et coll. (2005). The acute effects of static stretching on peak torque, mean power output, electromyography, and mechanomyography, *European Journal of Applied Physiology, 93*(5-4), 530-539; D. Knudson et coll. (2000). Acute effects of stretching are not evident in the kinematics of the vertical jump, *Research Quarterly for Exercise and Sport, 71* (supplément), A-30; D. Rosenbaum et E.M. Hennig (1995). The influence of stretching and warm-up exercises on Achilles tendon reflex activity, *Journal of Sport Sciences, 13*(6), 481-490; T. Yamaguchi et K. Ishii (2005). Effects of static stretching for 30 seconds and dynamic stretching on leg extension power, *Journal of Strength & Conditioning Research, 19*(3), 677-683.

FIGURE 6.7 Un exemple d'étirement passif statique

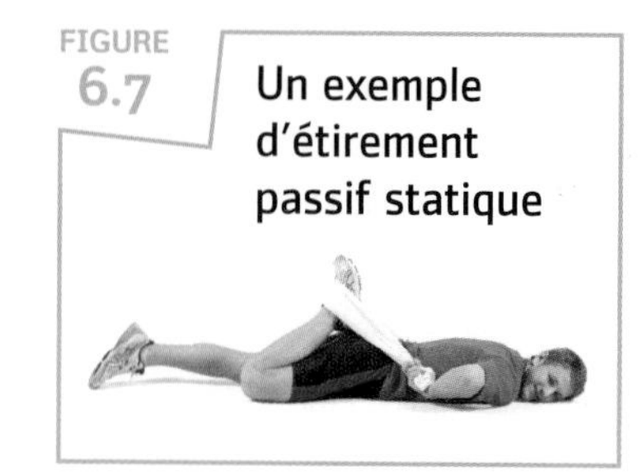

FIGURE 6.8 L'étirement FNP

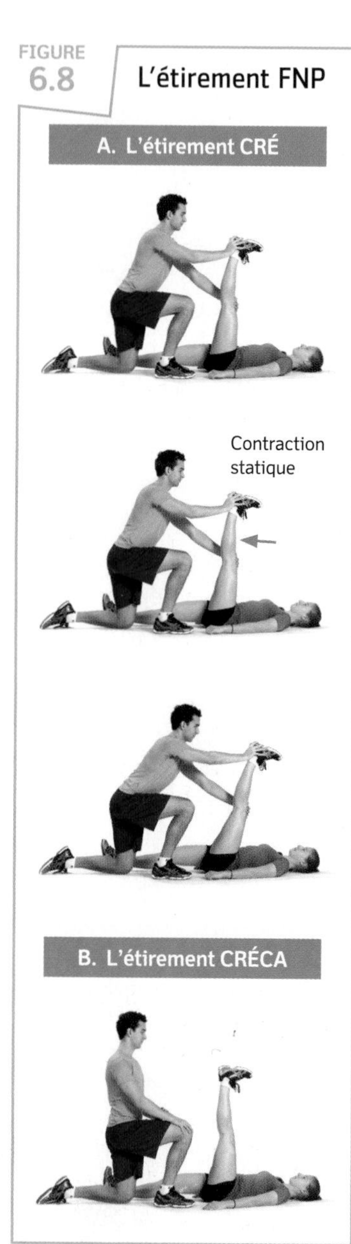

30 secondes), cela réduit la force et probablement aussi la coordination du muscle étiré durant l'heure qui suit. C'est pourquoi les athlètes pratiquant un sport qui exige de la force et de la puissance feront ce type d'étirements après leur séance d'entraînement, plutôt qu'avant.

L'étirement statique peut être actif ou passif. L'**étirement statique actif** consiste à étirer un muscle tout en contractant son muscle antagoniste. Par exemple, vous êtes allongé sur le dos et levez une jambe vers la verticale afin d'étirer les muscles de l'arrière de la cuisse (relâchement des ischiojambiers). Pour tenir ainsi la jambe, l'antagoniste des ischiojambiers, le quadriceps (avant de la cuisse), doit se contracter. Cette forme d'étirement ne permet pas l'allongement optimal du muscle. À l'inverse, l'**étirement statique passif** (figure 6.7) consiste à étirer un muscle en évitant le plus possible de contracter son antagoniste. Par exemple, vous êtes allongé sur le dos et levez une jambe vers la verticale, mais cette fois un partenaire tient votre jambe et l'amène, lentement, vers votre poitrine, ce qui permet d'étirer davantage les ischiojambiers car le quadriceps (l'antagoniste) n'entre pas en action ou très peu. **On applique donc une force habituellement externe – la force d'un partenaire, une serviette enroulée, une machine, un poids – afin d'étirer davantage le muscle.**

L'étirement FNP

L'étirement FNP – qui tient son nom de la technique de **facilitation neuromusculaire proprioceptive** – consiste dans un premier temps à contracter le muscle, puis à l'étirer. Comme le montre la recherche scientifique, en déclenchant ainsi le réflexe myotatique inverse (p. 217), on obtient **un plus grand relâchement de la fibre musculaire**.

Il existe plusieurs versions de l'étirement FNP. Les deux plus connues sont le contracte-relâche-étire (CRÉ) et le contracte-relâche-étire-contracte-antagoniste (CRÉCA), également désigné par l'acronyme anglais CRAC.

L'**étirement CRÉ** se fait en trois étapes (**figure 6.8A**) :

1. Avec l'aide d'un partenaire, si possible, commencez par **étirer lentement** (étirement statique) le muscle que vous voulez assouplir jusqu'à la zone d'étirement maximal sans douleur (**photo 1**).
2. Puis, **faites une contraction statique pendant 5 à 6 secondes**, ce qui déclenche le réflexe myotatique inverse (décontraction réflexe du muscle). Votre partenaire oppose une résistance en bloquant le membre pendant la contraction (**photo 2**).
3. Relâchez ensuite le muscle, pendant 2 à 3 secondes, sans modifier l'angle de l'articulation et enchaînez, toujours aidé par votre partenaire, avec **un autre étirement statique pendant 20 à 30 secondes**, étirement qui sera favorisé par le grand relâchement musculaire résultant du réflexe myotatique inverse (**photo 3**).

Si vous optez pour l'**étirement CRÉCA** (**figure 6.8B**), ajoutez une quatrième étape : contractez l'antagoniste pendant 6 à 10 secondes afin de déclencher le réflexe d'inhibition réciproque (**photo 4**).

Pour un étirement optimal, répétez les étirements FNP de 2 à 5 fois, en vous accordant une pause de 20 à 30 secondes entre chaque répétition.

Les étirements FNP permettent des gains de flexibilité plus rapides et plus prononcés que les étirements statiques ou dynamiques. Par contre, il est souhaitable d'avoir un minimum de flexibilité avant de les exécuter, en particulier pour la méthode CRÉCA, sinon les courbatures seront assurément au rendez-vous, sans compter le risque élevé de blessures musculaires et ligamentaires si le partenaire pousse un peu trop loin lors de l'étirement passif. À défaut de partenaire, vous pouvez utiliser une serviette, une chaise, une table ou un mur, par exemple.

Ces différentes méthodes d'étirement sont résumées dans le **tableau 6.1**.

TABLEAU 6.1 Les différentes méthodes d'étirement musculaire

Méthode	Pour qui ?	À quel moment de la séance d'entraînement ?	Avantage(s)	Inconvénient(s)
Étirement balistique	Personnes entraînées et déjà souples	Vers la fin de l'échauffement	Préparation spécifique à la gestuelle des activités exigeant force et puissance (flexibilité fonctionnelle)	Risque accru de blessures pour les personnes non expérimentées
Étirement dynamique	Tous	Lors de l'échauffement	Liquide synovial plus fluide ; pleine amplitude de mouvement autour de l'articulation ; reproduction fidèle de la gestuelle quotidienne et sportive (flexibilité fonctionnelle)	Moins efficace que les autres méthodes pour améliorer la flexibilité
Étirement statique (actif et passif)	Tous	Lors du retour au calme ou au cours d'une séance dédiée à la flexibilité	Efficace pour améliorer la flexibilité	Dans le cas de l'étirement statique passif avec partenaire, celui-ci peut pousser trop loin s'il n'est pas expérimenté.
Étirement FNP, version CRÉ	Personnes expérimentées dans les exercices de flexibilité	Lors du retour au calme ou au cours d'une séance dédiée à la flexibilité	Gains rapides de flexibilité ; amélioration de la coordination agoniste-antagoniste (proprioception)	Exige plus de temps que les autres méthodes, ainsi que (habituellement) la présence d'un partenaire expérimenté ; favorise l'apparition de courbatures.
Étirement FNP, version CRÉCA	Personnes très expérimentées dans les exercices de flexibilité	Lors du retour au calme ou au cours d'une séance dédiée à la flexibilité	Gains rapides de flexibilité ; amélioration de la coordination agoniste-antagoniste (proprioception)	Exige plus de temps encore que la version CRÉ, ainsi que la présence d'un partenaire expérimenté ; favorise l'apparition de courbatures.

ZONE ÉTUDIANTE

Fanny Ranger et Isabelle St-Germain

CÉGEP MARIE-VICTORIN

Pour Fanny et Isabelle, la pratique du yoga est bénéfique sur tous les plans.

Fanny Ranger

C'est lors de ma première session au cégep que j'ai découvert le yoga. Certains exercices qui s'y rattachent font maintenant partie de mon quotidien. Par exemple, presque chaque matin, quand je me réveille, je fais quelques exercices d'étirement et de relaxation comme l'Enfant, le Cobra (le Mackenzie) et l'étirement de tout le corps.

La santé physique, la santé émotive et la santé sociale, trois dimensions d'après moi très liées, se rattachent au yoga. Inclure dans ma vie de tous les jours des exercices comme la torsion de la colonne vertébrale réduit mes maux de dos et améliore ma posture (j'ai la mauvaise habitude de ne pas me tenir droite et de courber les épaules). Et puis, de toute évidence, le yoga entretient ma souplesse, me protégeant ainsi contre certaines blessures.

Sur le plan de la santé émotive, le yoga m'aide à gérer mon stress en me détendant. Je suis une fille qui stresse très facilement à la moindre occasion. J'apprécie donc particulièrement les exercices respiratoires du yoga, car ils m'aident à mieux maîtriser ma respiration lors de mes « petites crises d'angoisse ».

Enfin, la pratique du yoga m'aide dans mes rapports sociaux. Car même si cette discipline est une activité surtout individuelle, l'équilibre émotionnel qu'elle me procure me permet d'établir de meilleurs contacts avec mon entourage. Disons que, quand je suis troublée (par les études, le travail, un imprévu, etc.), mon humeur s'en ressent et peut affecter négativement l'ambiance dans le groupe où je me trouve. Mais heureusement l'inverse est également vrai : quand je suis d'humeur calme et sereine, mes amis se sentent mieux eux aussi !

Isabelle St-Germain

Le yoga est plus que de la flexibilité, c'est un cadre de pensée. Car s'il propose des postures, son but final n'est pas de les atteindre, mais d'évoluer avec elles.

Le yoga me permet d'étirer mes muscles, mes tendons et mes nerfs, faisant circuler l'énergie dans tout mon corps, tonifiant mon système nerveux, accroissant ma force et mon endurance, et permettant d'aligner mon corps. Grâce au yoga, j'ai l'esprit posé, je m'intéresse plus naturellement à ce qui m'entoure. Ma curiosité intellectuelle est stimulée, ma mémoire aussi.

En me relaxant, le travail de respiration dans l'exécution des mouvements me connecte à mes émotions. Je les perçois mieux. Quand elles sont dispersées ou envahissantes, je peux choisir de ne pas les garder.

Le yoga permet d'affronter ses limites. Quand on se croit incapable de quelque chose, c'est souvent notre esprit qui crée la barrière. En guidant mon attention sur des régions précises de mon corps, le yoga m'apprend que l'important n'est pas de dépasser mes limites, mais d'évoluer avec elles quand je sens que j'en suis capable et ne pas forcer si je sens une tension. Je peux faire abstraction de la voix intérieure qui me décourage, et prendre conscience de ce que je peux ou ne peux pas réellement faire.

Le yoga me donne le goût d'éliminer ce qui nuit à mon bien-être. Maintenant je range ma chambre, j'ai plus de facilité à m'exprimer et je fais preuve de plus de présence aux autres. Plus j'approfondis la pratique du yoga, plus je découvre ma vraie nature.

LES PRINCIPES DE L'ENTRAÎNEMENT ET LA FLEXIBILITÉ

Pour améliorer notablement votre flexibilité dans un délai raisonnable, et ce, de manière sécuritaire, vous devez appliquer correctement les principes de l'entraînement.

La spécificité

Pour améliorer sa flexibilité, il faut faire les exercices d'étirement qui sollicitent les régions musculaires visées. Il faut aussi choisir la méthode d'étirement la plus appropriée : étirement balistique, dynamique, statique ou FNP. Le **tableau 6.2** peut vous aider à déterminer les étirements spécifiques qui correspondent le mieux aux activités physiques que vous pratiquez.

TABLEAU 6.2 **Soyez spécifique pour améliorer votre flexibilité**

Régions musculaires	Muscles sollicités	Suggestions d'exercices*	Activités physiques pratiquées
Bras et avant-bras	Biceps, triceps, extenseurs communs des doigts, fléchisseurs profonds des doigts	Exercices 1, 2 et 3	Arts martiaux (judo, karaté, kung-fu, etc.), canotage, sports de raquette (badminton, tennis, squash, racquetball), natation, sports collectifs (volleyball, basketball, handball, etc.)
Cou et épaules	Deltoïde, trapèze, sterno-cléido-mastoïdien	Exercices 2 et 3	Arts martiaux, canotage, golf, sports de raquette, natation, sports collectifs, cyclisme, hockey, ski de fond et ski alpin
Poitrine et haut du corps	Pectoraux, intercostaux, trapèze, rhomboïdes, grand et petit rond	Exercices 3 et 14	Arts martiaux, canotage, golf, sports de raquette, natation, sports collectifs, cyclisme, hockey, jogging, ski de fond et ski alpin
Abdominaux et bas du dos	Droit de l'abdomen, obliques, transverse, grand dorsal, érecteur du rachis	Exercices 4 et 5	Arts martiaux, golf, sports de raquette, natation, sports collectifs, cyclisme, hockey, jogging, marche sportive, ski de fond et ski alpin
Hanches, cuisses, jambes, pieds et chevilles	Fessiers, ischiojambiers, gastrocnémiens, soléaire, iliopsoas, quadriceps, abducteurs et adducteurs de la cuisse, jambiers antérieurs	Exercices 6 à 13	Arts martiaux, golf, sports de raquette, sports collectifs, cyclisme, hockey, jogging, marche sportive, ski de fond et ski alpin

* Les exercices suggérés proviennent du répertoire présenté en fin de chapitre (p. 245).

Source : Adapté de *Stretching, guide des étirements*, www.stretching-guide.com.

La surcharge

Vous devez appliquer aux exercices que vous avez choisis les variables FIT : fréquence hebdomadaire, intensité des exercices et temps mis pour exécuter tous les exercices (durée de la séance).

La fréquence des séances

Selon les recommandations les plus récentes des experts[1], on devrait faire des exercices d'étirement au moins deux à trois fois par semaine. Quand on est habitué à étirer ses muscles depuis quelques mois, on peut même s'étirer tous les jours. En ce qui concerne les étirements exécutés lors de l'échauffement et du retour au calme, on les exécute évidemment chaque fois qu'on pratique ses activités physiques.

L'intensité des exercices

Plusieurs variables déterminent l'intensité de l'étirement.

- L'atteinte de la zone d'étirement maximal sans douleur. Cette zone correspond à la zone 2 illustrée à la figure 6.5 (p. 220). Quel que soit le type d'étirement exécuté, vous ne devez pas vous étirer jusqu'à en ressentir de la douleur, et ce, pour deux raisons. **La première**, la plus importante, c'est que vous risquez de provoquer une déchirure du muscle ; **la deuxième**, c'est que vous ne gagnez rien de plus en flexibilité en étirant les fibres musculaires de manière aussi intense. Dans le cas des exercices dynamiques, commencez par des mouvements de faible amplitude exécutés lentement (par exemple, une répétition en 2 secondes), puis augmenter petit à petit l'amplitude du geste ainsi que la vitesse (par exemple, une répétition en 1 seconde).
- La durée de l'étirement. Pour les **étirements dynamiques**, la durée de chaque répétition est plutôt brève, de 1 à 3 secondes en général.

  Pour les **étirements statiques**, il est généralement recommandé de **tenir l'étirement** dans la zone d'étirement maximal sans douleur pendant **20 à 30 secondes**. Précisons cependant que les athlètes qui doivent avoir une grande flexibilité tiennent parfois la pause d'étirement pendant 60 secondes.

  Enfin, concernant les **étirements FNP**, on recommande de tenir la contraction isométrique pendant 5 à 6 secondes et l'étirement statique qui suit pendant 20 à 30 secondes.
- Le nombre de répétitions. Pour ce qui est des **étirements dynamiques**, on recommande de 5 à 25 répétitions à vitesse et amplitude variables, tandis que, dans le cas des **étirements statiques** et des **étirements FNP**, on suggère de 2 à 5 répétitions.
- Le temps de repos entre les répétitions. Quel que soit le type d'étirements (sauf les étirements dynamiques), on doit prévoir un temps de repos de 10 à 20 secondes (en moyenne) entre chaque répétition.

La durée de la séance d'étirement

Il n'y a pas de règle absolue. La séance peut durer 5 minutes comme 60 minutes, selon l'objectif poursuivi, le nombre d'exercices d'étirement effectués et la méthode d'étirement choisie.

1. C.E. Garber et coll. (2011). Quantity and quality of exercise for developing and maintaining cardiorespiratory, musculoskeletal, and neuromotor fitness in apparently healthy adults: guidance for prescribing exercise (ACSM), *Medicine & Science in Sports & Exercise*, *43*(7), 1134-1359.

La progression

Pour gagner en flexibilité, on doit au fil des séances modifier progressivement les variables de la surcharge, c'est-à-dire la fréquence, l'intensité et la durée des étirements, mais sans jamais atteindre le seuil de la douleur. Par exemple, au début de votre programme, vous pouvez tenir la position d'étirement pendant 10 secondes seulement, passer ensuite à 15 secondes, puis à 20 secondes, et ainsi de suite jusqu'à 30 secondes, selon votre objectif de durée. De la même façon, vous augmentez le nombre de répétitions par exercice. Dans le cas de l'étirement statique et de l'étirement FNP, vous pouvez commencer par 2 répétitions, passer à 3 répétitions les semaines suivantes et, le moment venu, à 4 répétitions si tel est votre objectif. Dans le cas de l'étirement dynamique, vous pouvez débuter avec 10 répétitions, continuer avec 15 répétitions, pour atteindre une vingtaine de répétitions par mouvement. Enfin, vous pouvez faire varier la fréquence hebdomadaire : de 2 séances au début, à 3 séances, puis 4 ou 5 séances, selon l'objectif que vous vous êtes fixé. La **figure 6.9** donne un exemple de progression en matière d'étirement musculaire.

FIGURE 6.9 **Un exemple de progression en flexibilité**

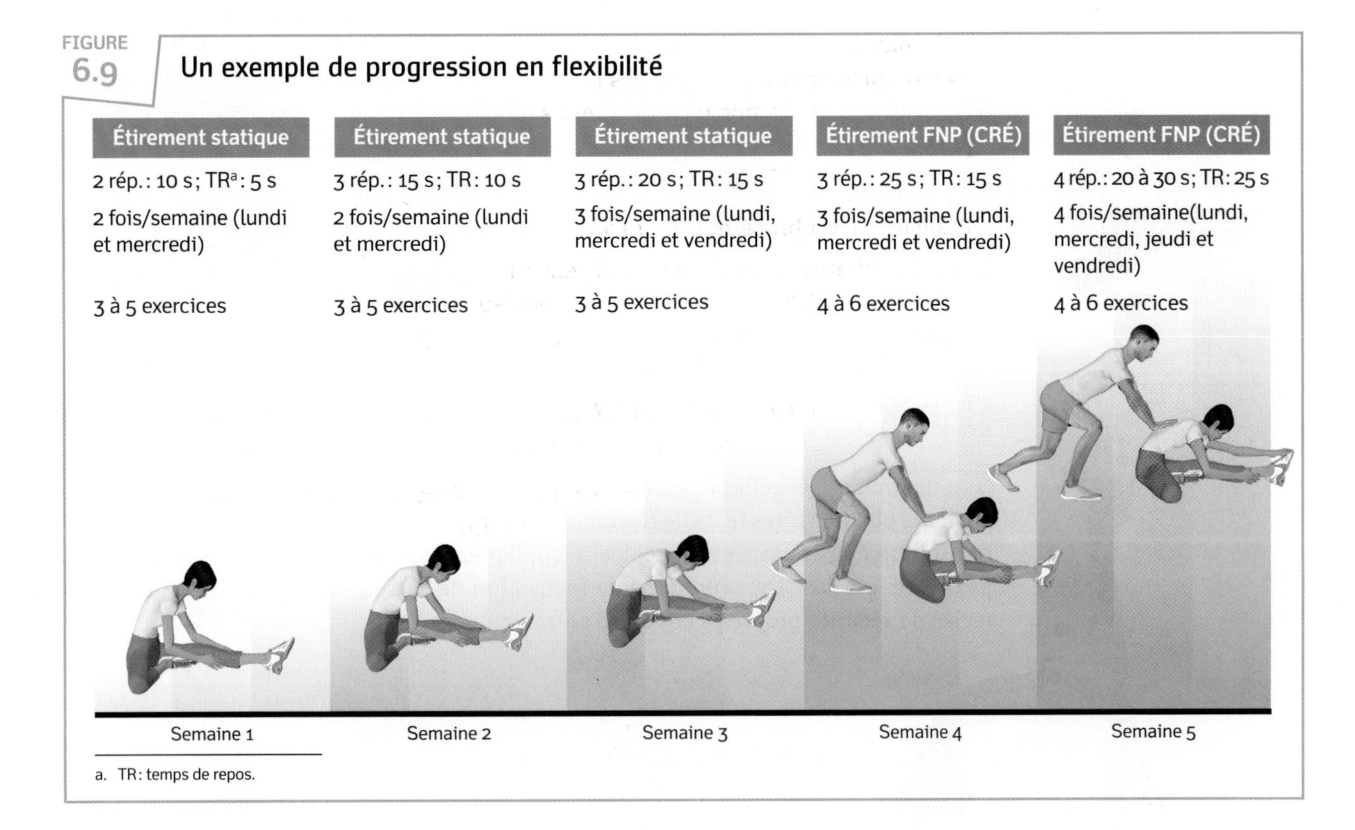

Étirement statique
2 rép. : 10 s ; TR[a] : 5 s
2 fois/semaine (lundi et mercredi)
3 à 5 exercices
Semaine 1
Étirement statique
3 rép. : 15 s ; TR : 10 s
2 fois/semaine (lundi et mercredi)
3 à 5 exercices
Semaine 2
Étirement statique
3 rép. : 20 s ; TR : 15 s
3 fois/semaine (lundi, mercredi et vendredi)
3 à 5 exercices
Semaine 3
Étirement FNP (CRÉ)
3 rép. : 25 s ; TR : 15 s
3 fois/semaine (lundi, mercredi et vendredi)
4 à 6 exercices
Semaine 4
Étirement FNP (CRÉ)
4 rép. : 20 à 30 s ; TR : 25 s
4 fois/semaine(lundi, mercredi, jeudi et vendredi)
4 à 6 exercices
Semaine 5

a. TR : temps de repos.

Le maintien

Une fois votre objectif atteint, vous pouvez réduire le volume d'entraînement en diminuant le nombre de répétitions de chaque exercice ainsi que le nombre de séances par semaine (conservez-en au moins 2 par semaine), mais sans réduire l'intensité de vos efforts, soit le seuil d'étirement et la durée de l'étirement. Le **tableau 6.3** présente trois exemples de programmes de flexibilité appliquant les principes de surcharge, de progression et de maintien selon qu'on est de niveau débutant (peu expérimenté), intermédiaire (expérimenté) ou avancé (très expérimenté).

TABLEAU 6.3 Trois exemples de programme de flexibilité à base d'étirements statiques

Niveau débutant (peu expérimenté)							
	Lundi	**Mardi**	**Mercredi**	**Jeudi**	**Vendredi**	**Samedi**	**Dimanche**
Semaine 1	15 s/1 rép.			15 s/1 rép.			
Semaine 2	20 s/1 rép.			20 s/1 rép.			
Semaine 3	25 s/2 rép.			25 s/2 rép.			
Niveau intermédiaire (expérimenté)							
Semaine 1	25 s/2 rép.		25 s/2 rép.		25 s/2 rép.		
Semaine 2	30 s/2 rép.		30 s/2 rép.		30 s/2 rép.		
Semaine 3	30 s/3 rép.		30 s/3 rép.		30 s/3 rép.		
Niveau avancé (très expérimenté)							
Semaine 1	30 s/3 rép.		30 s/3 rép.		30 s/3 rép.		
Semaine 2	30 s/4 rép.		30 s/4 rép.		30 s/4 rép.	30 s/4 rép.	
Semaine 3	30 s/4 rép./FNP		30 s/4 rép./FNP		30 s/4 rép./FNP	30 s/4 rép./FNP	
Maintien	30 s/2 rép./FNP				30 s/2 rép./FNP		

ÉLABOREZ VOTRE PROGRAMME D'ÉTIREMENT MUSCULAIRE

Le programme d'étirement musculaire que vous allez concevoir prend en compte les résultats obtenus à vos tests de flexibilité. La démarche à suivre comporte, pour l'essentiel, quatre étapes : se fixer un objectif, appliquer les principes de l'entraînement à la flexibilité, préciser les conditions de réalisation de votre programme et respecter les règles de sécurité propres à ce type d'entraînement.

Étape 1: Fixez-vous un objectif de type «SMART»

Votre objectif doit correspondre à vos capacités et besoins déterminés lors des tests d'évaluation de votre flexibilité. Il doit être **spécifique, mesurable, orienté vers l'action, réaliste et limité dans le temps**. Voici les cas de Vincent et de Delphine; ils vous aideront à formuler votre objectif dans le **bilan 6.2** (p. 240).

Vincent 18 ans

Il a atteint 24 centimètres au test de flexion du tronc avec flexomètre, soit une cote faible, et il entend améliorer la flexibilité de sa région lombaire (bas du dos), de ses fessiers et des muscles arrière de ses cuisses. Il a choisi la méthode de l'étirement statique (en mode actif), parce qu'elle donne de bons résultats tout en étant sécuritaire. De plus, elle ne nécessite pas de partenaire. Outre l'exercice utilisé dans le test (flexion du tronc en position assise), Vincent effectuera 2 autres étirements de la région lombaire.

Il se fixe comme objectif de faire 3 exercices d'étirement statique de la région lombaire et de l'arrière des cuisses en mode actif, 5 fois par semaine pour atteindre au moins 29 centimètres (cote moyenne) lors de la reprise du test dans 1 mois. Il choisira ses exercices dans le répertoire (p. 245 à 248) mais aussi dans MonLab. Cet objectif est **spécifique** (effectuer 3 exercices d'étirement statique pour le bas du dos et l'arrière des cuisses 5 fois par semaine), **mesurable** (atteindre 29 centimètres au test de flexion du tronc), orienté vers l'**action** (voir à l'étape 2 les moyens qu'utilise Vincent pour atteindre son objectif), **réaliste** (gagner 5 centimètres est faisable en 1 mois) et limité dans le **temps** (1 mois).

MonLab

photos et vidéos: exercices d'étirement

Delphine 20 ans

Bien qu'elle ait obtenu d'assez bons résultats aux tests de flexibilité (une cote moyenne et deux cotes élevées), Delphine souhaite être encore plus souple maintenant qu'elle fait partie de l'équipe de volleyball de son cégep.

Elle se fixe comme objectif de faire 4 fois par semaine 8 exercices d'étirements selon la méthode FNP (version CRÉ) avec une partenaire afin d'obtenir la cote très élevée aux 3 tests de flexibilité qui seront repris dans 6 semaines. La plupart des exercices ont été proposés par l'entraîneur de l'équipe de volleyball. Cet objectif est **spécifique** (effectuer 8 exercices d'étirements FNP qui sollicitent les articulations des épaules, de la hanche, des genoux, des chevilles ainsi que la colonne vertébrale), **mesurable** (atteindre la cote très élevée aux 3 tests de flexibilité), orienté vers l'**action** (voir à l'étape 2 les moyens qu'utilise Delphine pour atteindre son objectif), **réaliste** (pour une athlète comme Delphine, obtenir une cote très élevée est possible en 6 semaines) et limité dans le **temps** (6 semaines).

Étape 2 : Appliquez les principes de l'entraînement

Pour atteindre votre objectif, vous devez appliquer les principes de l'entraînement à l'amélioration de la flexibilité. Voyons comment Vincent et Delphine ont franchi cette étape.

Vincent

Spécificité *:* 3 étirements statiques en mode actif pour améliorer la flexibilité de la région lombaire et de l'arrière des cuisses.

Surcharge :

- ***Fréquence :*** 5 fois par semaine.
- ***Intensité :***
  - *Durée de l'étirement (par exercice) :* 30 secondes dans la zone d'étirement maximal sans douleur.
  - *Nombre de répétitions :* 3
  - *Temps de repos entre les répétitions :* 20 secondes.
- ***Durée de la séance :*** Environ 12 minutes.

Progression : Il appliquera, en partie, la progression suggérée à figure 6.9 pour atteindre 30 secondes d'étirement statique en mode actif.

Maintien (s'il y a lieu) : Une fois son objectif atteint, Vincent réduira son volume d'entraînement : il passera à 2 répétitions et à 3 séances par semaine. Il maintiendra toutefois la même intensité, soit 30 secondes d'étirement statique en mode actif.

Delphine

Spécificité *:* 8 étirements selon la méthode FNP (version CRÉ) pour améliorer sa flexibilité générale.

Surcharge :

- ***Fréquence :*** 4 fois par semaine.
- ***Intensité :***
  - *Durée de l'étirement CRÉ (par exercice) :* 6 secondes en contraction isométrique, 2 secondes en relâchement et 30 secondes d'étirement statique en mode passif dans la zone d'étirement maximal sans douleur avec l'aide de sa partenaire.
  - *Nombre de répétitions :* 4
  - *Temps de repos entre les répétitions :* 30 secondes.
- ***Durée de la séance :*** Environ 35 minutes, y compris un léger échauffement.

Progression : Pour les 4 premières séances, elle fera 3 répétitions par exercice avec un temps d'étirement avec partenaire de 20 secondes. Puis, à la 5e séance, elle passera à 25 secondes d'étirement, et à la 8e séance, à 30 secondes en faisant 4 répétitions au lieu de 3.

Maintien (s'il y a lieu) : Une fois son objectif atteint, Delphine réduira son volume d'entraînement : elle passera à 2 répétitions et à 2 séances par semaine. Elle maintiendra toutefois la même intensité, soit 6 secondes de contraction isométrique et 30 secondes d'étirement statique en mode passif avec partenaire.

Étape 3 : Précisez les conditions de réalisation de votre programme

Préciser les conditions dans lesquelles vous allez mener votre programme personnel d'étirement musculaire consiste à répondre aux questions suivantes : « Où vais-je faire mes étirements ? Quand ? Et avec qui ? » Voyons les conditions de réalisation établies par Vincent et Delphine.

Vincent

Durée du programme : 4 semaines, du 16 septembre au 11 octobre.

Où ? Chez lui.

Quand ? Du lundi au vendredi, vers 19 h.

Avec qui ? Seul.

Delphine

Durée du programme : 6 semaines, du 3 février au 7 mars.

Où ? Dans le gymnase de son cégep après les entraînements de volleyball.

Quand ? Les lundis, mercredis, jeudis et vendredis vers 20 h 30.

Avec qui ? Sabrina, membre de l'équipe de volleyball.

Étape 4 : Respectez les règles de sécurité propres à ce type d'entraînement

Avant toute chose, il importe de **ne pas confondre échauffement et étirement.** Alors que **l'échauffement vise à augmenter la température du corps** et donc des muscles, **l'étirement a pour but d'assouplir le muscle.** Un échauffement peut inclure des exercices d'étirement, qu'on exécute habituellement vers la fin de la période d'activité physique. Ces étirements seront d'autant plus spécifiques et nombreux que l'activité qui suit exige une bonne amplitude de mouvement. Nous reviendrons sur l'échauffement au chapitre 9.

Vous devez également garder à l'esprit les précautions suivantes :

- ✓ **Lorsqu'un muscle est froid, étirez-le très lentement**, car ses fibres résistent à l'allongement ;
- ✓ **Évitez les étirements balistiques** (avec rebond ou à-coups), sauf si vous êtes déjà souple, bien entraîné et bien échauffé ;
- ✓ **N'étirez pas un muscle blessé**, sous peine d'aggraver la blessure.
- ✓ **Lors de l'échauffement, privilégiez les étirements dynamiques**, que vous exécuterez vers la fin, lorsque vos muscles seront plus chauds. Vous pourrez ainsi vous étirer

avec une plus grande amplitude, sans irriter vos tendons et vos muscles. Faites de 10 à 20 répétitions de chaque étirement dynamique afin de maximiser votre préparation physique.

- ✓ **Faites aussi des étirements pendant le retour au calme.** Profitez de cette période pour détendre les muscles sollicités pendant la séance d'activité physique en faisant quelques étirements statiques et dynamiques. Dans le cas des étirements statiques, comme il s'agit d'un retour au calme, vous pouvez tenir la position d'étirement maximal sans douleur quelques secondes seulement, à moins que vous ne teniez à travailler en même temps votre flexibilité. Vous devrez alors respecter les règles suivantes : une durée d'étirement de 20 à 30 secondes et au moins 2 répétitions par exercice.
- ✓ **Étirez les muscles agonistes et antagonistes.** L'efficacité et la fluidité du mouvement passent par l'équilibre harmonieux des groupes musculaires sollicités dans ce mouvement. Par exemple, si vous étirez vos biceps, étirez aussi vos triceps.
- ✓ **Choisissez des étirements adaptés à votre condition musculo-articulaire.** Si, pour diverses raisons, l'amplitude de mouvement d'une ou de plusieurs de vos articulations est grandement limitée, tenez-en compte dans vos étirements et respectez cette limite. De plus, le degré naturel de flexibilité et de laxité ligamentaire peut varier énormément d'une personne à l'autre.
- ✓ **Faites, autant que possible, des étirements liés à l'activité que vous pratiquez (flexibilité fonctionnelle).** Chaque activité physique, chaque sport sollicite de manière différente la flexibilité des articulations et la souplesse des muscles. Par exemple, le jogging exige, en particulier, la souplesse des tendons d'Achille et des mollets ; le golf, celle du dos et des épaules ; le cyclisme, celle des hanches et des cuisses ; et le hockey, un peu tout cela à la fois. À la fin de l'échauffement et lors du retour au calme, il est donc souhaitable d'intégrer quelques exercices d'étirement spécifiques à votre pratique de l'activité physique.
- ✓ **Étirez-vous et respirez !** Il n'est pas rare de voir quelqu'un s'étirer la bouche fermée et le visage rouge. Erreur ! Il faut respirer quand on s'étire, car cela facilite l'étirement du muscle. Pendant un étirement statique, on expire lentement, habituellement pendant la phase d'étirement du muscle. Puis, lors du maintien de l'étirement, qui peut durer plusieurs secondes, on respire normalement. On peut même profiter de la période de maintien de l'étirement pour pratiquer la respiration abdominale (p. 386). Lors d'étirements dynamiques, on respire normalement.
- ✓ **Si vous avez un partenaire, optez pour les étirements de type FNP.** Ils sont plus efficaces que les étirements statiques. Cependant, votre partenaire et vous devez avoir l'habitude de travailler ensemble et savoir comment vous prémunir l'un l'autre contre l'étirement excessif d'un muscle.
- ✓ **Variez l'angle des étirements.** Quand on regarde une planche anatomique (chapitre 5, p. 202 et 203), on remarque que les muscles ne sont pas toujours droits et uniformes sur toute leur longueur (c'est notamment le cas du tibial antérieur, du quadriceps et de l'iliopsoas). Variez donc l'angle des étirements afin de solliciter sur toute leur longueur **toutes les fibres** du muscle ou du groupe musculaire étiré. Par exemple, pour varier l'angle d'étirement des fibres musculaires, il suffit parfois de tourner le pied vers l'extérieur ou un peu plus vers l'intérieur.

Pour en savoir plus

Consultez MonLab à la rubrique « Pour en savoir plus ». Vous y trouverez des suggestions de lecture et des sites Internet à visiter.

VRAI OU **FAUX**? **RÉPONSES**

1. **La musculation réduit la flexibilité.** **FAUX!** Ce qui nuit à la flexibilité, c'est l'insuffisance d'étirements. Cependant, à la fin d'une séance de musculation, mieux vaut faire quelques étirements afin de délier les muscles qui ont été très sollicités.
2. **Il n'est pas nécessaire de s'échauffer avant une séance d'étirements.** **FAUX!** Un muscle chaud est plus facile à étirer qu'un muscle froid. De plus, lorsqu'on l'étire, le muscle chaud revient plus rapidement à sa longueur initiale. Enfin, l'influx nerveux circule mieux dans un muscle chaud.
3. **Il est souhaitable d'étirer l'ensemble de ses muscles.** **VRAI!** La plupart des muscles squelettiques travaillent par paire: un muscle agoniste et un muscle antagoniste, chacun assumant une fonction à la fois opposée et complémentaire. Par conséquent, si l'antagoniste et l'agoniste n'ont pas le même degré de flexibilité, un déséquilibre des tensions risque d'apparaître entre eux.
4. **La meilleure façon de devenir plus flexible est de s'étirer avec élan et rebond.** **FAUX!** Les étirements balistiques (p. 221) peuvent provoquer une blessure musculaire, tendineuse ou ligamentaire chez une personne aux muscles raides. Toutefois, chez un athlète déjà très souple, ces étirements ne posent pas de problème.
5. **On ne doit pas ressentir de douleur quand on étire un muscle.** **VRAI!** Si on ressent une douleur aiguë pendant l'étirement, cela peut signifier qu'un ligament, un tendon ou un muscle a été blessé. Il faut étirer le muscle jusqu'à la zone d'étirement maximal sans douleur (p. 220).

AU FIL D'ARRIVÉE!

La flexibilité est la **capacité de bouger une articulation dans toute son amplitude sans ressentir ni raideur ni douleur.**

Être flexible procure plusieurs bénéfices: réduction de la raideur ou de la douleur associées aux tensions musculaires; plus grande liberté de mouvement; diminution du risque de blessures et de la fatigue lombaire; plus grande mobilité de la colonne vertébrale; gestes plus fluides, plus précis et plus puissants; reprise plus aisée de l'activité physique après une blessure.

Plusieurs facteurs influent sur la flexibilité: le type d'articulation, la capsule articulaire, les ligaments, les tendons, l'alignement articulaire, la température et le moment de la journée, les mécanismes de protection du muscle (réflexe myotatique, réflexe myotatique inverse ou réflexe tendineux, réflexe de l'inhibition réciproque), les blessures, l'arthrose et le niveau d'activité physique.

Les méthodes d'étirement musculaire sont variées. On choisit la sienne en fonction de son objectif: réchauffer et assouplir ses muscles avant une séance d'activité physique; détendre les muscles sollicités lors du retour au calme; améliorer sa posture (chapitre 8); augmenter sa flexibilité générale ou sa flexibilité fonctionnelle (spécifique à l'activité physique pratiquée). Voici ces méthodes:

- **Étirement balistique:** suite rapide de fortes contractions des muscles agonistes dans le but d'améliorer la mobilité des muscles antagonistes;

- **Étirement dynamique :** répétition du même mouvement, dont on augmente progressivement l'amplitude ;
- **Étirement statique actif :** mise sous tension progressive d'un ou de plusieurs muscles, puis maintien de la contraction pendant un certain temps de manière à étirer au maximum les muscles antagonistes ;
- **Étirement statique passif :** étirement d'un muscle en évitant le plus possible la contraction de son antagoniste, souvent avec l'aide d'un partenaire ;
- **Étirement FNP (facilitation neuromusculaire proprioceptive) :** étirement d'un muscle qu'on a au préalable contracté, ce qui permet des gains de flexibilité plus rapides que les méthode statique et dynamique, mais exige des précautions lors de l'exécution. Les deux versions les plus connues de l'étirement FNP sont le contracte-relâche-étire (CRÉ) et le contracte-relâche-étire-contracte-antagoniste (CRÉCA).

Pour améliorer ou maintenir sa flexibilité, on doit appliquer les principes de l'entraînement :

- **Spécificité :** Choisir les étirements et la méthode d'étirement du muscle qui sollicitent les régions musculaires visées.
- **Surcharge :**

  Fréquence – Au moins 2 à 3 séances d'étirement par semaine.

  Intensité – Étirement statique : de 20 à 30 secondes dans la zone d'étirement maximal sans douleur ; répéter de 2 à 5 fois avec un temps de repos de 10 à 30 secondes entre les répétitions. Étirement dynamique : de 5 à 25 répétitions à vitesse et amplitude variables.

  Durée de la séance – Elle dépend du nombre et du type d'étirements, mais ne devrait pas dépasser 60 minutes.
- **Progression :** Pour gagner en flexibilité, on modifie progressivement les variables de la surcharge (fréquence, intensité et durée) afin d'étirer un peu plus, d'une séance à l'autre, les muscles sollicités sans jamais atteindre le seuil de la douleur.
- **Maintien :** Une fois l'objectif atteint, on peut réduire le volume d'entraînement en diminuant le nombre de répétitions de chaque exercice ainsi que le nombre de séances par semaine (en conserver au moins 2 par semaine), mais pas l'intensité de ses efforts, soit le seuil d'étirement et la durée du maintien de l'étirement.

Pour **élaborer son programme d'étirement musculaire**, on doit suivre les étapes suivantes : se fixer un objectif de type « SMART », appliquer correctement les principes de base de l'entraînement, préciser les conditions de réalisation et respecter les règles de sécurité propres à ce type d'entraînement.

Nom : ______________________ Groupe : __________ Date : __________

Remplissez les cases vides du schéma à l'aide des mots-clés suivants :

les étirements ☐ la méthode CRÉ ☐ une flexibilité durable ☐ les étirements FNP ☐ moins de douleurs et de raideurs ☐ le niveau d'activité physique ☐ l'échelle de Borg ☐ les blessures et l'arthrose ☐ le réflexe myotatique ☐ le type d'articulation ☐ les étirements dynamiques ☐

la flexibilité

sont les facteurs associés à (la flexibilité) :

- l'âge et le sexe
- __________
- la capsule articulaire, les ligaments, les tendons, l'alignement articulaire et les gènes
- la température et le moment de la journée
- __________
- __________
- les mécanismes de protection du muscle

les mécanismes de protection du muscle sont :

- __________
- le réflexe myotatique inverse
- le réflexe de l'inhibition réciproque

sont quelques-uns des bénéfices de (la flexibilité) :

- __________
- une plus grande liberté de mouvement
- __________
- des gestes plus fluides, plus précis et plus puissants
- une plus grande mobilité de la colonne vertébrale

__________ comprennent :

- les étirements balistiques
- __________
- les étirements statiques
- __________

__________ s'effectuent selon :

- __________
- la méthode CRÉCA

__________ permettent de s'assouplir jusqu'à la zone d'étirement maximale sans douleur

__________ permet de déterminer la zone d'étirement maximale sans douleur

Nom : ______________________ Groupe : ____________ Date : ____________

1 Nommez trois méthodes d'étirement.

1. statique
2. FNP
3. dynamiqu

2 Quel est le principal inconvénient des étirements balistiques ?

- [ ] **a)** Ils n'imitent pas suffisamment le geste répété.
- [x] **b)** Ils augmentent le risque de blessures chez les personnes sédentaires.
- [ ] **c)** Leur pratique exige beaucoup de temps.
- [ ] **d)** Ils sont trop spécifiques au geste répété.
- [ ] **e)** Aucune des réponses précédentes.

3 Quelle est la durée habituellement recommandée pour un étirement statique ?

- [ ] **a)** Moins de 5 secondes.
- [ ] **b)** Entre 5 et 10 secondes.
- [ ] **c)** Entre 10 et 20 secondes.
- [x] **d)** Entre 20 et 30 secondes.
- [ ] **e)** Entre 60 et 90 secondes

4 Parmi les définitions suivantes, laquelle convient le mieux à la flexibilité ?

- [ ] **a)** Capacité d'étirer un muscle sans douleur.
- [ ] **b)** Capacité de faire un mouvement sans ressentir ni raideur ni douleur.
- [x] **c)** Capacité de bouger une articulation dans toute son amplitude sans ressentir ni raideur ni douleur.
- [ ] **d)** Capacité de faire bouger une articulation au-delà de son amplitude.
- [ ] **e)** Aucune de ces définitions.

5 Nommez quatre facteurs qui influent sur la flexibilité.

1. Température journée
2. blessures de l'arthrose
3. mécanisme de protection du muscle
4. Le type d'articulation

À VOS MÉNINGES 6

Nom : ______________________ Groupe : ____________ Date : ____________

6 Lesquels des énoncés suivants sont vrais ?

☒ **a)** L'articulation de type charnière, comme celle du coude, permet de faire des mouvements dans plusieurs directions.

☒ **b)** Le degré de rigidité ou d'élasticité de la capsule articulaire et des ligaments est influencé au premier chef par l'hérédité.

☒ **c)** Une élévation de la température corporelle par un échauffement améliore *de facto* la flexibilité, mais jusqu'à un certain point seulement.

☐ **d)** Le réflexe myotatique s'active dès qu'un muscle se contracte soudainement.

☐ **e)** Sous l'influence de neurotransmetteurs comme la sérotonine, les ligaments qui fixent les os du coccyx et du pubis deviennent plus lâches et plus extensibles chez la femme enceinte.

7 Complétez les phrases suivantes.

a) L'exercice améliore la lubrification des articulations en rendant la synovie moins ____________.

b) Quand vous faites régulièrement des ____________, les fibres du muscle et leur enveloppe (fascia) finissent par ____________ de manière ____________.

c) En augmentant votre ____________ de mouvement, vous réduisez du coup votre risque de ____________.

8 Associez à chaque définition le type d'étirement correspondant.

	Définition		Type d'étirement
1.	S'étirer avec élan	**a**	Étirement statique
2.	S'étirer avec élan et rebond	**b**	Étirement FNP
3.	S'étirer en maintenant la position	**c**	Étirement balistique
4.	S'étirer en contractant d'abord le muscle	**d**	Étirement dynamique

Nom : ______________________ Groupe : ______________ Date : ______________

9 Associez chaque définition au principe de l'entraînement correspondant tel qu'on l'applique pour améliorer sa flexibilité en utilisant les étirements statiques.

	Définition		Principe de l'entraînement
1.	Pour assouplir un muscle, il faut faire des exercices d'étirement qui sollicitent les régions musculaires visées. Il faut aussi choisir la façon de s'étirer.	**a**	Surcharge
2.	Pour améliorer sa flexibilité, on doit étirer ses muscles plus souvent et plus longtemps.	**b**	Maintien
3.	Une fois son objectif atteint, on peut réduire le volume d'entraînement en réduisant le nombre de répétitions de chaque exercice ainsi que le nombre de séances par semaine, mais pas l'intensité de l'exercice.	**c**	Progression
4.	Pour gagner en flexibilité, on modifie progressivement les variables de la surcharge (fréquence, intensité et durée) afin d'étirer un peu plus, d'une séance à l'autre, les muscles sollicités, mais sans jamais atteindre le seuil de la douleur.	**d**	Spécificité

10 Lesquels des énoncés suivants sont vrais ?

☐ **a)** Pendant le retour au calme, il faut faire surtout des étirements dynamiques.

☐ **b)** Pendant le retour au calme, il faut faire surtout des étirements balistiques.

☐ **c)** On ressent une douleur lorsqu'on atteint la zone d'étirement maximal.

☐ **d)** Pendant l'échauffement, il faut faire des étirements dynamiques.

☐ **e)** Les étirements FNP sont plus efficaces que les étirements statiques, mais ils exigent de prendre certaines précautions.

11 Nommez quatre bénéfices associés à une plus grande flexibilité.

1. ______________________

2. ______________________

3. ______________________

4. ______________________

12 Nommez deux versions de l'étirement FNP.

1. ______________________

2. ______________________

Nom : ______________________ Groupe : __________ Date : __________

VOS CAPACITÉS PHYSIQUES ET VOS BESOINS SUR LE PLAN DE LA FLEXIBILITÉ

Reportez ici les résultats que vous avez obtenus lors de l'évaluation de votre flexibilité (bilan 2, p. 90). Encerclez la lettre correspondant à la cote obtenue et précisez votre besoin pour chacun des tests.

MonLab

Les pastilles numérotées vous renvoient à divers tests dans le Profil santé interactif.

30 Test du lever du bâton en position couchée

Résultat : __________ Votre besoin : ☐ amélioration ☐ maintien[b]	TE[a]	E	M	F	TF

31 Test des mains dans le dos en position debout

Résultat : __________ Votre besoin : ☐ amélioration ☐ maintien	TE	E	M	F	TF

32 Test de flexion du tronc en position assise (avec ou sans flexomètre)

Résultat (en centimètres s'il y a lieu) : __________ Votre besoin : ☐ amélioration ☐ maintien	TE	E	M	F	TF

33 Test de rotation du tronc en position debout (MonLab)

Résultat : __________ Votre besoin : ☐ amélioration ☐ maintien	TE	E	M	F	TF

34 Test de l'aine (MonLab)

Résultat : __________ Votre besoin : ☐ amélioration ☐ maintien	TE	E	M	F	TF

Autre test : ______________________

Résultat : __________ Votre besoin : ☐ amélioration ☐ maintien	TE	E	M	F	TF

a. TE : très élevé ; E : élevé ; M : moyen ; F : faible ; TF : très faible.

b. Seulement si votre niveau est élevé ou très élevé.

BILAN 6.2

Nom : ______ Groupe : ______ Date : ______

CONCEVEZ VOTRE PROGRAMME DE FLEXIBILITÉ

ÉTAPE A Fixez-vous un objectif

Selon vos capacités physiques et vos besoins (bilan 6.1), fixez-vous un objectif de type « SMART », c'est-à-dire **S**pécifique, **M**esurable, orienté vers l'**A**ction, **R**éaliste et limité dans le **T**emps.

Mon objectif est le suivant (vous pouvez vous inspirer du cas de Vincent ou de Delphine, p. 229) :

______

Précisez en quoi il est:

Spécifique (type d'étirements, zones musculaires visées) : ______

Mesurable : ______

Orienté vers l'action : ______

Réaliste : ______

Limité dans le temps : ______

ÉTAPE B Appliquez les principes de l'entraînement à votre programme

La spécificité – Précisez la méthode d'étirement que vous allez utiliser (nous n'avons pas inclus les étirements dynamiques, qui sont surtout utilisés lors d'un échauffement) :

a) Exercices d'étirement statique actif ☐

b) Exercices d'étirement statique passif ☐

c) Exercices d'étirement FNP, version CRÉ ☐

d) Exercices d'étirement FNP, version CRÉCA ☐

La surcharge:

Choisissez, en fonction de votre objectif, les exercices qui solliciteront les groupes musculaires que vous souhaitez étirer. Vous pouvez utiliser le répertoire d'exercices à la fin du chapitre (p. 245 à 248) et dans MonLab pour faire vos choix. Notez ceux-ci sur la **fiche 1** qui suit en vous inspirant de l'exemple qui la précède.

MonLab
photos et vidéos : exercices d'étirement

Sur la même fiche, précisez les variables qui s'appliquent à votre surcharge, soit ;

a) la fréquence : ______ fois par semaine ;

b) l'intensité (durée de chaque étirement), le nombre de répétitions par étirement et le temps de repos entre les répétitions ;

c) la durée (approximative) des séances : ______ minutes.

Nom: ______ Groupe: ______ Date: ______

Exemple

Prénom: *Delphine* **Nom:** *Sansnom* **Groupe:** *4* **Prof.:** *Hélène P.* **Session:** *A*

Exercices choisis[a]	Muscles principalement étirés	Intensité de la surcharge		
		D[b]	Rép.	TR[c]
1. *Étirement de l'arrière du bras et de l'épaule (exercice 2, p. 245)*	*Triceps, deltoïdes*	*30*	*4*	*10*
2. *Étirement du mollet (exercice 9, p. 247)*	*Gastrocnémiens*	*30*	*4*	*10*

a. Si vous choisissez vos exercices dans le répertoire (p. 245 à 248), recopiez le nom de l'exercice et celui des muscles sollicités.

b. D: durée de l'étirement.

c. TR: temps de repos entre les répétitions.

Fiche 1 Exercices choisis, muscles étirés et intensité de la surcharge

Prénom: ______ **Nom:** ______ **Groupe:** ______ **Prof.:** ______ **Session:** ______

Exercices choisis	Muscles principalement étirés	Intensité de la surcharge		
		D	Rép.	TR
1.				
2.				
3.				
4.				
5.				
6.				
7.				
8.				

La progression:

Il s'agit d'appliquer de manière progressive la surcharge que vous avez définie précédemment en ajustant d'abord la durée de l'étirement, le nombre de répétitions et enfin la fréquence par semaine.

Le maintien (ce que vous feriez si vous aviez à maintenir le niveau atteint):

a) Réduction du nombre de séances (de combien de fois): ______

b) Réduction du nombre de séries (s'il y a lieu): ______

ÉTAPE C Précisez les conditions de réalisation

Où ?	Cochez
À mon cégep	☐
Dans un autre cégep ou une autre école (précisez) ______	☐
Chez moi	☐
Près de chez moi (précisez) ______	☐
Dans un centre d'entraînement physique (précisez) ______	☐
Autre endroit ______	☐

Quand ?		
Lundi	de ______	à ______
Mardi	de ______	à ______
Mercredi	de ______	à ______
Jeudi	de ______	à ______
Vendredi	de ______	à ______
Samedi	de ______	à ______
Dimanche	de ______	à ______

Avec qui ?	Cochez
Seul	☐
Ami(s)	☐
Copain, copine, conjoint, conjointe	☐
Coéquipier(s) d'une équipe sportive	☐
Membre(s) de la famille	☐
Autre (précisez) ______	☐

Nom: ______ Groupe: ______ Date: ______

ÉTAPE D Faites le suivi de votre programme de flexibilité

En vous inspirant de l'exemple qui suit, remplissez la **fiche 2**, que vous pouvez télécharger en version complète (plus de colonnes et de rangées) à partir de **MonLab**. Notez bien que le temps de repos entre les répétitions est indiqué dans la fiche 1, p. 241.

MonLab
fiche 2: flexibilité

Exemple

Prénom: *Martin* **Nom:** *Sansfaçon* **Groupe:** *4* **Prof.:** *Éric D.* **Session:** *A*

Objectif: *Améliorer ma flexibilité pour atteindre le niveau élevé (tests)*

Durée du programme: *10 semaines* **Fréquence/semaine:** *3*

Date:		6/09	8/09	10/09	13/09	15/09	17/09	20/09	22/09	24/09	26/09
Étirement		D./R.	D./R.	D./R.	D./R.	D./R.	D./R.	D./R.	D./R.	D./R.	D./R.
Arrière de la cuisse	**Dr.**	*20/2*	*20/2*	*20/2*	*25/2*	*25/2*	*30/2*	*25/3*	*30/3*	*30/3*	*30/3*
Méthode: statique/A	**G.**	*20/2*	*20/2*	*20/2*	*25/2*	*25/2*	*30/2*	*25/3*	*30/3*	*30/3*	*30/3*
Devant de la cuisse	**Dr.**	*15/2*	*15/2*	*20/2*	*20/2*	*25/2*	*25/2*	*25/3*	*30/3*	*30/3*	*30/3*
Méthode: statique/A	**G.**	*15/2*	*15/2*	*20/2*	*20/2*	*25/2*	*25/2*	*25/3*	*30/3*	*30/3*	*30/3*

Légende: **D.**: durée de l'étirement; **R.**: nombre de répétitions de l'exercice; **Dr.**: exécuté du côté droit; **G.**: exécuté du côté gauche; **étirement**: nom de l'exercice; **méthode**: statique actif (statique/A), statique passif (statique/P), FNP/CRÉ, FNP/CRÉCA.

Fiche 2 Suivi du programme de flexibilité (étirements statiques)

Prénom: ______ **Nom:** ______ **Groupe:** ______ **Prof.:** ______ **Session:** ______

Objectif: ______

Durée du programme: ______ **Fréquence/semaine:** ______

Date:											
Étirement		D./R.	D./R.	D./R.	D./R.	D./R.	D./R.	D./R.	D./R.	D./R.	D./R.
1. ______	**Dr.**										
Méthode: ______	**G.**										
2. ______	**Dr.**										
Méthode: ______	**G.**										
3. ______	**Dr.**										
Méthode: ______	**G.**										
4. ______	**Dr.**										
Méthode: ______	**G.**										
5. ______	**Dr.**										
Méthode: ______	**G.**										
6. ______	**Dr.**										
Méthode: ______	**G.**										

Nom : ______ Groupe : ______ Date : ______

ÉVALUEZ VOTRE PROGRAMME PERSONNEL

Avez-vous atteint votre objectif ou vos objectifs ?

☐ Oui ☐ Non

Si oui, quels changements sur le plan physique et mental avez-vous observés entre le début et la fin de votre programme personnel ?

Sur le plan physique :

Sur le plan mental :

Si non, peut-être avez-vous éprouvé des problèmes particuliers, à moins que vous n'ayez perdu votre motivation en cours de route. Précisez votre réponse.

RÉPERTOIRE D'EXERCICES DE FLEXIBILITÉ DE BASE

MonLab
photos et vidéos : exercices d'étirements

Ce répertoire présente quelques exercices d'étirement de base. Certains s'exécutent à mains libres, d'autres avec l'aide d'un accessoire (mur, serviette, etc.). Si certains sont nouveaux pour vous, exécutez-les en présence d'une personne compétente, par exemple votre enseignant ou enseignante en éducation physique. **Vous trouverez aussi dans MonLab des vidéos d'exercices d'étirement et, au chapitre 8 (consacré à la posture), d'autres étirements conçus spécialement pour le dos.**

Pour chaque exercice, les muscles principalement sollicités sont indiqués ; les nombres entre parenthèses renvoient aux deux planches anatomiques présentées au chapitre 5 (figures 5.10 et 5.11, p. 202 et 203), qui vous aideront à bien localiser ces muscles.

Rappelez-vous que, pour chacun de ces exercices, il est recommandé de maintenir l'étirement dans la zone d'étirement maximal sans douleur de 20 à 30 secondes et de répéter l'étirement au moins 2 fois, avec quelques secondes de pause entre les répétitions.

Voici un mini-plan du répertoire d'exercices.

A Haut du corps (cou, épaules, bras et avant-bras)

1. Étirement du devant des bras et des avant-bras

Muscles principalement étirés : **biceps** (4) et **muscles antérieurs de l'avant-bras** (5).

À quatre pattes, les mains bien à plat sur le sol et les doigts tournés vers les genoux, gardez la position le temps voulu.

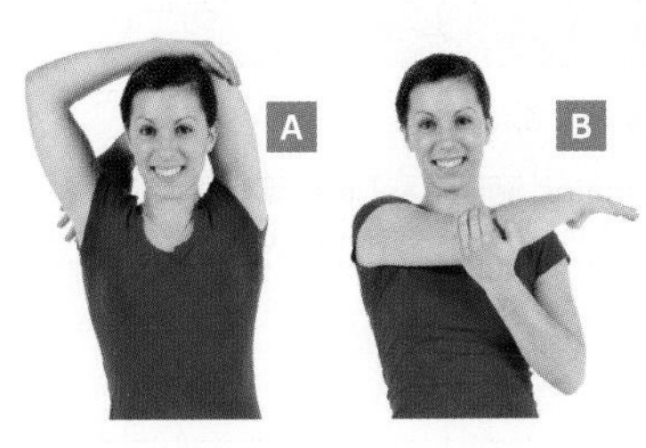

2. Étirement de l'arrière du bras et de l'épaule

Muscles principalement étirés : **triceps** (3) et **deltoïdes** (2).

Debout, les genoux légèrement fléchis pour ne pas cambrer le dos, amenez un bras fléchi derrière la tête et tirez lentement le coude vers l'arrière et le bas avec la main opposée (A). Gardez la position le temps voulu. Répétez l'exercice avec l'autre bras. Variante : amenez le coude droit à l'horizontale devant la poitrine et tirez lentement vers la gauche (B). Gardez la position le temps voulu. Répétez l'exercice avec l'autre bras.

3. Étirement du bras et de l'épaule

Muscles principalement étirés: **biceps** (4), **pectoraux** (9) et **deltoïdes** (2).

En position debout, le dos tourné à un mur, les hanches fixes, appuyez la paume de la main droite contre le mur à la hauteur de l'épaule droite. Faites pivoter vos hanches lentement vers la gauche jusqu'au seuil d'étirement. Gardez la position le temps voulu. Répétez l'exercice avec l'autre bras.

B Tronc

4. Torsion lombaire

Muscles principalement étirés: **obliques de l'abdomen** (10), **muscles du bas du dos** (6) et **abducteur de la cuisse** (12).

Allongé sur le dos, le genou gauche croisé sur la cuisse droite (A), amenez le genou gauche le plus près possible du sol du côté gauche, de façon à provoquer une torsion du tronc (B). Gardez la position le temps voulu. Répétez l'exercice avec l'autre jambe. (Cet exercice est déconseillé en cas de problèmes de dos; dans le doute, consultez un médecin.)

A

B

5. Étirement des obliques avec une serviette

Muscles principalement étirés: **obliques externes** (10), **obliques internes** (10) et **triceps** (3).

Debout, une serviette dans les mains, amenez les bras au-dessus de la tête et inclinez le tronc vers le côté droit en tirant lentement sur la serviette avec la main droite jusqu'au seuil d'étirement. Gardez la position le temps voulu. Répétez de l'autre côté.

C Hanches et membres inférieurs

6. Pause du yogi

Muscles principalement étirés: **adducteurs de la cuisse** (11) et **iliopsoas** (13).

En position assise, la tête et le corps droits, les genoux écartés, les mains agrippant les pieds qui se touchent par la plante, abaissez les genoux le plus près du sol. Gardez la position le temps voulu.

7. Étirement du mollet

Muscles principalement étirés : **gastrocnémiens** (19).

En position debout, les avant-bras appuyés, à la largeur des épaules, contre un mur, la jambe gauche fléchie, la pointe du pied gauche contre le mur, la jambe droite en retrait, allongez cette dernière jusqu'au seuil d'étirement en gardant les deux pieds bien à plat sur le sol. Gardez la position le temps voulu. Répétez l'exercice avec l'autre jambe.

8. Étirement du devant de la jambe

Muscles principalement étirés : **jambiers antérieurs** (8).

En position debout, les avant-bras appuyés, à la largeur des épaules, contre un mur, la jambe droite fléchie et rapprochée du mur, la jambe gauche en retrait avec la pointe du pied posée sur le sol, tendez le dessus du pied jusqu'au seuil d'étirement. Gardez la position le temps voulu. Répétez l'exercice avec l'autre jambe.

9. Étirement du tendon d'Achille

Muscles principalement étirés : **partie inférieure du mollet englobant le tendon d'Achille** (19).

En position debout, les avant-bras appuyés, à la largeur des épaules, contre un mur, la jambe gauche fléchie, la pointe du pied gauche contre le mur, la jambe droite en retrait et fléchie elle aussi, augmentez la flexion de cette dernière jusqu'au seuil d'étirement, en gardant les deux pieds bien à plat sur le sol. Gardez la position le temps voulu. Répétez l'exercice avec l'autre jambe.

10. Étirement en position assise

Muscles principalement étirés : **gastrocnémiens** (19) et **ischiojambiers** (18).

En position assise, la jambe droite allongée, le pied gauche plaqué contre l'intérieur de la cuisse droite, inclinez-vous lentement vers l'avant, tout en évitant d'arrondir le dos, jusqu'au seuil d'étirement. Gardez la position le temps voulu. Répétez l'exercice avec l'autre jambe.

11. Étirement du devant de la cuisse

Muscles principalement étirés : **quadriceps** (7) et **iliopsoas** (13).

En position de génuflexion, le genou droit posé sur le sol, amenez le bassin vers l'avant jusqu'au seuil d'étirement. Gardez la position le temps voulu. Répétez l'exercice avec l'autre jambe.

12. Étirement passif du devant de la cuisse à l'aide d'une serviette

Muscles principalement étirés : **quadriceps** (7)

Sur le ventre, la jambe droite fléchie, passez une serviette autour de la cheville et tirez-la lentement vers les fesses jusqu'au seuil d'étirement. Gardez la position le temps voulu. Répétez de l'autre côté.

13. Étirement de l'intérieur de la cuisse

Muscles principalement étirés : **adducteurs de la cuisse** (11) et **mollets** (19).

Debout, les mains sur les hanches, exécutez une fente latérale en fléchissant le genou droit jusqu'au seuil d'étirement. Gardez la position le temps voulu. Répétez de l'autre côté.

D Tout le corps

14. Étirement général de tout le corps

Muscles principalement étirés : **pratiquement tous les muscles du devant du corps.**

En position couchée, les bras à l'horizontale au-dessus de la tête, allongez toutes les parties du corps (le cou, les bras, le torse et les jambes) jusqu'au seuil d'étirement. Gardez la position le temps voulu.

VRAI OU **FAUX** ?

	V	F
1. Équilibre énergétique est toujours synonyme de poids santé.	☐	☐
2. Pour brûler plus de gras, il est recommandé de faire des exercices aérobies à une intensité modérée.	☐	☐
3. On continue à dépenser des calories même après la fin de sa séance d'entraînement.	☐	☐
4. Les exercices localisés font maigrir là où on veut.	☐	☐

Les réponses se trouvent en fin de chapitre, p. 268.

CHAPITRE 7

VISEZ UN POIDS SANTÉ ET L'ÉQUILIBRE ÉNERGÉTIQUE À LONG TERME

MonLab

Vrai ou faux ?

Autres exercices en ligne

SUR LA LIGNE DE DÉPART !

VOS OBJECTIFS SONT LES SUIVANTS :

- Connaître les composantes de l'équilibre énergétique et de la composition corporelle.
- Expliquer les facteurs qui influent sur l'équilibre énergétique et la composition corporelle.
- Utiliser de façon appropriée les informations scientifiques pour comprendre le rôle que joue l'équilibre énergétique en lien avec le poids santé.
- Concevoir un programme personnel visant l'atteinte d'un poids santé – au moyen de l'activité physique et, s'il y a lieu, de l'alimentation – qui respecte les principes de l'entraînement, vos besoins, vos capacités et vos choix d'activités à dépense énergétique modérée à élevée.

> Un régime, c'est la courte période de privation qui précède une augmentation de poids.
>
> ANONYME

Comme nous l'avons vu au chapitre 2, le poids santé lié à l'équilibre énergétique est un déterminant de la condition physique. Il s'agit de la capacité à maintenir à long terme ses réserves de graisse à un niveau favorable pour sa santé (**poids santé**), en conservant son équilibre énergétique (entrées et sorties de calories) ou, au besoin, en l'ajustant. Rappelons également qu'un poids santé correspond à un indice de masse corporelle (IMC) compris entre 18,5 et 24,9 associé à un tour de taille inférieur à 102 centimètres chez les hommes et à 88 centimètres chez les femmes. Lorsque ces deux critères sont respectés, on parle de **poids santé confirmé**. Si vous avez évalué votre condition physique (chapitre 2), vous connaissez votre IMC et votre tour de taille. Vous savez donc déjà si vous avez ou non un poids santé confirmé. Vous devez de plus connaître votre **bilan énergétique**, c'est-à-dire le bilan, au quotidien, des calories que vous consommez et de celles que vous dépensez. Cette information doit être mise en lien avec votre IMC et votre tour de taille. Nous verrons plus loin pourquoi cette démarche est nécessaire. Ce chapitre vous aidera à établir votre bilan énergétique. Il vous propose aussi une démarche pour atteindre, s'il y a lieu, votre poids santé. Mais voyons d'abord ce qu'est l'équilibre énergétique.

LES COMPOSANTES DE L'ÉQUILIBRE ÉNERGÉTIQUE

Au quotidien, deux composantes déterminent l'équilibre énergétique : l'apport énergétique et la dépense énergétique. Lorsqu'elles sont égales, on se trouve en situation d'**équilibre énergétique**. Si l'apport dépasse la dépense, on parle de **surplus calorique**, c'est-à-dire de déséquilibre énergétique positif. Enfin, si la dépense est supérieure à l'apport, on est en présence d'un **déficit calorique**, c'est-à-dire d'un déséquilibre énergétique négatif. La figure 7.1 illustre ces trois situations.

FIGURE 7.1 Quand l'équilibre énergétique se rompt

Plateaux égaux = l'apport énergétique équivaut régulièrement à la dépense énergétique.
Le poids est stable.

Plateaux inégaux = l'apport énergétique dépasse régulièrement la dépense énergétique.
Il y a **surplus de poids** (embonpoint ou obésité).

Plateaux inégaux = la dépense énergétique dépasse régulièrement l'apport énergétique.
Le poids est insuffisant (maigreur ou extrême maigreur).

L'**apport énergétique quotidien** (AEQ) correspond à l'énergie fournie par les aliments et les boissons consommés pendant la journée. La **dépense énergétique quotidienne** (DEQ), quant à elle, comprend tout d'abord les besoins énergétiques incompressibles, c'est-à-dire la dépense calorique indispensable au maintien des fonctions vitales (cœur, cerveau, respiration, digestion, conservation de la température du corps), ce qu'on appelle le **métabolisme de base** (MB). S'y ajoutent les calories dépensées pour accomplir les **activités de la vie quotidienne** (AVQ) : s'habiller, manger, prendre sa douche, se rendre au cégep, etc. Enfin, pour les personnes physiquement actives ou très actives, la DEQ comprend également la dépense énergétique liée à la pratique d'**activités physiques** (AP), que ce soit sous la forme d'exercices, d'entraînement ou de sport.

L'importance relative de ces trois éléments constitutifs de la DEQ diffère selon qu'on est plus ou moins actif. Ainsi, le MB prédomine chez les personnes sédentaires, alors que c'est l'AP chez les personnes physiquement très actives. La **figure 7.2** illustre la dépense énergétique en fonction du niveau d'activité physique (MB, AVQ et AP).

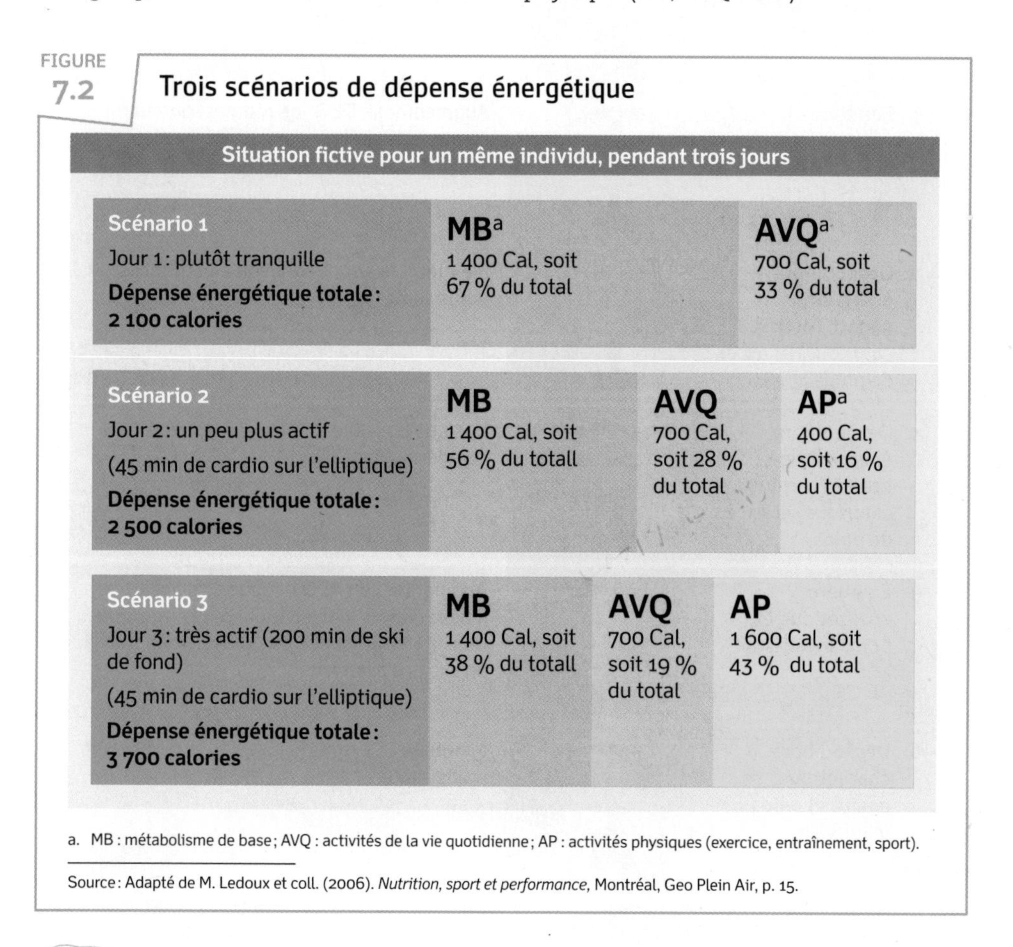

Situation fictive pour un même individu, pendant trois jours
Scénario 1
Jour 1 : plutôt tranquille
Dépense énergétique totale : 2 100 calories
MB[a]
1 400 Cal, soit 67 % du total
AVQ[a]
700 Cal, soit 33 % du total
Scénario 2
Jour 2 : un peu plus actif
(45 min de cardio sur l'elliptique)
Dépense énergétique totale : 2 500 calories
MB
1 400 Cal, soit 56 % du totall
AVQ
700 Cal, soit 28 % du total
AP[a]
400 Cal, soit 16 % du total
Scénario 3
Jour 3 : très actif (200 min de ski de fond)
(45 min de cardio sur l'elliptique)
Dépense énergétique totale : 3 700 calories
MB
1 400 Cal, soit 38 % du totall
AVQ
700 Cal, soit 19 % du total
AP
1 600 Cal, soit 43 % du total

FIGURE 7.2 Trois scénarios de dépense énergétique

a. MB : métabolisme de base ; AVQ : activités de la vie quotidienne ; AP : activités physiques (exercice, entraînement, sport).

Source : Adapté de M. Ledoux et coll. (2006). *Nutrition, sport et performance*, Montréal, Geo Plein Air, p. 15.

Équilibre énergétique n'est pas toujours synonyme de poids santé

Le bilan énergétique doit être mis en lien avec l'IMC et le tour de taille. Voici pourquoi. Si ce bilan révèle que vous êtes dans une situation d'équilibre énergétique, cela ne signifie pas pour autant que vous avez un poids santé. Par exemple, si votre apport énergétique et votre dépense énergétique sont égaux depuis quelque temps seulement, vous avez peut-être auparavant **accumulé un excès de poids** et de gras (IMC supérieur à 24,9 et tour de taille supérieur à 102 ou à 88 centimètres selon votre sexe) **ou perdu trop de poids** (IMC inférieur à 18,5). Votre poids corporel actuel peut ainsi correspondre à plusieurs bilans énergétiques. Il en résulte donc des besoins différents si vous voulez atteindre un poids santé (**tableau 7.1**).

TABLEAU 7.1

Comment atteindre un poids santé en fonction de son poids corporel et de son bilan énergétique

Situation actuelle	Besoin
1. Équilibre énergétique et poids santé[a]	Maintenir la situation, car elle est idéale
2. Équilibre énergétique et excès de poids[a]	Augmenter sa DEQ[b] ou réduire son AEQ[b], ou encore faire les deux à la fois
3. Déséquilibre énergétique négatif (déficit calorique) et excès de poids	Maintenir la situation jusqu'à l'atteinte d'un poids santé
4. Déséquilibre énergétique positif (surplus calorique) et excès de poids	Dès que possible, diminuer son AEQ et augmenter sa DEQ
5. Équilibre énergétique et poids insuffisant[a]	Augmenter son AEQ et peut-être aussi sa masse maigre, par exemple par la musculation, si l'insuffisance du poids ne tient pas à un excès d'exercice
6. Déséquilibre énergétique positif et poids insuffisant	Maintenir la situation jusqu'à l'atteinte d'un poids santé
7. Déséquilibre énergétique négatif et poids insuffisant	Augmenter **de toute urgence** son AEQ[c]

a. Selon l'IMC et le tour de taille (p. 72).

b. AEQ : apport énergétique quotidien ; DEQ : dépense énergétique quotidienne.

c. Si vous êtes dans ce cas, vous devriez aussi consulter un nutritionniste et peut-être un médecin.

En somme, **le poids santé devient lié à l'équilibre énergétique lorsque vous l'avez atteint et qu'il est stable depuis un bon moment**. Au contraire, un déséquilibre énergétique prolongé conduit à l'embonpoint ou à l'obésité, ou encore à une insuffisance de poids. Par exemple, en considérant que 1 kilo de gras équivaut à 7 700 calories, un surplus énergétique de seulement 100 calories par jour (l'équivalent de 10 croustilles ou d'une tranche de pain) peut se traduire au bout d'un an par un surplus de 36 500 calories, soit un gain de poids de presque 5 kilos (36 500/7 700). Inversement, un déficit de 100 calories par jour peut entraîner une perte de poids de presque 5 kilos.

Pour rappel, voici les **bénéfices d'un poids santé lié à l'équilibre énergétique** :

- Il élimine le risque d'embonpoint et d'obésité, mais aussi de maigreur extrême, et prévient les problèmes de santé associés à ces formes de déséquilibre énergétique prolongé (chapitre 10) ;
- Il facilite la pratique de l'activité physique et la motricité (**Sous la loupe**), parce que la liberté de mouvement n'est pas entravée par un surplus de poids ;
- Il diminue le risque d'arthrose précoce dans les articulations des membres inférieurs. En effet, un excès de poids, dû la plupart du temps à un surplus de gras, augmente la charge à soutenir, donc la pression sur les articulations portantes, en particulier le genou. Ainsi, l'arthrose du genou est trois fois plus fréquente chez les hommes obèses que chez la moyenne des hommes (ce risque est moins élevé chez les femmes obèses) ;
- Il soulage la **colonne vertébrale**, élément essentiel du squelette du tronc (chapitre 8) : un excès de poids prolongé entraîne de fortes pressions sur les disques intervertébraux et peut aussi entraîner une hyperlordose en cas d'obésité abdominale, tandis qu'une insuffisance prolongée de poids peut conduire à l'ostéoporose et à la fragilisation des vertèbres ;
- Il améliore l'estime de soi parce qu'on est satisfait de son image corporelle.

SOUS LA LOUPE — Habiletés motrices et surpoids

Selon une étude[1] menée auprès de 4 363 élèves australiens de 4e, 6e, 8e et 10e année, l'habileté des enfants et des adolescents à effectuer des gestes fondamentaux (courir, sauter, lancer, attraper, botter et frapper) est inversement corrélée avec l'IMC et le tour de taille. Les garçons et les filles non obèses ont de deux à trois fois plus de chances d'avoir un haut degré d'habileté motrice.

1. A.D. Okely et coll. (2004). Relations between body composition and fundamental movement skills among children and adolescents, *Research Quarterly for Exercise & Sport*, 75, 238-247 ; Kino-Québec (2008). *L'activité physique et le poids corporel*, avis du Comité scientifique, p. 7.

PLAN DE MATCH POUR CHANGER UN COMPORTEMENT

Qu'est-ce qui vous incite à manger même si vous n'avez pas faim

	OUI	NON
Quand j'étudie, j'ai besoin de grignoter ou de prendre une boisson sucrée, voire énergisante (p. 358).	☐	☐
Je ne peux pas rester assis devant la télévision ou au cinéma sans manger quelque chose.	☐	☐
Au restaurant, je commanderais bien la petite portion, mais j'en ai plus pour mon argent avec la grosse.	☐	☐
Si je laisse de la nourriture dans mon assiette, je considère que c'est du gaspillage.	☐	☐
Quand je conduis, j'aime avoir sous la main une boisson sucrée (chaude ou froide).	☐	☐

Si vous avez répondu *oui* plus d'une fois, il vous arrive de manger sans avoir faim parce que vous en avez l'habitude ou à cause de votre environnement. Ce comportement peut conduire à un excès de poids, surtout si vous êtes plutôt sédentaire.

Voici quelques trucs simples pour réduire votre consommation de calories superflues.

Dès demain, vous...

- boirez de l'eau pendant que vous étudiez, plutôt qu'une boisson sucrée ou hypercaféinée, et si vous avez une fringale, vous mangerez un fruit comme collation.
- visiterez des amis ou ferez une balade à pied dans la soirée au lieu de vous asseoir tout de suite après le repas devant la télévision. Ainsi, vous mangerez moins et ferez un peu plus d'exercice.

D'ici à deux semaines, vous...

- commanderez des portions plus petites quand vous irez au restaurant, surtout s'il s'agit de restauration rapide. Mieux encore, pourquoi ne pas choisir une salade plutôt que des frites, par exemple ?
- ne vous sentirez plus obligé de finir votre assiette, chez vous ou au restaurant, si vous êtes rassasié. Contrairement à ce qu'on nous a inculqué, c'est une mauvaise habitude de finir son assiette lorsqu'on n'a plus faim.

D'ici à la fin de la session, vous...

- remplacerez boissons gazeuses ou autres cafés au lait sucrés par une bouteille d'eau réutilisable sécuritaire lorsque vous conduirez durant les longs trajets. Rappelez-vous que de telles boissons sont riches en calories : une bouteille de Coca Cola de 591 millilitres contient l'équivalent de 13 cuillérées à thé de sucre, soit 260 calories, sans offrir la moindre valeur nutritive !

LES FACTEURS QUI INFLUENT SUR L'ÉQUILIBRE ÉNERGÉTIQUE ET LA COMPOSITION CORPORELLE

L'apport et la dépense énergétiques influent sur le poids corporel et, par conséquent, sur la **composition corporelle**. Celle-ci comprend la masse grasse et la masse maigre, lesquelles déterminent le poids corporel (figure 7.3). La **masse grasse** correspond à l'ensemble des réserves de gras du corps (gras sous la peau, gras autour des viscères et de certains autres organes), tandis que la **masse maigre** correspond à tout le reste : os, muscles, organes, tissus conjonctifs et liquides corporels. Au fil des années, ce sont surtout les muscles qui gagnent ou perdent du poids : la masse maigre est donc très influencée par la masse musculaire. Les quantités relatives de masse grasse et de masse musculaire sont déterminées par des facteurs génétiques et environnementaux.

FIGURE 7.3 La composition corporelle

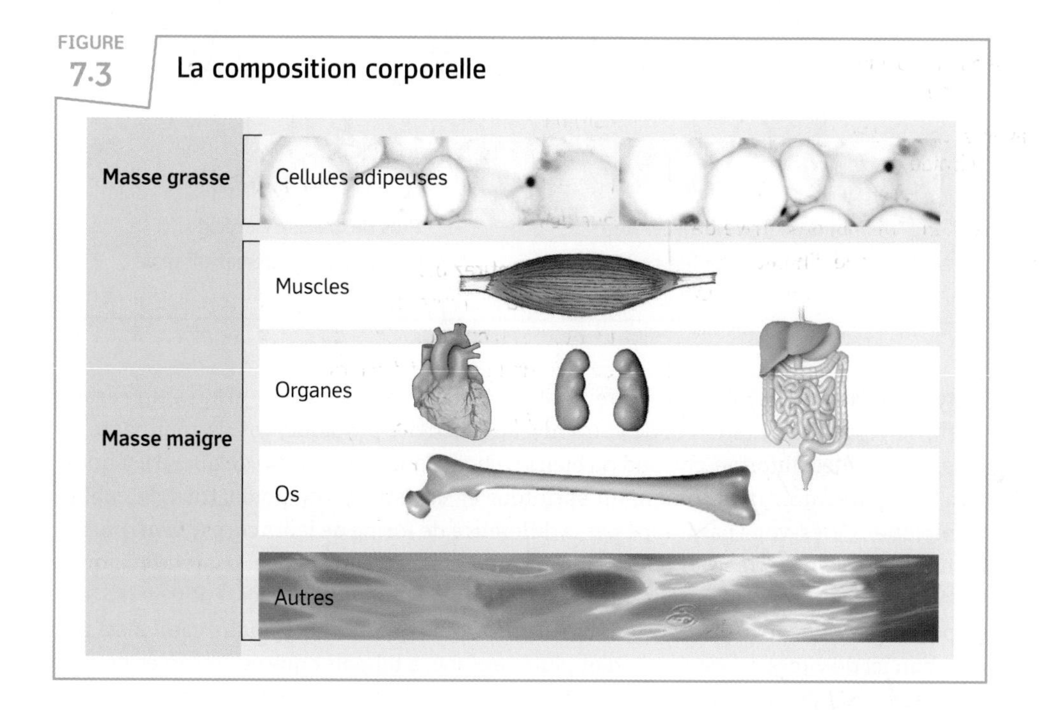

Les facteurs génétiques

Le sexe. En proportion du poids corporel, l'homme a, en général, plus de muscles et moins de gras que la femme ; inversement, la femme a plus de gras et moins de muscles que l'homme. Voilà une première différence fondamentale. Une autre différence liée au sexe tient à la mise en réserve des excédents de gras. Chez l'homme, les surplus adipeux ont tendance à se loger dans l'abdomen (**obésité centrale**), et chez la femme, dans les hanches et les cuisses (**obésité périphérique**). D'ailleurs, cette répartition des surplus de gras a suscité dans l'esprit des nutritionnistes l'image de deux fruits, la forme de pomme, attribuée à l'homme, et la forme de poire, à la femme (figure 7.4).

Nonobstant les considérations esthétiques, cette configuration garantit à la femme une meilleure santé cardiovasculaire. En effet, le **gras abdominal**, en particulier le gras fixé aux viscères, **est plus nocif** pour la santé que le gras logé dans les cuisses et les hanches.

Le gras abdominal est associé à un risque accru de maladies cardiovasculaires, de diabète de type 2 et, vraisemblablement, de cancer (chapitres 2 et 10). Mais attention, après l'âge de 40 ans, pour des raisons encore obscures mais peut-être liées à des changements hormonaux, les surplus de gras chez la femme se logent de plus en plus dans l'abdomen.

FIGURE 7.4 Silhouette : la forme de poire et la forme de pomme

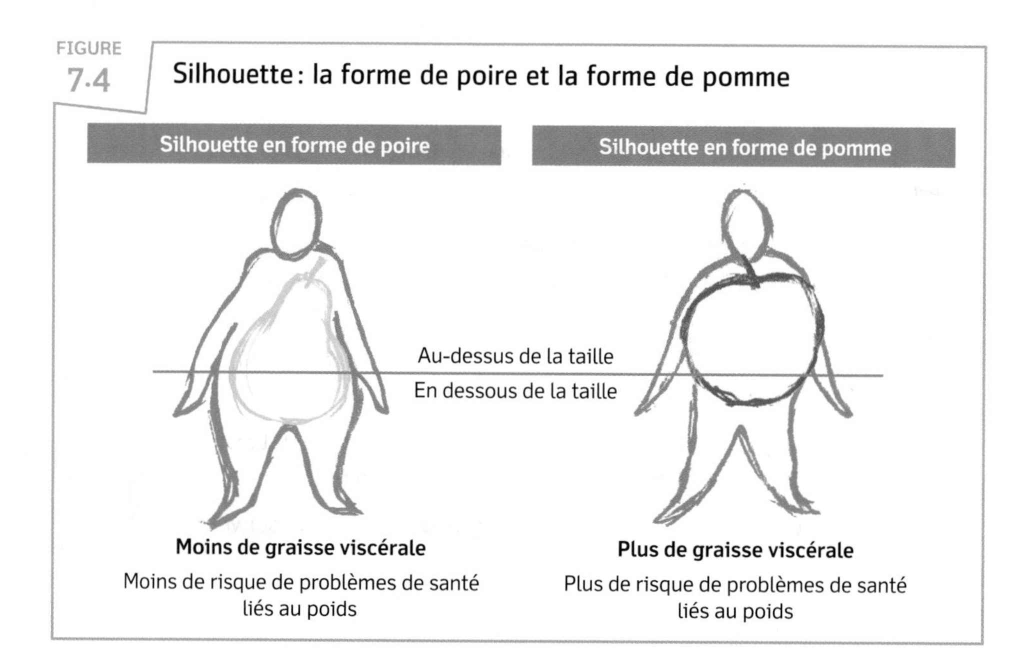

Le type physique. En raison de votre héritage génétique, mais aussi, jusqu'à un certain point, de votre alimentation et de votre niveau d'activité physique, vos os sont petits ou gros, et vous êtes filiforme, costaud ou bien en chair. Pour comprendre de quoi il est question, comparez un marathonien, un sprinteur et un lanceur de poids, tous de calibre olympique. N'êtes-vous pas frappé par la différence de forme de leurs corps ? Le marathonien, qui a besoin d'être léger pour faire un bon temps, est ultramince. Le sprinteur, qui a besoin de puissance pour bondir du bloc de départ, est tout en muscles. Enfin, le lanceur de poids, qui a surtout besoin de puissance brute, quel que soit son poids – car il n'est pas question ici de vitesse –, est costaud et plutôt enrobé, à tel point que ses réserves de gras dépassent 24 % de son poids corporel, contre 8 % pour le coureur de marathon !

Mais les athlètes n'ont guère le choix. S'ils veulent gagner des médailles, ils doivent avoir le physique de l'emploi, c'est-à-dire, dans le jargon scientifique, le **somatotype** qui convient. En tenant compte des principales composantes du poids corporel – les os, les muscles et la graisse –, les experts ont déterminé trois grands types physiques : l'ectomorphe, le mésomorphe et l'endomorphe. L'**ectomorphe**, ou type osseux, est filiforme et doté d'une ossature délicate. Ses muscles sont longs et fins, ses épaules et son bassin plutôt étroits. Le marathonien en est le modèle parfait. Le **mésomorphe**, ou type musculaire, a au contraire une bonne musculature, des épaules larges et un tronc de forme triangulaire ; c'est le sprinteur. Enfin, l'**endomorphe** se caractérise par une stature imposante, de gros os et un corps rondouillard ; c'est le lanceur de poids.

Toutefois, la plupart des gens présentent un **mélange d'au moins deux types physiques**, avec prédominance de l'un sur l'autre. Par exemple, vous avez peut-être hérité, de votre père ou de votre mère, d'une petite ossature (tendance ectomorphe), tout en étant plutôt musclé (tendance mésomorphe). Dans ce cas, les spécialistes de l'anthropométrie vous classeront comme un méso-ectomorphe ou un ecto-mésomorphe, selon que c'est la musculature ou la délicatesse de l'ossature qui prédomine chez vous. Connaître votre type physique (**Sous la loupe**) peut vous aider à comprendre pourquoi, par exemple, vous engraissez facilement (tendance endomorphe) ou ne vous musclez pas rapidement (tendance ectomorphe).

Quel est votre type physique ?

Même s'il existe des mesures anthropométriques plus précises, vous pouvez vous faire une idée de votre type physique en répondant aux questions suivantes et en vous rappelant qu'en général nous sommes un mélange de deux types.

1. Avez-vous de petits os, des muscles minces, les épaules et le bassin étroits ? Si oui, vous êtes de tendance ectomorphe.
2. Avez-vous une bonne musculature, les épaules larges et la taille plutôt mince (tronc en forme de triangle) ? Si oui, vous êtes de tendance mésomorphe.
3. Avez-vous de gros os, les épaules rondes et un corps plutôt enrobé ? Si oui, vous êtes de tendance endomorphe.

Ectomorphe

Mésomorphe

Endomorphe

Les facteurs environnementaux

La grossesse et les premières années de vie. La composition corporelle dépend non seulement des gènes, mais également de l'environnement dans lequel ils ont baigné dans les premières années de l'enfance. Ainsi, comme des études l'ont démontré, une prise de poids excessive de la mère pendant sa grossesse ou la suralimentation du bébé au cours de sa première année favorise le grossissement des cellules adipeuses ainsi que leur multiplication. Or, plus ces cellules sont nombreuses, plus le risque d'obésité augmente et plus il est difficile (mais pas impossible) de maigrir par la suite. En effet, quand des obèses maigrissent, leurs cellules adipeuses diminuent en volume, mais leur nombre reste inchangé. Autant dire que la rechute est rapide s'ils renouent avec les habitudes qui ont conduit au surplus de gras.

Un environnement obésogène. Conserver à long terme un poids santé et un équilibre énergétique représente un véritable défi à une époque où l'offre de nourriture est sans précédent (chapitre 10) et où l'effort physique au quotidien diminue constamment (chapitre 1). Les experts en nutrition parlent même d'un environnement obésogène, c'est-à-dire qui favorise l'obésité ou, à tout le moins, l'accumulation de gras corporel bien au-delà des besoins réels. De fait, les taux d'embonpoint et d'obésité ne cessent d'augmenter à travers le monde, y compris dans les pays en développement. L'excès de poids est devenu un grand problème de santé publique.

ZONE ÉTUDIANTE

Mathieu Hains

CÉGEP DE SHERBROOKE

Volleyball, ski de fond, cardio et musculation, Mathieu fait une dizaine d'heures d'activité physique par semaine. Résultat : il a trouvé la fierté et l'équilibre !

Avant d'entrer au cégep, je n'étais pas très actif. J'étais plutôt concentré sur mes études. Un peu trop… On me disait que l'activité physique m'aiderait à me sentir mieux. Moi, je n'en étais pas convaincu. Mais je me suis décidé.

Or, **non seulement l'activité physique ne me brime ni dans mes études ni dans ma vie sociale, mais elle me permet d'en profiter beaucoup mieux !** Je m'entraîne tôt dans la journée. Je me débarrasse de ce que j'aime le moins, la musculation et l'endurance cardiorespiratoire. Mais cela me procure une telle fierté que ça en vaut vraiment la peine. De plus, une activité physique, si dure soit-elle, procure du soulagement ; après, on peut se relaxer en profondeur. Beaucoup de pensées stressantes nous occupent toujours la tête. Or, bouger et souffrir reposent le cerveau : comment penser à ses tourments, par exemple une mauvaise note à un examen, quand tout ce qu'on perçoit, ce sont les appels de ses muscles ? D'autres activités, comme la lecture ou la musique, aident à se changer les idées. Sauf qu'elles n'empêchent pas toujours de penser… Et puis, quand j'ai le sentiment d'avoir accompli quelque chose dans la journée, je m'endors facilement. Sinon, je me tourmente.

À ceux qui disent « Je n'ai pas de temps pour l'activité physique », je demande : « Vous accordez-vous du temps pour dormir ? » Oui ? Alors vous avez aussi du temps pour l'exercice. **Car l'activité physique ne vous prive pas de temps, elle vous en redonne ! Pensez-y. Combien d'heures passez-vous à vous retourner dans votre lit en attendant le sommeil ? Ça, c'est de la perte de temps. Et quel est le remède ? L'activité physique !**

Chacun de nous cherche à se sentir bien, à vivre une vie dynamique et à son image. Chacun cherche constamment l'équilibre entre vie sociale, études, travail, famille, etc. L'activité physique est un élément prédominant de cet équilibre. **Tout est lié : bouger incite à mieux s'alimenter, à garder une bonne hygiène de sommeil, à s'entourer d'un large réseau social. Le mieux-être qu'on ressent ensuite a un effet d'entraînement, et la volonté suit.** Et on continue !

LES PRINCIPES DE L'ENTRAÎNEMENT APPLIQUÉS AU POIDS SANTÉ ET À L'ÉQUILIBRE ÉNERGÉTIQUE

Augmenter sa dépense énergétique quotidienne en faisant plus d'activités physiques est un excellent moyen d'atteindre un poids santé, puis de le maintenir (p. 264). Pour y arriver de manière efficace et sécuritaire, il est nécessaire d'appliquer les principes de l'entraînement. Précisons cependant que vous pouvez viser un poids santé pour deux raisons opposées :

1. pour **maigrir** parce que vous avez un excédent de poids ;
2. pour **prendre du poids**, en l'occurrence de la masse musculaire, mais peut-être aussi de la masse grasse, parce que votre poids est insuffisant (IMC inférieur à 18,5 et maigreur notable).

Le premier scénario est, de loin, le plus fréquent de nos jours. Le second concerne souvent des personnes atteintes d'un **trouble alimentaire** et **obsédées par la minceur**, obsession qui peut entraîner de graves problèmes de santé (chapitre 10). Dans de tels cas, le soutien des proches et l'aide d'un thérapeute (médecin, nutritionniste, psychologue) sont nécessaires pour surmonter ce trouble et retrouver un poids santé. Pour ces personnes, qui représentent environ 2 à 5 % de la population[1], la priorité n'est donc pas de concevoir un programme d'exercices visant la perte de poids, d'autant qu'elles pourraient s'entraîner déjà de façon excessive en raison même de leur obsession pour la minceur.

La spécificité

Si, pour atteindre un poids santé, vous devez augmenter sensiblement votre dépense énergétique, choisissez des activités aérobies en mode continu (intensité modérée) ou par intervalles (séance combinant intensité modérée et élevée), ou encore des sports ou des activités physiques à dépense énergétique élevée, soit 8 Cal/min ou plus, ou 6 METS ou plus (figure 3.10, p. 107, et tableau 7.2). **La musculation est également un entraînement d'appoint bénéfique**, car elle favorise un gain de masse musculaire, ce qui stimule le métabolisme de base (chapitre 5). Mais si vous avez déjà un poids santé, êtes physiquement actif et vous alimentez bien, ne changez rien !

TABLEAU 7.2 La valeur en METS et en calories de quelques activités aérobies populaires

Activités aérobies à dépense calorique élevée	Valeur en METS	Valeur en calories/min[a]
Marche rapide en montant une côte	6,0	7,0
Marche très rapide sur le plat à 8 km/h	7,5	8,7
Marche ascendante en montagne	8,0	9,3
Jogging léger	6,0	7,0
Jogging ordinaire à 8 km/h	8,0	9,3
Jogging à 8,5 km/h	9,0	10,5
Jogging de type cross-country	9,0	10,5
Jogging à 9,5 km/h	10,0	11,5
Course à 11 km/h	11,0	13,0
Course rapide à 12,5 km/h	12,5	14,5
Aérobique	7,0	8,2
Arts martiaux (judo, jiu-jitsu, karaté, taekwondo, etc.)	10,0	11,7
Vélo à 16-19 km/h (par exemple se rendre au cégep)	6,0	7,0
Vélo à 19-22,5 km/h	8,0	9,3
Vélo à 22,5-25,5 km/h	10,0	11,5
Vélo à 25,5-30,5 km/h	12,0	14,0
Ski de fond sur le plat à 4,5 km/h	7,0	8,2
Ski de fond sur le plat à 6,5-8 km/h	8,0	9,3
Ski de fond sur le plat à 8-13 km/h	9,0	10,5
Ski de fond sur le plat à plus de 13 km/h (compétition)	10,0-14,0	10,5-16,3
Raquette à neige	8,0	9,3
Natation (longueurs en style libre, vitesse modérée)	7,0	8,2
Natation (longueurs en style libre, vitesse rapide)	11,0	13,0

a. Pour une personne pesant 70 kilos. Comme votre poids influe sur la dépense calorique, si vous pesez davantage, cette dépense sera plus élevée, et si vous pesez moins, elle sera plus basse.

1. Kino-Québec (2008). *L'activité physique et le poids corporel*, avis du Comité scientifique, p. 9.

La surcharge

Selon les recommandations les plus récentes des experts[1], pour **perdre un surplus de gras significatif en faisant de l'exercice**, il faut au moins obtenir un déficit énergétique de 1 000 calories par semaine. Pour une fonte plus marquée des réserves de graisse, par exemple 1 kilo (7 700 calories) par mois, ce déficit doit atteindre 2 000 calories et plus par semaine. Pour perdre ces calories grâce à l'exercice, vous devez appliquer les variables FIT de la surcharge, soit la fréquence hebdomadaire, l'intensité des exercices et le temps mis pour exécuter les exercices, ou durée de la séance.

La fréquence des séances

Les experts préconisent de **trois à sept séances par semaine**, selon la durée et l'intensité des activités physiques pratiquées et l'objectif poursuivi (perte calorique importante ou très importante, par exemple). Lorsqu'on fait sept séances par semaine (habituellement une par jour), il est recommandé d'adopter une intensité modérée ou de varier l'intensité s'il y a des séances d'exercices intenses (par exemple, intensité modérée les jours 1, 3, 5 et 7, et intensité plus élevée les jours 2, 4 et 6) afin de permettre aux muscles et aux tendons de récupérer (chapitre 4, p. 142).

L'intensité des séances

On recommande une intensité modérée en mode continu ou une intensité modérée à élevée en mode par intervalles.

La durée des séances

En mode continu, chaque séance devrait comprendre au moins 30 minutes d'exercices aérobies à intensité modérée, et en mode par intervalles, au moins 20 minutes d'exercices aérobies à intensité modérée à élevée, afin de dépenser ainsi 1 000 calories de plus au minimum par semaine.

La progression

La progression se fait en fonction de la condition physique. Si vous n'êtes pas en forme, l'application du principe de la surcharge sera plus lente que si vous l'êtes. Concrètement, cela peut vouloir dire de commencer par une perte de 500 calories par semaine au moyen d'exercices aérobies, puis de passer à 750 calories par semaine et ensuite à 1 000 calories. Une perte de 500 calories correspond à environ 15 minutes d'exercices aérobies plutôt modérés par jour, une perte de 750 calories à environ 20 minutes, et une perte de 1 000 calories à environ 30 minutes. Pour vous faire une meilleure idée de la façon d'appliquer le principe de la surcharge, que ce soit en mode continu ou en mode par intervalles, consultez les exemples de programmes progressifs de mise en forme aérobie présentés au chapitre 4 (p. 143).

1. Kino-Québec (2008). *L'activité physique et le poids corporel corporel*, avis du Comité scientifique; American College of Sports Medicine (2009). *Appropriate physical activity intervention strategies for weight loss and prevention of weight regain for adults*, avis du Comité scientifique.

Le maintien

Une fois votre objectif atteint, vous pouvez réduire la fréquence et la durée de vos séances d'entraînement, mais pas l'intensité de vos efforts. Toutefois, dans le cas de l'équilibre énergétique, et en toute logique, une fois votre objectif de poids santé atteint, vous devriez idéalement maintenir la même dépense énergétique hebdomadaire afin d'éviter un retour au déséquilibre entre vos apports et vos besoins en énergie.

ÉLABOREZ VOTRE PROGRAMME D'ENTRAÎNEMENT POUR ATTEINDRE UN POIDS SANTÉ

Comme on l'a vu aux chapitres précédents, pour élaborer un programme d'entraînement destiné à l'atteinte ou au maintien d'un poids santé confirmé (IMC compris entre 18,5 et 24,9 associé à un tour de taille inférieur à 102 centimètres chez les hommes et à 88 centimètres chez les femmes), vous devez:

- vous fixer un objectif de type « SMART » (**S**pécifique, **M**esurable, orienté vers l'**A**ction, **R**éaliste et limité dans le **T**emps);
- appliquer correctement les principes de l'entraînement ;
- préciser les conditions de réalisation de votre programme.

La quatrième étape – les règles de sécurité à respecter – prend ici la forme de conseils à suivre quand on recourt à l'exercice pour maigrir. Pour vous aider à concrétiser votre programme, voyons comment Cédrik a suivi cette démarche.

Cédrik 18 ans

Quel est son objectif SMART?

Ayant délaissé le tennis et la course à pied après sa quatrième année de secondaire, Cédrik s'est enrobé depuis son entrée au cégep (il est en deuxième année). Il a pris presque 3 kilos et pèse maintenant 78 kilos. Comme il mesure 1,75 mètre, son IMC est de 25,4, ce qui le classe dans la catégorie « excès de poids ». En plus, son tour de taille a augmenté de 4 centimètres et atteint désormais 96 centimètres. Heureusement qu'il a son cours d'éducation physique, sinon il serait devenu un parfait sédentaire. Déterminé à retrouver son poids d'antan, Cédrik se fixe comme objectif de perdre au moins 2 kilos en 8 semaines en faisant du jogging à 75 % de sa FCM (fréquence cardiaque maximale) pendant 35 minutes en mode continu, 6 fois par semaine, afin de dépenser 1 500 calories par semaine. Il veut aussi réduire son apport calorique de 500 calories par semaine en supprimant un repas de type *fast food** par semaine (« Volet alimentaire », p. 262). Le déficit calorique visé est donc de 2 000 calories par semaine pendant 8 semaines, soit un total de 16 000 calories. Comme la perte de 2 kilos de poids corporel équivaut à environ 15 400 calories, Cédrik devrait être capable de perdre ces 2 kilos!

* *Fast food*: restauration rapide souvent riche en calories, en gras et en sel, mais pauvre en nutriments.

Cet objectif est **spécifique** (activité aérobie), **mesurable** (perdre 2 kilos en 8 semaines), orienté vers l'**action** (jogger 35 minutes, 6 fois par semaine), **réaliste** (perdre 2 kilos en 2 mois est faisable pourvu que Cédrik atteigne un déficit calorique de 2 000 calories par semaine) et limité dans le **temps** (8 semaines).

Comment va-t-il appliquer les principes de l'entraînement pour atteindre son objectif?

Spécificité: Cédrik a choisi une activité aérobie qui lui fera perdre entre 7 et 8 cal/min: le jogging.

Surcharge:

- ***Fréquence:*** 6 fois par semaine (il fera relâche le dimanche).
- ***Intensité:*** modérée, à 75 % de sa FCM (fréquence cardiaque maximale).
- ***Durée de la séance:*** 35 minutes.

Progression: Cédrik s'inspirera, en partie, de la progression suggérée au tableau 4.5 (p. 144) et, dès la deuxième semaine, ajustera l'intensité et la durée de son jogging pour respecter sa cible par l'exercice de 1 500 calories par semaine. Il portera la montre **cardiofréquencemètre** qu'il a reçue en cadeau pour vérifier sa fréquence cardiaque pendant l'effort et l'ajuster au besoin.

Maintien (s'il y a lieu): Une fois son objectif atteint, Cédrik réduira son programme, pendant la période d'examens au cégep, à 3 séances par semaine à raison de 20 minutes par séance, en maintenant la même intensité d'effort, soit la même vitesse de jogging.

17 calculateur de l'AEQ

Utilisez aussi le calculateur de l'AEQ pour évaluer votre réduction calorique.

Volet alimentaire: Comme il a l'habitude de manger du *fast food* les lundis et jeudis dans un resto proche de son cégep, le jeudi midi, il remplacera son repas habituel (hamburger double, frites, boisson gazeuse et crème glacée) par un repas plus nutritif et plus pauvre en calories (salade au poulet avec jus de pomme et salade de fruits). En se référant au chapitre 10, Cédrik estime qu'à lui seul ce changement réduira son apport calorique hebdomadaire d'environ 500 calories (950 calories pour le repas nutritif et léger, contre 1 450 calories pour le *fast food*). Il utilisera aussi le calculateur de l'apport énergétique quotidien (AEQ) dans MonLab pour calculer les calories qu'il ingère.

Quelles sont les conditions de réalisation de son programme?

Durée du programme: 8 semaines, du 8 septembre au 1er novembre.

Où? Sur le campus de son cégep et, le samedi, dans son quartier.

Quand? Du lundi au vendredi, de 12 h à 12 h 50 (échauffement et retour au calme inclus), et le samedi, de 11 h à 11 h 50.

Avec qui? Du lundi au vendredi, avec son copain François, qui souhaite aussi maigrir, et seul le samedi. Dimanche, il fait relâche.

Comment va-t-il faire le suivi de son programme ?

Cédrik utilisera, depuis son cellulaire, le journal de bord « Poids santé » dans MonLab, dont nous vous présentons ci-dessous un modèle.

journal de bord : poids santé

Le journal de bord de Cédrik

	Mon programme d'entraînement	Ma dépense énergétique estimée selon le calculateur	Ma réduction calorique estimée selon le calculateur
Lundi	Jogging : 35 min à 75 % de ma FCM	265 calories	
Mardi	Jogging : 35 min à 75 % de ma FCM	265 calories	
Mercredi	Jogging : 35 min à 70 % de ma FCM Remarque : J'ai réduit un peu mon intensité aujourd'hui.	245 calories	
Jeudi	Jogging : 35 min à 75 % de ma FCM Volet alimentaire : J'ai pris un repas léger au lieu du *fast food* habituel.	265 calories	522 calories
Vendredi	Jogging : 35 min à 75 % de ma FCM	265 calories	
Samedi	Jogging : 30 min à 75 % de ma FCM Remarque : J'ai couru 5 minutes de moins parce que j'avais un point de côté tenace.	230 calories	

Bilan de la semaine :

Dépense énergétique + réduction calorique = total des calories en moins

1 535 calories + 522 calories = 2 057 calories

Wow ! J'ai dépassé ma cible !

MAIGRIR PAR L'EXERCICE : CE QU'IL FAUT SAVOIR

Si Cédrik a eu recours à l'exercice pour réduire sa masse grasse et renouer ainsi avec l'équilibre énergétique, ce n'est pas par hasard. Son cours d'éducation physique et à la santé lui a appris que l'exercice est un excellent moyen de maintenir ou d'atteindre un poids santé sans nuire à sa santé, contrairement à certaines diètes rigoureuses (chapitre 10). En prime, l'exercice préserve la masse musculaire (**figure 7.5**), renforce le cœur, consolide les os et rend l'esprit léger. Encore faut-il appliquer la bonne formule ! Voici ce qu'il faut retenir quand on veut utiliser l'exercice pour contrôler son poids.

FIGURE 7.5 L'exercice fait maigrir en préservant la masse musculaire

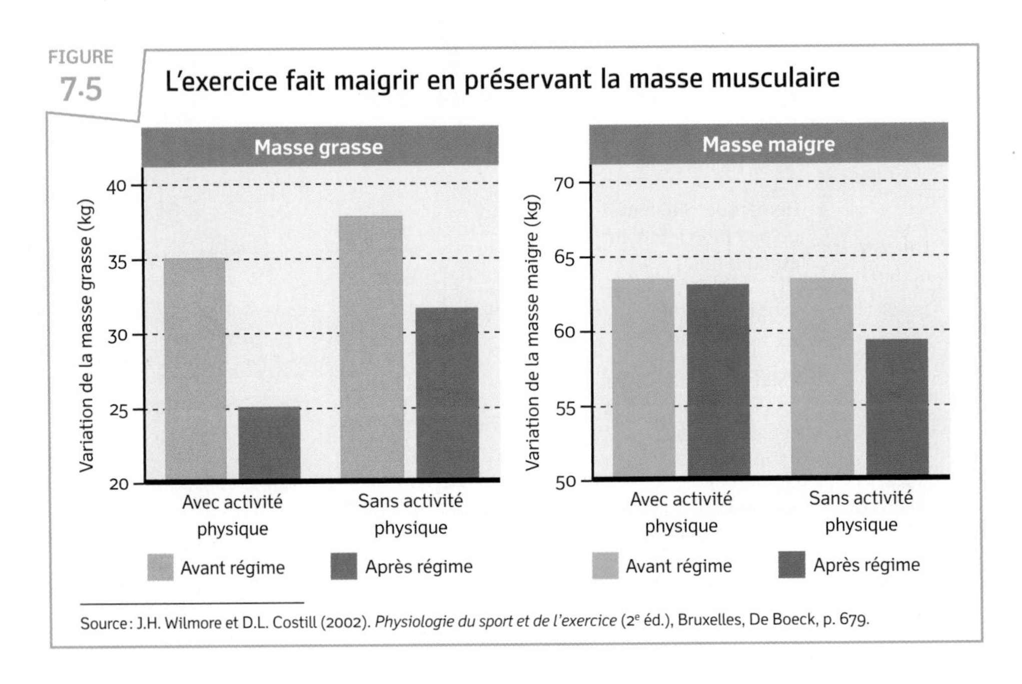

Source : J.H. Wilmore et D.L. Costill (2002). *Physiologie du sport et de l'exercice* (2e éd.), Bruxelles, De Boeck, p. 679.

1. Réduisez les activités sédentaires

Avant toute chose, essayez de **remplacer 30 minutes que vous passez assis**, par exemple devant l'ordinateur ou la télévision, **par 30 minutes de marche rapide**. Cette résolution vous fera perdre environ 150 calories par jour, soit 1 000 par semaine et 4 000 au bout d'un mois. Autre suggestion : rendez-vous au cégep à pied, au moins une partie du trajet, ou allez-y en vélo.

2. Fixez-vous un objectif de perte de poids réaliste

Évitez les diètes amaigrissantes rigoureuses (chapitre 10). Une réduction rapide du poids en suivant une telle diète (plus de 5 kilos par mois, par exemple) s'accompagne souvent d'une perte significative de masse musculaire et d'énergie, ainsi que d'un ralentissement du métabolisme de repos. Ce sont là les conditions parfaites pour reprendre rapidement tout le poids perdu ! Cependant, dépenser 500 calories par jour peut représenter un défi pour vous. Si c'est le cas, réduisez votre apport calorique d'environ 200 calories (l'équivalent d'une tranche de pain beurrée) et contentez-vous d'en dépenser 300. Le **tableau 7.4** présente une synthèse des différentes approches possibles pour perdre de 1,5 à 2 kilos en 1 mois, soit environ 15 000 calories.

TABLEAU 7.4 **Les différentes stratégies amaigrissantes et leurs effets sur la composition corporelle**

Stratégie amaigrissante	La masse maigre…	La masse grasse…
Diète hypocalorique	… **diminue**. La perte peut atteindre jusqu'à 30 % environ du poids perdu.	… **diminue**. La perte peut atteindre de 1,5 à 2 kilos après 2 mois si la diète est très hypocalorique.
Activité physique aérobie	… **reste inchangée ou augmente** si l'intensité est assez élevée.	… **diminue**. La perte peut atteindre de 1,5 à 2 kilos après 2 mois si l'augmentation de l'activité physique accroît la dépense énergétique d'au moins 15 000 calories, sans augmentation de l'apport calorique par l'alimentation.
Diète hypocalorique et activité physique aérobie	… **diminue** faiblement. Environ 10 % du poids perdu est de la masse maigre.	… **diminue**. La perte peut atteindre de 1,5 à 2 kilos après 2 mois si l'augmentation de la dépense énergétique et la diminution de l'apport calorique par l'alimentation entraînent un déficit énergétique d'au moins 15 000 calories.
Musculation	… **augmente**.	… **diminue** un peu à condition qu'il n'y ait pas augmentation de l'apport calorique par l'alimentation.
Diète hypocalorique et musculation	… **diminue peu, reste inchangée ou augmente** un peu si l'entraînement est intensif.	… **diminue**. La perte peut atteindre de 1,5 à 2 kilos après 2 mois si l'augmentation de la dépense énergétique et la diminution de l'apport calorique par l'alimentation entraînent un déficit énergétique d'au moins 15 000 calories.
Diète hypocalorique, activité physique aérobie et musculation	… **reste inchangée ou augmente** si l'entraînement est intensif.	… **diminue**. La perte peut atteindre de 1,5 à 2 kilos après 2 mois si l'augmentation de la dépense énergétique et la diminution de l'apport calorique par l'alimentation entraînent un déficit énergétique d'au moins 15 000 calories.

Source : Adapté de Kino-Québec (2008). *L'activité physique et le poids corporel*, avis du Comité scientifique, p. 26.

3. Commencez par des exercices aérobies d'intensité modérée

L'approche consistant à commencer par des exercices d'intensité modérée est réaliste. Vous aurez ainsi plus de facilité et aussi plus de plaisir qu'avec des exercices vigoureux. De cette façon, vous risquerez moins de baisser les bras au bout de quelques séances. Cette approche est également sûre. Si vous n'êtes pas en forme, vous risquez moins de vous blesser en faisant des efforts modérés. De plus, comme l'effort n'est pas intense, vous pourrez faire de l'exercice tous les jours. À l'inverse, si vous faisiez un effort intense, il faudrait vous accorder de temps en temps des jours de repos pour permettre à vos muscles de récupérer. Le **tableau 7.5** confirme, chiffres à l'appui, la fonte marquée des réserves de graisse après 16 semaines d'entraînement aérobie.

TABLEAU 7.5 L'entraînement aérobie entraîne une fonte marquée des réserves de graisse[a]

Plis cutanés	Avant (mm)	Après (mm)	Changement absolu (mm)	Changement (%)
Triceps	22,5	19,4	**−3,1**	**−13,8**
Sous l'omoplate	19,0	17,0	**−2,0**	**−10,5**
Au-dessus de la crête iliaque	34,5	30,2	**−4,3**	**−12,8**
Abdomen	33,7	29,4	**−4,3**	**−12,8**
Devant de la cuisse	21,6	18,7	**−2,9**	**−13,4**
Total	131,3	114,7	**−16,6**	**−12,6**

a. Changements survenus chez des jeunes femmes après 16 semaines d'entraînement aérobie.

Source : Adapté de W.D. McArdle, F.I. Katch et V.L. Katch (2000). *Essentials of exercise physiology* (2e éd.), Philadelphie, Lippincott, Williams & Wilkins, p. 515.

4. Ne négligez pas les exercices d'intensité élevée

Les exercices d'intensité élevée offrent également des avantages appréciables. Tout d'abord, **ils vous feront dépenser autant de calories, sinon plus, que les exercices modérés**, mais en moins de temps. Par exemple, si vous pesez 70 kilos et joggez à bonne allure pendant 20 minutes, vous dépenserez environ 180 calories ; pour atteindre la même dépense énergétique en marchant d'un pas rapide, cela vous prendra au moins 35 minutes.

En outre, vous aurez une plus grande « **dette d'énergie** » envers votre organisme après un exercice vigoureux qu'après un exercice modéré. Par conséquent, votre métabolisme restera élevé plus longtemps afin de rembourser cette dette. En fait, selon la durée et le degré d'intensité de l'exercice, le métabolisme peut demeurer élevé pendant plusieurs heures. Vous continuez donc à brûler des calories, même après avoir terminé votre séance d'activité physique. Cette dépense calorique post-exercice, souvent « oubliée » dans le calcul des calories perdues, est tout de même substantielle (de 100 à 150 calories de plus après 12 heures[1]), surtout si elle se répète 3 ou 4 fois par semaine.

Enfin, les exercices vigoureux augmentent davantage la masse musculaire que les exercices modérés. Pour vous en convaincre, comparez le physique d'un sprinteur à celui d'un marathonien. Il en résulte deux bénéfices : vous maintenez votre métabolisme de base à un niveau élevé (plus la masse maigre est importante, plus le métabolisme de base est élevé), et vous vous protégez contre la fonte musculaire qui survient souvent avec l'âge (p. 26).

1. Kino-Québec (2008). *L'activité physique et le poids corporel*, avis du Comité scientifique, p. 24.

5. Optez pour la formule du compromis : les intervalles

Les exercices vigoureux présentent cependant un inconvénient de taille : vous risquez de vous démotiver à la longue. Dans ce cas, pourquoi ne pas combiner dans la même séance des exercices modérés et vigoureux ? Ce compromis heureux consiste à intégrer des intervalles d'efforts plus intenses pendant une séance d'exercices modérés, ce qu'on appelle l'**entraînement par intervalles** (chapitre 4, p. 126). Par exemple, si vous joggez à 75 % de votre FCM pendant 30 minutes, intercalez toutes les 3 minutes un intervalle de jogging rapide à 90 % de votre FCM d'une durée de 30 secondes. Quel est l'avantage des intervalles ? **Ils augmentent la dépense calorique sans augmenter la durée de la séance d'exercice.** Ainsi, en intégrant des intervalles, vous dépensez plus de 300 calories en 30 minutes de jogging, contre seulement 250 calories environ si vous joggez toujours au même rythme ! Au bout d'une semaine, vous aurez ainsi dépensé 1 300 calories au lieu de 1 000. Le même principe s'applique si vous faites de la natation, du ski de fond, de l'elliptique, du vélo, etc. En fait, l'entraînement par intervalles procure de nombreux bénéfices lorsqu'on veut à la fois maigrir et améliorer sa santé en faisant de l'exercice (**Sous la loupe**).

Les effets bénéfiques de l'entraînement par intervalles sur le poids, le tour de taille et le cholestérol

Lors du deuxième Congrès national sur l'obésité, qui se déroulait à Montréal en avril 2011, des chercheurs du Centre de médecine préventive et d'activité physique de l'Institut de cardiologie de Montréal ont confirmé l'efficacité de l'entraînement par intervalles. Une étude étalée sur 9 mois et portant sur 62 personnes obèses adhérant au programme Kilo-Actif (http://www.centreepic.org/fr/controle-poids.html) a montré que, en moyenne, les participants avaient perdu 5,5 % de leur masse corporelle et que leur tour de taille avait diminué de 5,15 %. De plus, leur capacité à fournir un effort physique avait augmenté de 15 % et leur taux de mauvais cholestérol (LDL) avait diminué de 7 %, tandis que leur taux de bon cholestérol (HDL) avait grimpé de 8 %. Tout cela en moins d'un an !

6. Combinez activité aérobie et musculation

La combinaison activité aérobie-musculation est très efficace pour maigrir. On l'a vu, les exercices aérobies d'intensité modérée à élevée sont associés à une forte dépense calorique. Si vous combinez à ces exercices un programme de musculation, vous accélérez la fonte de vos réserves adipeuses excédentaires. En effet, la musculation favorise un gain de masse musculaire, gain qui élève de façon durable le métabolisme de base. Pour concevoir un bon programme de musculation, consultez le chapitre 5.

Consultez **MonLab** à la rubrique « Pour en savoir plus ». Vous y trouverez des suggestions de lecture et des sites Internet à visiter.

pour en savoir plus

VRAI OU **FAUX**? RÉPONSES

1. **Équilibre énergétique est toujours synonyme de poids santé.** FAUX! On peut respecter l'équilibre énergétique (l'apport énergétique égale la dépense énergétique) et ne pas avoir un poids santé si, antérieurement, on a connu de façon prolongée un déséquilibre calorique positif (surplus) ou négatif (déficit). Ce qui détermine le poids santé, c'est l'IMC associé au tour de taille.

2. **Pour brûler plus de gras, il est recommandé de faire des exercices aérobies à une intensité modérée.** VRAI! En effet, pendant un effort d'intensité modérée, les muscles puisent leur énergie dans la masse grasse, alors qu'ils recourent davantage aux glucides lorsqu'il gagne en intensité. Toutefois, l'important, au bout du compte, ce n'est pas la source des calories (glucides ou graisses), mais la dépense calorique totale par séance. Une calorie est une calorie!

3. **On continue à dépenser des calories même après la fin de sa séance d'entraînement.** VRAI! Cela tient à ce que, une fois l'exercice terminé, le métabolisme demeure élevé pendant quelques heures (p. 266).

4. **Les exercices localisés font maigrir là où on veut.** FAUX! Si c'était vrai, les dactylos auraient les doigts les plus maigres de la planète! Cette croyance, encore fort répandue, n'a aucun fondement scientifique. Lorsque des muscles actifs ont besoin de carburant, la graisse est libérée dans la circulation sanguine pour leur être acheminée. Ainsi, la graisse fournie aux muscles du ventre peut provenir d'un dépôt de tissu adipeux situé au niveau de l'omoplate! Pour se débarrasser de son excédent de gras, il faut avoir une alimentation saine (chapitre 10) et privilégier les activités à haute dépense calorique (p. 259).

AU FIL D'ARRIVÉE!

Le **poids santé lié à l'équilibre énergétique** est un déterminant de la condition physique. Il renvoie à la capacité de maintenir à long terme ses réserves de graisse à un niveau favorable pour sa santé (poids santé), en conservant son équilibre énergétique (entrée et sortie de calories) ou en l'ajustant, au besoin. Le **poids santé** est déterminé par l'indice de masse corporelle (IMC) associé au tour de taille.

L'équilibre énergétique repose sur deux composantes: **l'apport énergétique quotidien (AEQ) et la dépense énergétique quotidienne (DEQ)**. L'AEQ correspond à l'énergie fournie par les aliments et les boissons consommés pendant la journée. Quant à la DEQ, elle correspond à l'énergie que nécessitent le métabolisme de base, les activités de la vie quotidienne et la pratique d'activités physiques.

Plusieurs facteurs influent sur l'équilibre énergétique et, par ricochet, sur la composition corporelle (rapport entre la masse grasse et la masse maigre): le sexe, le type physique – ou somatotype (ectomorphe, endomorphe et mésomorphe) –, la grossesse et les premières années de vie ainsi que le caractère obésogène de l'environnement.

Il est efficace de recourir à l'exercice pour maigrir pourvu que l'intensité et la durée des exercices aérobies entraînent une augmentation suffisante de la dépense calorique. De plus, contrairement aux diètes amaigrissantes, cette méthode préserve la masse musculaire, et elle l'augmente même si l'intensité est élevée.

Pour élaborer un programme d'entraînement visant l'atteinte d'un poids santé, on doit suivre les étapes suivantes: se fixer un objectif de type «SMART», appliquer correctement les principes de l'entraînement à la perte de poids et préciser les conditions de réalisation de son programme. La quatrième étape – les règles de sécurité à respecter – prend ici la forme de conseils à suivre quand on utilise l'exercice pour maigrir.

Pour atteindre un poids santé, on doit appliquer les principes de l'entraînement:

- **Spécificité:** Faire de préférence des activités aérobies prolongées et fréquentes, d'intensité modérée à élevée, afin d'augmenter sensiblement la dépense calorique hebdomadaire.
- **Surcharge:** Selon les recommandations les plus récentes des experts, pour **perdre un surplus de gras par l'exercice**, on doit atteindre un déficit énergétique d'au moins 1 000 calories par semaine. Pour une fonte plus marquée des réserves de graisse, par exemple 1 kilo par mois, ce déficit doit être d'au moins 2 000 calories par semaine.

  Fréquence – De 3 à 7 séances par semaine, selon leur durée, l'intensité des activités physiques et l'objectif poursuivi (perte calorique importante ou très importante, par exemple).

  Intensité – Modérée en mode continu et modérée à élevée en mode par intervalles.

  Durée – Minimum de 30 minutes d'exercices aérobies par séance en mode continu et de 20 minutes en mode par intervalles, pourvu qu'on dépense au moins 1 000 calories et plus par semaine.

Les bilans de fin de chapitre aident: 1) à établir son bilan énergétique et à le mettre en lien avec son IMC et son tour de taille actuels afin de déterminer si on doit modifier ou non ce bilan; 2) à concevoir un programme visant l'atteinte d'un poids santé.

Nom: ______________________ Groupe: __________ Date: __________

Remplissez les cases vides du schéma à l'aide des mots-clés suivants:

la masse grasse ☐ prendre du poids ☐ risque d'obésité ☐ exercices aérobies ☐ la DEQ* ☐ surpoids ☐ la composition corporelle ☐ le type physique ☐ un environnement obésogène ☐ entre 18,5 et 24,9 ☐ le mésomorphe ☐ plus aisée de l'activité physique ☐

le poids santé

détermine

influe sur

un IMC compris __________ associé à un tour de taille inférieur à 102 cm chez les hommes et à 88 cm chez les femmes

sont quelques-uns des bénéfices associés à

l'élimination du __________ et de maigreur extrême

une pratique __________ __________

la diminution du risque d'arthrose précoce des membres inférieurs

le maintien d'une composition corporelle favorable à la santé

une meilleure estime de soi

le bilan énergétique à long terme

peut être

positif = __________

négatif = maigreur

équilibré = poids stable

comprend

l'AEQ* | __________

influent sur

le poids corporel

et par conséquent sur

____

comprend

la masse maigre et __________

sont les facteurs qui influent sur

____

la grossesse et les premières années de vie

le sexe

____

l'ectomorphe | __________ | l'endomorphe

peut être nécessaire pour atteindre

maigrir OU __________

aide à

faire régulièrement et en quantité suffisante des __________ et, au besoin, diminuer l'AEQ

aide à

augmenter son AEQ et, au besoin, faire de la musculation

* DEQ : dépense énergétique quotidienne.

* AEQ : apport énergétique quotidien.

Nom : ____________ Groupe : ____________ Date : ____________

1 Quelles sont les deux composantes de l'équilibre énergétique ?

1. dépense calori
2. apport calo

2 Quels sont les constituants de la dépense énergétique quotidienne ?

- [ ] a) Le métabolisme de base et la pratique d'activités physiques.
- [ ] b) Les activités de la vie quotidienne et la pratique d'activités physiques.
- [x] c) Le métabolisme de base, les activités de la vie quotidienne et la pratique d'activités physiques.
- [ ] d) Le métabolisme de base et les activités de la vie quotidienne.
- [ ] e) Aucune de ces réponses.

3 Pour réduire ses réserves de graisse, on devrait dans l'idéal faire de l'exercice modéré en mode continu ______ par semaine.

- [ ] a) une fois
- [ ] b) deux fois
- [ ] c) trois fois
- [x] d) quatre fois et plus

4 Complétez les phrases suivantes.

a) L'exercice modéré et l'exercice prolongé font plus appel aux lipides qu'aux glucides comme carburant.

b) Le combinaison de cardio et de musculation est très efficace pour maigrir.

c) Recourir à l'exercice est la méthode à privilégier pour perdre du poids.

d) Maigrir en recourant à l'exercice réduit la masse grasse et préserve la masse maigr.

5 Quelles sont les deux composantes de la composition corporelle ?

- [ ] a) L'héritage génétique et le type physique qui en découle.
- [x] b) La masse grasse et la masse maigre.
- [ ] c) Les organes et les os.
- [ ] d) Le poids corporel et la taille.
- [ ] e) Aucune de ces réponses.

6 Un déséquilibre énergétique prolongé, positif ou négatif, peut avoir deux conséquences sur le poids corporel. Lesquelles ?

1. obésité
2. Poids insuffisants

À VOS MÉNINGES 7

Nom : ______ Groupe : ______ Date : ______

7 Avoir un poids santé stable procure plusieurs bénéfices. Citez-en deux.

1. Diminition marqué du risque d'obé maigreur extre
2. pratique facile de l'activite physiqu

8 Un excès de poids accroît le risque d'arthrose précoce dans les articulations des membres inférieurs parce que cela ______.

- [ ] a) affaiblit les os.
- [x] b) augmente la pression sur les articulations portantes.
- [ ] c) diminue l'amplitude du mouvement.
- [ ] d) augmente le risque de blessures articulaires.
- [ ] e) Aucune de ces réponses.

9 Quels sont les deux facteurs génétiques qui influent au départ sur la composition corporelle ?

1. Type physique
2. le sexe

10 Lesquels des énoncés suivants sont vrais ?

- [x] a) Chez l'homme, les surplus de gras ont tendance à se loger dans l'abdomen.
- [ ] b) Une personne de type ectomorphe a les épaules larges.
- [x] c) La femme a, en général, moins de muscles et plus de gras que l'homme.
- [ ] d) Être en équilibre énergétique signifie qu'on a un poids santé.
- [ ] e) À lui seul, l'IMC suffit pour déterminer le poids santé d'une personne.
- [x] f) Chez une personne sédentaire, le MB représente la plus grande part de la dépense énergétique quotidienne.

11 Complétez les phrases suivantes.

a) La masse grasse est constituée réserve de grai.

b) La masse maigre est constituée des os des muscles, des organes des tissus conjonctif liquide corpor.

Nom : ______________________ Groupe : ____________ Date : ____________

ESTIMEZ VOTRE BILAN ÉNERGÉTIQUE EN LIEN AVEC LE POIDS SANTÉ

Afin d'être en meilleure santé, il est important de faire le lien entre son bilan énergétique quotidien et ce que devrait être son poids santé, soit un IMC compris entre 18,5 et 24,9 associé à un tour de taille inférieur à 102 centimètres pour les hommes et 88 centimètres pour les femmes. Si vous avez évalué votre condition physique (chapitre 2), vous connaissez déjà votre IMC et votre tour de taille. Avec ces informations en mains, suivez la démarche en quatre étapes proposée ci-dessous afin de répondre aux deux questions suivantes :

- Dois-je modifier mon bilan énergétique ?
- Si oui, dans quelle proportion : un peu à moyennement (de 200 à 500 calories) ; beaucoup (plus de 500 calories) ?

ÉTAPE A Déterminez si vous avez un poids santé

Indiquez les résultats de l'évaluation de votre condition physique (chapitre 2).

Mon IMC : __________ Mon tour de taille : __________ cm

J'ai donc : un poids santé confirmé ☐ ; un excès de poids plus ou moins important ☐ ; un poids insuffisant ☐.

ÉTAPE B Estimez votre dépense énergétique quotidienne (DEQ)

Vous devez estimer votre DEQ pour une journée type. Pour y arriver, utilisez une des formules suivantes, qui prennent en compte votre sexe, votre âge, votre poids, votre taille et votre niveau d'activité physique. Ces formules, conçues à l'origine pour estimer les besoins énergétiques, proviennent de Santé Canada et **tiennent compte de toutes les dépenses d'énergie**, soit le MB plus l'AVQ plus l'AP (figure 7.2, p. 251).

Hommes : $662 - (9{,}53 \times \text{âge}) + \text{CA} \times \{(15{,}91 \times \text{poids}) + (539{,}6 \times \text{taille})\}$

Femmes : $354 - (6{,}91 \times \text{âge}) + \text{CA} \times \{(9{,}36 \times \text{poids}) + (726 \times \text{taille})\}$

Dans ces formules, le poids est exprimé en kilos et la taille en mètres. **CA signifie coefficient d'activité physique (niveau de pratique)**. Santé Canada a défini ainsi les niveaux de pratique de l'activité physique :

- **Sédentaire :** activités quotidiennes de base (par exemple, tâches ménagères, marcher pour se rendre à l'arrêt d'autobus).
- **Moyennement actif :** activités quotidiennes de base + de 30 à 60 minutes[a] d'activités physiques modérées par jour (par exemple, marcher à une vitesse de 5 à 7 km/h).
- **Actif :** activités quotidiennes de base + un minimum de 60 minutes[a] d'activités physiques modérées par jour.
- **Très actif :** activités quotidiennes de base + un minimum de 60 minutes[a] d'activités physiques modérées par jour + 60 minutes[a] d'activités physiques vigoureuses ou 120 minutes[a] d'activités physiques modérées.

a. En mode continu ou par blocs d'activité physique d'au moins 10 minutes.

Nom: ______ Groupe: ______ Date: ______

Le **tableau suivant** présente les CA en fonction du sexe. Vous pouvez aussi vous référer aux bilans 1 et 3 pour apprécier votre niveau d'activité physique.

	Sédentaire	Moyennement actif	Actif	Très actif
Hommes	1,00	1,11	1,25	1,48
Femmes	1,00	1,12	1,27	1,45

Source: Santé Canada, http://www.hc-sc.gc.ca/fn-an/nutrition/reference/table/index-fra.php#eeer.

Calculez maintenant votre DEQ estimée.

Votre sexe: ______ ; votre âge: ______; votre poids (kg): ______;
votre taille (m): ______ ; votre CA: ______

(Pour faciliter vos calculs, servez-vous du calculateur DEQ dans MonLab.)

MonLab
18 calculateur de la DEQ

Hommes: 662 − (9,53 × ______ âge) + CA ______ × {(15,91 × ______ poids) + (539,6 × ______ taille)} = ______ cal/jour

Femmes: 354 − (6,91 × ______ âge) + CA ______ × {(9,36 × ______ poids) + (726 × ______ taille)} = ______ cal/jour

Votre DEQ moyenne estimée est de ______ calories par jour.

ÉTAPE C Estimez votre apport énergétique quotidien (AEQ)

MonLab
17 calculateur de l'AEQ

Pour établir la valeur calorique des aliments, utilisez le calculateur AEQ dans MonLab.

Jour 1[a] Date ______

Repas	Quantités d'aliments et de boissons consommés	Calories[b]
Déjeuner		
Collation		
Dîner		
Collation 2		
Souper		
Collation 3		
TOTAL		

a. **Téléchargez la fiche complète (jours 1, 2 et 3) à partir de MonLab.**

b. Pour déterminer la valeur calorique des aliments et boissons consommés, servez-vous du calculateur AEQ dans MonLab. Vous pouvez aussi vous inscrire à PROFILAN: http://www.eatracker.ca/index.aspx?1C=FR ou sur le site de Santé Canada http://www.hc-sc.gc.ca/fn-an/nutrition/fiche-nutri-data/nutrient_value-valeurs-nutritiVes-tc-tm-fra.php.

MonLab
fiche AEQ (jours 1, 2 et 3)

AEQ moyen: ______ calories par jour

Nom : ______________________ Groupe : ____________ Date : ____________

ÉTAPE D Mettez votre bilan énergétique en relation avec le poids santé

Ce bilan est approximatif, mais il vous donne une bonne idée de vos entrées (apports) et sorties (dépenses) de calories. Inscrivez ci-dessous les valeurs de votre DEQ et de votre AEQ.

DEQ : ____________ calories AEQ : ____________ calories

Pour une journée type, avez-vous :

- un équilibre énergétique (à plus ou moins 200 calories près) : ☐ **Oui** ☐ **Non**
- un déséquilibre énergétique positif (surplus calorique) : ☐ **Oui** ☐ **Non**
- un déséquilibre énergétique négatif (déficit calorique) : ☐ **Oui** ☐ **Non**

Mettez ce résultat en relation avec le poids santé (IMC compris entre 18,5 et 24,9 associé à un tour de taille inférieur à 102 centimètres chez les hommes et 88 centimètres chez les femmes). Que devez-vous faire maintenant ? Pour vous aider dans votre réflexion, nous avons reproduit le tableau 7.1 ci-dessous en y ajoutant une troisième colonne. Dans laquelle des situations suivantes vous trouvez-vous ? Cochez la case correspondant à la décision que vous souhaitez prendre.

Situation actuelle	Besoin	Votre décision
1. **Équilibre énergétique et poids santé**[a]	Maintenir la situation, car elle est idéale	☐
2. **Équilibre énergétique et excès de poids**[a]	Augmenter sa DEQ[b] ou réduire son AEQ[b], ou encore faire les deux à la fois	☐
3. **Déséquilibre énergétique négatif (déficit calorique) et excès de poids**	Maintenir la situation jusqu'à l'atteinte d'un poids santé	☐
4. **Déséquilibre énergétique positif (surplus calorique) et excès de poids**	Dès que possible, diminuer son AEQ et augmenter sa DEQ	☐
5. **Équilibre énergétique et poids insuffisant**[a]	Augmenter son AEQ et peut-être aussi sa masse maigre, par exemple par la musculation, si le poids insuffisant ne tient pas à un excès d'exercice	☐
6. **Déséquilibre énergétique positif et poids insuffisant**	Maintenir la situation jusqu'à l'atteinte d'un poids santé	☐
7. **Déséquilibre énergétique négatif et poids insuffisant**	Augmenter **de toute urgence** son AEQ[c]	☐

a. Selon l'IMC et le tour de taille (tableau 2.9, p. 72).

b. AEQ : apport énergétique quotidien ; DEQ : dépense énergétique quotidienne.

c. Si vous êtes dans ce cas, vous devriez aussi consulter un nutritionniste et peut-être un médecin.

En quelques mots, justifiez votre décision : ______________________________

____

____

____

____

____

Nom : ______ Groupe : ______ Date : ______

CONCEVEZ VOTRE PROGRAMME POUR ATTEINDRE UN POIDS SANTÉ

Selon vos résultats à l'étape 4 du bilan 7.1, vous sentirez peut-être le besoin de concevoir un programme personnel visant l'atteinte d'un poids santé. Voici la démarche pour y arriver.

ÉTAPE A Déterminez votre capacité et votre besoin sur le plan de l'équilibre énergétique associé au poids santé

Votre capacité sur le plan médical à faire en toute sécurité un entraînement aérobie, et, s'il y a lieu, des intervalles d'efforts d'intensité élevée (reportez-vous au Q-AAP, p. 58).

Aucune restriction médicale ______

Avec restriction médicale ______ temporaire ______ permanente ______

Précisez s'il y a une restriction : ______

______

Votre besoin sur le plan de l'équilibre énergétique associé au poids santé

Selon l'étape D du bilan 7.1, mon besoin est le suivant :

☐ 1. Augmenter ma dépense énergétique en faisant plus d'activités physiques et réduire, s'il y a lieu, mon apport énergétique parce que j'ai un excès de poids;

☐ 2. Augmenter mon apport énergétique et, peut-être aussi, ma masse maigre (si l'excès d'exercice n'est pas en cause) parce que j'ai un poids insuffisant.

ÉTAPE B Fixez-vous un objectif

Selon le besoin que vous avez déterminé à l'étape précédente, fixez-vous un objectif de type « SMART », c'est-à-dire **S**pécifique, **M**esurable, orienté vers l'**A**ction, **R**éaliste et limité dans le **T**emps.

Mon objectif est le suivant (vous pouvez vous inspirer du cas de Cédrik, p. 261) :

______

Précisez en quoi il est:

Spécifique : ______

Mesurable : ______

Orienté vers l'action : ______

Réaliste : ______

Limité dans le temps : ______

Nom : ______________________ Groupe : ____________ Date : ____________

ÉTAPE C Appliquez les principes de l'entraînement à votre programme

Dans la conception de votre programme, vous devez appliquer les principes de l'entraînement propres au maintien ou à l'atteinte d'un poids santé.

Principes de l'entraînement, sauf le maintien (voir p. 258 à 261)	Modalités d'application
Spécificité ou activité(s) choisie(s)	______________________
Surcharge	**Fréquence/semaine :** ☐ 3 fois ☐ 4 fois ☐ 5 fois ☐ 6 fois ☐ 7 fois **Intensité pendant l'activité[a] :** a) FCC min : ______ batt./min ; FCC max : ______ batt./min (méthode du pourcentage de la FCC max) b) FCC min : ______ batt./min ; FCC max : ______ batt./min (méthode de Karvonen) **Durée de l'activité :** ______ minutes par séance **Méthode :** en continu ______ ; par intervalles ______ ; les deux en alternance ______ . Si votre entraînement comprend des intervalles, précisez leur durée, leur intensité et leur nombre par séance, ainsi que le temps de récupération entre les intervalles : **Durée des intervalles :** ☐ 15 s ☐ 30 s ☐ 45 s ☐ 1 min ☐ 90 s ☐ 2 min ☐ 3 min **Intensité des intervalles :** très élevée ______ ; maximale à supra-maximale ______ **Nombre d'intervalles :** ______ **Temps de récupération entre les intervalles** (en secondes) : ______
Progression	**Inspirez-vous des tableaux 4.5 et 4.6 pour l'entraînement aérobie et les intervalles ainsi que du tableau 5.3 si vous faites également de la musculation.**

a. Si vous nagez, calculez votre FCC selon la formule pour la natation (p. 133).

BILAN 7.2

Nom : ______________________ Groupe : __________ Date : __________

ÉTAPE D Précisez les conditions de réalisation

Où ?	Cochez
À mon cégep	☐
Dans un autre cégep ou une autre école (précisez) ______________________	☐
Chez moi	☐
Près de chez moi (précisez) ______________________	☐
Dans un centre d'entraînement physique (précisez) ______________________	☐
Autre endroit ______________________	☐

Quand ?		
Lundi	de __________	à __________
Mardi	de __________	à __________
Mercredi	de __________	à __________
Jeudi	de __________	à __________
Vendredi	de __________	à __________
Samedi	de __________	à __________
Dimanche	de __________	à __________

Avec qui ?	Cochez
Seul	☐
Ami(s)	☐
Copain, copine, conjoint, conjointe	☐
Coéquipier(s) d'une équipe sportive	☐
Membre(s) de la famille	☐
Autre (précisez) ______________________	☐

Nom : ______________________ Groupe : ____________ Date : ____________

ÉTAPE E Faites le suivi de vos entraînements, de votre IMC et de votre tour de taille

Vous pouvez utiliser :

1) la fiche de suivi de l'entraînement aérobie (p. 157) ou la fiche de suivi de l'entraînement musculaire (p. 199), ou encore ces deux fiches si vous combinez entraînement aérobie et musculation ;
2) la fiche de suivi de l'évolution de votre poids corporel, de votre IMC et de votre tour de taille, des critères associés au poids santé (voir ci-dessous).

Exemple : le cas de Cédrik (p. 261)

	Relevé des paramètres associés au poids santé		
	Poids corporel (kg)	**IMC**	**Tour de taille (cm)**
Semaine 1	*78*	*25,4*	*96*
Semaine 4	*77*	*25,1*	*94*
Semaine 8	*76*	*24,8*	*93*

Fiche de suivi des paramètres associés au poids santé

Vous pouvez télécharger à partir de MonLab une fiche comprenant un plus grand nombre de semaines.

MonLab
fiche poids santé

	Relevé des paramètres associés au poids santé		
	Poids corporel (kg)	**IMC**	**Tour de taille (cm)**
Semaine 1			
Semaine 4			
Semaine 8			
Semaine 12			

Atteinte du poids santé Date ____________

Réflexion personnelle

Avez-vous atteint votre objectif ? ☐ Oui ☐ Non

Sinon, quels obstacles avez-vous rencontrés ?

____

____

____

____

VRAI OU **FAUX** ?

	V	F
1. Les personnes physiquement actives n'ont pas à se préoccuper de leur posture.	☐	☐
2. Même au repos, nos muscles sont légèrement contractés.	☐	☐
3. Certains exercices aident à allonger nos chaînes musculaires.	☐	☐
4. Quand on modifie sa posture dans le but de l'améliorer, il est normal que les muscles posturaux se fatiguent rapidement.	☐	☐

Les réponses se trouvent en fin de chapitre, p. 298.

CHAPITRE 8

ADOPTEZ DE BONNES POSTURES ET PROTÉGEZ VOTRE DOS

SUR LA LIGNE DE DÉPART !

VOS OBJECTIFS SONT LES SUIVANTS :

- Comprendre ce qu'est une bonne posture et connaître les bénéfices qui en découlent.
- Évaluer votre posture en position debout en fonction des courbures de la colonne vertébrale.
- Faire le bilan de vos postures et l'interpréter correctement.
- Connaître les exercices permettant d'améliorer votre posture et les appliquer.

MonLab

Vrai ou faux ?

Autres exercices en ligne

> **À partir du moment où l'homme est devenu un bipède et où il a assumé la position debout, il s'est fait un ennemi de la gravité, qu'il combat depuis lors.**
>
> J. A. JONES

Posture ! Le mot lui-même semble chargé d'impératifs : « Baissez les épaules, rentrez le ventre, serrez les fesses, bombez le torse, gardez la tête droite ! » Si nous appliquions ces recommandations à la lettre, nous marcherions avec la raideur de militaires à la parade. Or, une bonne posture n'implique pas d'être si peu naturel ! Si c'était le cas, notre colonne vertébrale aurait la forme d'un pilier et non celle, gracieuse et souple, d'un S allongé. Cette forme, qui est le fruit de l'évolution de l'être humain vers la bipédie, a en quelque sorte transformé sa colonne vertébrale en amortisseur vertical. En position debout, le poids supporté par la colonne se répartit ainsi sur une grande surface osseuse. Les **vertèbres** – les os qui forment la colonne vertébrale – sont en outre séparées par le **disque intervertébral**, un coussinet flexible contenant un noyau gélatineux. Grâce à leur élasticité, ces disques amortissent les chocs. Les vertèbres, au nombre de 33, abritent aussi la moelle épinière et permettent aux nerfs de traverser la colonne vertébrale en toute sécurité. La colonne vertébrale et ses courbures anatomiques sont illustrées à la **figure 8.1**.

Une posture bien droite, mais peu naturelle !

FIGURE 8.1 La structure ondulée de la colonne vertébrale

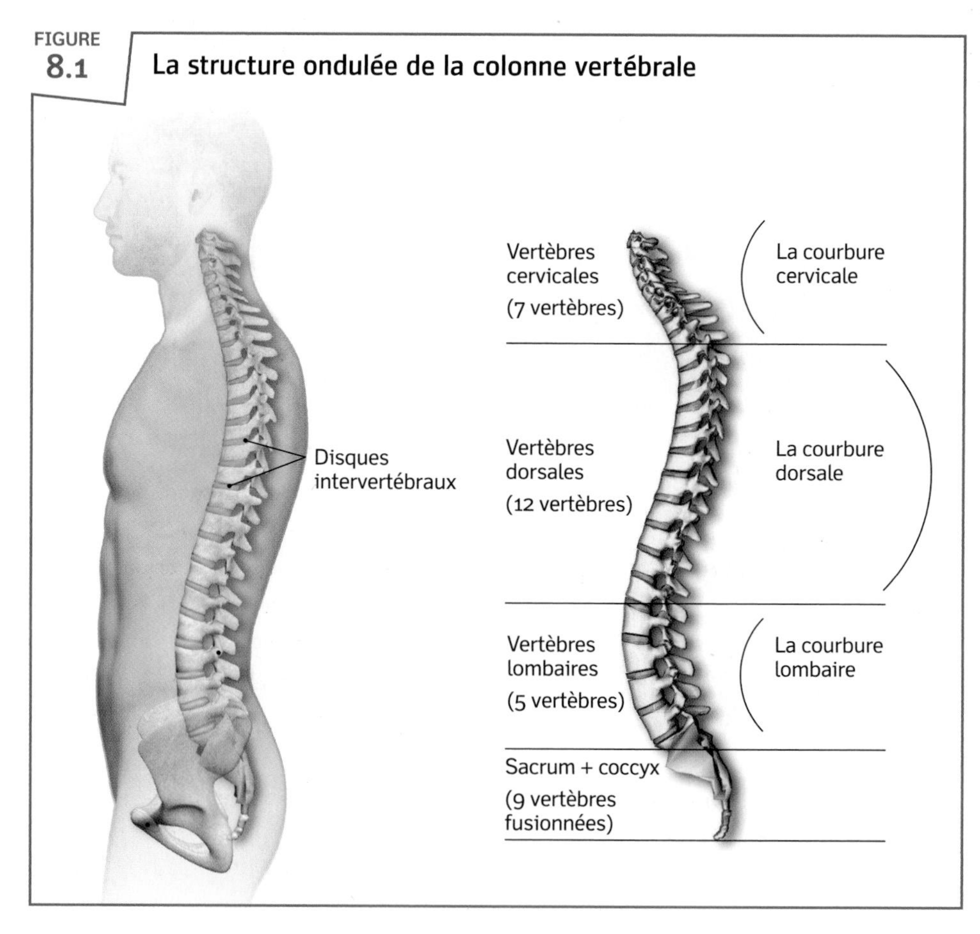

UNE BONNE POSTURE AU QUOTIDIEN

Au sommet de ce génial assemblage osseux qu'est la colonne vertébrale trône le crâne, aligné au-dessus de la cage thoracique, elle-même alignée sur le bassin, lequel est supporté par les membres inférieurs dont les articulations (hanches, genoux et chevilles) sont également alignées. Le tout est solidement maintenu en place par les ligaments, des bandes élastiques très résistantes qui relient entre eux ces os et les muscles qui les font bouger. D'un point de vue anatomique, la **posture en position debout** est donc **idéale** lorsqu'elle maintient l'alignement harmonieux entre la tête, le tronc, le bassin, les genoux et les chevilles (figure 8.2). Précisons toutefois que la plupart d'entre nous n'ont pas un alignement squelettique parfait. En effet, notre posture est façonnée à la fois par nos gènes et par notre environnement; nous avons donc, ici ou là, de petits défauts d'alignement vertébral ou articulaire, qui ne sont pas nécessairement nuisibles en soi. En outre, notre posture est la plupart du temps **dynamique**, et non statique. Autrement dit, nous faisons des mouvements, parfois subtils, pour respirer, nous pencher, nous tourner, nous asseoir, nous agenouiller, nous coucher, etc.

FIGURE 8.2 La posture en position debout

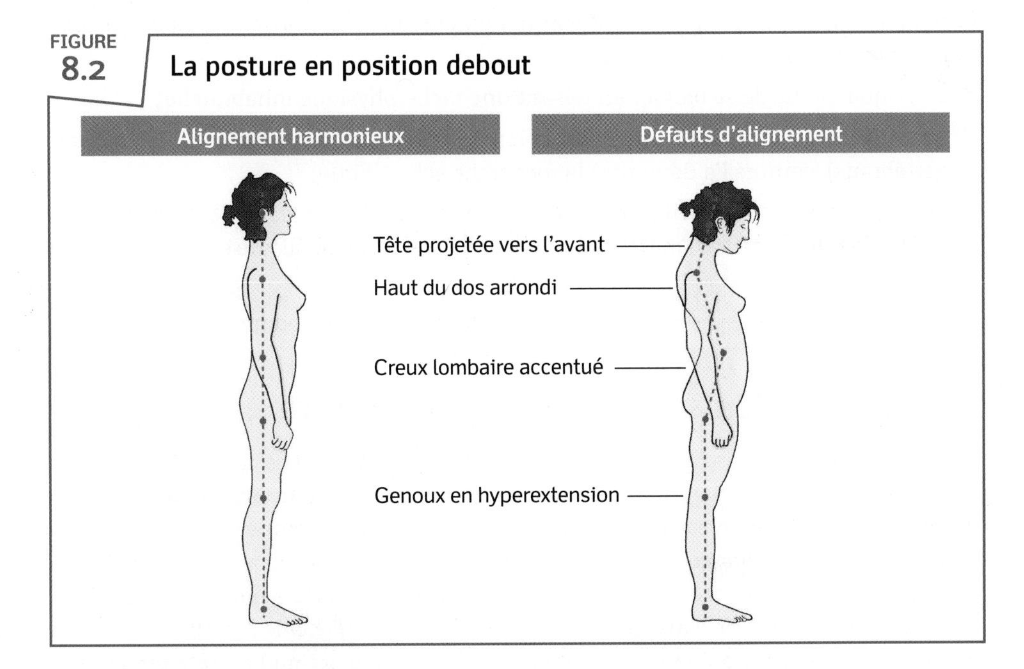

Par conséquent, plutôt que de « posture idéale », mieux vaut parler de **bonne posture au quotidien**. Celle-ci doit satisfaire aux deux critères suivants:

1. **Elle doit être efficiente**, c'est-à-dire nous permettre d'adopter une position donnée sans que nous ressentions ni douleur ni tensions musculaires incommodantes, et ce, avec une dépense minimale d'énergie. Concrètement, la tête doit pouvoir bouger librement, la cage thoracique doit être dégagée pour faciliter la respiration et les bras doivent pouvoir atteindre un objet aisément.
2. **Elle doit favoriser une transition aisée** – sans risque de blessures et, si nécessaire, rapide – entre deux mouvements (par exemple, lorsqu'on se penche pour soulever un objet lourd posé sur le sol ou qu'on se déplace rapidement pour frapper le volant au badminton).

L'activité physique aide à remplir ces deux critères pour peu qu'on la pratique de façon régulière, efficiente (gestuelle fluide) et sans excès, c'est-à-dire sans verser dans le surentraînement (chapitre 1, p. 33). Il y a plusieurs raisons à cela: être physiquement actif améliore l'équilibre dynamique, l'efficacité motrice et énergétique des gestes, tout en rendant les muscles plus forts, plus endurants et plus souples (à condition, bien entendu, de faire régulièrement des étirements).

Les bénéfices d'une bonne posture

Avoir une bonne posture associée à la pratique régulière de l'activité physique procure également d'autres bénéfices appréciables:

- ✓ la respiration est plus aisée, car la cage thoracique est dégagée et libre de ses mouvements;
- ✓ on est moins exposé aux malaises, raideurs, maux de tête, douleurs lombaires et cervicales résultant de la crispation des muscles, car l'exercice contribue à les détendre;
- ✓ on dort mieux parce qu'on ne ressent ni douleurs ni tensions dans la nuque, le dos et les membres;
- ✓ on risque moins de se blesser en faisant une tâche physique inhabituelle;
- ✓ on contribue à la bonne santé de sa colonne vertébrale (vertèbres et disques intervertébraux), comme l'a démontré la recherche scientifique;
- ✓ on risque moins de souffrir de troubles anatomiques tels que la hernie discale (p. 286) ou la déviation vertébrale marquée (p. 287), en raison d'une meilleure efficacité motrice de ses gestes;
- ✓ la démarche est plus aisée et plus assurée, synonyme d'une bonne estime de soi.

Les inconvénients d'une mauvaise posture

Lorsqu'elle ne correspond pas aux deux critères exposés ci-dessus, la posture entraîne des tensions, parfois graves, dans les **muscles stabilisateurs du tronc, ou muscles centraux** (figure 8.3), mais aussi dans les ligaments attachés à la colonne vertébrale et dans les disques intervertébraux. C'est par exemple le cas si vous travaillez de longues heures devant un écran d'ordinateur placé trop haut ou trop bas (posture non efficiente). Il en résultera des tensions musculaires, notamment dans la nuque et le haut du dos. Et, à la fin de la journée, vous aurez probablement la nuque raide, un **mal de tête tensionnel** (dû à des tensions musculaires prolongées), voire un torticolis. Par ailleurs, l'exécution inappropriée de certains gestes – par exemple, soulever un objet lourd posé au sol, tourner le tronc en tenant un objet lourd dans les mains ou pelleter de la neige – peut entraîner une **lombalgie** (douleurs dans le bas du dos). D'autres facteurs sont également susceptibles de favoriser une mauvaise posture. Le stress, tout d'abord, peut nuire à l'équilibre des muscles associés à la posture (Sous la loupe). Quant à la sédentarité, elle affecte la posture car elle diminue la force, l'endurance et la souplesse des muscles, sans compter qu'elle favorise un gain de poids qui sollicite davantage les articulations portantes et la région lombaire (chapitre 1).

FIGURE 8.3 Les principaux muscles stabilisateurs du tronc

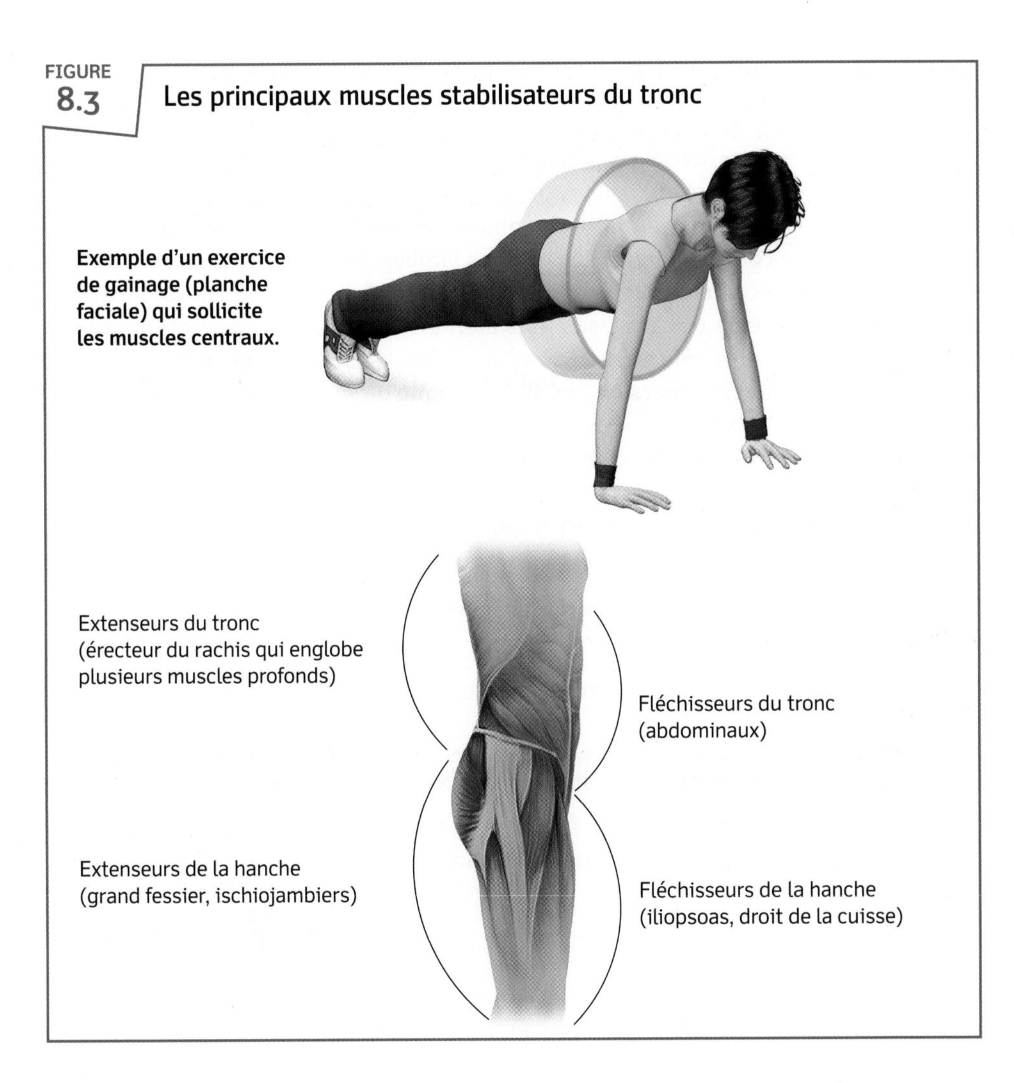

Émotions et maux de dos

Il existe une relation, parfois étroite, entre nos émotions et les maux de dos. Voici ce que dit à ce sujet le docteur John Tanner[1], éminent spécialiste de la colonne vertébrale:

> Souvent, les patients qui consultent pour un mal de dos confient être dans une période de stress intense et demandent à leur médecin si cela a quelque chose à voir avec leurs douleurs dorsales. La réponse est oui. Il est normal qu'un stress émotionnel prolongé puisse entraîner des modifications fonctionnelles dans l'organisme et influe sur notre manière d'utiliser la colonne vertébrale et nos muscles. De plus, la tension musculaire due à des émotions refoulées provoque bien souvent des douleurs cervicales, ainsi que des maux de tête et de dos.
>
> L'humeur quotidienne peut déclencher aussi des maux de dos. **En fait, la posture reflète fréquemment l'humeur.** Quand on se sent triste et déprimé, la tête a tendance à se relâcher et les épaules à se voûter. Quand on est résigné ou pessimiste, on se courbe même davantage. [...] Vous vous apercevrez que les jours où vous êtes heureux, joyeux ou enthousiaste, votre dos oubliera de se faire remarquer. [...] Le mal de dos est, en fait, la façon dont l'organisme se révolte contre le stress, physique ou psychologique, qui lui est imposé, et ralentit *de facto* son activité.

1. J. Tanner (2004). *La santé de votre dos*, Saint-Laurent, ERPI, p. 24-25.

La hernie discale

Les contraintes mécaniques imposées à la colonne par les mauvaises postures malmènent aussi les **disques intervertébraux**. Normalement, ces coussinets situés entre les vertèbres se compressent quand on soulève un objet lourd posé sur le sol et se détendent aussitôt qu'on relâche la charge, un peu comme les amortisseurs d'une automobile (figure 8.4A). Mais si on soulève ce même objet sans plier les jambes, les vertèbres tendent à se rapprocher par-devant et à s'éloigner par-derrière (figure 8.4B), comprimant de façon inégale les disques intervertébraux. La pression vers l'arrière qui s'exerce alors sur le noyau des disques est considérable : elle atteint 500 kilos, au lieu de 50 kilos quand on est debout (figure 8.5) ! **Sous une telle pression, un disque risque de se fissurer au moment où on redresse le tronc**. Une partie du noyau gélatineux, situé au centre du disque, peut alors s'échapper par la fissure : c'est la **hernie discale**. Si la hernie exerce une pression sur un nerf, elle peut causer des douleurs intenses et des engourdissements le long du nerf touché, et ce, jusqu'au bout des orteils s'il s'agit du nerf sciatique.

Les disques de la région lombaire sont les plus sujets à la hernie, car ils subissent une plus grande compression que les disques de la partie supérieure de la colonne.

FIGURE 8.4 Quand les disques intervertébraux sont victimes de mauvais traitements

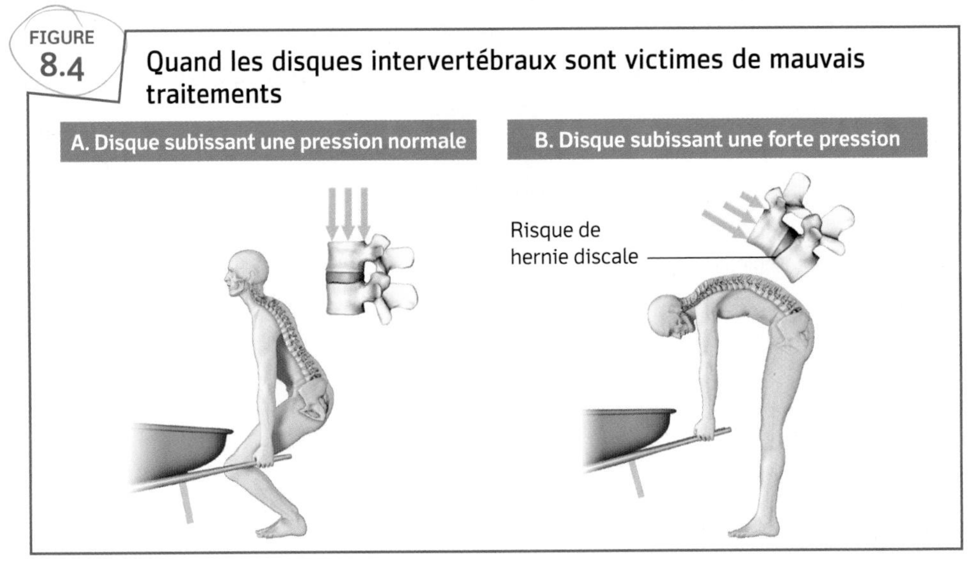

FIGURE 8.5 Les différentes postures et la pression sur les disques intervertébraux

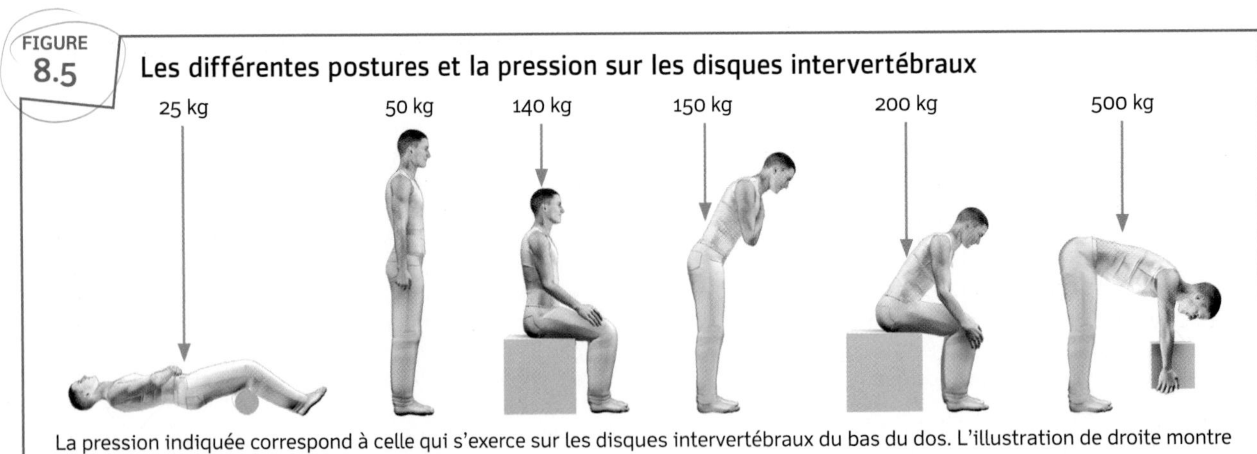

La pression indiquée correspond à celle qui s'exerce sur les disques intervertébraux du bas du dos. L'illustration de droite montre la pression exercée quand on soulève un poids de 10 kilos sans plier les genoux.

PLAN DE MATCH POUR CHANGER UN COMPORTEMENT

Avez-vous de mauvaises habitudes posturales ?

	OUI	NON
J'ai tendance à marcher en projetant la tête vers l'avant.	☐	☐
Quand je regarde la télévision, j'ai tendance à le faire en tournant la tête.	☐	☐
Je pratique un sport, mais je sais que je n'ai pas la bonne technique gestuelle.	☐	☐
Je ne pense pas toujours à plier les genoux lorsque je soulève un objet lourd posé sur le sol.	☐	☐
J'ai tendance à exécuter rapidement les tâches physiques telles que pelleter de la neige, déplacer un objet lourd, vider le coffre de mon auto, etc.	☐	☐

Si vous avez répondu *oui* au moins une fois, vous avez tendance à négliger votre posture au quotidien, ce qui vous expose au risque d'avoir un problème musculosquelettique.

Voici quelques trucs simples pour améliorer votre posture.

Dès demain, vous...

- marcherez en regardant droit devant vous plutôt que vers le sol.
- vous assoirez face à la télévision afin de garder le cou bien droit.

D'ici à deux semaines, vous...

- vous efforcerez de plier les genoux lorsque vous soulèverez un objet lourd posé au sol.
- exécuterez un peu moins rapidement certaines tâches physiques qui sollicitent votre dos.

D'ici à la fin de la session, vous...

- suivrez un cours pour améliorer votre technique dans le sport que vous pratiquez.

Quand la colonne dévie

À la longue, les postures non efficientes – soit les mauvaises postures – entraînent des déviations vertébrales qui sont à l'origine de nombreux maux de dos. Les plus courantes sont l'**hyperlordose lombaire** (lordose exagérée), l'**hypercyphose** (cyphose exagérée) et la **scoliose** (figure 8.6).

Ces déviations réduisent l'espace entre les vertèbres, ce qui accroît le risque de compression de la trentaine de nerfs qui traversent la colonne vertébrale. Par exemple, en cas d'hyperlordose, il arrive qu'une vertèbre lombaire et le sacrum aient tellement dévié qu'ils exercent une pression douloureuse sur les racines nerveuses situées à proximité. Notons que 80 % environ des maux de dos sont causés par des déséquilibres entre divers groupes musculaires. Quelle que soit la déviation vertébrale, il est donc **important d'entretenir ses capacités musculaires et sa flexibilité en suivant les principes de l'entraînement** (chapitres 5 et 6). Examinons brièvement ces trois déviations.

FIGURE 8.6 Les déviations vertébrales les plus courantes

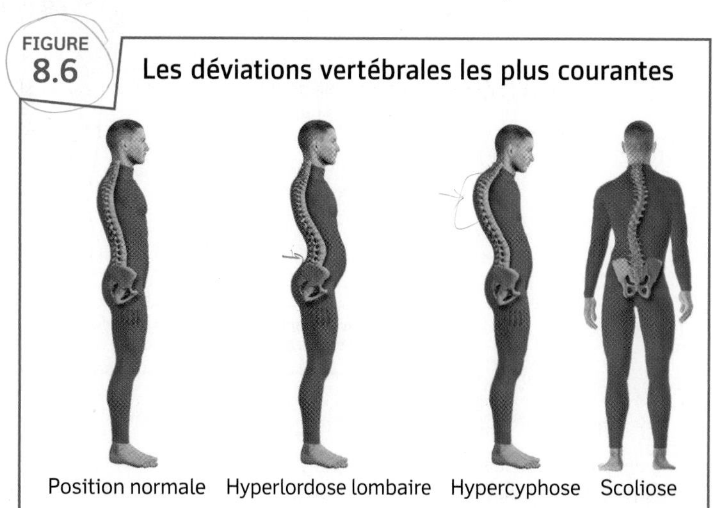

L'hyperlordose lombaire

C'est probablement la déviation vertébrale la plus répandue. Elle se caractérise par une courbure lombaire très prononcée qui entraîne un basculement du bassin vers l'avant (Sous la loupe). Avec le temps, la dépression lombaire sollicite de plus en plus les muscles dorsaux, provoquant spasmes, fatigue et douleur chronique dans le bas du dos : ces **lombalgies** sont de loin les maux de dos les plus fréquents.

La prédisposition à l'hyperlordose peut être héréditaire, mais cette déviation résulte la plupart du temps d'un déséquilibre dans le travail des muscles dont la fonction est de maintenir une position correcte du bassin (figure 8.7). **Quels sont ces muscles?** Il s'agit, tout d'abord, des **abdominaux**, et en particulier du **transverse**, qui forment une sangle naturelle maintenant une pression à l'intérieur de l'abdomen et aident ainsi à soutenir le bas du dos. Lorsque les abdominaux sont faibles, ce qui est fréquent de nos jours, les muscles du dos sont davantage sollicités lors d'efforts physiques. Ensuite, les muscles de l'arrière de la cuisse (**ischiojambiers**) et les **fessiers** sont également associés à la douleur ou à la fatigue lombaire. S'ils sont trop raides, donc trop courts, ils s'étirent peu lorsqu'on se penche en avant. Le bassin, sur lequel les ischiojambiers sont fixés, obéit moins bien, et la partie basse du dos doit donc prendre la relève et se courber davantage. Résultat : de la fatigue ou de la douleur lombaire à l'horizon ! Pour les prévenir ou les atténuer, il existe heureusement des exercices efficaces (p. 292).

FIGURE 8.7 Les muscles associés à la posture lombaire

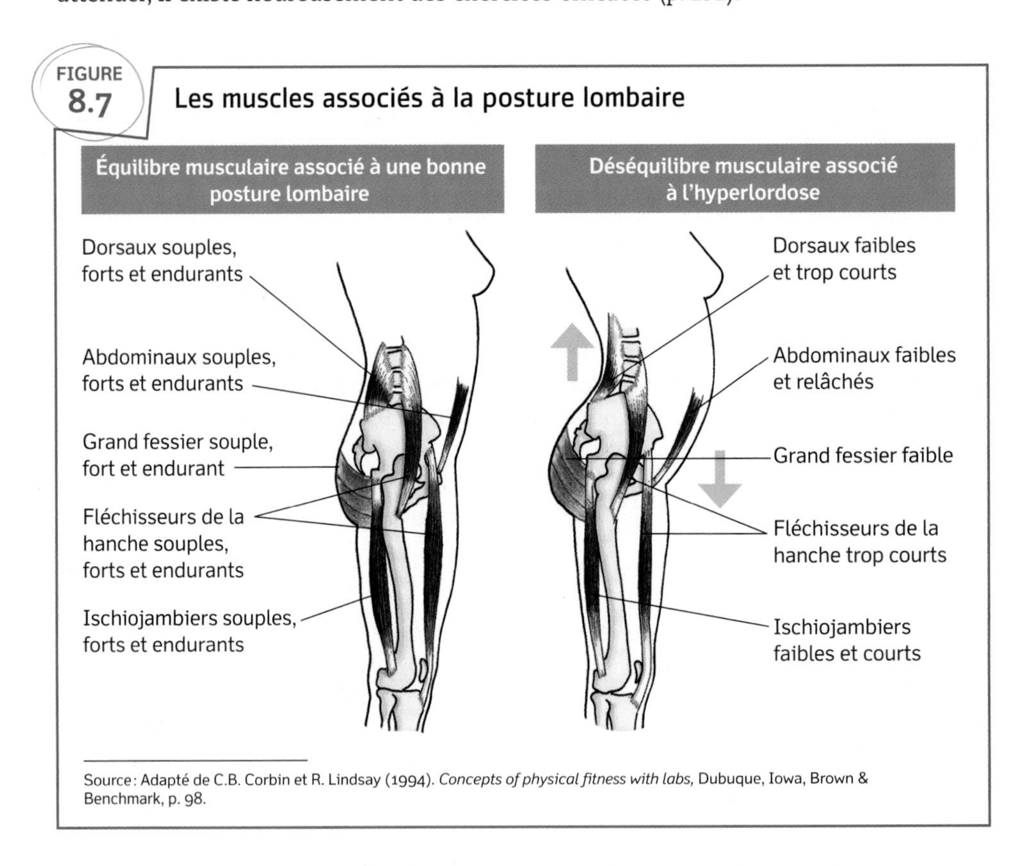

Source : Adapté de C.B. Corbin et R. Lindsay (1994). *Concepts of physical fitness with labs*, Dubuque, Iowa, Brown & Benchmark, p. 98.

Les forces musculaires qui font pivoter le bassin

Lorsque le bassin pivote vers l'avant de façon marquée (antéversion), le creux lombaire s'accentue (A). S'il pivote vers l'arrière (rétroversion), il aplatit le bas du dos (B). L'antéversion et la rétroversion peuvent provoquer de la fatigue et de la douleur dans le bas du dos. Pour réduire l'antéversion, il faut renforcer les muscles rétroverseurs (abdominaux, grand fessier, ischiojambiers) et assouplir les muscles antéverseurs (quadriceps, iliopsoas, érecteurs du rachis). Pour réduire la rétroversion, on fait l'inverse : on assouplit les muscles rétroverseurs et on renforce les muscles antéverseurs.

A. Le bassin pivote vers l'avant : antéversion

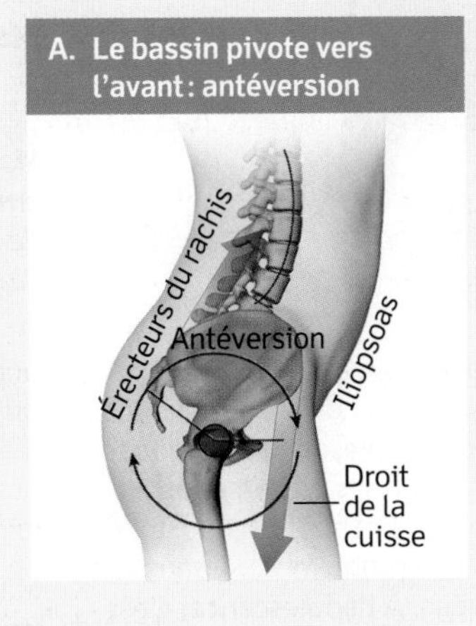

B. Le bassin pivote vers l'arrière : rétroversion

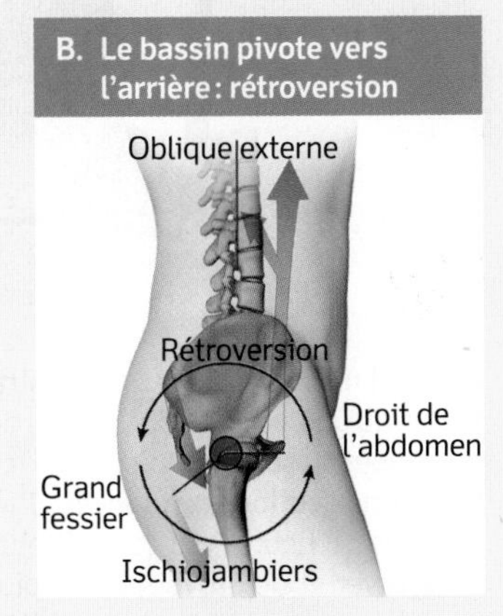

L'hypercyphose

L'hypercyphose est une déviation vertébrale entraînant une courbure exagérée du haut du dos et une projection de la tête vers l'avant. Elle peut causer des maux de tête et des douleurs dans la région cervicale (**cervicalgie**). Dans certains cas, une bosse apparaît dans le haut du dos ; on l'appelle communément la « bosse du lecteur » en raison de la position particulière qu'adopte souvent une personne qui lit assise ou qui est mal installée devant son ordinateur. Non seulement l'hypercyphose est inesthétique, mais elle provoque une usure précoce des vertèbres susceptible de causer de l'arthrose au niveau cervical et dorsal. Les clavicules et les omoplates étant rattachées à cette partie de la colonne, le dos rond entraîne aussi des douleurs dans les épaules et au milieu du dos. Les **causes** de l'hypercyphose sont très variées : une table de travail trop basse, un oreiller trop gros, une mauvaise position assise, la pratique de certains instruments de musique (en particulier le violon et le piano) et même certains troubles émotionnels (peur des autres, anxiété chronique ou dépression). Tout comme pour l'hyperlordose, il existe des exercices qui aident à prévenir l'hypercyphose (p. 293).

La scoliose

La scoliose est une déviation latérale, simple ou double, de la colonne qui se caractérise par une asymétrie plus ou moins marquée, et qui entraîne affaissement d'une épaule ou d'une hanche. Dans certains cas, la déviation est telle qu'elle cause des malaises ou des douleurs au dos, aux épaules et aux hanches. Les scolioses prononcées (déviations latérales de plus de 30 degrés) sont plutôt rares et touchent surtout des personnes ayant une prédisposition héréditaire ou une anomalie congénitale. Ce type de scoliose nécessite un traitement médical. Certaines habitudes posturales, par exemple porter un objet lourd toujours du même côté ou se tenir régulièrement assis le tronc incliné d'un côté, peuvent à la longue provoquer un déséquilibre des muscles du dos et entraîner un début de scoliose.

ZONE ÉTUDIANTE

Marie-Laurence Paré

COLLÈGE DE MAISONNEUVE

Marie-Laurence a 18 ans et étudie en sciences humaines. Son ambition : devenir psychologue sportive. Alors qu'elle rêvait de danser, une scoliose lui a fait découvrir… le volleyball ! Le sport comble sa vie.

Le sport n'a pas toujours été central dans ma vie. Au primaire, j'étais du genre à faire du théâtre, du chant et de la danse plutôt qu'à jouer au soccer ! **Puis, en sixième année, on m'a diagnostiqué une scoliose prononcée**. J'ai dû porter un corset orthopédique 18 heures par jour. Il fallait empêcher la scoliose de s'aggraver et de provoquer, en plus de problèmes dorsaux et posturaux, des problèmes esthétiques. À l'adolescence, c'est difficile d'accepter d'être différent… Le corset (qui me couvrait des fesses jusqu'à la poitrine) ne me simplifiait pas non plus la pratique du sport.

Au secondaire, beaucoup de choses ont changé. J'avais entendu parler de l'excellence du programme de danse du collège Jean-Eudes. Je me suis donc présentée aux auditions. Mais avant même que je commence, la professeure qui m'évaluait s'est mise à soulever beaucoup de points négatifs par rapport à mon dos. J'ai trouvé cela à la limite du dégradant. Je me suis sentie dénigrée.

Aujourd'hui, je comprends qu'elle voulait m'éviter les graves problèmes de dos que les pointes de danse auraient pu m'occasionner. Mais la vie est bien faite. Ne pas avoir été choisie pour le ballet m'a permis de faire partie de l'équipe de volleyball du collège. Au début, c'était un peu difficile à cause du corset, mais je l'enlevais pour jouer. Puis, en deuxième secondaire, le port de mon appareil orthopédique à été réduit à 8 heures, donc la nuit seulement.

Maintenant, je m'entraîne au volleyball 6 heures par semaine pour l'équipe du Collège de Maisonneuve en Collégial AA. J'ai même été nommée dans l'équipe d'étoiles de la ligue sud-ouest. De plus, j'entraîne une équipe à Jean-Eudes (on retourne souvent à ses premières amours !), je travaille chez un traiteur une dizaine d'heures par semaine, je fais du piano et j'étudie à temps plein au cégep. Bref, je n'ai jamais été aussi active ! Il faut être réaliste, parfois je trouve que c'est beaucoup. Mais, en même temps, cela m'oblige à une rigueur que je n'aurais sûrement pas si je ne pratiquais pas de sport.

Au bout du compte, ma scoliose m'aura, paradoxalement, permis d'être en meilleure santé et plus active que je ne l'aurais sans doute été sans ce problème. En outre, je me suis découvert une réelle passion. Ma vie est remplie de volleyball et de sport, et je la vis à 100 % !

MonLab

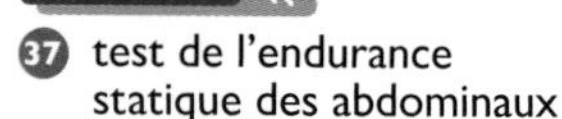

37 test de l'endurance statique des abdominaux

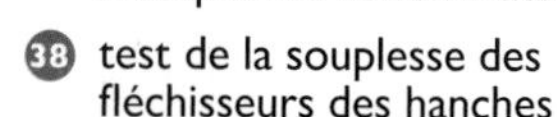

38 test de la souplesse des fléchisseurs des hanches

ÉVALUEZ VOTRE POSTURE EN POSITION DEBOUT

Vous vous demandez peut-être à présent si votre colonne est droite ou déviante. Voici deux tests qui permettent de détecter les déviations vertébrales. Vous trouverez dans **MonLab** d'autres tests qui évaluent la force et la flexibilité des muscles associés au maintien du bassin dans une position neutre.

1. Le test dos au mur

Le dos appuyé contre un mur, demandez à quelqu'un de mesurer, à l'aide d'une règle graduée en centimètres, votre creux lombaire (espace entre le mur et la partie la plus creuse de votre dos) et votre creux cervical (espace entre le mur et la partie la plus creuse de votre cou). Notez que l'arrière du crâne, la région des omoplates, les fesses et les talons doivent être si possible en contact avec le mur (**figure 8.8**). Une **bonne posture** est associée à des creux lombaire et cervical de 3 à 5 centimètres de profondeur chacun. Notez vos résultats dans le **tableau 8.1** et lisez l'interprétation correspondante.

FIGURE 8.8 Le test dos au mur

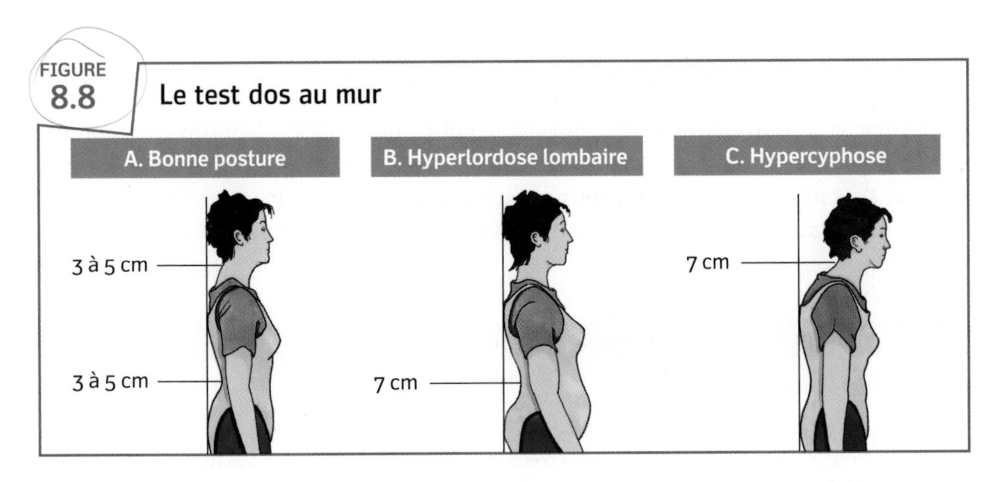

TABLEAU 8.1 Les résultats du test dos au mur

Résultats	Interprétation
Creux cervical: ________ cm	Si votre creux cervical est de 7 centimètres ou plus, vous souffrez d'une **hypercyphose**. Vos épaules sont probablement tombantes, votre tête projetée vers l'avant, et votre dos très arrondi. Faites les exercices visant à corriger ou à atténuer l'hypercyphose (p. 293). En cas d'hypercyphose marquée, un thérapeute spécialisé en soins du dos (physiothérapeute, chiropraticien, ostéopathe, physiatre, orthopédiste, praticien d'une méthode de rééducation posturale) pourra vous suggérer une gymnastique corrective qui réduira la courbure cervicale. Dans certains cas, cette gymnastique pourrait même vous faire grandir de 1 à 2 centimètres en quelques mois.
Creux lombaire: ________ cm	Si votre creux lombaire est de 7 centimètres ou plus, vous souffrez d'une **hyperlordose lombaire**. Plus le creux est prononcé, plus la courbure lombaire est forte. Dans ce cas, en plus d'appliquer les mesures préventives suggérées aux pages 294 à 297, vous devriez faire régulièrement des exercices visant à réduire l'hyperlordose (p. 292).

2. Le test du miroir

En maillot de bain ou en sous-vêtements, debout devant un miroir (**figure 8.9**), vérifiez si vos épaules et vos hanches sont au même niveau. Notez vos résultats dans le **tableau 8.2** et lisez l'interprétation correspondante.

Les vidéos des tests des figures 8.8 et 8.9 sont présentées dans MonLab.

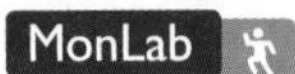

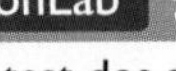

35 test dos au mur
36 test du miroir

FIGURE 8.9 Le test du miroir

TABLEAU 8.2 Les résultats du test du miroir

Résultats	Interprétation
Vos épaules sont au même niveau: ☐ oui ☐ non **Vos hanches sont au même niveau:** ☐ oui ☐ non	Si vous avez répondu *oui* deux fois, vous n'avez pas de scoliose. Si vous avez répondu *non* deux fois et que les différences de hauteur sont minimes, vous avez une scoliose légère qui ne pose pas de problèmes particuliers. Si vous avez répondu *non* au moins une fois et que les différences de hauteur des épaules ou des hanches sont marquées, vous avez une déviation latérale. Un thérapeute spécialisé en soins du dos pourra vous suggérer des exercices asymétriques (destinés à étirer le côté court et à renforcer le côté long) afin de l'atténuer. En cas de scoliose prononcée, consultez un médecin.

Huit exercices de base pour améliorer votre posture

MonLab

photos et vidéos : exercices pour le dos

Les exercices qui suivent peuvent vous aider à réduire un creux lombaire ou une courbure cervicale trop accentuée qui vous cause des douleurs dans le dos. Faites-les plusieurs fois par semaine jusqu'à ce que vous soyez satisfait du résultat postural obtenu. Des vidéos de certains des exercices qui suivent sont présentées dans **MonLab**.

1. Le fœtus

Pour détendre et assouplir le bas du dos.

Sur le dos, les mains jointes au-dessus des genoux, amenez ces derniers vers la poitrine à l'aide des mains. Tout en expirant doucement, lèvres serrées, restez dans cette position six secondes. Revenez à la position de départ et détendez-vous. Refaites l'exercice trois fois.

2. La bascule du bassin

Pour prendre conscience des mouvements du bassin.

Sur le dos, les genoux fléchis, les bras croisés sur la poitrine, creusez le bas du dos (A). Contractez ensuite les abdominaux afin de plaquer le bas du dos au sol (B). Restez dans cette position six secondes en expirant lentement, lèvres serrées. Refaites l'exercice trois fois.

A B

3. La traction de la jambe

Pour étirer les muscles du bas du dos et de l'arrière des cuisses (ischiojambiers).

Sur le dos, les genoux fléchis, les pieds posés à plat sur le sol, joignez les mains derrière la cuisse droite et tirez lentement le genou droit vers la poitrine (A), puis étendez la jambe vers le plafond (B). Tirez à nouveau le genou vers la poitrine : vous devez ressentir un réel étirement derrière la cuisse, mais jamais de douleur. Si vous le pouvez, restez dans cette position au moins 15 secondes. Respirez normalement pendant la durée de l'étirement. Revenez lentement à la position de départ. Refaites l'exercice avec l'autre jambe.

A B

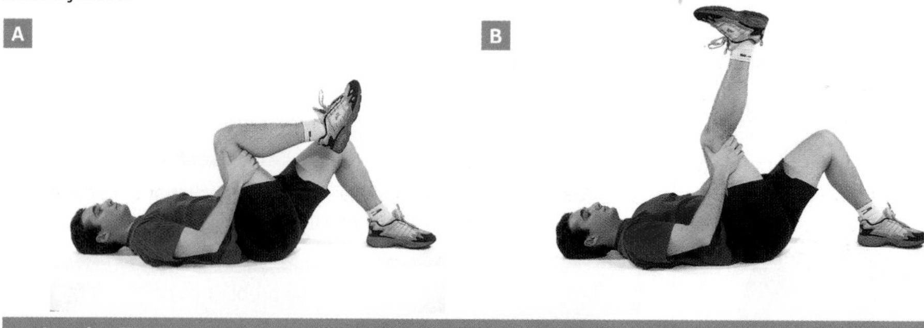

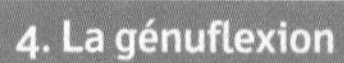

4. La génuflexion

Pour allonger les fléchisseurs de la hanche (quadriceps et iliopsoas).

En position de génuflexion, le genou droit posé sur le sol, amenez le bassin vers l'avant (sans creuser le bas du dos) jusqu'au seuil maximal d'étirement du devant de la cuisse et de la région de l'aine. Si vous le pouvez, restez dans cette position au moins 15 secondes. Respirez normalement pendant la durée de l'étirement. Revenez lentement à la position de départ. Refaites l'exercice avec l'autre jambe.

5. La planche faciale et la planche dorsale

Exercices de gainage[1], pour renforcer les muscles stabilisateurs du tronc (voir p. 285).

Planche faciale – En appui, visage vers le sol, sur les coudes et les pieds, les abdominaux et les fessiers contractés, le dos droit et la tête alignée avec le tronc, tenez la position horizontale pendant plusieurs secondes, sans cambrer le dos (A). Répétez l'exercice au moins une fois.

Planche dorsale – En appui, visage vers le haut, sur les mains et les talons, le corps allongé, les abdominaux et les fessiers contractés, tenez la position pendant plusieurs secondes, sans abaisser le bassin (B). Répétez l'exercice au moins une fois.

A

B

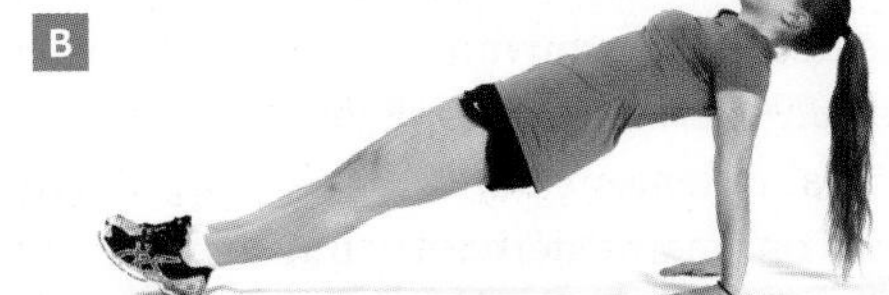

6. Le chat

Pour renforcer le muscle transverse.

À quatre pattes, le dos plat, inspirez en gonflant le ventre et en maintenant le dos plat (A). Puis expirez, toujours en maintenant le dos plat (B). Refaites l'exercice trois fois.

A

B

7. Le sphinx

Pour renforcer les muscles dorsaux et allonger les muscles de l'abdomen.

Sur le ventre, en appui sur les coudes, redressez lentement le tronc tout en restant le plus détendu possible. Ne décollez pas le bassin du sol. Si vous en êtes capable, tenez la position d'étirement au moins 15 secondes. Respirez normalement pendant la durée de l'étirement. Revenez lentement à la position de départ. Recommencez l'exercice trois fois. Cet exercice peut ne pas convenir aux personnes ayant des troubles de la colonne vertébrale.

A

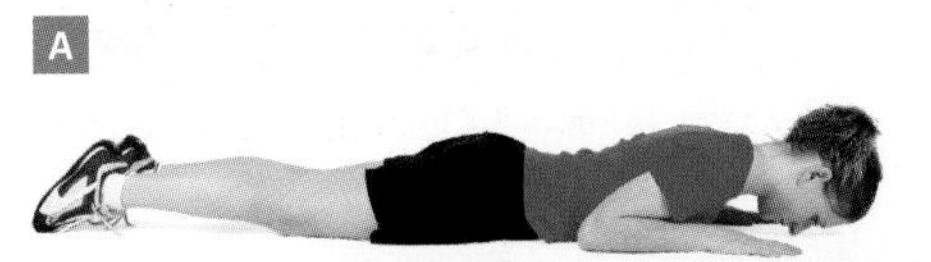

B

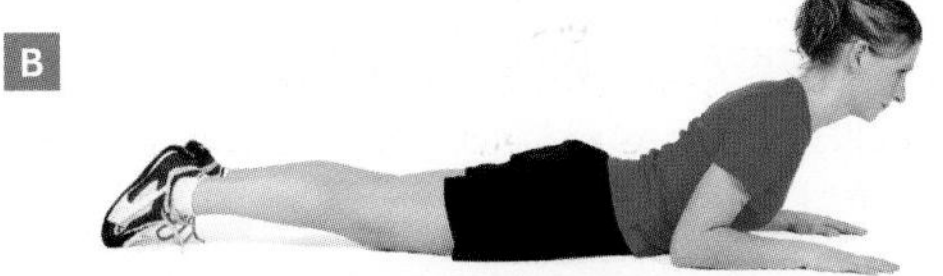

8. Exercice anti-hypercyphose

Pour renforcer les muscles du cou et du haut du dos.

Sur le ventre, le front placé sur une serviette enroulée, levez les bras, paumes vers le sol (A), et tenez la position six secondes en respirant normalement. Détendez-vous, puis amenez les bras vers l'avant, soulevez-les (B) et tenez la position six secondes en respirant normalement. Répétez trois fois les deux séquences de l'exercice (A et B).

A

B

1. Les exercices de gainage sont des exercices qui renforcent principalement les muscles stabilisateurs du tronc.

ADOPTEZ DE BONNES POSTURES AU QUOTIDIEN

Voici quelques exemples de situations de la vie courante où vous pouvez adopter de bonnes postures et protéger votre dos.

Si vous restez longtemps assis

Aussi paradoxal que cela puisse paraître, la position assise, en apparence relaxante, est l'une des plus éprouvantes qui soient pour la colonne vertébrale. Dès qu'on s'assoit, la pression exercée sur les disques intervertébraux du bas du dos augmente de près de 200 %, simplement parce qu'on vient d'éliminer le support des pieds (figure 8.5). Des études ont même démontré que le risque de hernie discale est trois fois plus élevé chez les chauffeurs de taxi et les représentants commerciaux qui voyagent beaucoup que dans la population en général. **Comme nous passons de plus en plus de temps assis, notamment devant un écran d'ordinateur ou une tablette électronique, nous avons intérêt à nous asseoir convenablement – et sur une chaise adéquate.** Une bonne chaise de travail doit être confortable et pourvue d'un bon soutien lombaire. Si le dossier est droit, glissez entre ce dernier et le creux de votre dos un coussin, un support lombaire (facile à trouver sur le marché) ou même une simple serviette roulée. Cette chaise doit également être pivotante et munie de roulettes, ce qui élimine les mouvements de torsion du tronc. De plus, le dossier et le siège doivent pouvoir s'ajuster à votre taille. **Réglez la hauteur du siège de façon que vos pieds reposent bien à plat sur le sol.** Enfin, même si votre chaise est parfaitement ergonomique, bougez de temps à autre afin d'atténuer le stress imposé à votre colonne. Par exemple, changez fréquemment de position, faites quelques étirements pour délier vos épaules et votre cou, et n'hésitez pas à vous lever toutes les 20 à 30 minutes pour vous dégourdir les muscles et activer votre circulation sanguine.

ordinateur et tendinites

Devant un écran d'ordinateur de bureau, veillez à ce que votre tête soit droite et le haut de l'écran à la hauteur de vos yeux. La bonne posture à adopter est présentée à la **figure 8.10A**. Autrement, gare aux tendinites (**MonLab**) ! Si vous travaillez surtout avec un portable, ce qui est de plus en plus fréquent, consultez la rubrique **Sous la loupe**.

SOUS LA LOUPE — L'ordinateur portable et la tablette numérique : dur dur pour le dos !

Les ordinateurs portables et les tablettes numériques sont très en vogue chez les étudiants, et pour cause : grâce à leur maniabilité et à leur légèreté, on peut travailler à l'écran à peu près n'importe où – à la cafétéria, dans une classe ou une salle d'attente, sur la table de la cuisine, et même dans son lit. Le hic, c'est que **ces outils électroniques sont un désastre sur le plan ergonomique**. Leur clavier est non ajustable et peut vous amener à pianoter le dos courbé et les poignets en flexion, autant de positions qui risquent de provoquer des douleurs cervicales ou une tendinite. Que faire pour prévenir ces problèmes ? Évitez de travailler allongé ou de mettre le portable ou la tablette sur vos genoux, sauf pour de courtes périodes. En position assise, surélevez le portable en le plaçant, par exemple, sur un ou deux annuaires téléphoniques. Ainsi, vous redresserez le tronc et vos yeux seront à la bonne hauteur par rapport à l'écran. Si vous utilisez une tablette, posez-la sur un support conçu à cet effet. Si possible, **utilisez un clavier mobile** plutôt que celui du portable ou, ce qui est encore plus grave, celui de la tablette électronique. Si vous ne pouvez pas effectuer ces modifications, faites des pauses de deux ou trois minutes tous les quarts d'heure.

FIGURE 8.10 La bonne posture de travail devant son ordinateur

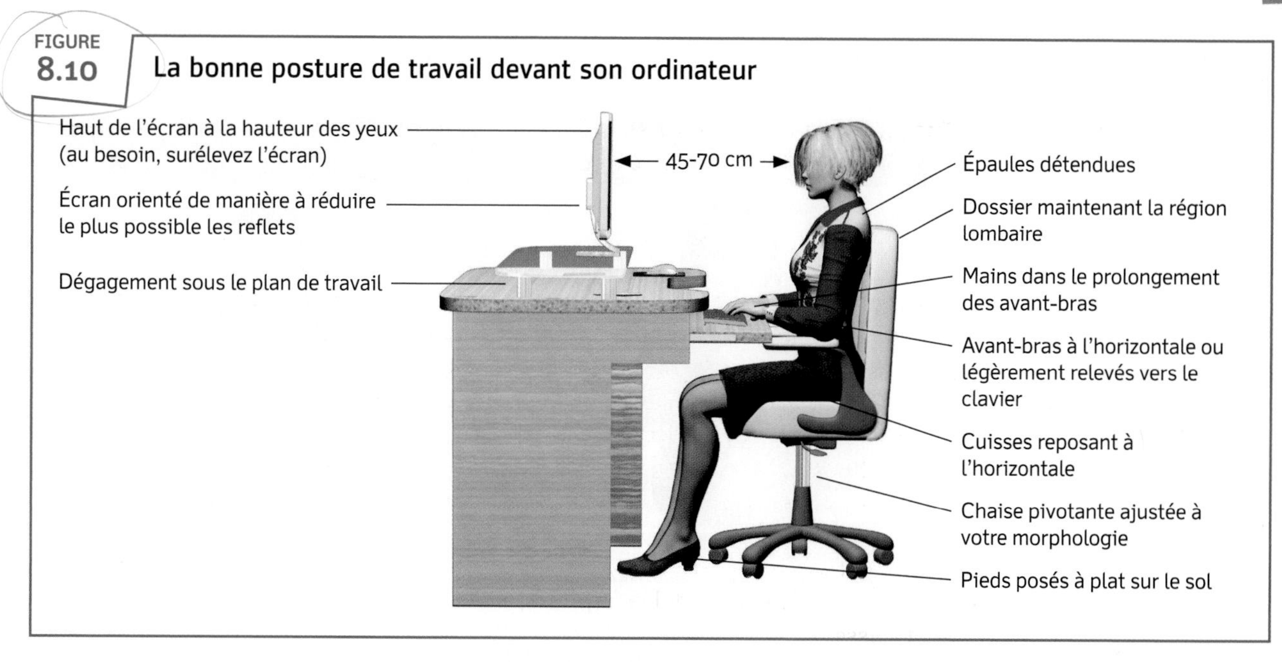

Si vous restez longtemps debout

Si la nature de votre travail vous oblige à rester **debout** pendant de longues périodes, évitez de garder les pieds sur un même plan trop longtemps. Cette posture favorise en effet le pivotement du bassin vers l'avant, ce qui expose à l'hyperlordose. Posez plutôt les pieds, en alternance, sur un repose-pied de 15 à 20 centimètres de hauteur (**figure 8.11**) ou utilisez de gros livres tels que des annuaires téléphoniques. Quand vous êtes dans une file d'attente, appuyez-vous sur une jambe, puis sur l'autre.

FIGURE 8.11 Si vous travaillez longtemps debout et immobile

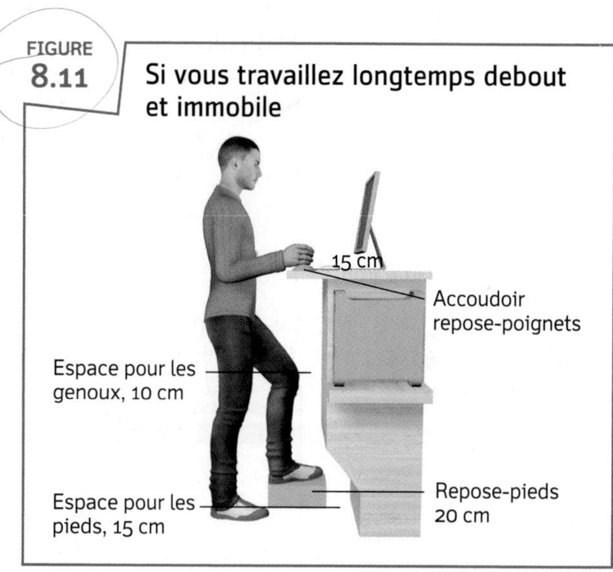

Quand vous marchez ou portez un sac à dos

Quand vous marchez, gardez la tête droite (et non penchée vers le sol), les épaules détendues (mais pas tombantes), la poitrine dégagée, et regardez droit devant vous. Si vous portez un sac à dos, évitez de le surcharger, à moins que vous ne vouliez vous entraîner pour le trekking! La règle est la suivante: le poids maximal du sac à dos ne devrait pas dépasser 10% de votre poids corporel. Ne le portez pas en bandoulière (**figure 8.12A**), mais sur le dos, une bretelle sur chaque épaule (**figure 8.12B**). Par ailleurs, servez-vous de la ceinture de taille; elle réduit la tension sur le dos et transfère une partie du poids sur les hanches. Enfin, portez des **chaussures confortables qui ne modifient pas la forme de vos pieds** et évitez de porter durant de longues périodes des chaussures à talons hauts (**MonLab**).

chaussures talons hauts

FIGURE 8.12 L'art de porter un sac à dos

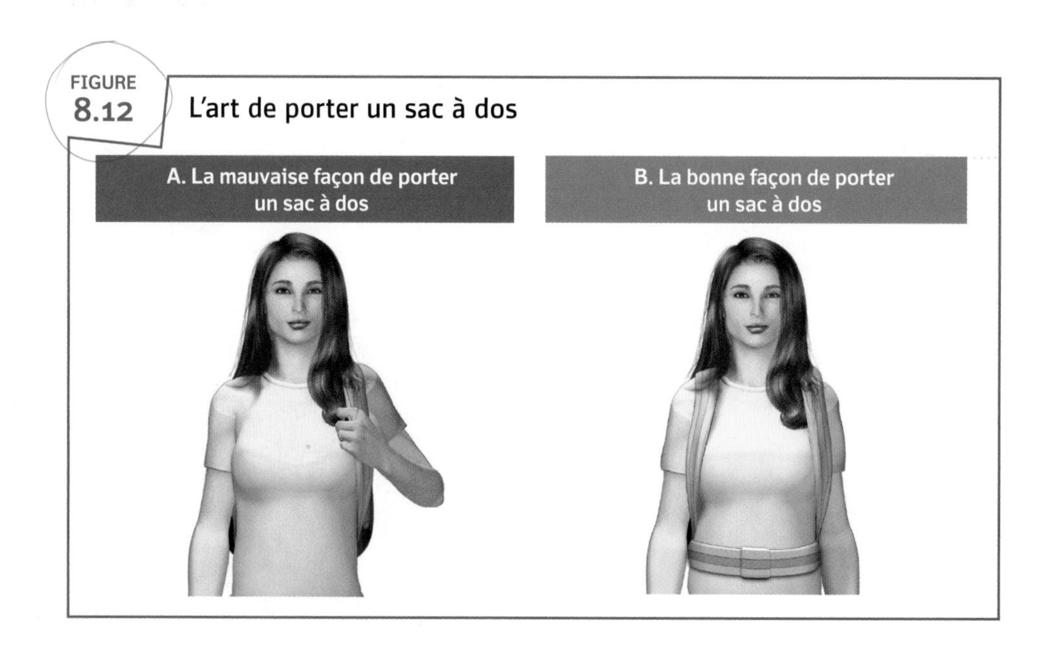

Si vous soulevez des objets lourds

Soulever un objet lourd exige un effort beaucoup plus grand que le pousser ou le traîner sur le sol. Si vous devez soulever un objet lourd, penchez-vous en pliant les genoux et relevez-vous en gardant le dos droit (**figure 8.13A**). Cette façon de faire met à contribution les quadriceps (les muscles puissants du devant de la cuisse) plutôt que les muscles du bas du dos. Une fois l'objet soulevé, transportez-le en le gardant le plus près possible du corps (**figure 8.13B**). Quand vous sortez un objet lourd du coffre d'une automobile, commencez par l'approcher de vous en le faisant glisser, puis procédez de la même façon

FIGURE 8.13 Comment soulever un objet lourd et le transporter

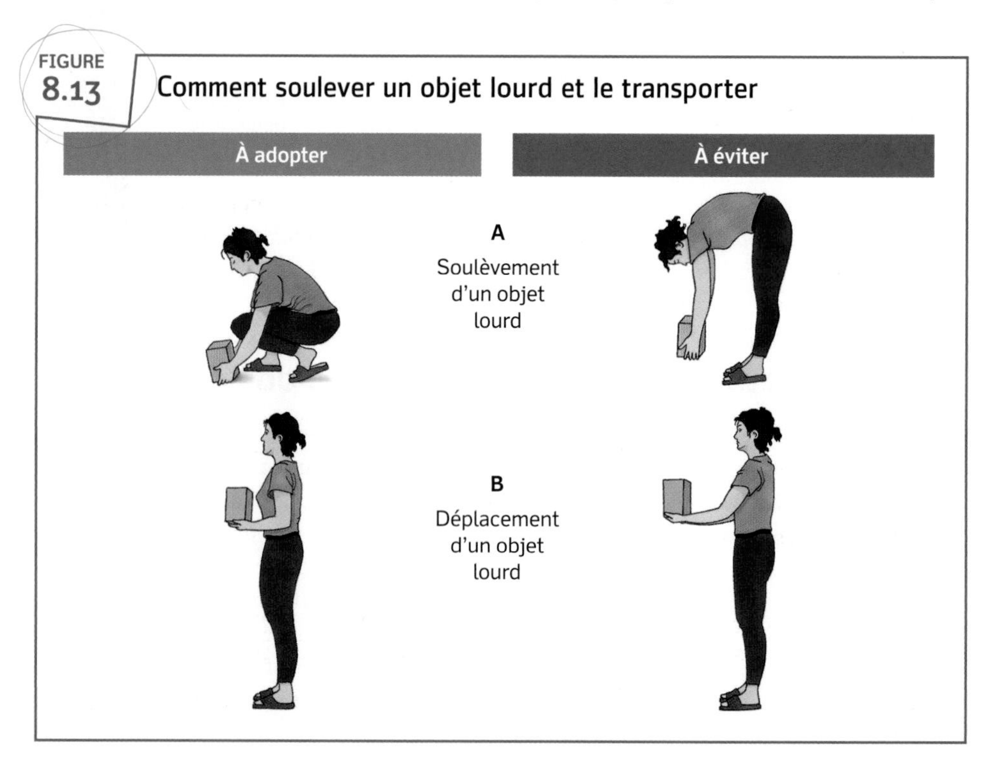

que pour un objet posé sur le sol. Et **gardez-vous de faire des mouvements de torsion du tronc lorsque vous avez un objet lourd dans les mains**. Ce type de mouvements augmentent en effet le risque de hernies discales et de lombalgies. Plutôt que de tordre votre tronc pour déposer l'objet à votre droite ou à votre gauche, tournez les pieds ! Vous pouvez visionner certaines de ces situations dans **MonLab**.

vidéos : posture au quotidien

Quand vous dormez

La meilleure position pour dormir est… celle que vous trouvez confortable ! Toutefois, si vous souffrez de douleurs lombaires, il vaut mieux dormir sur le côté, les genoux légèrement fléchis, au besoin si c'est plus confortable, avec un oreiller entre les jambes (figure 8.14A), ou sur le dos, avec un ou plusieurs oreillers placés sous les genoux, ce qu'on appelle la **position de Fowler** (figure 8.14B). Lorsque vous lisez au lit, adoptez une position presque assise, genoux pliés.

FIGURE 8.14 Les positions suggérées pour dormir quand on souffre de douleurs lombaires

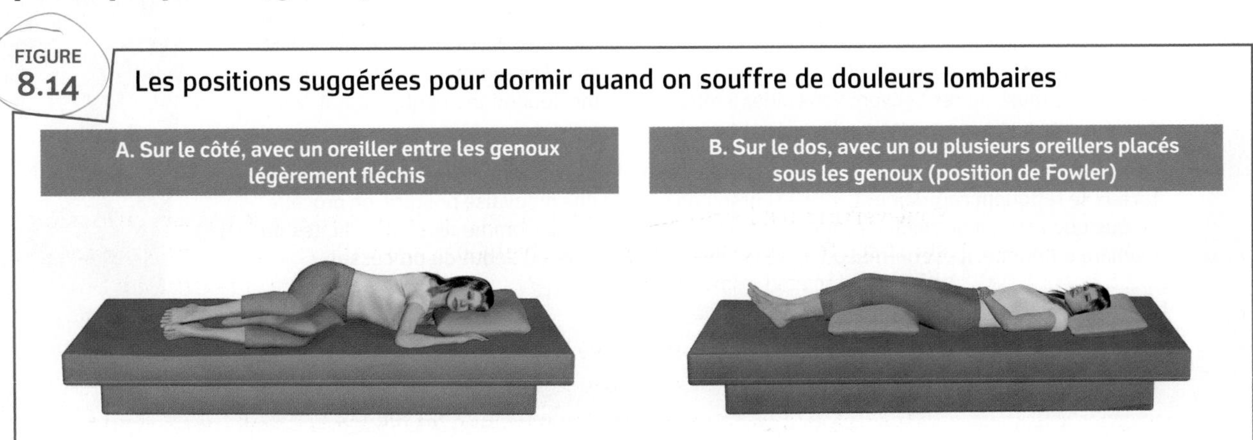

Quand vous pratiquez une activité physique ou un sport

L'exercice est bon pour le dos : il renforce et assouplit les muscles centraux et leurs tendons, préserve la densité minérale des vertèbres et favorise la santé des disques intervertébraux. Toutefois, pratiqué dans de mauvaises conditions (gestes mal exécutés, équipement protecteur insuffisant ou inadéquat, temps de récupération insuffisant entre des séances d'entraînement intensif, etc.), l'exercice peut causer des blessures au dos. Voici quelques précautions à prendre pour en réduire le risque :

- échauffez-vous avant toute activité physique un tant soit peu vigoureuse ;
- améliorez votre technique si elle laisse à désirer ;
- évitez les sports de contact ou les activités présentant un risque élevé de chute ou de collision si votre dos est déjà fragile ;
- arrêtez-vous dès que vous sentez la fatigue vous envahir (lorsqu'on est fatigué, le risque de blessure augmente rapidement) ;
- pratiquez des activités compatibles avec l'état de votre dos ;
- respectez les règles de sécurité et les principes d'entraînement lorsque vous vous entraînez pour améliorer un ou plusieurs déterminants de la condition physique.

Pour en savoir plus

Consultez **MonLab** à la rubrique « Pour en savoir plus ». Vous y trouverez des suggestions de lecture et des sites Internet à visiter.

VRAI OU **FAUX**? RÉPONSES

1. **Les personnes physiquement actives n'ont pas à se préoccuper de leur posture.** FAUX! On peut être actif et manquer de souplesse, et même adopter de mauvaises postures pendant ses activités physiques et dans la vie quotidienne. En outre, il faut porter une attention particulière à sa posture quand on pratique des activités comme la musculation, les sports asymétriques (par exemple, les sports de raquette ou le golf) ou les arts martiaux.
2. **Même au repos nos muscles sont légèrement contractés.** VRAI! Nos muscles sont actifs non seulement lorsque nous effectuons des mouvements dynamiques, mais aussi lorsque notre corps est statique. Ce tonus de base nous permet de maintenir nos organes en place, et de conserver une posture fixe et suffisamment rigide pour ne pas nous écrouler sous l'effet de la gravité.
3. **Certains exercices aident à allonger nos chaînes musculaires.** VRAI! Selon Françoise Mézières, kinésithérapeute française à qui on doit ce concept, la chaîne musculaire est «un ensemble de muscles reliés à plus d'une articulation et de même direction, qui se succèdent en s'enjambant sans discontinuité, comme les tuiles d'un toit*». Les exercices visant à allonger les chaînes musculaires peuvent vous aider à retrouver un meilleur alignement postural. Vous en trouverez quelques exemples dans MonLab.
4. **Quand on modifie sa posture dans le but de l'améliorer, il est normal que les muscles posturaux se fatiguent rapidement.** VRAI! Lorsqu'on corrige une mauvaise posture, on procède, en quelque sorte, à un rééquilibrage de ses muscles posturaux. Comme ils sont sollicités de manière différente, il est normal qu'ils se fatiguent rapidement au début du processus.

* F. Mézières (1984). *Originalité de la méthode Mézières*, Paris, Maloine, p. 15.

MonLab
exercices chaînes musculaires

AU FIL D'ARRIVÉE!

- Une **bonne posture au quotidien** doit satisfaire aux **deux critères** suivants:
  - être efficiente, c'est-à-dire nous permettre d'adopter une position donnée sans que nous ressentions ni douleur ni tensions musculaires incommodantes, avec une dépense minimale d'énergie;
  - favoriser une transition aisée – sans risque de blessures et, si nécessaire, rapide – entre deux mouvements.
- Une bonne posture associée à la pratique régulière de l'activité physique procure les bénéfices suivants:
  - la respiration est plus aisée;
  - on est moins exposé aux malaises, raideurs, maux de tête, douleurs lombaires et cervicales;
  - on dort mieux;
  - on risque moins de se blesser en faisant une tâche physique inhabituelle;
  - on contribue à la bonne santé de sa colonne vertébrale;

  - on risque moins de souffrir de troubles anatomiques tels que la hernie discale (p. 286) ou la déviation vertébrale marquée (p. 287);
  - la démarche est plus aisée et plus assurée, ce qui est synonyme d'une bonne estime de soi.
- À l'inverse, les postures déficientes peuvent provoquer des raideurs, des douleurs, voire des blessures au dos.
  - À la longue, les mauvaises postures entraînent des déviations vertébrales, qui sont à l'origine de nombreux maux de dos. Les plus courantes sont l'**hyperlordose lombaire**, l'**hypercyphose** et **la scoliose**. Il existe des tests pour détecter ces déviations vertébrales, notamment le test du miroir et le test du dos au mur. L'hyperlordose se caractérise par un creux lombaire prononcé et une rotation marquée du bassin vers l'avant, ou antéversion. L'hypercyphose est une déviation vertébrale entraînant une courbure exagérée du haut du dos et une projection de la tête vers l'avant. La scoliose est une déviation latérale de la colonne qui affecte la symétrie naturelle du bassin et des épaules.
- Des exercices appropriés permettent de corriger les déviations vertébrales naissantes ou d'empêcher leur apparition en adoptant au quotidien de bonnes attitudes posturales.
- Le bilan de fin de chapitre aide à évaluer ses habitudes posturales et, s'il y a lieu, à les modifier.

PAUSE-RÉFLEXION

Nom : ______________________ Groupe : ______________ Date : ______________

Remplissez les cases vides du schéma à l'aide des mots-clés suivants :

un meilleur sommeil ☐ l'hyperlordose ☐ des maux de tête tensionnels ☐ le test du miroir ☐ des lombalgies ☐ une bonne posture au quotidien ☐ une respiration plus aisée ☐ efficiente ☐ des déviations vertébrales ☐ une transition aisée ☐ la scoliose ☐

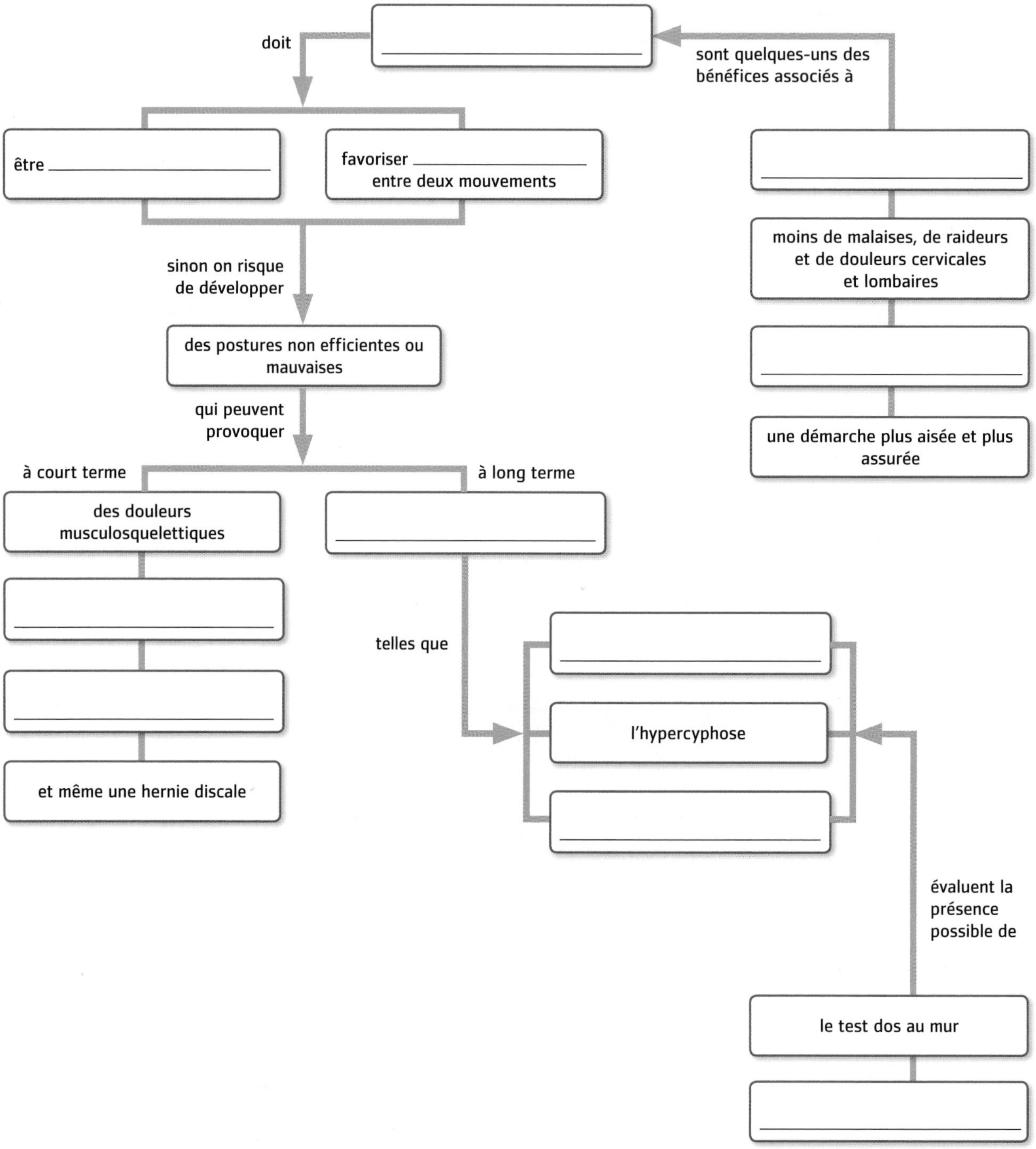

____

doit

être ______________________

favoriser ______________________ entre deux mouvements

sinon on risque de développer

des postures non efficientes ou mauvaises

qui peuvent provoquer

à court terme

des douleurs musculosquelettiques

____

____

et même une hernie discale

à long terme

____

telles que

____

l'hypercyphose

____

sont quelques-uns des bénéfices associés à

____

moins de malaises, de raideurs et de douleurs cervicales et lombaires

____

une démarche plus aisée et plus assurée

évaluent la présence possible de

le test dos au mur

____

Nom : ______________________ Groupe : ____________ Date : ____________

1 La colonne vertébrale de l'être humain n'est pas droite, mais a la forme d'un S allongé. Quels en sont les avantages ?

- [x] **a)** Cette forme en S réduit la pression exercée sur chaque vertèbre.
- [ ] **b)** Cette forme en S diminue les risques de lordose.
- [ ] **c)** Cette forme en S diminue les risques de scoliose.
- [ ] **d)** Cette forme en S diminue les risques de maux de dos.
- [ ] **e)** Aucune des réponses précédentes.

2 Une bonne posture au quotidien doit satisfaire à deux critères. Lesquels ?

- [x] **a)** Elle favorise, au besoin, une transition aisée, sans risque de blessures, et, si nécessaire, rapide entre deux mouvements.
- [ ] **b)** Elle permet la pratique aisée de l'activité physique.
- [ ] **c)** Elle maintient un alignement parfait du crâne, de la cage thoracique, du bassin, des genoux et des chevilles.
- [x] **d)** Elle est efficiente et permet d'adopter une position donnée sans que nous ressentions ni douleur ni tensions musculaires incommodantes, avec une dépense minimale d'énergie.
- [ ] **e)** Elle doit faciliter le sommeil.

3 Parmi les groupes musculaires suivants, lesquels sont principalement associés à l'hyperlordose lombaire ?

- [ ] **a)** Les muscles de la région des épaules.
- [ ] **b)** Les muscles des avant-bras.
- [x] **c)** Les muscles abdominaux et les fléchisseurs de la hanche.
- [ ] **d)** Les muscles du dos et de la cuisse.
- [ ] **e)** Les muscles de la région de la nuque.

4 Les maux de dos sont le plus souvent causés par

- [ ] **a)** des anomalies congénitales.
- [ ] **b)** des accidents du travail ou de la route.
- [x] **c)** des déséquilibres entre groupes musculaires.
- [ ] **d)** des muscles trop forts dans le bas du dos.
- [ ] **e)** des ischiojambiers trop étirés.

5 L'hyperlordose lombaire peut provoquer

- [ ] **a)** une cervicalgie.
- [x] **b)** une lombalgie.
- [ ] **c)** des torticolis.
- [ ] **d)** l'accentuation d'une asymétrie latérale.
- [ ] **e)** des maux de tête.

À VOS MÉNINGES 8

Nom : ______________________ Groupe : ____________ Date : ____________

6 Qu'est-ce qu'une scoliose ?

- [ ] **a)** Une déviation frontale de la colonne vertébrale.
- [x] **b)** Une déviation latérale de la colonne vertébrale.
- [ ] **c)** Une déviation axiale de la colonne vertébrale.
- [ ] **d)** Une déviation avant-arrière de la colonne vertébrale.
- [ ] **e)** Aucune des réponses précédentes.

7 Quand on soulève du sol un objet de 10 kilos sans plier les genoux, la pression qui s'exerce sur les disques intervertébraux du bas du dos peut atteindre

- [ ] **a)** 50 kilos.
- [ ] **b)** 100 kilos.
- [ ] **c)** 200 kilos.
- [ ] **d)** 400 kilos.
- [x] **e)** 500 kilos.

8 Quand une hernie discale douloureuse survient-elle ?

- [ ] **a)** Lorsque deux vertèbres se touchent.
- [ ] **b)** Lorsqu'une vertèbre glisse vers l'avant.
- [ ] **c)** Lorsqu'un nerf situé le long de la colonne vertébrale se coince.
- [x] **d)** Lorsqu'une partie du noyau gélatineux du disque intervertébral s'échappe par une fissure et exerce une pression sur un nerf.
- [ ] **e)** Aucune des réponses précédentes.

9 Dans quelle position la pression sur les disques intervertébraux est-elle le plus faible ?

- [ ] **a)** En position assise.
- [ ] **b)** En position assise et penchée vers l'avant.
- [ ] **c)** En position couchée sur le ventre.
- [x] **d)** En position couchée sur le dos.
- [ ] **e)** En position debout.

10 Une bonne chaise doit comporter

- [ ] **a)** des roulettes.
- [ ] **b)** un dossier muni d'un support lombaire.
- [ ] **c)** un siège confortable.
- [ ] **d)** un dossier et un siège ajustables à la taille.
- [x] **e)** Tous les éléments précédents.

Nom : ______________________ Groupe : ____________ Date : ____________

11 À quel problème l'hypercyphose est-elle associée ?

- [ ] **a)** Un creux prononcé dans le bas du dos.
- [ ] **b)** Une déviation latérale de la colonne vertébrale.
- [x] **c)** Une courbure du haut du dos et une projection de la tête vers l'avant.
- [ ] **d)** Un déséquilibre entre les muscles abdominaux et les muscles dorsaux.
- [ ] **e)** Aucun des problèmes précédents.

12 Pour réduire au minimum la fatigue oculaire, quelle doit être la distance entre les yeux et l'écran d'un ordinateur ?

- [ ] **a)** 10 à 20 centimètres.
- [ ] **b)** 20 à 35 centimètres.
- [ ] **c)** 35 à 50 centimètres.
- [x] **d)** 45 à 70 centimètres.
- [ ] **e)** 70 à 95 centimètres.

13 Si on travaille debout pendant de longues périodes, qu'est-il souhaitable de faire ?

- [ ] **a)** Exécuter des flexions latérales du tronc.
- [ ] **b)** Effectuer de grands cercles avec les bras.
- [ ] **c)** Dormir plus longtemps.
- [x] **d)** S'appuyer sur une jambe, puis sur l'autre, en alternance.
- [ ] **e)** Aucune des réponses précédentes.

14 Quand on soulève un objet lourd posé sur le sol, qu'est-il souhaitable de faire ?

- [ ] **a)** Garder les jambes et le dos bien droits.
- [ ] **b)** Plier les bras.
- [ ] **c)** Garder la tête haute.
- [x] **d)** Plier d'abord les genoux.
- [ ] **e)** Aucune des réponses précédentes.

15 Complétez les phrases suivantes.

a) Une posture idéale en position debout permet de maintenir un alignement harmonieux de la tête, du tronc, du bassin, des genoux et des chevilles.

b) L'hyperlordose est probablement la dérivation verté la plus répandue.

À VOS MÉNINGES 8

Nom : ______ Groupe : ______ Date : ______

16 Quels sont les bénéfices d'une bonne posture associée à la pratique régulière, efficiente et non excessive de l'activité physique ?

- ☐ **a)** On respire mieux.
- ☐ **b)** On dort mieux.
- ☐ **c)** On risque moins de se blesser.
- ☐ **d)** On favorise la bonne santé de sa colonne vertébrale.
- ☐ **e)** On a une démarche plus aisée et plus assurée.
- ☒ **f)** Toutes les réponses précédentes.

17 Complétez les illustrations suivantes en ajoutant les légendes correspondantes.

A

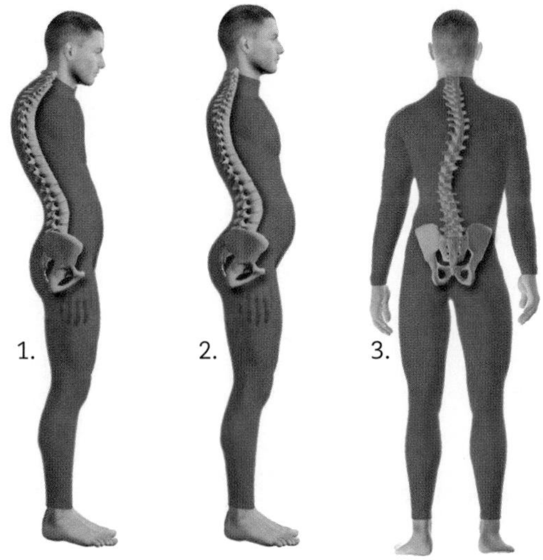

1.

2.

3.

1. ______
2. ______
3. ______

B

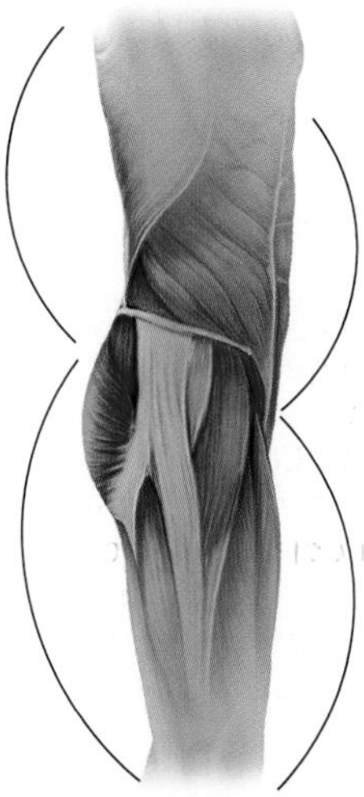

______

______

______

______

Nom : ______________________ Groupe : ____________ Date : ____________

ÉVALUEZ ET MODIFIEZ, S'IL Y A LIEU, VOS POSTURES AU QUOTIDIEN

ÉTAPE A Faites le bilan de la santé de votre dos

1. Souffrez-vous depuis un certain temps de maux de dos ?

☐ Oui ☐ Non

2. Si oui, quelle est la cause de ces maux de dos ?

☐ Je l'ignore

☐ Lombalgies

☐ Cervicalgies

☐ Hernie discale

☐ Arthrose

☐ Déviations vertébrales marquées

☐ Accidents

☐ Blessures sportives

☐ Douleurs dues à de mauvaises habitudes posturales

☐ Autre ____________________

3. Que faites-vous pour régler votre problème de dos ? (Soyez concis.)

____

____

____

____

____

____

____

ÉTAPE B Faites le bilan de vos postures au quotidien

Si vous ne souffrez pas de maux de dos, cela ne signifie pas que les postures que vous adoptez au quotidien ne vous exposent pas au risque d'en souffrir un jour. La fiche qui suit vous aidera à faire l'inventaire de vos habitudes posturales dans diverses situations. Comment vous asseyez-vous pendant vos cours ? Comment vous installez-vous pour étudier, regarder la télé, travailler ou utiliser un ordinateur ou une tablette numérique ? Comment vous y prenez-vous pour soulever un objet lourd posé sur le sol ? Comment transportez-vous un tel objet ? Comment portez-vous votre sac à dos ou votre porte-documents ? Et ainsi de suite. Ce relevé vous permettra de constater que vous avez peut-être adopté des postures potentiellement nuisibles à la santé de votre dos.

Nom : ______________________ Groupe : ____________ Date : ____________

Indiquez, par oui ou par non, si les situations suivantes vous concernent.

Situations	Oui	Non
1. Lorsque j'ai mal dans le bas du dos, j'effectue un ou plusieurs des exercices présentés aux pages 292-293.	☐	☐
2. Quand je soulève un objet lourd posé sur le sol, je plie d'abord les genoux.	☐	☐
3. Quand j'utilise un sac à dos, je le porte dans le dos, une bretelle sur chaque épaule.	☐	☐
4. Quand je conduis une voiture, j'ajuste le siège et le volant afin d'être bien assis et d'utiliser facilement les pédales.	☐	☐
5. Pour soulager le bas de mon dos quand je dois me tenir longtemps debout et immobile, je m'appuie sur une jambe, puis sur l'autre, en alternance, ou bien je pose, en alternance aussi, les pieds sur un repose-pied ou l'équivalent.	☐	☐
6. Quand je transporte un objet, je le tiens près de moi et non pas éloigné.	☐	☐
7. Quand je dois tenir une position statique prolongée, je m'arrange pour délier mes muscles de temps en temps.	☐	☐
8. Quand je pratique un sport ou une activité physique, j'essaie de bien me préparer sur le plan physique (p. 297).	☐	☐
9. Si je fais de la musculation, je veille à protéger mon dos en exécutant correctement les mouvements (chapitre 5).	☐	☐
10. Quand je travaille à l'ordinateur, je respecte en général la posture assise suggérée à la figure 8.10 (p. 295).	☐	☐
11. Si j'ai mal au dos, je connais la position qui me convient pour bien dormir.	☐	☐
12. Si je fais un travail, rémunéré ou non, potentiellement nuisible pour la santé de mon dos, je prends les mesures nécessaires pour réduire les risques.	☐	☐

Si vous avez indiqué *oui* pour toutes ces situations, bravo ! Vous avez d'excellentes habitudes posturales. Dans le cas contraire, chaque fois que vous avez indiqué *non*, cela renvoie à une posture qui peut vous exposer à un problème de dos ; passez à l'étape C afin de la corriger.

ÉTAPE C Modifiez les postures potentiellement nuisibles pour la santé de votre dos

Voici une fiche de suivi qui vous aidera à corriger chacune des postures déficientes que vous avez relevées à l'étape B. Dans la première colonne, indiquez la posture à modifier et décrivez brièvement en quoi elle n'est pas correcte. Dans la deuxième colonne, indiquez le lieu où vous corrigerez cette posture. Dans la troisième colonne, précisez, brièvement, le ou les correctifs à lui apporter. Dans la dernière colonne, enfin, indiquez le jour où vous modifiez cette posture. Remplissez autant de lignes que vous avez de postures à corriger.

Vous pouvez vous inspirer des correctifs suggérés aux pages 294 à 297.

Nom : ______________________ Groupe : ____________ Date : ____________

Exemple de Monica, 18 ans

Posture(s) à modifier	Lieu	Correctif(s) à apporter	Posture modifiée le...
Position assise à l'ordi : *ma chaise de travail est trop basse.*	Cégep ☐ Lieu de travail ☐ Chez moi ☑ Autre : ______	*Régler ma chaise de travail pour qu'elle soit à la bonne hauteur.*	*15 mars*
Position au volant de mon auto : *je ne touche les pédales que du bout du pied.*	Cégep ☐ Lieu de travail ☐ Chez moi ☑ Autre : *dans mon auto*	*Avancer mon siège d'auto pour utiliser plus facilement les pédales.*	*18 mars*

Fiche de suivi

Posture(s) à modifier	Lieu	Correctif(s) à apporter	Posture modifiée le...
	Cégep ☐ Lieu de travail ☐ Chez moi ☐ Autre : ______		
	Cégep ☐ Lieu de travail ☐ Chez moi ☐ Autre : ______		
	Cégep ☐ Lieu de travail ☐ Chez moi ☐ Autre : ______		
	Cégep ☐ Lieu de travail ☐ Chez moi ☐ Autre : ______		
	Cégep ☐ Lieu de travail ☐ Chez moi ☐ Autre : ______		
	Cégep ☐ Lieu de travail ☐ Chez moi ☐ Autre : ______		

Note : Vous trouverez dans **MonLab** la même fiche de suivi avec des lignes supplémentaires. Selon les consignes de votre enseignant ou enseignante, vous pouvez télécharger la fiche ou l'imprimer.

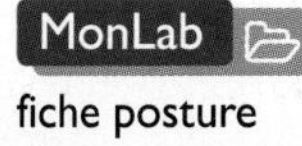

fiche posture

VRAI OU **FAUX**?

	V	F
1. Plus de la moitié des personnes qui commencent un programme de conditionnement physique abandonnent en moins de six mois.	☐	☐
2. La motivation extrinsèque est suffisante pour pratiquer l'activité physique régulièrement et à long terme.	☐	☐
3. On ne peut pas dissocier ses besoins et ses capacités physiques lorsqu'on choisit une activité physique.	☐	☐
4. Dans le choix d'un centre d'activité physique, le premier critère à prendre en considération est le nombre d'appareils de conditionnement physique.	☐	☐
5. L'échauffement réduit l'intensité des courbatures.	☐	☐

Les réponses se trouvent en fin de chapitre, p. 328.

CHAPITRE 9

CHOISISSEZ VOS ACTIVITÉS PHYSIQUES ET PRATIQUEZ-LES BIEN

SUR LA LIGNE DE DÉPART !

VOS OBJECTIFS SONT LES SUIVANTS :

- Choisir vos activités physiques en fonction de vos facteurs de motivation, de vos goûts, de vos besoins et de vos capacités.
- Apprendre à bien préparer votre corps à la pratique d'une activité physique afin que celle-ci soit agréable et sécuritaire.
- Reconnaître les principales caractéristiques des activités physiques les plus populaires.

MonLab

Vrai ou faux ?

Autres exercices en ligne

> La motivation vous sert de départ. L'habitude vous fait continuer.
>
> JIM RYAN

Aux chapitres 4 à 7, vous avez choisi pour chacun des déterminants associés à la santé des exercices spécifiques permettant d'améliorer votre condition physique. Dans ce chapitre, vous élargirez votre horizon afin de pratiquer l'activité physique de façon non seulement **régulière et suffisante**, mais aussi **durable**, c'est-à-dire **à long terme**. Pour y arriver, vous devez choisir des activités que vous aurez envie de pratiquer une fois, deux fois, trois fois, et ainsi de suite, jusqu'à ce que cela devienne pour vous une habitude de vie. C'est la condition à remplir si on veut rester physiquement actif pendant longtemps. Qui songerait à améliorer son alimentation en se mettant à manger des aliments santé dont le goût lui déplaît ? De même, **la pratique de l'activité physique ne doit pas seulement être bénéfique pour la santé, elle doit aussi être une source de motivation et de plaisir.** Ce chapitre vous aidera à bien choisir vos activités physiques, mais aussi à bien les pratiquer.

QUATRE CRITÈRES POUR CHOISIR L'ACTIVITÉ PHYSIQUE QUI VOUS CONVIENT

Si vous avez déjà trouvé les activités physiques qui vous allument, tant mieux ! Mais si vous les cherchez encore et que vous êtes plus que jamais convaincu de l'importance d'une pratique régulière et suffisante de l'activité physique, voici quatre critères pour bien les choisir :

- ✓ votre degré de motivation (pour l'assiduité) ;
- ✓ vos goûts (pour le plaisir) ;
- ✓ vos besoins et vos capacités (pour l'efficacité et la sécurité) ;
- ✓ votre disponibilité (pour… le réalisme).

Voyons de plus près chacun de ces critères.

Votre motivation

Se lancer dans une activité physique est une chose, persévérer en est une autre. C'est le défi numéro un à relever pour pratiquer régulièrement l'activité physique. Beaucoup de personnes commencent, mais un grand nombre abandonnent en cours de route. Pourquoi ? Est-ce parce qu'elles doutent que l'exercice est bénéfique ? Non, elles n'auraient jamais commencé si elles n'en étaient pas convaincues. Si elles baissent les bras, cela tient à d'autres causes. La plupart vous diront qu'elles n'avaient plus, pour diverses raisons, la motivation nécessaire pour continuer. Mais qu'est-ce que la motivation ? Prenons l'exemple des athlètes, qui n'en manquent jamais.

Alors qu'ils font, jour après jour, et depuis des années, une quantité phénoménale d'exercices, les athlètes n'abandonnent jamais leur entraînement pour une raison fort simple :

ils sont motivés par le désir de se surpasser et de se réaliser pleinement. On parle dans ce cas d'une **motivation intrinsèque**, c'est-à-dire une motivation qui vient du for intérieur. Lorsque vous l'avez, vous êtes prêt à soulever des montagnes pour atteindre votre but ! Les personnes qui persévèrent dans leur pratique de l'activité physique ont ce type de motivation. Elles font de l'activité physique par choix et pour le plaisir inhérent à l'activité elle-même.

Si vous n'avez pas ce type de motivation, ne culpabilisez pas ! La plupart du temps, lorsqu'on commence à faire de l'exercice, on obéit à une **motivation extrinsèque**. Autrement dit, on le fait dans l'intention d'en tirer un bienfait ou un résultat extérieur à l'activité elle-même : par exemple, perdre du poids rapidement, obtenir la reconnaissance des autres, profiter des à-côtés agréables de l'activité (tels que musique, rencontres), etc. Ce type de motivation se nourrit donc de renforcements extérieurs. Et si ces renforcements servent d'étincelle pour adopter un mode de vie physiquement, actif, tant mieux !

La motivation intrinsèque apparaît souvent quelques mois plus tard, surtout si on a bien choisi ses activités physiques (voir les autres critères dans les pages qui suivent). Rendu à ce stade, on a passé la période critique où on risque d'abandonner ce nouveau comportement, et la pratique régulière de l'activité physique est devenue une **habitude gratifiante**.

Le comportement des individus peut correspondre à quatre niveaux de motivation (**tableau 9.1**).

TABLEAU 9.1 Les quatre niveaux de motivation

Niveau 1	**Régulation externe :** je suis physiquement actif parce qu'il y a des pressions extérieures.	Motivation la plus extrinsèque
Niveau 2	**Régulation intériorisée :** je suis physiquement actif parce que je me mets de la pression.	Motivation extrinsèque
Niveau 3	**Régulation identifiée :** je suis physiquement actif parce que je suis conscient que ça m'aide à atteindre un objectif.	Motivation intrinsèque
Niveau 4	**Régulation intégrée :** je suis physiquement actif parce que j'aime ça et que c'est gratifiant.	Motivation la plus intrinsèque

Source : Adapté du Programme d'études en éducation physique et à la santé du gouvernement albertain (2008), leçon 3, p. 112 et suivantes ; et de Edward L. Deci et Richard M. Ryan (2004). Exercise Self-Regulation Questionnaires. *Self-determination theory: An approach to human motivation and personality –The Self-Regulation Questionnaires* (www.psych.rochester.edu/SDT/measures/selfreg_exer.html).

Les deux premiers niveaux relèvent de la **motivation extrinsèque**.

1. La **régulation externe** du comportement est le niveau de motivation le plus superficiel. On fait de l'exercice ou on veut en faire à cause de pressions extérieures : par exemple, je dois plaire aux autres, je dois projeter une belle image de moi.
2. La **régulation intériorisée** du comportement est déjà moins superficielle. On fait de l'exercice ou on veut en faire non pas à cause de pressions extérieures, mais parce qu'on s'impose soi-même de la pression : par exemple, je me sens coupable ou j'ai peur d'engraisser si je ne fais pas assez d'exercice.

Les deux derniers niveaux concernent la **motivation intrinsèque**, celle qui favorise l'adoption d'une pratique à long terme de l'activité physique.

3. Au troisième niveau, la **régulation identifiée** du comportement, on accepte consciemment le comportement afin d'atteindre un objectif personnel qui a de la valeur pour soi : par exemple, je me dois d'être en bonne condition physique pour bien me concentrer et avoir de l'énergie pour assister à mes cours.
4. La **régulation intégrée** du comportement est le niveau de motivation le plus profond. On fait de l'exercice non pas à cause de pressions extérieures ou intérieures, mais parce qu'on le veut et parce que pratiquer une activité est une source de plaisir et de gratification.

Le **bilan 9.1A** vous aidera à déterminer quel est votre type de motivation.

Vos goûts

La motivation est **indissociable du plaisir lié à la pratique assidue d'une activité physique**. En effet, si une activité donnée vous procure du plaisir, vous aurez naturellement le goût d'y revenir régulièrement. Pédaler face à un mur pendant 30 minutes, 3 fois par semaine, améliore certes votre endurance aérobie, mais cela vous amuse-t-il vraiment ? Il se pourrait que le cardio tae-boxe, le cardiovélo (p. 127), la course à pied ou le ski de fond vous procure plus de plaisir, tout en vous permettant d'atteindre les mêmes résultats. En somme, vous devez vous demander **quel type d'activités physiques vous attire**.

S'agit-il d'activités :

- ✓ qu'on pratique seul, comme le ski alpin, la natation ou la course à pied ?
- ✓ qu'on pratique à plusieurs, comme le volleyball, le soccer ou le hockey ?
- ✓ à haute dépense énergétique comme la course ou la nage d'endurance, le vélocross, le triathlon ou le CrossFit (p. 178) ?
- ✓ où on exprime sa créativité corporelle, comme le ballet jazz ou le patinage artistique ?
- ✓ dénuées d'esprit de compétition, comme les activités de plein air, le jogging, le patin à roues alignées, le vélo de promenade ou comme mode de transport ?
- ✓ qu'on pratique dans la nature, comme l'escalade, le trekking, le ski de fond ou la plongée sous-marine ?
- ✓ qui procurent des sensations fortes, comme le deltaplane, la descente de rapides en kayak, le ski acrobatique ?

Le **bilan 9.1B** vous aidera à cerner vos goûts en matière d'activités physiques.

Vos besoins et vos capacités physiques

Ce qui est merveilleux, avec l'activité physique, c'est qu'elle permet de joindre l'utile à l'agréable, autrement dit d'améliorer sa santé tout en s'amusant. Il suffit de choisir une activité qui correspond à ses goûts tout en satisfaisant ses besoins liés à la santé. Ces derniers, d'*ordre physique, émotionnel et social*, sont variés: besoin de se détendre, d'apprendre à mieux respirer, de corriger sa posture, de rencontrer des gens partageant les mêmes centres d'intérêt, d'améliorer son endurance aérobie, de maigrir, de surmonter sa déprime ou son anxiété, de récupérer à la suite d'une blessure, de mieux gérer son diabète de type 1, de relever un défi personnel, etc. Par exemple, si vous aimez le vélo et que vous voulez aussi améliorer votre cardio et les capacités musculaires de vos mollets et de vos cuisses, vous tenez là l'activité idéale. Si vous aimez l'exercice en groupe et avez besoin d'améliorer votre souffle, l'aéroboxe (un dérivé de l'aérobique combinant différentes techniques d'entraînement du boxeur) ou le vélo de groupe seraient sûrement de bons choix. En revanche, si vous souhaitez accroître votre force musculaire et préférez le faire seul, pensez à la musculation.

Une fois que vous avez trouvé l'activité qui répond à vos goûts et à vos besoins, vérifiez bien que ses exigences correspondent aussi à vos capacités physiques. Une faiblesse à l'épaule, de l'hypotension, des genoux fragiles, une allergie au chlore, etc., sont autant de limites à prendre en compte avant d'arrêter son choix. Par exemple, vous pouvez avoir besoin d'améliorer votre cardio et avoir envie de faire du triathlon, mais ce n'est peut-être pas une bonne idée si vous avez de sérieux problèmes à un genou. Vous trouverez dans MonLab une liste détaillée des contre-indications liées à la pratique de divers sports.

contre-indication

Quoi qu'il en soit, ces limites d'ordre physique ne doivent pas freiner votre motivation à pratiquer l'activité physique. Mis à part la phase aiguë d'une maladie ou une blessure grave, les situations qui interdisent toute activité physique sont plutôt rares. Le bilan 9.1C vous permettra de déterminer vos capacités à pratiquer l'activité physique en lien avec vos besoins.

Votre disponibilité

Ce critère est le dernier de la liste, mais non le moindre, car il faut tenir compte du temps nécessaire pour pratiquer l'activité choisie. Si certaines activités comme la marche sportive ou le jogging prennent peu de temps, d'autres comme l'escalade, le ski alpin ou le vélo sur route exigent, au contraire, deux, trois ou quatre heures de pratique. Avant de vous lancer dans une activité physique, vous devez donc tenir compte du temps que vous pouvez lui consacrer, sinon vous courez droit vers l'abandon… par manque de temps ! Le bilan 9.1D vous aidera à évaluer votre disponibilité.

À présent que vous connaissez les critères à prendre en compte pour faire le bon choix, consultez le tableau 9.2 ; y sont présentées les activités physiques les plus populaires au Québec, ainsi que leurs relations avec les principaux déterminants de la condition physique et la dépense calorique qu'elles entraînent.

TABLEAU 9.2 **Les activités physiques les plus populaires et les déterminants de la condition physique**

Activités	Endurance aérobie	Endurance musculaire	Force	Flexibilité	Dépense cal./h[a]	Ça me plaît (cochez)
Arts martiaux vigoureux[b]	★★★★	★★★★	★★★	★★★★	450-700	
Badminton	★★	★★★	★★	★★★	375-700	
Canotage (eaux calmes)	★★	★★★	★★	★	250-400	
Canotage (eaux vives)	★★★	★★★	★★★★	★★	450-700	
Cardio de groupe[c]	★★★★	★★★★	★★	★★★	400-900	
CrossFit (entraînement multiforme)	★★★★	★★★★	★★★	★★	500-1000+	
Escalade	★★	★★★	★★★	★	300-500	
Escrime	★★	★★★	★★	★★★	400-600	
Football	★★★	★★	★★★★	★★★	350-500	
Golf (sans voiturette)	★	★★★	★★	★★	300-500	
Hockey sur glace	★★★	★★★★	★★★★	★★★	500-800+	
Jogging	★★★★	★★★★	★	★	450-750+	
Marche sportive	★★★	★★★	★	★	300-600	
Musculation	★	★★★★	★★★★	★★	350-650	
Natation (longueurs)	★★★★	★★★★	★★	★★	400-750+	
Patinage à roues alignées	★★	★★★	★★	★	350-700	
Patinage sur glace	★★	★★★	★★	★	300-600	
Plongée sous-marine	★★	★★★	★★	★	300-650	
Randonnée en raquette	★★★	★★★	★★	★	350-800	
Saut à la corde	★★★★	★★★★	★★	★	400-900	
Ski alpin	★	★★★	★★★	★★	375-600	
Ski de fond	★★★★	★★★★	★★	★★	450-750+	
Soccer	★★★	★★★	★★	★★★	450-750	
Squash/racquetball	★★★	★★★	★★	★★★	450-800+	
Stretching	★	★	★	★★★★	200-300	
Cardiovélo	★★★★	★★★★	★★★	★★	500-900+	
Surf des neiges	★	★★★	★★★	★	375-600	
Taï-chi	★	★★★	★★	★★★	300-450	
Tennis	★★★	★★★	★★★	★★★	35-750	
Vélo sur route	★★★★	★★★★	★★★	★	500-900+	
Yoga	★	★★	★	★★★★	200-350	

Légende : ★★★★ : effet très important ; ★★★ : effet important ; ★★ : effet moyen ; ★ : effet faible.

a. Les valeurs sont approximatives, car la dépense énergétique varie en fonction du degré d'habileté de la personne, de son poids et de l'intensité de l'effort fourni.

b. Les arts martiaux vigoureux sont notamment l'aïkido, le karaté, la boxe chinoise, le jiu-jitsu, le judo et le kung-fu.

c. Il existe plusieurs formules : cardio hip-hop, cardio tae-boxe, cardio militaire, cardio mania, aérobique latine (Zumba), etc.

en mouvement

Comment choisir un centre d'activité physique

Choisir une activité, c'est souvent choisir aussi l'environnement où elle se déroule. C'est le cas si on suit un cours ou qu'on pratique une activité dans un centre d'activité physique. Ces centres, très populaires, offrent plusieurs avantages par rapport à la pratique autonome: diversité des activités physiques et des salles, accès à des accessoires, présence de spécialistes (kinésiologues, éducateurs physiques), service d'évaluation de la condition physique, atmosphère propice, possibilité de rencontres intéressantes – sans compter les petits extras que sont les bains à remous, les saunas, les restos santé ou la massothérapie. Néanmoins, on peut perdre son argent et son temps si on choisit un centre inapproprié. Voici deux critères à prendre en considération avant de débourser le moindre sou:

✓ **La distance.** L'éloignement du centre renvoie au facteur temps. S'il vous faut une heure pour vous y rendre, vous risquez de sauter des séances et, finalement, de tout laisser tomber. **En choisissant un centre situé à moins d'une vingtaine de minutes** de votre point de départ (maison, cégep ou lieu de travail), vous augmentez vos chances de persévérer.

✓ **Les lieux.** Visitez toutes les salles du centre, si possible aux jours et aux heures où vous comptez aller vous y entraîner. Vous aurez ainsi une idée juste de l'atmosphère qui règne à ces moments-là. Lors de vos visites, portez une attention particulière aux points suivants:

- ***Les spécialistes.*** Y a-t-il sur place des kinésiologues ou des éducateurs physiques pour conseiller les clients et les guider concernant leur programme de mise en forme et l'utilisation des divers appareils?
- ***Les appareils de mise en forme.*** Si vous souhaitez vous entraîner à l'aide d'appareils, examinez attentivement la salle où ils se trouvent. Elle doit être bien aérée, propre et assez grande pour éviter qu'on se marche sur les pieds. Une forte odeur de transpiration indique une mauvaise ventilation. Dites-vous également que plus le choix d'appareils est vaste, plus vos chances de persévérer seront grandes. À proximité des appareils, on devrait trouver des directives claires sur leur mode d'utilisation. Le désordre (haltères traînant par terre, collets sans vis, bancs au revêtement déchiré, appareils en mauvais état, etc.) révèle un entretien déficient.
- ***La propreté des locaux.*** Sont-ils propres ou poussiéreux? Y a-t-il des consignes exigeant d'essuyer les appareils cardio après une abondante sudation? La salle des douches est-elle reluisante (sinon, gare au pied d'athlète)?

Enfin, si le centre d'activité physique ne vous dit rien, s'entraîner chez soi est une option intéressante. Consultez MonLab pour en savoir plus.

MonLab
s'entraîner chez soi

COMMENT BIEN PRATIQUER L'ACTIVITÉ PHYSIQUE

Nombreux sont ceux qui se lancent dans une activité physique avec des chaussures qui leur font mal aux pieds et des vêtements qui irritent leur peau ou les font transpirer comme dans un sauna. Pour couronner le tout, ils ne s'échauffent pas avant de commencer et ne s'hydratent pas suffisamment.

Vous l'avez compris: il faut bien se préparer avant de commencer. **La complexité de votre préparation variera en fonction de l'activité, de sa durée et du temps qu'il fait.** Par exemple, avant une séance de marche rapide de 30 minutes par beau temps, la préparation est réduite à sa plus simple expression: il vous suffit de vous lever et de marcher! En revanche, elle demande un plus grand soin avant un match de soccer ou une longue randonnée de ski de fond. Cette préparation porte sur l'habillement, les chaussures, l'échauffement, le retour du corps au calme, la prévention des blessures, la protection de la peau, l'alimentation et l'hydratation. Ces deux derniers sujets seront traités au chapitre 10.

1. L'habillement: une question de température

Au repos, la température du corps est d'environ 37 °C. La chaleur dégagée par l'organisme provient en grande partie de l'activité des organes vitaux, en particulier le cœur, le foie et le cerveau. Mais les muscles fixés au squelette fournissent tout de même de 20 à 30 % de la chaleur corporelle. Dès qu'on passe du repos à l'effort physique, la situation change du tout au tout. Les muscles en action peuvent alors produire de 30 à 40 fois plus de chaleur que le reste de l'organisme. De fait, **les muscles au travail sont, de loin, les plus gros «producteurs» de chaleur**. Voilà pourquoi on a chaud quand on fait de l'exercice et pourquoi il faut s'habiller en conséquence.

S'habiller comme une pêche par temps chaud

On s'habille légèrement afin de faciliter l'évacuation de la chaleur produite par les muscles. Un t-shirt et un short constituent un bon choix. Ces vêtements doivent être amples, de façon à faciliter la circulation de l'air entre la peau et le tissu. Au soleil, portez des vêtements pâles: en effet, le blanc réfléchit la lumière, alors que le noir l'absorbe, ce qui a pour effet d'augmenter localement la température. Lorsque le temps est particulièrement chaud et humide, il vaut également mieux se tenir à l'ombre ou se baigner (**figure 9.1**). La chaleur et l'humidité sont en effet associés à certains dangers (**Sous la loupe**).

FIGURE 9.1 Les températures dangereusement chaudes

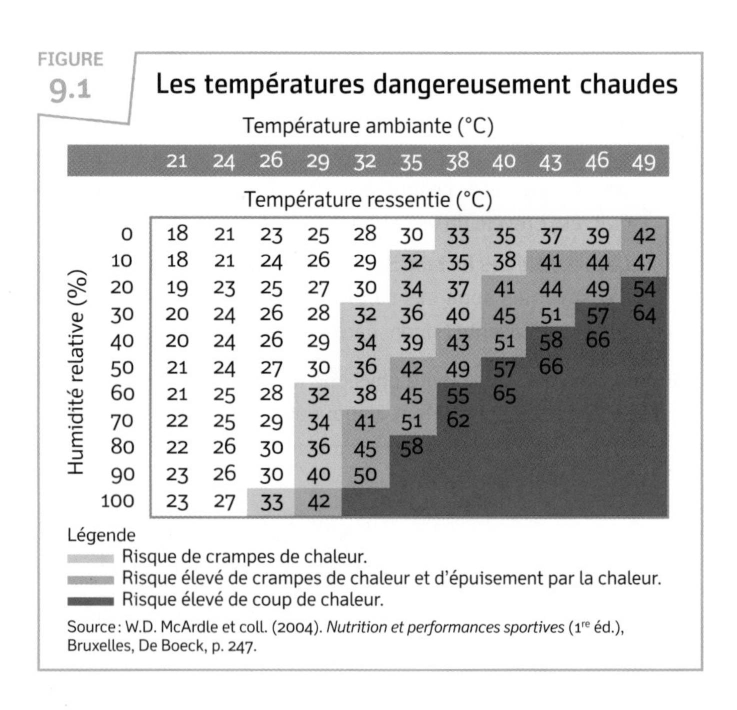

Température ambiante (°C) / Température ressentie (°C)

Humidité relative (%)	21	24	26	29	32	35	38	40	43	46	49
0	18	21	23	25	28	30	33	35	37	39	42
10	18	21	24	26	29	32	35	38	41	44	47
20	19	23	25	27	30	34	37	41	44	49	54
30	20	24	26	28	32	36	40	45	51	57	64
40	20	24	26	29	34	39	43	51	58	66	
50	21	24	27	30	36	42	49	57	66		
60	21	25	28	32	38	45	55	65			
70	22	25	29	34	41	51	62				
80	22	26	30	36	45	58					
90	23	26	30	40	50						
100	23	27	33	42							

Légende
- Risque de crampes de chaleur.
- Risque élevé de crampes de chaleur et d'épuisement par la chaleur.
- Risque élevé de coup de chaleur.

Source: W.D. McArdle et coll. (2004). *Nutrition et performances sportives* (1re éd.), Bruxelles, De Boeck, p. 247.

Les dangers liés au temps chaud et humide

Lorsqu'il fait chaud et humide, il devient difficile d'évacuer la chaleur du corps et la température corporelle grimpe alors rapidement (voir l'illustration). Cette situation peut provoquer des crampes, de l'épuisement ou un coup de chaleur.

Les crampes de chaleur. Elles apparaissent habituellement dans les muscles sollicités pendant l'exercice. Le traitement est simple : s'arrêter, étirer le muscle noué par la crampe et boire de l'eau (qui peut être légèrement salée).

L'épuisement par la chaleur. Il s'agit d'un problème plus sérieux que la crampe. Les symptômes sont les suivants : fatigue extrême, essoufflement, étourdissements, nausée, moiteur fraîche de la peau, pouls faible et rapide. Le traitement consiste à se refroidir en buvant des liquides, froids de préférence. Garder une position allongée, les pieds surélevés, aide aussi à la récupération en facilitant le retour du sang vers le cœur.

Le coup de chaleur. C'est le plus grave des risques associés à la chaleur pendant un exercice physique : il peut même entraîner la mort ! Le coup de chaleur se caractérise par une température corporelle élevée (plus de 40 °C), une absence de sudation, une peau souvent sèche et chaude, une hypertension inhabituelle, un comportement bizarre, de la confusion et une perte de conscience. Le traitement immédiat vise à refroidir rapidement la personne dans un bain d'eau froide ou de glace, à l'envelopper dans un drap humide et à la ventiler. C'est une situation d'urgence qui requiert l'intervention immédiate d'un spécialiste de la santé. Il faut donc appeler le 911.

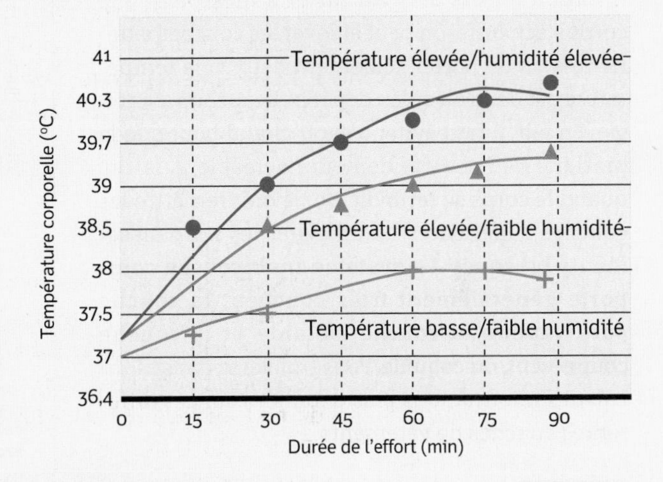

S'habiller comme un oignon par temps froid

Quand il fait froid, les muscles produisent autant de chaleur que par temps chaud, mais celle-ci se perd plus facilement. La **figure 9.2** présente les températures où le risque d'engelure est élevé. Il faut donc s'habiller chaudement, sans exagération et selon le principe de la pelure d'oignon : plusieurs vêtements superposés en couches successives, qui enfermeront ainsi l'air et procureront une bonne isolation (**figure 9.3**). Au fur et à mesure que le corps s'échauffe, on peut enlever les couches extérieures ou en porter seulement deux si la température est tiède ou qu'on dépense beaucoup d'énergie. En fait, il faut éviter d'avoir chaud pour que la pratique de l'activité demeure agréable. À la fin, quand le corps se refroidit, on devrait remettre les couches supérieures afin d'éviter les refroidissements brusques. **Le système multicouche comporte généralement trois couches : la couche pare-vapeur, la couche isolante et la couche coupe-vent, ou coquille.** Vous trouverez dans **MonLab** des informations plus détaillées sur ces différentes couches de vêtements.

MonLab
système multicouche

FIGURE 9.2 Les températures dangereusement froides

Vitesse du vent (km/h)	−10	−15	−20	−25	−30	−35	−40	−45	−50
	Température ressentie (°C)								
5	−13	−19	−24	−30	−36	−41	−47	−53	−58
10	−15	−21	−27	−33	−39	−45	−51	−57	−63
15	−17	−23	−29	−35	−41	−48	−54	−60	−66
20	−18	−24	−30	−37	−43	−49	−56	−62	−68
25	−19	−25	−32	−38	−44	−51	−57	−64	−70
30	−20	−26	−33	−39	−46	−52	−59	−65	−72
35	−20	−27	−33	−40	−47	−53	−60	−66	−73
40	−21	−27	−34	−41	−48	−54	−61	−68	−74
45	−21	−28	−35	−42	−48	−55	−62	−69	−75
50	−22	−29	−35	−42	−49	−56	−63	−69	−76
55	−22	−29	−36	−43	−50	−57	−63	−70	−77
60	−23	−30	−36	−43	−50	−57	−64	−71	−78
65	−23	−30	−37	−44	−51	−58	−65	−72	−79
70	−23	−30	−37	−44	−51	−58	−65	−72	−80
75	−24	−31	−38	−45	−52	−59	−66	−73	−80
80	−24	−31	−38	−45	−52	−60	−67	−74	−81

Température ambiante (°C) : colonnes −10 à −50

Légende
- Engelure possible, mais improbable
- Engelure probable > 30 min
- Risque d'engelure < 30 min
- Risque d'engelure < 10 min
- Risque d'engelure < 3 min

Source : J.H. Wilmore et coll. (2009). *Physiologie du sport et de l'exercice* (4e éd.), Bruxelles, De Boeck, p. 261.

FIGURE 9.3 Les couches de vêtements appropriés par temps froid

Première couche : pour se garder au sec

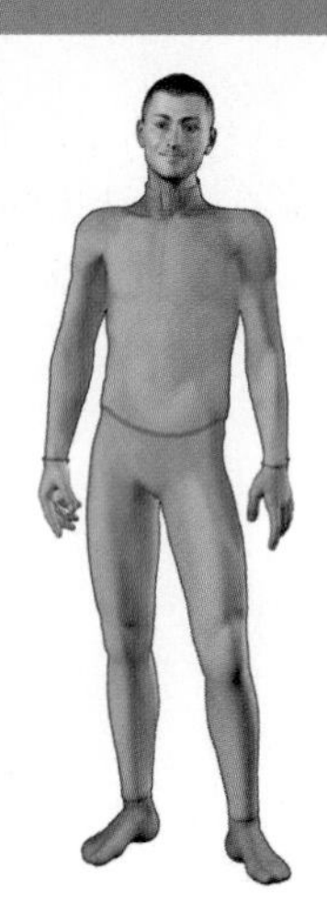

Deuxième couche : pour rester au chaud

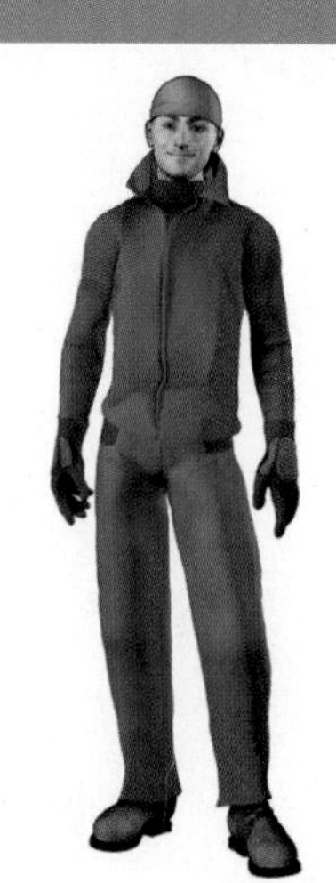

Troisième couche : pour se protéger des intempéries (vent, neige, grand froid)

Huit conseils pour jogger sous zéro !

Peut-on jogger durant la saison froide en toute sécurité ? Oui, et c'est une bonne façon de profiter de l'hiver tout en gardant la forme. Il faut cependant prendre certaines précautions pour affronter le froid et la neige et ainsi éviter les engelures et les chutes potentielles.

1. Être bien habillé, mais pas trop ! Première précaution indispensable : on doit protéger le haut du corps contre le froid parce qu'il est moins actif que le bas du corps quand on court et parce qu'il abrite les organes vitaux. Adopter un système multicouche léger et adapté au jogging est la meilleure option : il garde au chaud au début de l'activité et permet d'éviter la surchauffe plus tard (on enlève, au besoin, une épaisseur). Pour le bas du corps, un pantalon de survêtement léger en nylon ou en polyester vous protègera efficacement contre la morsure du froid. Les boutiques spécialisées offrent également des collants pourvus de panneaux isolants pour protéger les cuisses. Il ne faut pas oublier de garder ses pieds et ses mains au chaud et de porter une tuque, un bandeau ou un passe-montagne. Des lunettes de soleil polarisées protégeront vos yeux contre la réflexion du soleil sur la neige.

2. Porter des chaussures à semelles antidérapantes. L'hiver, la chaussée est souvent plus glissante qu'en toute autre saison à cause de la neige, des périodes de redoux où abondent les flaques d'eau ou encore des plaques de glace. Le risque de faire une mauvaise chute est forcément plus élevé qu'en été. Mieux vaut donc porter des chaussures de sport dont les semelles procurent une bonne adhérence. On trouve sur le marché des semelles à crampons amovibles ou encore des chaussures de jogging d'hiver imperméables pourvues de semelles à crampons. Enfilez aussi des chaussettes en fibres synthétiques (polypropylène, Thermastat, etc.) afin de garder les pieds au sec et au chaud.

3. Bien choisir son parcours et le raccourcir. Si on est novice en matière de jogging hivernal, on se contentera pour les premières sorties d'un parcours plat de 3 à 4 kilomètres et, de préférence, formant une boucle, de façon à effectuer le même trajet deux ou trois fois. Un tel trajet permet facilement de repérer les endroits les plus glissants.

4. Ajuster sa foulée. C'est bien connu : on ne conduit pas son auto sur une surface enneigée de la même façon que sur l'asphalte sec. Il en va de même pour le jogging hivernal : on raccourcit un peu sa foulée et donc son rythme, surtout si la surface est glissante.

5. Commencer face au vent et non le contraire. Mieux vaut en effet revenir avec le vent dans le dos, car la fatigue se fait davantage sentir en fin d'exercice. Voilà un sage conseil, à appliquer chaque fois que c'est possible !

6. Ne pas oublier de s'hydrater avant de partir. Même si la température est négative, vous aurez chaud et perdrez de l'eau en transpirant, mais aussi en expulsant de l'air par la bouche et le nez (vapeur d'eau). Buvez deux grands verres d'eau une heure avant le départ et n'oubliez pas de passer aux toilettes avant de sortir.

7. Veiller à être visible. Il est toujours préférable de courir durant la journée. Toutefois, si vous joggez le soir ou très tôt le matin dans un endroit où vous pouvez croiser des autos, choisissez un parcours éclairé et portez des bandes réfléchissantes sur votre coupe-vent.

8. Emporter de l'argent ou un ticket de transport en commun. Pour une raison ou pour une autre, vous pouvez finir en marchant. Vous risquez alors de vous refroidir si la température est inférieure à zéro. Avec un peu d'argent ou un ticket de métro en poche, vous rentrerez bien au chaud !

PLAN DE MATCH POUR CHANGER UN COMPORTEMENT

Êtes-vous exposé à la pollution de l'air quand vous faites de l'exercice ?

Faire de l'exercice par temps pollué peut nuire à la santé. En effet, comme on respire plus rapidement, on inhale, par minute, plus de substances dommageables pour les poumons. Pour savoir si vous êtes exposé à la pollution de l'air quand vous faites de l'exercice, répondez aux questions suivantes.

	OUI	NON
Faites-vous vos exercices dans un environnement urbain ?	☐	☐
Faites-vous vos exercices (jogging, marche rapide, vélo, patins à roues alignées, etc.) en fin d'après-midi ?	☐	☐
Faites-vous vos exercices à l'extérieur, même lorsque le taux de pollution (smog notamment) est élevé ?	☐	☐
Joggez-vous ou roulez-vous (vélo, patins à roues alignées) près de routes très achalandées ou congestionnées ?	☐	☐

Si vous avez répondu *oui* à une ou plusieurs de ces questions, vous avez tendance à vous exposer à la pollution de l'air lorsque vous faites de l'exercice.

Voici quelques trucs pour y remédier.

L'horloge de la pollution

Dès demain vous...

- ferez vos exercices tôt le matin (voir « L'horloge de la pollution »). Le niveau d'ozone[1] atteint son maximum durant le pic de chaleur de la journée qui est souvent en fin d'après-midi. De plus, le niveau de pollution de l'air tend à être plus bas le matin parce qu'il y a eu très peu de circulation automobile et d'activité industrielle pendant la nuit, sans compter que les mouvements de l'air ont probablement chassé les particules polluantes.

D'ici à deux semaines, vous...

- éviterez de faire de l'exercice près des rues où la circulation automobile est très dense.
- vous entraînerez autant que possible dos au vent, et non pas face au vent, surtout si vous êtes allergique au pollen (notez que le taux de pollen dans l'air est plus faible après la pluie parce que les pollens restent au sol).
- consulterez les bulletins météo (à la télévision ou dans Internet), afin de connaître le taux de pollution, ainsi que le taux d'allergènes dans l'air si vous avez des allergies, et reporterez votre séance d'exercices au lendemain s'il y a lieu.
- planifierez, autant que possible, une séance d'exercice à l'extérieur le dimanche matin, le moment de la semaine où le taux de pollution est à son minimum.

D'ici à la fin de la session, vous...

- trouverez un centre d'activité physique (celui de votre cégep, YMCA ou YWCA, etc.) où vous pourrez faire vos exercices à l'intérieur, surtout les jours où les taux de pollution et d'ozone sont élevés. Les centres d'activité physique bien entretenus disposent de systèmes de filtration de l'air qui réduisent grandement les particules polluantes et allergènes en suspension dans l'air des grands centres urbains.

1. Résultat de l'interaction entre la lumière solaire et les émissions polluantes des automobiles, l'**ozone** – à cause de son pouvoir oxydant – peut provoquer une inflammation temporaire des muqueuses des voies respiratoires.

Source : Adapté de S.K. Powers et coll. (2014). *Total fitness & wellness* (6e éd.), Pearson, p. 309.

2. La chaussure de sport

On a tendance à l'oublier, mais les pieds encaissent leur lot de coups quand on pratique une activité physique. Par exemple, après 50 minutes de jogging ou de soccer, ils auront frappé le sol plusieurs centaines de fois ! Si vous portez des chaussures de piètre qualité, trop petites ou trop grandes, ou encore trop usées, vous pouvez vous retrouver avec des ampoules, des ongles noirs et des cors. **Une bonne chaussure de sport doit être confortable, légère, durable, adhérente et bien aérée.** Autrement dit, elle doit offrir suffisamment d'espace pour les orteils, être pourvue d'une semelle extérieure adhérente et résistante à l'abrasion, d'une empeigne qui laisse échapper la chaleur, et être confectionnée de matériaux résistants et légers.

Choisir ses chaussures en fonction de l'activité pratiquée

Les fabricants de chaussures de sport ont conçu différents modèles qui tiennent compte du type de déplacements (en ligne droite, en zigzag, latéral et avant-arrière, avec multiples arrêts brusques et départs explosifs, etc.) ainsi que de la surface sur laquelle on se déplace (adhérente, non adhérente, dure, flexible, rugueuse, rocailleuse, etc.). Par exemple, si vous jouez au badminton, portez des **chaussures avec des semelles gommées** conçues pour adhérer aux surfaces de bois verni. Si vous faites de la course à pied, enfilez des **chaussures de jogging** ou encore des **chaussures minimalistes** ultralégères qui permettent de se rapprocher le plus possible de la course pieds nus (chapitre 4, p. 143). Si vous pratiquez plusieurs activités, optez pour la **chaussure multisport**. C'est un modèle passe-partout conçu pour répondre à plusieurs exigences. Pourvue de coussinets et d'un support latéral plus que convenable, la chaussure multisport encaisse tant les sauts que les déplacements latéraux. Elle constitue un bon achat pour les sportifs indécis ou pour ceux qui aiment diversifier leurs activités. Vous trouverez d'autres informations dans MonLab touchant les caractéristiques des principaux types de chaussures de sport ainsi que des conseils pour vous aider à trouver la bonne chaussure.

chaussure de sport

3. L'échauffement et le retour au calme

Bien habillé et bien chaussé, vous êtes prêt à passer à l'action.

Les avantages de l'échauffement

Avant de faire de l'exercice, il est important de bien vous échauffer. Voici pourquoi.

1. L'échauffement élève la température du corps, ce qui accroît l'efficacité des réactions chimiques dans les cellules musculaires. En quelque sorte, c'est un « préchauffage » de l'activité métabolique. La hausse de la température corporelle provoque aussi une dilatation des vaisseaux sanguins, ce qui amène plus de sang, donc plus d'oxygène, dans les muscles.
2. L'échauffement favorise la coordination et la vitesse des mouvements pour deux raisons. Tout d'abord, les influx nerveux se propagent plus rapidement quand la température du tissu musculaire s'élève. Ensuite, les propriocepteurs (p. 185) sont, pour ainsi dire, plus allumés après une période d'échauffement.

3. La chaleur musculaire éclaircit le lubrifiant naturel (la synovie) qui circule dans les articulations et diminue la résistance du tissu conjonctif, fibreux (fascia) et musculaire, ce qui favorise l'amplitude articulaire et l'élongation du muscle, deux facteurs qui contribuent à réduire le risque de blessure lors d'un mouvement brusque. Autrement dit, la flexibilité augmente quand le muscle est échauffé.
4. L'augmentation graduelle du rythme cardiaque au cours de l'échauffement prépare le cœur à faire des efforts plus soutenus.
5. L'échauffement aide à prévenir les crises d'asthme en améliorant la réponse respiratoire à l'exercice[1].
6. Enfin, l'échauffement améliore l'attitude mentale, puisqu'on se sent mieux dans un corps chaud que dans un corps froid.

En somme, l'échauffement ménage le cœur et les muscles, améliore la performance et peut aider à réduire les courbatures et la raideur musculaire du lendemain. Il serait fou de se passer de tant d'avantages !

L'échauffement type

La meilleure formule pour vous échauffer consiste à commencer par des exercices aérobies légers (marche rapide, jogging léger, sautillements sur place, vélo à faible vitesse, etc.). À ces exercices, vous pouvez ajouter quelques étirements dynamiques qui imitent les gestes que vous effectuez dans votre entraînement ou votre pratique sportive. Par exemple, pour vous échauffer avant un match de badminton ou de tennis, vous pouvez exécuter quelques coups à vide (dégagés, smashes, coups droits ou revers). Avant un match de soccer, vous pouvez exécuter des exercices légers de contrôle du ballon avec les pieds, ainsi que quelques coups de pied de faible intensité. Ces étirements préparent les articulations et les tendons à des mouvements beaucoup plus amples que ceux de la vie de tous les jours.

La **durée de l'échauffement** dépend de la durée et de l'intensité de l'activité physique qui va suivre. Ainsi, pour 20 minutes de jogging, il n'est pas nécessaire de s'échauffer pendant 15 minutes : ce serait faire du zèle inutile. En revanche, avant de courir un marathon, vous auriez parfaitement raison d'allonger votre séance d'échauffement et d'aller au-delà de 15 minutes. Précisons, toutefois, qu'une activité intense et vigoureuse, même de courte durée (par exemple, courir le 100 mètres), nécessite un échauffement qui peut dépasser 15 minutes. La durée de l'échauffement dépend également de la température ambiante : s'il fait très chaud et humide, l'échauffement sera plus court que d'habitude ; si le temps est frais, il sera plus long, et on portera un survêtement pour conserver sa chaleur.

Le retour au calme

Une fois l'activité terminée, prenez quatre ou cinq minutes pour ralentir votre métabolisme. Pour cela, il suffit de marcher. En effet, la marche accélère l'évacuation de lactate accumulé dans les muscles. Puis, en faisant des étirements statiques ou des étirements dynamiques, étirez vos muscles (p. 221). Ainsi, votre système cardiovasculaire sera apaisé et vos muscles seront détendus avant d'aller sous la douche.

---

1. T.D. Mickleborough et coll. (2007). Comparative effects of a high-intensity interval warm-up and salbutamol on the bronchoconstrictor response to exercise in asthmatic athletes, *International Journal of Sports Medicine*, *28*, 456-462.

4. Les blessures les plus fréquentes : prévention et traitements

Si elle est bénéfique pour la santé, l'activité physique entraîne cependant un risque accru de blessures. Heureusement, la plupart du temps, il s'agit de blessures sans gravité, qu'on peut bien souvent prévenir ou soigner efficacement soi-même (tableau 9.3). Si jamais vous devez subir une opération à la suite d'une blessure, vérifiez au préalable que c'est vraiment le dernier recours. La plupart des blessures associées à la pratique d'une activité physique appartiennent à deux grandes catégories : les **blessures aiguës** et les **blessures chroniques**.

TABLEAU 9.3 Mini-guide de dépannage en cas de blessures et de douleurs

Blessures	Apparence et symptômes	Premiers soins
Courbatures	Douleur et raideur musculaires apparaissant entre 12 et 36 heures après l'exercice.	Étirement léger, exercice de faible intensité et bain chaud.
Crampes musculaires	Douleur, spasme, durcissement du muscle.	Étirement de la zone douloureuse, pour dénouer le muscle, et hydratation.
Entorses et claquages	Douleur, sensibilité au toucher, inflammation, perte d'usage du membre.	Méthode GREC (voir ci-dessous), consultation d'un médecin ou d'un physiothérapeute.
Fractures et luxations	Douleur, inflammation, perte d'usage du membre, déformation.	Attelle, application de froid (glace), consultation d'un médecin.
Point de côté	Douleur aiguë sur le côté du thorax.	Diminution de l'intensité ou arrêt complet de l'exercice, respiration abdominale (chapitre 11) et massage léger de la zone sensible.

Source : Adapté de D.M. Vickerey et J.F. Fries (1999). *Soignez-vous bien !* Saint-Laurent, ERPI ; et divers documents de la Corporation professionnelle des physiothérapeutes du Québec.

Les blessures aiguës

Les blessures aiguës surviennent brusquement à la suite d'une chute, d'une collision ou d'un faux mouvement. **On les subit souvent vers la fin d'une séance d'activité physique, au moment où on commence à ressentir de la fatigue et à manquer de réflexes**. Elles peuvent prendre la forme d'une entorse (ligament endommagé), d'un claquage musculaire (déchirure d'un muscle), de la rupture d'un tendon, d'une luxation articulaire (déplacement d'un os hors de son articulation) ou encore d'une fracture (bris d'un os). Précisons que l'entorse est, de loin, la plus fréquente des blessures aiguës (Sous la loupe, p. 324).

En cas de blessure aiguë, cessez **immédiatement** toute activité physique. Si vous les connaissez, appliquez les mesures de premiers soins afin de réduire le plus possible les dommages musculosquelettiques ainsi que la douleur. Sinon, ou si vous n'êtes pas sûr de vous, demandez l'aide d'un secouriste ou appelez le 911. Si la blessure provoque une forte enflure et une incapacité de bouger l'articulation (par exemple, une entorse sévère de la cheville), il vaut mieux se rendre à la clinique médicale ou à l'hôpital.

SOUS LA LOUPE De l'entorse mineure à l'entorse sévère

Le ligament est une bande, plutôt courte, de tissu fibreux élastique mais très solide qui relie les os entre eux dans une articulation. Lorsque le ligament (ici un des ligaments de l'épaule) est étiré, mais non déchiré (a), c'est une **entorse mineure**, de degré 1. Si le ligament est étiré et partiellement déchiré (b), c'est une **entorse plus sérieuse**, de degré 2, qui s'accompagne de douleurs, d'une inflammation, d'une raideur et d'une incapacité à bouger l'articulation blessée. Enfin, si le ligament est complètement déchiré (c), c'est une **entorse sévère**, de degré 3, qui exige un traitement, souvent chirurgical.

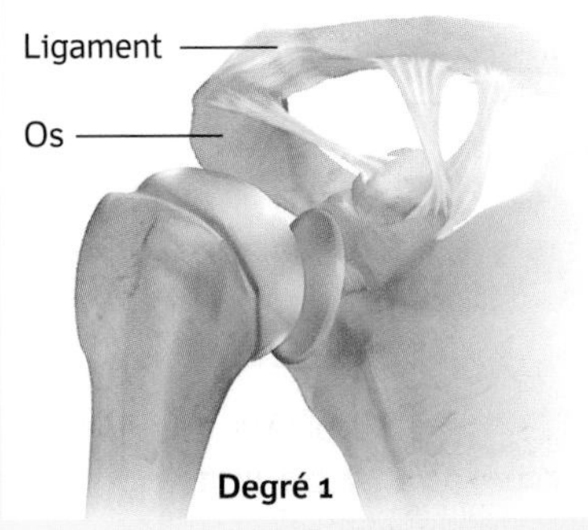

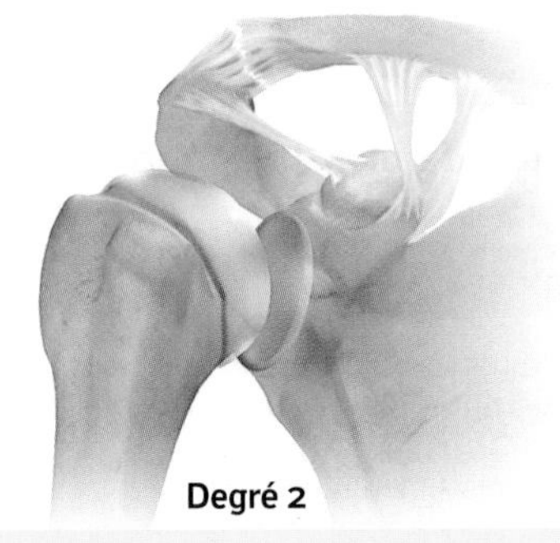

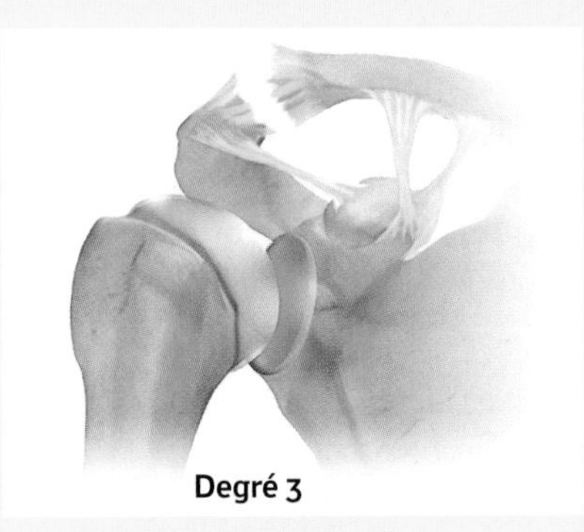

Source : Adapté de S.K. Powers et coll. (2014). *Total Fitness and Wellness* (6e éd.), Pearson, p. 328.

Autrement, il faut appliquer sans tarder la **méthode GREC** (Glace, Repos, Élévation et Compression) illustrée à la figure 9.4. Commencez par le repos : cessez immédiatement toute activité physique et évitez de bouger le membre blessé. Puis, tout doucement, élevez le membre blessé au-dessus du niveau du cœur. Si c'est la jambe qui est atteinte, étendez-vous sur le sol et surélevez-la à l'aide de vêtements enroulés ou de serviettes. Si c'est le bras, appuyez-le sur une table. Cette manœuvre ralentira l'hémorragie interne. Ensuite, appliquez le plus tôt possible sur la blessure de la glace enveloppée dans une serviette (évitez le contact direct de la glace avec la peau). Ne laissez pas la glace plus de 20 minutes d'affilée sur la blessure, et appliquez-la toutes les 2 heures pendant au moins 24 heures, voire plus longtemps. Le froid réduira l'inflammation. Enfin, bandez le membre blessé en exerçant une certaine pression sur la blessure, mais sans empêcher le sang de circuler. **Une fois que l'enflure a diminué** (le gonflement est bien moindre), habituellement au bout de 24 heures, **appliquez des compresses chaudes afin de favoriser l'irrigation sanguine et la guérison**. Si vous croyez souffrir d'une fracture, immobilisez le membre blessé à l'aide d'une attelle. Celle-ci peut être confectionnée à l'aide de magazines ou d'un carton roulés, mais pas trop serrés.

FIGURE 9.4 La méthode GREC en cas de blessures aiguës

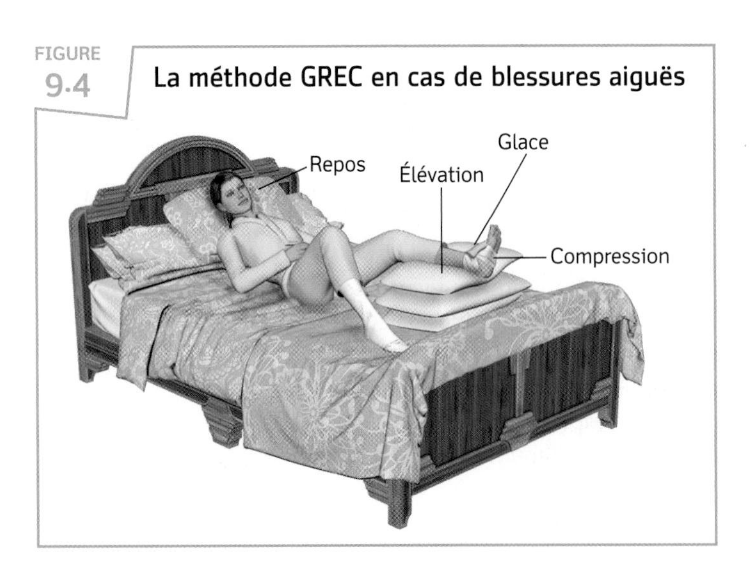

Les blessures chroniques

Les blessures chroniques, ou **blessures de surutilisation**, se développent petit à petit. Elles sont causées par une **accumulation de microtraumatismes et souvent associées au surentraînement**. Le **principal symptôme est une douleur persistante**, qui apparaît habituellement pendant l'effort ou après l'effort. Si vous croyez souffrir d'une blessure chronique, appliquez de la glace sur la zone douloureuse et cessez de pratiquer l'activité en cause aussi longtemps que la douleur n'aura pas totalement disparu. Les blessures de surutilisation les plus fréquentes sont la tendinite, la bursite, la fasciite plantaire et la périostite (**figure 9.5**).

La **tendinite** est l'inflammation d'un tendon, c'est-à-dire la bande fibreuse qui prolonge le muscle et le fixe à l'os (**figure 9.5A**). On ressent la douleur tendineuse aux extrémités d'un muscle et elle apparaît pendant un effort physique et subsiste après cet effort. Si on ne tient pas compte de cette blessure et qu'on continue de pratiquer l'activité physique qui en est la cause, la douleur devient si intense qu'elle peut faire perdre toute envie de bouger l'articulation touchée.

Les facteurs déclenchants sont en général l'utilisation intensive d'une articulation ou la répétition d'une technique sportive inadéquate. Les cas les plus classiques sont **les tendinites du joggeur (tendinite du tendon d'Achille), du joueur de tennis (épicondylite du coude, ou « tennis elbow ») et du golfeur (épicondylite du coude, ou « golf elbow »)**.

Quelques précautions simples permettent de prévenir la tendinite. Si elle résulte d'une mauvaise technique, corrigez le geste fautif. S'il s'agit d'une tendinite d'usure, diversifiez vos activités en faisant par exemple alterner le jogging avec le vélo ou le patin à roues alignées. Et n'oubliez pas d'assouplir vos muscles, car des muscles raides malmènent inévitablement les tendons qui les soutiennent.

La **bursite** est l'inflammation d'une bourse séreuse (**figure 9.5B**). Imaginez un petit coussin gélatineux situé entre un tendon et un os, ou entre deux tendons, et vous aurez une bonne idée de ce qu'est une bourse séreuse. Ce petit coussin facilite le glissement du tendon sur l'os ou entre deux tendons. Nous en avons plusieurs, au niveau de la hanche, du genou, du pied, du coude, du poignet et de l'épaule. La bourse séreuse se trouvant derrière un tendon, on prend souvent la bursite pour une tendinite, car leurs symptômes se ressemblent beaucoup. Une bursite apparaît en général après une série de mouvements brusques et intenses, ou à la suite du frottement prolongé d'un tendon sur un os (par exemple, lorsqu'on porte une chaussure trop serrée). Le meilleur traitement consiste à mettre l'articulation atteinte au repos jusqu'à la disparition de la douleur et de l'œdème.

FIGURE 9.5 Tendinite, bursite, fasciite plantaire et périostite

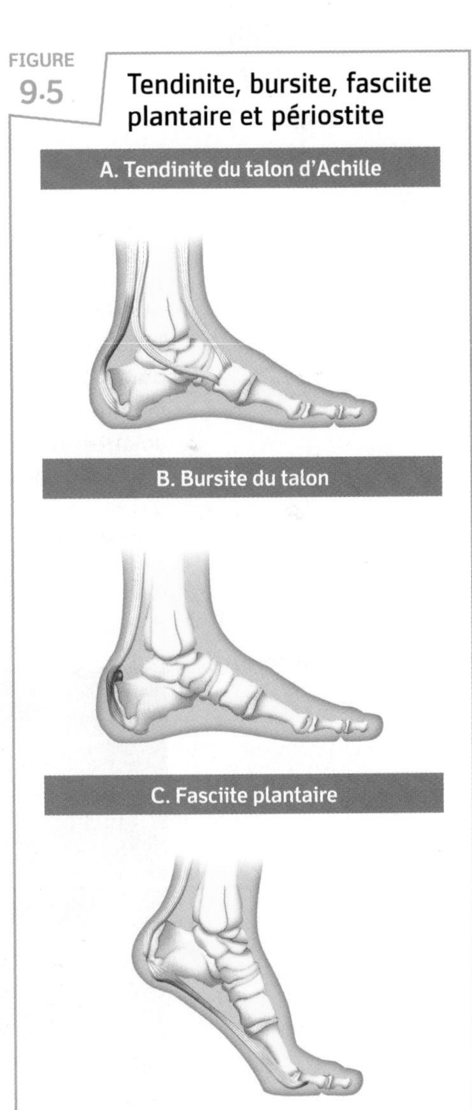

La **fasciite** plantaire est l'inflammation du fascia plantaire (**figure 9.5C**), la large bande fibreuse qui s'étire sous le pied, du talon jusqu'à la base des orteils, et qui recouvre tendons et ligaments. Son inflammation peut avoir diverses causes : des souliers trop rigides, le début trop brutal d'une séance d'exercice, une surdose de sports sollicitant les pieds (jogging, aérobique, squash, tennis, badminton, etc.), une voûte

FIGURE 9.5 Tendinite, bursite, fasciite plantaire et périostite

D. Périostite tibiale

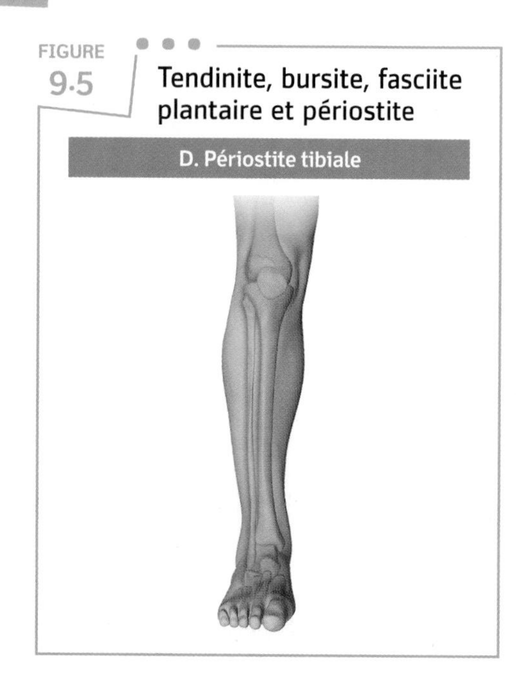

plantaire très prononcée. La fasciite plantaire est probablement la plus incommodante des blessures dues au sport, le dessous du pied étant toujours très sollicité. Repos, analgésique (en cas de douleurs aiguës) et glace suffisent habituellement pour réduire l'inflammation et la douleur. Pour éviter une rechute, étirez souvent vos mollets, votre tendon d'Achille et le dessous de votre pied.

La **périostite** est l'inflammation du périoste, soit l'enveloppe de l'os (figure 9.5D). Les joggeurs qui courent plusieurs heures par semaine ou les débutants qui ont une mauvaise technique ou qui pratiquent la course à pied sur des surfaces dures peuvent être victimes d'une périostite touchant le tibia (périostite tibiale). Les symptômes sont des douleurs de plus en plus vives sur le devant de la jambe. Le traitement consiste à appliquer de la glace et à interrompre quelque temps l'activité qui a causé cette blessure. Faute de traitement, la périostite s'aggravera au point que même marcher devient très douloureux.

5. Protéger sa peau contre les rayons solaires

Impossible de pratiquer des activités de plein air sans exposer une partie de son épiderme aux rayons ultraviolets (UV), même l'hiver. Or, le soleil accélère le vieillissement de l'épiderme et augmente le risque de cancer de la peau. Prenez les précautions d'usage pour réduire votre exposition aux rayons UV : appliquez une crème ou un écran solaire sur les parties du corps exposées ; chaussez des lunettes de soleil portant la mention UV-400 ; entraînez-vous si possible avant 11 heures ou après 15 heures (pour éviter le pic du rayonnement solaire), etc. Il existe aussi des vêtements traités pour résister aux rayons UV. Leur étiquette, à l'instar de celle des écrans solaires, affiche un facteur de protection contre les rayons UV (FPRUV). Et pour les amateurs de sports de montagne (ski, trekking, alpinisme), n'oubliez pas que les rayons UV augmentent de 10 % par palier de 1 000 mètres d'altitude, et que la neige fraîche en réfléchit jusqu'à 85 %.

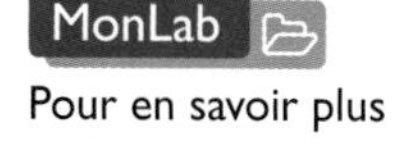

Pour en savoir plus

Consultez MonLab à la rubrique « Pour en savoir plus ». Vous y trouverez des suggestions de lecture et des sites Internet à visiter.

ZONE ÉTUDIANTE

Anne Léger

CÉGEP MARIE-VICTORIN

Anne découvre les bienfaits de son cours de tonus, au bout de huit semaines seulement.

Je n'ai jamais été sportive. Même quand j'étais petite, tout ce que je faisais était de courir après mon cousin qui, lui, courait après un ballon. Puis j'arrêtais, parce que j'étais asthmatique. Bref, les sports collectifs n'étaient pas mon fort, et ça ne l'est toujours pas.

Au secondaire, mes professeurs me faisaient une peur bleue quand ils parlaient de l'éducation physique de niveau collégial. Je m'attendais à souffrir le martyre et à faire des crises d'asthme à tous les cours. Mais j'ai été agréablement surprise quand j'ai commencé en tonus.

Oui, on a chaud et, oui, il est parfois difficile de tenir jusqu'au bout. Mais c'est la première fois qu'après avoir dépensé autant d'énergie, je me sens bien, calme et même, étrangement, reposée. J'avais les muscles beaucoup plus endoloris quand je faisais semblant de courir après le ballon ! Maintenant, quand je sors de l'entraînement, je suis prête à commencer des journées très chargées avec un peu plus d'entrain que d'habitude.

Et puis le cours de tonus me fait du bien sur le plan mental. Avant, je me trouvais faible, paresseuse, et dès qu'on me demandait un effort physique, surtout en équipe, j'étais angoissée, car je savais très bien que j'allais tout faire dérailler. Mais le tonus est une activité individuelle. Le but est de se surpasser en se concentrant sur ses propres capacités. On gagne beaucoup d'estime de soi quand on s'aperçoit qu'on est capable d'atteindre ses objectifs. Ce cours contribue également à réduire le stress accumulé tout au long de la semaine et m'engage à penser un peu plus à ma santé.

Toutes les activités physiques ont du bon. Mais je peux confirmer que, dans un cours de tonus, on se découvre des muscles dont on ignorait totalement l'existence ! On travaille les abdos, les quadriceps, les biceps, les triceps, les fessiers, bref, étape par étape, on développe tout son corps. On améliore sa souplesse, son endurance musculaire et son cardio. Il est certain qu'il ne suffit pas d'un seul entraînement par semaine pour obtenir rapidement des résultats concluants. Pourtant, mes maux de dos et d'épaule, provoqués par ma fâcheuse attirance pour les sacs à main surdimensionnés, sont de moins en moins fréquents. Mieux encore : je n'ai eu aucune difficulté respiratoire depuis le début de l'année scolaire !

VRAI OU FAUX? RÉPONSES

1. **Plus de la moitié des personnes qui commencent un programme de conditionnement physique abandonnent en moins de six mois. VRAI!** Et l'une des principales raisons invoquées, c'est la perte de la motivation initiale.
2. **La motivation extrinsèque est suffisante pour pratiquer l'activité physique régulièrement et à long terme. FAUX!** La motivation extrinsèque (p. 311) peut servir de bougie d'allumage pour devenir physiquement actif. Mais, tôt ou tard, une motivation intrinsèque, ou profonde (p. 311), est nécessaire pour que la pratique soit durable. Le bilan 9.1 vous éclairera sur votre type de motivation.
3. **On ne peut pas dissocier ses besoins et ses capacités physiques lorsqu'on choisit une activité physique. VRAI!** On peut avoir besoin, par exemple, d'améliorer son endurance aérobie tout en ayant de sérieuses limitations d'ordre musculosquelettique qui réduisent notre choix d'activités de ce type. Heureusement, il existe des activités aérobies qui imposent un stress minimal aux articulations porteuses (natation, gymnastique aquatique, exercice sur machine elliptique, vélo, ski de fond sur le plat, etc.). Il en va ainsi pour toute activité physique.
4. **Dans le choix d'un centre d'activité physique, le premier critère à prendre en considération est le nombre d'appareils de conditionnement physique. FAUX!** Le premier critère est la distance, car si le centre est éloigné de l'endroit où on habite ou de son cégep, le risque d'abandon est élevé (p. 315).
5. **L'échauffement réduit l'intensité des courbatures. VRAI!** Un échauffement bien fait réchauffe les muscles qui seront sollicités pendant l'activité physique et les assouplit, ce qui contribue à réduire l'intensité des courbatures. Si on fait des étirements qui reproduisent la gestuelle de l'activité, le risque de courbatures diminue encore plus.

AU FIL D'ARRIVÉE!

Pour pratiquer l'activité physique de façon régulière, suffisante et, surtout, durable, il est important de choisir des activités qui sont une source de motivation et de plaisir.

Quatre critères aident à déterminer de telles activités : la motivation ; les goûts ; les besoins et les capacités physiques ; la disponibilité. Le **bilan 9.1** est conçu pour faciliter le choix d'activités physiques qui répondent à ces critères tout en favorisant la santé.

Une fois choisies les activités physiques qui nous conviennent, il faut veiller à ce que leur pratique soit agréable et sécuritaire. Pour y arriver, il faut :

- porter des vêtements adaptés à la température ;
- porter des chaussures confortables et conçues pour l'activité pratiquée ;
- boire et manger en fonction de la durée et de l'intensité de l'activité pratiquée (voir également le chapitre 10) ;
- s'échauffer en fonction de l'activité pratiquée ;
- récupérer à la fin de la séance en faisant un retour au calme ;
- protéger sa peau contre les rayons ultraviolets, en cas d'activités extérieures.

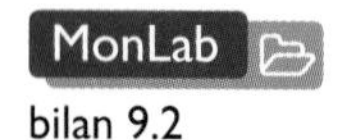

bilan 9.2

Le **bilan 9.2** dans **MonLab** permet de vérifier son degré de préparation physique.

PAUSE-RÉFLEXION

Nom: ______________________ Groupe: __________ Date: __________

Remplissez les cases vides du schéma à l'aide des mots-clés suivants:

ralentir le métabolisme ☐ l'éclaircissement de la synovie ☐ disponibilité ☐ les chaussures ☐ la préparation du cœur ☐ intrinsèque ☐ système multicouche ☐ besoins et capacités ☐ l'élévation de la température du corps ☐

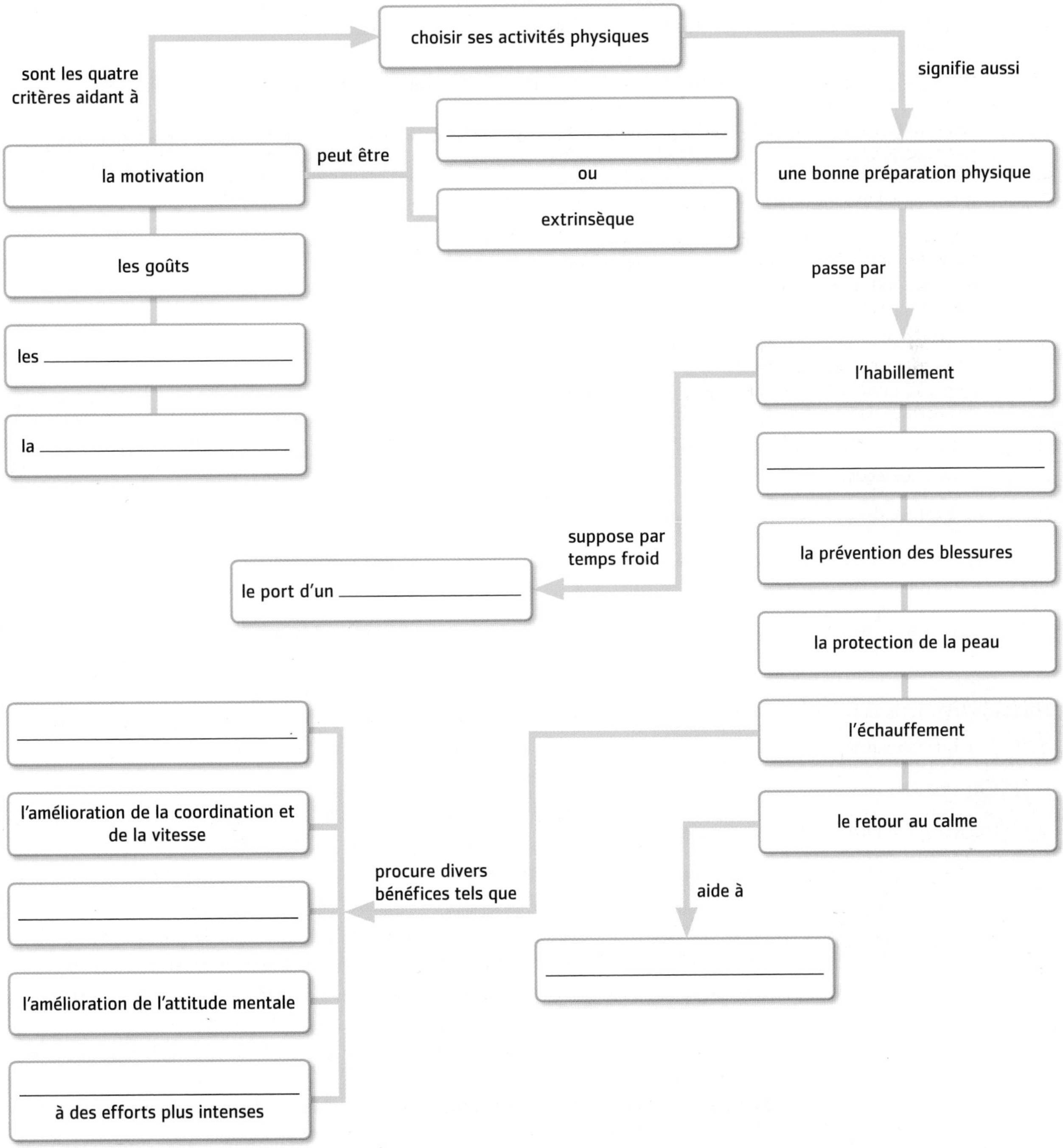

choisir ses activités physiques

sont les quatre critères aidant à

la motivation

peut être

____

ou

extrinsèque

les goûts

les __________

la __________

signifie aussi

une bonne préparation physique

passe par

l'habillement

____

la prévention des blessures

la protection de la peau

l'échauffement

le retour au calme

suppose par temps froid

le port d'un __________

procure divers bénéfices tels que

____

l'amélioration de la coordination et de la vitesse

____

l'amélioration de l'attitude mentale

__________ à des efforts plus intenses

aide à

____

Nom: ______________________ Groupe: __________ Date: __________

1 Nommez les quatre critères à prendre en compte pour choisir une activité physique.

1. ______________________
2. ______________________
3. ______________________
4. ______________________

2 Il est recommandé d'appliquer le principe de la pelure d'oignon quand on pratique une activité physique par temps froid. Qu'est-ce que cela signifie ?

☐ **a)** Porter des vêtements qui protègent du vent.

☐ **b)** Porter un coupe-vent bien matelassé.

☐ **c)** Porter plusieurs couches de vêtements minces qui enferment l'air et procurent une bonne isolation.

☐ **d)** Porter une seule couche de vêtements épais et chauds

3 Lequel des énoncés suivants est faux ?

☐ **a)** L'augmentation graduelle du rythme cardiaque au cours de l'échauffement prépare le cœur à faire des efforts plus soutenus.

☐ **b)** S'échauffer ne prévient pas les crises d'asthme.

☐ **c)** L'échauffement élève la température du corps, ce qui accroît l'efficacité des réactions chimiques dans les cellules musculaires.

☐ **d)** Les influx nerveux se propagent à la même vitesse, quelle que soit la température du muscle.

4 Qu'est-ce qu'un coup de chaleur ?

☐ **a)** Une fatigue musculaire généralisée.

☐ **b)** Une transpiration excessive.

☐ **c)** Le résultat d'un coup de soleil grave.

☐ **d)** Le dérèglement complet du système qui contrôle la température du corps.

5 En quoi consiste la méthode GREC ?

☐ **a)** Demander à la victime d'une blessure de s'allonger et de se reposer, puis appliquer de la glace et une compresse sur la blessure.

☐ **b)** Appliquer de la chaleur sur le membre blessé et l'élever au-dessus du niveau du cœur.

☐ **c)** Envelopper le membre blessé pour exercer une légère compression, puis l'élever et demander à la personne de se reposer.

☐ **d)** Demander à la victime d'une blessure de s'allonger et de se reposer, élever le membre blessé, appliquer de la glace pendant quelques minutes, puis envelopper le membre blessé en exerçant une certaine pression.

Nom : ______________________ Groupe : ____________ Date : ____________

6 Si vous pratiquez plusieurs sports d'intérieur, quelles chaussures seraient un bon choix ?

- ☐ **a)** Des chaussures de jogging.
- ☐ **b)** Des chaussures multisports.
- ☐ **c)** Des chaussures minimalistes.
- ☐ **d)** Des chaussures ayant une semelle épaisse.

7 Parmi les blessures suivantes, lesquelles sont les plus fréquentes chez les personnes physiquement actives ?

- ☐ **a)** Les ampoules, les fractures et les claquages musculaires.
- ☐ **b)** Les tendinites, les bursites et les fractures des côtes.
- ☐ **c)** Les bursites, les périostites et les ongles noirs.
- ☐ **d)** Les tendinites, les fasciites plantaires, les bursites et les périostites.

8 Nommer trois conseils à suivre lorsqu'on fait du jogging quand la température est négative.

1. ______________________
2. ______________________
3. ______________________

9 Si on s'entraîne à l'extérieur pendant le jour, quelle période devrait-on choisir pour réduire au minimum son exposition aux rayons ultraviolets ?

- ☐ **a)** Avant 12 heures et après 14 heures.
- ☐ **b)** Avant 10 heures et après 12 heures.
- ☐ **c)** Avant 11 heures et après 15 heures.
- ☐ **d)** Avant 11 heures et après 14 heures.

BILAN 9.1

Nom : ______________ Groupe : ______________ Date : ______________

CHOISISSEZ VOS ACTIVITÉS PHYSIQUES

Ce bilan vous aidera à choisir des activités physiques à la fois bénéfiques pour votre santé et tenant compte de votre motivation, de vos goûts, de vos besoins et de vos capacités, ainsi que du temps dont vous disposez pour les pratiquer.

Cette démarche comporte quatre étapes. La première vise à déterminer votre degré de motivation, et les trois autres à choisir vos activités physiques. À chacune d'elles, vous noterez les activités associées aux affirmations que vous aurez cochées. **En recoupant les choix que vous aurez faits, vous pourrez déterminer quelques activités qui vous conviennent particulièrement.** Afin de peaufiner vos choix, consultez à nouveau le tableau 9.2 (p. 314), qui résume les caractéristiques des activités les plus populaires au Québec.

ÉTAPE A Déterminez votre type de motivation et votre indice d'autonomie[1]

Comme on l'a vu dans ce chapitre, il existe quatre niveaux de motivation s'agissant de la pratique à long terme de l'activité physique. La **fiche** qui suit vous aidera à définir si votre motivation est plutôt extrinsèque ou intrinsèque, ainsi qu'à déterminer votre indice d'autonomie ou, si vous préférez, votre force motivationnelle à pratiquer l'activité physique.

1. Précisez les raisons de votre motivations à être actif ou à le devenir

Si vous êtes physiquement actif ou aspirez à l'être, indiquez dans quelle mesure chacune des raisons suivantes s'applique à votre situation en lui attribuant une cote selon l'échelle ci-dessous :

1	2	3	4	5	6	7
	Pas du tout		Quelque peu		Tout à fait	

Pour quelles raisons pratiquez-vous régulièrement une ou plusieurs activités physiques, ou essayez-vous de le faire ?	Cote
1. Je ne m'aimerais pas si je ne le faisais pas.	
2. Les autres seraient déçus si je ne le faisais pas.	
3. J'aime les activités physiques.	
4. J'aurais un sentiment d'échec si je ne le faisais pas.	
5. Je crois que c'est la meilleure chose à faire pour m'aider moi-même	
6. Je crains que ma condition physique se détériore si je ne le fais pas.	
7. J'ai l'impression que la pression sociale ne me laisse pas d'autre choix.	
8. Je dois relever ce défi pour atteindre mon objectif.	
9. Je crois que l'activité physique m'aide à me sentir mieux.	
10. Les autres m'apprécient davantage lorsque je suis en bonne condition physique.	
11. J'attache beaucoup d'importance au fait d'être actif et en bonne santé.	
12. J'éprouve du plaisir à développer de nouvelles habiletés motrices.	

Nom : ______________________ Groupe : __________ Date : __________

2. Déterminez les valeurs A, B, C et D

Pour calculer les valeurs A, B, C et D, faites la moyenne des cotes que vous avez attribuées pour chacune des raisons citées dans le formulaire, *c'est-à-dire la somme des cotes divisée par le nombre de raisons par type de motivation.*

Régulation externe, ou motivation la plus extrinsèque

Raison 2 _____ + raison 7 _____ + raison 10 _____ = _____ /3 = _____ **(valeur A)**

Régulation intériorisée

Raison 1 _____ + raison 4 _____ + raison 6 _____ = _____ /3 = _____ **(valeur B)**

Régulation identifiée

Raison 5 _____ + raison 9 _____ + raison 11 _____ = _____ /3 = _____ **(valeur C)**

Régulation intégrée, ou motivation la plus intrinsèque

Raison 3 _____ + raison 8 _____ + raison 12 _____ = _____ /3 = _____ **(valeur D)**

3. Calculez votre indice d'autonomie

L'**indice d'autonomie** (IA), révèle l'incidence relative des facteurs intrinsèques et extrinsèques sur la motivation. Pour le calculer, utilisez la formule ci-dessous.

Votre indice d'autonomie (IA)

2 × D (2 × _____) + C (_____) − B (_____) − 2 × A (2 × _____) = _____ **IA**

Si vous obtenez un **IA négatif** (p. ex : −4,5), vous avez une **motivation extrinsèque** à modifier votre pratique de l'activité physique, c'est-à-dire que les facteurs externes jouent un rôle important dans la régulation de votre comportement. Un **IA positif** (p. ex : 12,3) indique, au contraire, que vous êtes **intrinsèquement motivé** à apporter un changement favorable à votre pratique de l'activité physique.

4. Votre conclusion

☐ *Ma motivation à pratiquer régulièrement l'activité physique est plutôt extrinsèque.* Même si votre motivation est extrinsèque pour le moment, c'est un bon début et il y a de bonnes chances qu'elle se transforme, petit à petit, en motivation intrinsèque. Pour y parvenir, relisez 1) les conseils pour choisir une activité physique qui vous plaît (p. 310 à 315), 2) le texte à l'intérieur de la couverture de votre livre (« 40 raisons pour bouger ») et 3) le chapitre 1 sur les effets bénéfiques de l'activité physique ainsi que le bilan 1.

☐ *Ma motivation à pratiquer régulièrement l'activité physique est plutôt intrinsèque.* Bravo et bonne continuation !

---

1. Source : Adapté du Programme d'études en éducation physique et à la santé du gouvernement albertain (2008), leçon 3, p. 112 et suivantes ; et de Edward L. Deci et Richard M. Ryan (2004). Exercise Self-Regulation Questionnaires. *Self-determination theory: An approach to human motivation and personality –The Self-Regulation Questionnaires* (www.psych.rochester.edu/SDT/measures/selfreg_exer.html).

BILAN 9.1

Nom : ____________________ Groupe : ____________ Date : ____________

ÉTAPE B Déterminez les activités physiques correspondant à vos goûts

Je préfère...	Quelques suggestions
☐ **1.** les activités individuelles.	Marche, jogging, ski de fond, ski alpin, planche à neige, raquette, vélo, golf, musculation, patin à roues alignées, patin sur glace, méthodes de relaxation, cardio sur appareils, etc.
☐ **2.** les activités qui favorisent les contacts sociaux.	Sports d'équipe (volleyball, basketball, soccer, hockey, ringuette, handball, etc.), événements grand public (marathon, triathlon, etc.) ou de groupe (randonnée cycliste, vélo de groupe, aérobique, aéroboxe, arts martiaux, etc.).
☐ **3.** les activités à forte dépense énergétique (plus de 600 calories/heure).	Squash, racquetball, badminton, tennis, vélocross, ski de fond en montagne, danse, jogging rapide, soccer, hockey, ringuette, CrossFit, camp d'entraînement (« bout camp ») etc.
☐ **4.** les sports de combat.	Arts martiaux, escrime, boxe, lutte gréco-romaine, etc.
☐ **5.** les gymnastiques douces.	Méthodes de relaxation, taï-chi, yoga, méthode Alexander, Qigong, Pilates, gymnastique sur table, etc.
☐ **6.** les activités où il y a de la compétition.	Tous les sports dans lesquels on affronte un ou plusieurs adversaires, en équipe ou en solo.
☐ **7.** les activités où je peux exprimer ma créativité à l'aide de mon corps.	Danse classique, danse moderne, ballet jazz, danse aérobique, patinage artistique, etc.
☐ **8.** les activités procurant des sensations fortes.	Deltaplane, descente de rapides en canot, escalade de glace, parachutisme, ski à voile sur un lac, planche à voile en mer, parapente, etc.
☐ **9.** l'activité physique non structurée.	Toute activité physique effectuée au quotidien, au travail ou dans ses loisirs.
☐ **10.** les activités qui se pratiquent dans la nature.	Escalade, randonnée pédestre, descente de rapides en canot, ski de fond, raquette, vélo de montagne, voile, planche à voile, ski nautique, plongée sous-marine, équitation, golf, etc.
☐ **11.** l'entraînement à la maison.	Exerciseurs cardiovasculaires, DVD d'exercice, émissions de mise en forme à la télévision, corde à sauter, etc.

Nom : ______________________ Groupe : ____________ Date : ____________

ÉTAPE C Déterminez vos besoins et vos capacités physiques

J'ai besoin…	Quelques suggestions
☐ **12.** d'améliorer mon endurance aérobie et musculaire.	Marche sportive, jogging, ski de fond, vélo, patin à roues alignées, exerciseurs cardio, DVD d'exercice, cardiovélo, natation, soccer, water-polo, etc.
☐ **13.** d'améliorer ma vigueur musculaire.	Musculation, escalade, canot, vélo de montagne, arts martiaux, hockey, sports de raquette, etc.
☐ **14.** d'améliorer ma flexibilité.	Yoga, méthode Feldenkrais, ballet jazz, danse moderne, exercices d'étirement, Pilates, gymnastique sur table, Qigong, etc.
☐ **15.** de diminuer mes réserves de graisse et de retrouver un poids santé.	Marche rapide, jogging, vélo à vitesse modérée, ski de fond, natation, raquette, combinaison d'activités aérobies et musculation, etc.
☐ **16.** d'améliorer ma posture.	Danse classique ou moderne, ballet jazz, danse populaire, méthodes de rééducation posturale (méthode Mézières, *rolfing*), etc.
☐ **17.** d'améliorer ma capacité à me détendre.	Méthodes de relaxation (relaxation progressive de Jacobson, entraînement autogène, massothérapie, etc.), activité physique en général.
☐ **18.** d'avoir des contacts sociaux.	Voir le point 2.
☐ **19.** de me retrouver seul.	Voir le point 1.
☐ **20.** de me retrouver dans la nature.	Voir le point 10.
☐ **21.** d'éprouver des sensations fortes.	Voir le point 8.
☐ **22.** d'échapper à une structure trop rigide.	Voir le point 9.

Je suis…	Quelques suggestions
☐ **23.** en bonne santé et en forme.	Tant mieux pour vous ! Choisissez votre activité selon vos goûts, vos besoins, votre budget et votre disponibilité.
☐ **24.** en bonne santé, mais pas en forme.	Choisissez votre activité en fonction de vos goûts, de vos besoins, de votre budget et de votre disponibilité, mais *commencez doucement*. Attention : si l'activité choisie est d'intensité élevée, *mettez-vous en forme avant de commencer*.
☐ **25.** handicapé par une blessure ou une maladie (asthme, arthrite, diabète, maladie cardiovasculaire, etc.).	Consultez votre médecin, votre physiothérapeute ou votre éducateur physique avant de vous lancer dans la pratique d'une nouvelle activité physique, surtout si elle est d'une intensité moyenne à élevée.

Nom : ______________________ Groupe : ____________ Date : ____________

ÉTAPE D Déterminez votre disponibilité

Je peux consacrer à une séance d'activité physique…	Quelques suggestions
☐ **26.** moins de 30 minutes.	Marche rapide, jogging, exerciseurs cardiovasculaires, corde à sauter, etc.
☐ **27.** entre 30 et 60 minutes.	Outre les activités mentionnées au point 26 : squash, racquetball, badminton, aérobique, danse de société, volleyball, patin à roues alignées, patin sur glace, tennis de table, vélo, gymnastique douce, CrossFit, escrime, tir à l'arc.
☐ **28.** de 1 heure à 2 heures.	Outre les activités mentionnées aux points 26 et 27 : tennis, hockey, arts martiaux, sports d'équipe en général.
☐ **29.** plus de 2 heures.	Outre les activités mentionnées aux points 26 à 28 : golf, ski de fond, ski alpin, surf des neiges, activités de plein air (planche à voile, escalade, canot, équitation, etc.), entraînement au marathon et au triathlon.

Votre conclusion :

Mes trois premiers choix d'activité physique sont…

1. ______________________

2. ______________________

3. ______________________

Réflexion personnelle

Justifiez votre choix d'activités physiques en fonction de vos goûts, de vos besoins et capacités ainsi que de votre disponibilité à les pratiquer.

Exemple

Activité physique 1 : Badminton

Goûts. J'ai choisi le badminton parce que j'y ai déjà joué au secondaire et que j'ai bien aimé parce que c'est un sport individuel (je ne raffole pas des sports collectifs) et que j'ai maîtrisé la technique assez rapidement.

Besoins et capacités. C'est aussi un sport qui respecte mes capacités physiques tout en répondant à mon besoin d'améliorer mon endurance musculaire ainsi que mon agilité à me déplacer et de me détendre physiquement.

Disponibilité. Enfin, ce que j'apprécie du badminton c'est que je peux le pratiquer au cégep sur l'heure du dîner.

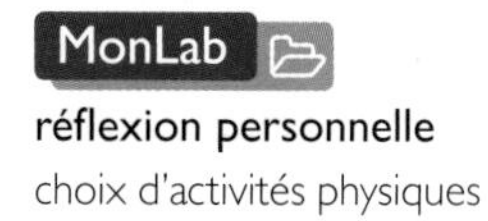

réflexion personnelle
choix d'activités physiques

Vous pouvez télécharger à partir de MonLab le formulaire vous permettant de décrire votre réflexion personnelle.

VRAI OU **FAUX** ?

	V	F
1. Aliment léger rime toujours avec choix santé.	☐	☐
2. Beaucoup de pizzas congelées contiennent plus de 100 % de la valeur quotidienne maximale en sel et en gras saturés et trans.	☐	☐
3. Le pain, les pâtes et les pommes de terre font grossir.	☐	☐
4. Les suppléments de vitamines donnent de l'énergie.	☐	☐
5. Manger des œufs augmente le taux de mauvais cholestérol.	☐	☐

Les réponses se trouvent en fin de chapitre, p. 369.

CHAPITRE 10

MANGEZ BIEN AU QUOTIDIEN

SUR LA LIGNE DE DÉPART !

VOS OBJECTIFS SONT LES SUIVANTS :

- Connaître les liens existant entre vos habitudes alimentaires et votre santé.
- Expliquer la notion d'alimentation saine à partir du concept des pyramides alimentaires.
- Appliquer des solutions concrètes pour améliorer votre alimentation.
- Savoir comment bien vous alimenter et vous hydrater quand vous êtes physiquement actif.
- Faire le bilan de votre alimentation et, s'il y a lieu, appliquer un plan d'action pour mieux manger.

MonLab

Vrai ou faux ?

Autres exercices en ligne

> Mange en mars du poireau et en mai de l'ail sauvage. Et toute l'année d'après, le médecin se tournera les pouces.
>
> VIEUX DICTON GALLOIS

Si l'activité physique est la «locomotive de la santé» (chapitre 1), l'alimentation représente les «rails» sur lesquels roulera cette locomotive. En effet, alimentation et activité physique vont de pair; elles sont indissociables si on veut être en bonne santé et débordant d'énergie. Nous avons déjà traité de l'activité physique, braquons maintenant le projecteur sur l'alimentation.

MonLab
allergies et intolérances alimentaires

BIEN MANGER, CE N'EST PAS COMPLIQUÉ

La recherche scientifique a prouvé qu'il existe un lien entre l'alimentation et la santé, et cette information a été largement diffusée. Pourtant, selon les enquêtes nutritionnelles les plus récentes, le régime alimentaire moyen des Québécois, bien qu'il se soit amélioré ces dernières années, comprend encore trop de mauvais gras, trop de sel, trop de sucre, et reste trop pauvre en fruits, en légumes et en fibres alimentaires (Sous la loupe). Ce type de régime alimentaire inadéquat, que nous appellerons **malbouffe**, mène tout droit à l'athérosclérose, au diabète de type 2, à certains types de cancer, à l'hypertension artérielle, à l'obésité ainsi qu'à des troubles de la digestion (tableau 10.1). Les **allergies** (aux arachides, par exemple) **et intolérances alimentaires** (au gluten, par exemple) sont un autre problème associé, en partie, aux aliments préparés. Consultez MonLab pour en savoir plus.

S'il est à première vue décourageant, ce constat nous permet cependant de bien cerner nos écarts alimentaires, ce qui est nécessaire pour les corriger et manger mieux. Cela ne signifie pas qu'il faut manger le moins possible, compter ses calories à chaque repas, peser ses portions, tirer un trait sur le burger double ou encore suivre un régime amaigrissant (p. 352). Au contraire, ces solutions peuvent conduire à des excès, voire à des troubles alimentaires graves comme **l'anorexie, la boulimie et la bigarexie** (Sous la loupe, p. 340). Bien manger au quotidien consiste en fait à consommer régulièrement et en quantités suffisantes des aliments provenant des quatre grands groupes alimentaires suivants: **légumes et fruits, produits céréaliers, lait et substituts, viandes et substituts.** Ces quantités suffisantes sont précisées dans le *Guide alimentaire canadien* (voir la figure 10.2, p. 346). En absorbant suffisamment de ces aliments, vous obtenez un apport adéquat en **nutriments**, substances qui fournissent de l'énergie aux cellules (tableau 10.2), notamment sous la forme d'ATP (chapitre 3), et permettent la croissance des tissus, leur bon fonctionnement et leur réparation.

SOUS LA LOUPE Les raisons invoquées par les adeptes de la malbouffe

Les personnes adeptes de la malbouffe invoquent diverses raisons pour expliquer leurs habitudes alimentaires. En voici quelques-unes qui reviennent souvent dans les sondages sur le sujet:

- ✓ *Manger des aliments sains coûte trop cher.*

  En fait, c'est plutôt l'inverse. Par exemple, les plats préparés par l'industrie alimentaire (pépites de poulet panées, pizzas, lasagne, etc.), souvent très riches en sel, en sucre, en calories et en mauvais gras, coûtent relativement cher à cause des frais liés à la préparation, à l'emballage et au transport.
- ✓ *Trop de cours, trop de travail… je n'ai pas le temps de me faire de bons lunchs. C'est plus simple pour moi de manger du* fast food.
- ✓ *Notre environnement multiplie les occasions de consommer des aliments qui ne sont pas toujours santé.*
- ✓ *Quand je suis avec mes colocs, on est souvent tenté de se faire livrer une pizza extralarge ou des mets chinois.*
- ✓ *Je suis anxieux et ça m'apaise de grignoter le soir, peu importe si ce que je mange est santé ou pas.*
- ✓ *Ce n'est pas évident de changer des habitudes alimentaires qui remontent au secondaire 1.*

TABLEAU 10.1 Alimentation et santé: un lien étroit

Si votre régime alimentaire est…	… vous courez le risque de souffrir un jour des problèmes de santé suivants:
trop riche en calories par rapport à votre dépense énergétique	obésité, athérosclérose, hypertension, ostéoarthrite (membres inférieurs), diabète de type 2 et certains cancers (sein, côlon, endomètre, vessie et rein)
trop riche en mauvais gras	athérosclérose et, selon certaines recherches, cancer du sein, du côlon et de la prostate
trop riche en sel	hypertension
trop riche en sucres raffinés[a]	diabète de type 2 et athérosclérose
trop pauvre en fruits, en légumes et en fibres[b]	certaines maladies cardiovasculaires, certains cancers, constipation chronique, diverticulose

a. On fait référence ici aux sucres simples à assimilation rapide (sucre blanc granulé, cassonade, sucre liquide) qu'on trouve, souvent en grandes quantités, dans les aliments préparés, les sucreries et les boissons gazeuses.

b. On trouve des fibres alimentaires dans les légumes, les fruits, les pains et céréales à grains entiers, les légumineuses, les noix et les graines.

L'anorexie, la boulimie et la bigarexie

L'insistance, pour ne pas dire l'obsession, des médias et des publicitaires à nous présenter des ventres ultraplats, des tailles de guêpe et des mannequins extrêmement maigres pourrait expliquer en grande partie la progression de deux troubles alimentaires graves dans notre société: l'anorexie et la boulimie. L'**anorexie** se caractérise par une recherche obsessionnelle de la minceur et l'adoption d'un régime alimentaire hypocalorique. Les personnes anorexiques subissent une importante perte de poids à la suite de privations et d'un excès d'exercice physique. Elles sont insatisfaites de leur image corporelle, glorifient la minceur et s'alimentent très peu, de peur de perdre la maîtrise de leur poids. On peut déceler ce trouble à divers **signes annonciateurs**: perte de poids sensible (au moins 15 % du poids normal, sans raison médicale connue); préoccupations et obsessions touchant les aliments à faible teneur en gras ou en calories; apparition de rituels et d'habitudes alimentaires particulières; pratique excessive de l'exercice; retrait social et émotif; peur de devenir gros ou grosse; perception erronée de son image corporelle (la personne se trouve grosse alors qu'elle est déjà très amaigrie).

La personne atteinte de **boulimie**, quant à elle, traverse des épisodes de rage alimentaire au cours desquels elle avale en peu de temps de grandes quantités de nourriture. Le boulimique a ensuite recours à divers moyens pour débarrasser son corps de cet excès de nourriture: il se fait vomir, utilise des laxatifs ou des diurétiques, prend des coupe-faim, ou encore fait beaucoup d'exercice.

Si l'anorexie et la boulimie touchent surtout les femmes, les hommes ne sont cependant pas épargnés. Pour certains d'entre eux, l'image corporelle parfaite se traduit souvent par l'obsession d'avoir des muscles hypertrophiés mis en évidence par une quasi-absence de gras sous-cutané. Une telle obsession peut conduire à des troubles alimentaires, mais aussi à des comportements potentiellement nuisibles pour la santé tels que la consommation de grandes quantités de suppléments alimentaires, dont des protéines en poudre d'origine parfois douteuse, ainsi que de stéroïdes. Les chercheurs parlent alors de **bigarexie, ou anorexie inversée**. Nous y reviendrons au chapitre 12 consacré aux dépendances.

Si vous connaissez quelqu'un qui souffre d'un de ces problèmes, ou soupçonnez quelqu'un d'en souffrir, vous pouvez lui venir en aide et l'adresser à l'ANEB (Anorexie Boulimie Québec): www.anebquebec.com.

TABLEAU 10.2 La valeur énergétique des nutriments fournissant de l'énergie

Nutriments	Valeur calorique par gramme[a]
Glucides	4 Cal/g
Protéines	4 Cal/g
Lipides	9 Cal/g
Alcool	7 Cal/g

a. Les grandes calories (Cal) sont l'équivalent des kilocalories (kcal).

LE RÔLE CRUCIAL DES NUTRIMENTS

Les experts en nutrition ont regroupé les nutriments essentiels à une bonne santé en six grandes familles : les **glucides**, les **lipides**, les **protéines**, les **vitamines**, les **minéraux** et l'**eau**. Glucides, lipides, protéines et eau constituent ce qu'on appelle les **macronutriments** (la partie visible des aliments). Quand vous en consommez, vous ingérez aussi les **micronutriments** (la partie non visible des aliments) que sont les vitamines et les minéraux. Quant à l'eau, elle est dans une catégorie à part. Les principales fonctions et sources alimentaires des nutriments sont présentées au tableau 10.3, tandis que les principales fonctions des vitamines et des minéraux sont illustrées, de manière succincte, à la figure 10.1 (p. 344). Vous trouverez dans MonLab une description détaillée des propriétés des vitamines et des minéraux.

vitamines et minéraux

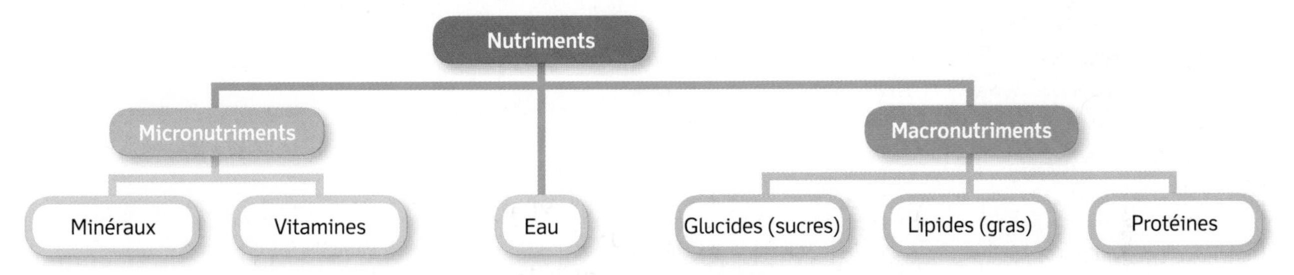

Les oméga-3 et les oméga-6 : des lipides à part

Les lipides polyinsaturés oméga-3 et oméga-6 sont appelés **acides gras polyinsaturés essentiels** parce que notre organisme ne peut pas les fabriquer lui-même. Il doit donc les puiser dans les aliments ou, au besoin, dans des suppléments. Ce n'est pas le cas des **oméga-9** : s'il en a besoin, notre corps peut fabriquer ces lipides mono-insaturés à partir de gras saturés. L'huile d'olive, l'huile de canola, les noix et les avocats sont d'importantes sources d'oméga-9.

Les oméga-3 et les oméga-6 suscitent l'intérêt des chercheurs et des médias depuis quelques années. Ces **bons gras** jouent, en effet, un rôle essentiel dans tous les processus de reproduction et de croissance : formation des cellules, intégrité de la peau, réactions inflammatoires, allergiques, immunitaires, etc. Ils protègent également contre les maladies du cœur en réduisant la quantité de mauvais cholestérol dans le sang, en prévenant la coagulation du sang et en abaissant le taux sanguin de **triglycérides** (un type de gras qui contribue au développement des maladies du cœur). Certains chercheurs soutiennent même que les oméga-3, en particulier, influeraient favorablement sur notre humeur et pourraient, comme l'exercice, aider à combattre les symptômes de la dépression.

Devant autant de bienfaits, la tentation est grande de prendre des **suppléments** d'oméga-3 et d'oméga-6. Est-ce nécessaire ? Il est inutile de prendre des suppléments d'oméga-3 si vous consommez régulièrement des aliments tels que le poisson et les fruits de mer (notamment le saumon, la truite et les crevettes), les noix et les graines (de lin, en particulier), qui sont d'importantes sources naturelles de ce type d'acides gras essentiels. Quant aux **oméga-6**, ils sont présents dans les huiles végétales et beaucoup de produits transformés en contiennent de grandes quantités. Nous en consommons donc déjà beaucoup et **il faut se garder d'en surconsommer**, car un déséquilibre entre oméga-3 et oméga-6, en faveur de ces derniers, pourrait nuire à la santé cardiaque en raison de leurs propriétés pro-inflammatoires.

TABLEAU 10.3 Les six grandes familles de nutriments

Les macronutriments	À quoi servent-ils ?	Où les trouve-t-on ?
Glucides *Recommandation des nutritionnistes :* de 45 à 65 % des calories consommées par jour devraient provenir des glucides, dont une quantité suffisante de glucides riches en fibres (voir la section « Les modèles alimentaires » p. 344). 	**Glucides complexes et simples :** alimentent en énergie les cellules nerveuses[a], les globules rouges et les muscles pendant l'effort physique. **Fibres alimentaires :** aident à se sentir rassasié plus rapidement, à former les selles et à les transporter dans l'intestin, et à capter le cholestérol au niveau de l'intestin, réduisant ainsi son absorption.	**Glucides complexes :** produits céréaliers, légumineuses, fruits, légumes, lait, grains, légumes racines (pomme de terre, pois, etc.). **Glucides simples :** fruits frais, certains légumes (carotte, navet, etc.), sucre de taille, miel, sucreries, boissons sucrées. **Glucides riches en fibres :** fruits, légumes, légumineuses, noix, graines et céréales à grains entiers.
Lipides *Recommandation des nutritionnistes :* de 20 à 35 % des calories consommées par jour devraient provenir des lipides, avec un maximum de 10 % de lipides saturés ou trans (voir aussi p. 353). 	• Entrent dans la constitution des membranes cellulaires et des fibres nerveuses. • Servent à la synthèse du cholestérol et des hormones. • Fournissent jusqu'à 70 % de l'énergie du corps au repos. • Facilitent l'absorption des vitamines liposolubles (A, D, E et K). • Servent d'isolant contre le froid et de coussin protecteur pour les organes.	**Lipides mono-insaturés et polyinsaturés, y compris les oméga-3 et les oméga-6 :** huiles végétales (maïs, tournesol, olive, etc.), graines, noix, poisson. **Lipides saturés et gras trans :** produits animaux (viandes et produits laitiers), huiles de palme et de coco, huiles hydrogénées (ou graisse alimentaire végétale).
Protéines *Recommandation des nutritionnistes :* selon votre niveau d'activité physique, de 10 à 35 % des calories consommées par jour devraient provenir des protéines. 	• Constituent le matériau de base des cellules. • Participent à la formation de l'hémoglobine, des anticorps, des enzymes et des hormones. • Servent à la croissance des différents tissus, à leur réparation et à leur reconstitution.	Poisson, volaille, fruits de mer, viande rouge (un peu), œufs et produits laitiers, légumineuses et noix.

a. Le cerveau consomme à lui seul de 130 à 150 g de glucose par jour.

TABLEAU 10.3 Les six grandes familles de nutriments (suite)

Les micronutriments	À quoi servent-ils ?	Où les trouve-t-on ?
Vitamines *Recommandation des nutritionnistes :* respecter les ANR[b] pour éviter les carences, notamment la carence en vitamines D observée chez les jeunes adultes.	• Facilitent les réactions chimiques qui produisent l'énergie. • Permettent l'utilisation des glucides, des lipides et des protéines par les cellules. • Régissent la synthèse des tissus et protègent les membranes des cellules. • Sont essentiels au bon fonctionnement du système immunitaire. • Agissent comme antioxydants (notamment les vitamines A, C et E).	Fruits, légumes, grains, poisson et produits animaux.
Minéraux *Recommandation des nutritionnistes :* respecter les ANR[b] pour éviter les carences, notamment en fer, en calcium, en zinc et en magnésium.	• Renforcent certaines structures (dents, squelette). • Permettent la circulation de l'influx nerveux et la contraction des muscles, notamment le cœur. • Contribuent au bon fonctionnement de l'organisme en général. • Sont essentiels au bon fonctionnement du système immunitaire.	En quantité variable, dans presque tous les aliments.
Eau *Recommandation des nutritionnistes :* boire l'équivalent de 6 à 8 verres d'eau par jour (6 pour les femmes et 8 pour les hommes) ; et plus si on est physiquement actif. Un verre d'eau équivaut à environ 250 millilitres.	• Compose les liquides corporels (sang, salive, synovie, lymphe, etc.). • Transporte les éléments nutritifs dans l'organisme. • Élimine les déchets résultant de l'activité cellulaire (comme le CO_2) par la transpiration, l'urine, les selles et la respiration. • Régule la température du corps.	Eau du robinet, jus, fruits, légumes, boissons de toutes sortes.

b. Apports nutritionnels recommandés.

FIGURE 10.1 Le rôle des vitamines et des minéraux en un coup d'œil

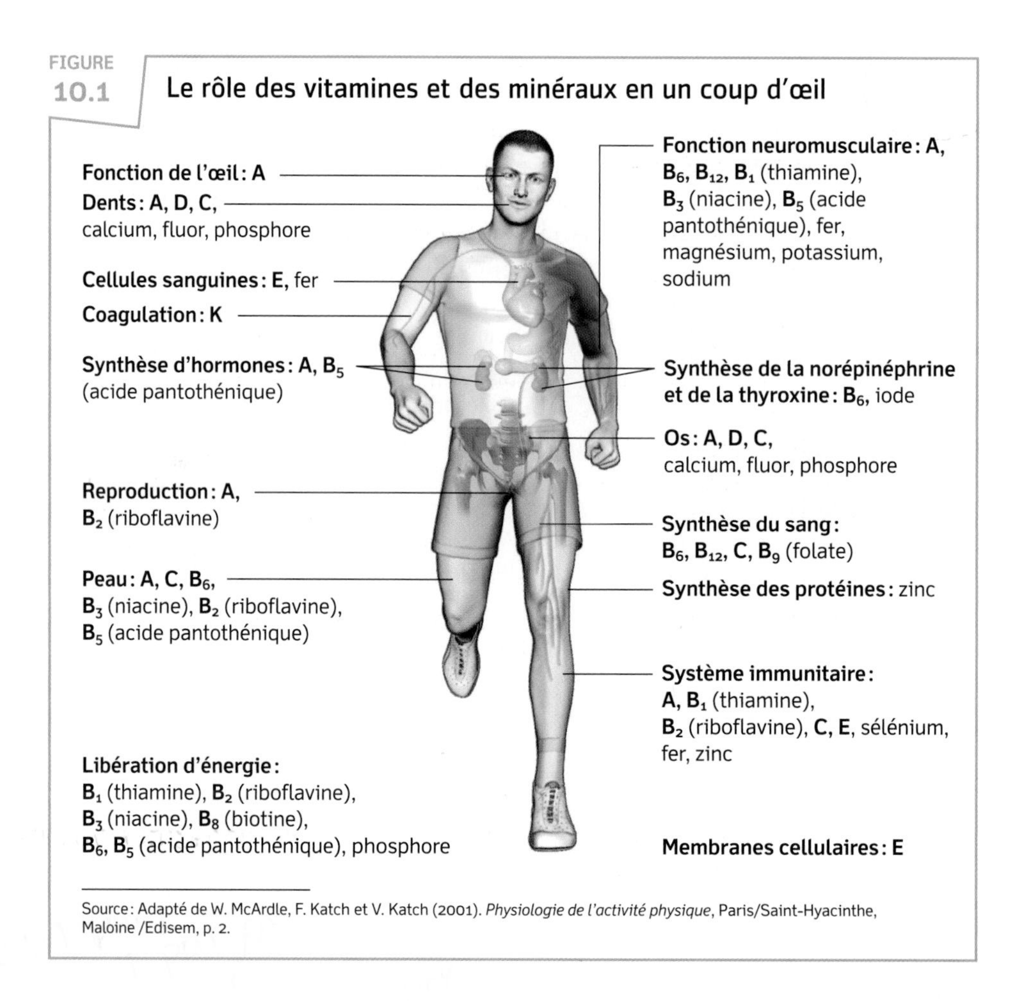

Source : Adapté de W. McArdle, F. Katch et V. Katch (2001). *Physiologie de l'activité physique*, Paris/Saint-Hyacinthe, Maloine /Edisem, p. 2.

LES MODÈLES ALIMENTAIRES

Si vous avez adopté une ou plusieurs des habitudes alimentaires nuisibles présentées au tableau 10.1, que pouvez-vous faire pour améliorer au fil des jours la valeur nutritive de ce que vous mangez ? La **première chose à faire** est de bien cerner vos écarts alimentaires en comparant ce que vous mangez avec l'un des modèles d'alimentation saine reconnus par les nutritionnistes (bilan 10.1). La **deuxième chose à faire** est d'adopter, le cas échéant, un plan d'action pour corriger vos écarts alimentaires (bilan 10.2). Les figures 10.2 à 10.5 (p. 346 à 349) présentent quatre modèles d'alimentation : **la pyramide du *Guide alimentaire canadien***, **la pyramide végétarienne** (végétarisme ovolacté, le plus répandu), **la pyramide méditerranéenne** et la **pyramide asiatique**. Cette présentation sous forme de pyramides est parlante, car elle permet de voir rapidement ce qu'il faut consommer régulièrement et en quantité suffisante (la base de la pyramide) et ce qu'il faut consommer avec plus de modération (le sommet de la pyramide).

Rappelons que le **végétarisme ovolacté** exclut la consommation de viande, de volaille, de poisson et de fruits de mer, mais autorise la consommation d'aliments d'origine animale comme les œufs, le lait ou les fromages. Quant au **végétalisme**, il inclut seulement les aliments d'origine végétale : fruits, légumes, légumineuses, racines et tubercules.

Les **légumineuses** sont des plantes dont les fruits sont contenus dans des gousses, ce qui les distingue des **légumes verts**. Ainsi le pois vert est une légumineuse, tandis que la carotte est un légume. Les **principales sources de légumineuses** sont les pois, les haricots, les fèves, les pois chiches et le soya. Les nutritionnistes approuvent ces régimes alimentaires pourvu qu'ils incluent une grande variété de protéines d'origine végétale afin de procurer un **apport adéquat de tous les acides aminés** que le corps ne peut pas synthétiser par lui-même ou ne peut synthétiser qu'en quantité insuffisante (**En mouvement**).

La pyramide canadienne est d'une grande précision : elle indique pour chaque type d'aliments le nombre minimal et le nombre maximal de portions qu'on peut consommer par jour, et définit même les quantités recommandées (voir les exemples de portions à la figure 10.2). Les autres pyramides, plus intuitives, indiquent seulement combien de fois on peut consommer un aliment par jour, par semaine ou par mois ; les quantités n'y sont pas précisées. Mentionnons que le *Guide alimentaire canadien* englobe les approches végétarienne et végétalienne dans les catégories substituts du lait (par exemple, lait de soya) et substituts de la viande (par exemple, légumineuses). Sur le site de Santé Canada, vous pouvez même personnaliser en ligne votre guide alimentaire (www.canadiensensante.gc.ca/eating-nutrition/food-guide-aliment/index-fra.php).

en mouvement

Exemples de combinaisons alimentaires végétariennes pour obtenir des protéines complètes

Aliments incomplets en acides aminés		Aliments complémentaires		Exemples de repas combinant tous les acides aminés
Légumineuses : pauvres en méthionine et cystéine	+	Céréales à grains entiers, noix et graines	=	Haricots rouges et riz Soupe minestrone Pois chiches et couscous Hoummos (pois chiches et graines de sésame)
Graines : pauvres en lysine	+	Légumineuses	=	Beurre d'arachide naturel et pain de grains entiers Orge et soupe aux lentilles Tortilla au maïs et haricots
Légumes : pauvres en lysine, méthionine et cystéine	+	Légumineuses (lysine) Céréales à grains entiers (méthionine et cystéine) Noix et graines (méthionine et cystéine)	=	Tofu, brocoli et amandes Salade d'épinard avec pignons et haricots rouges
Noix et graines : pauvres en lysine et isoleucine	+	Légumineuses	=	Soupe aux lentilles avec amandes en julienne Graines de sésame avec salade de haricots variés

Source : A. Lynch, B. Elmore et J. Kotecki (2014). *Health: Making choices for life*, Pearson, p. 114.

FIGURE 10.2 La pyramide du *Guide alimentaire canadien*[a]

Activité physique quotidienne

250 mL : 1 tasse
125 mL : ½ tasse
30 mL : 2 c. à soupe
50 g : ½ paume
30 g : votre pouce

Huiles et autres matières grasses. Consommez une petite quantité de lipides insaturés chaque jour, c'est-à-dire de 30 à 45 mL (2 à 3 c. à soupe). Cela inclut, par exemple, les huiles utilisées pour la cuisson, les vinaigrettes et la margarine.

Desserts et sucreries : à l'occasion

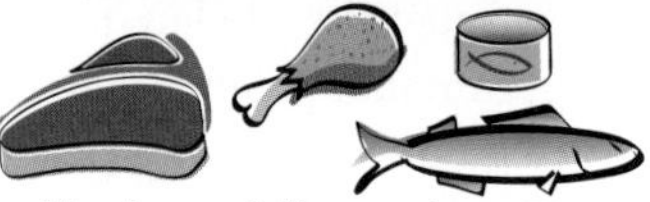

Viande ou volaille ou poisson 75 g

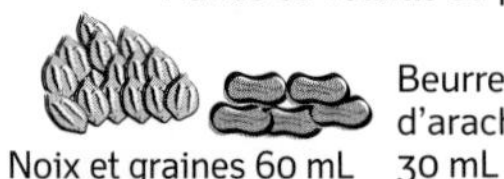

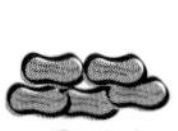

Noix et graines 60 mL

Beurre d'arachide 30 mL

2 œufs

Viandes et substituts : Portions par jour 2 (femmes) ou 3 (hommes)

Boisson de soya enrichie 250 mL

Yogourt ou kéfir 175 g

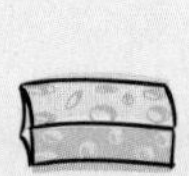

Fromage 50 g

Lait 250 mL

Lait et substituts : Portions par jour[b] 3 à 4 (14-18 ans) ou 2 (19-50 ans)

a. Données tirées de Santé Canada. (2007). *Bien manger avec le Guide alimentaire canadien*, 2007 © http ://www.hc-sc.gc.ca/fn-an/food-guide-aliment/index-fra.php.

b. Si vous êtes physiquement actif ou enceinte, le nombre de portions devrait se rapprocher du maximum.

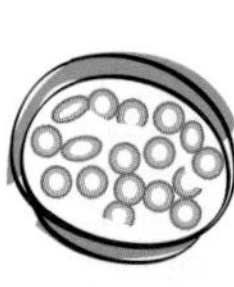

Céréales 30 g

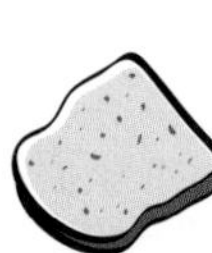

Une tranche de pain à grains entiers

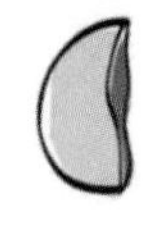

Un demi-pita de blé entier

Riz ou couscous 125 mL

Pâtes alimentaires 125 mL

Produits céréaliers : Portions par jour[b] 6 à 7 (femmes) ou 7 à 8 (hommes)

Un légume ou un fruit de grosseur moyenne

Légumes frais, surgelés ou en conserve 125 mL

Jus de fruits 100 % pur

Salade 250 mL

Légumes et fruits : Portions par jour[b] 7 à 8 (femmes) ou 8 à 10 (hommes)

FIGURE 10.3 La pyramide végétarienne

Activité physique quotidienne

Apport quotidien liquidien: **six verres d'eau**

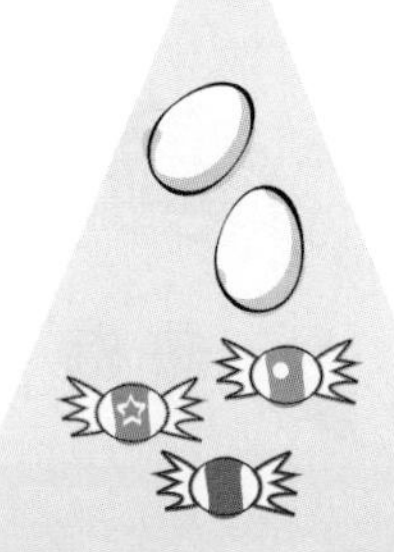

Œufs et sucreries: une fois par semaine

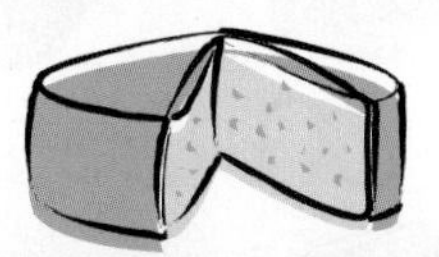

Blanc d'œuf, lait de soya et produits laitiers: une fois par jour

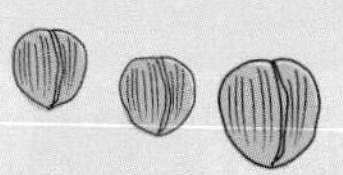
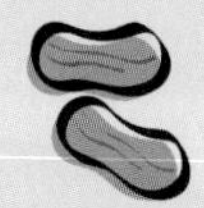

Noix et graines: une fois par jour

Huiles végétales: une fois par jour

Grains entiers: à tous les repas

Fruits, légumes, légumineuses et haricots: à tous les repas

FIGURE 10.4 La pyramide méditerranéenne

Activité physique quotidienne

Viandes et sucreries : moins souvent

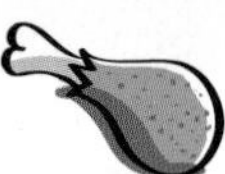

Volaille, œufs, fromage et yogourt : une fois par jour à une fois par semaine

Poisson et fruits de mer : souvent, au moins deux fois par semaine

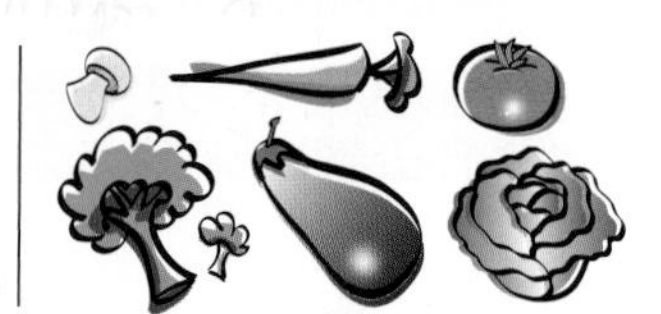
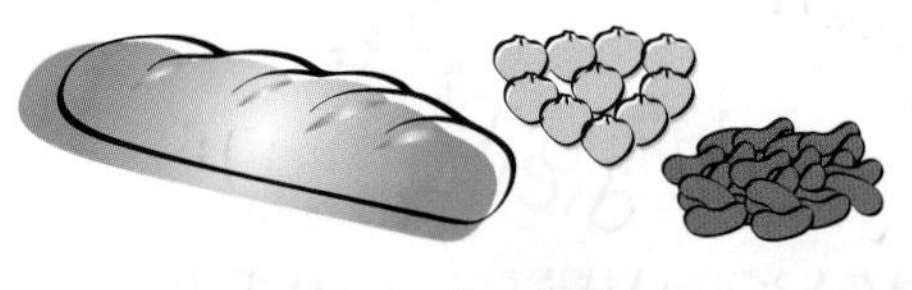

Fruits, légumes, céréales (de grains entiers de préférence), huile d'olive, haricots, noix, légumineuses et graines, fines herbes et épices : incorporer ces aliments dans chaque plat

Être actif physiquement ; prendre ses repas en agréable compagnie

Source : © 2009 Oldways Preservation and Exchange Trust.

FIGURE 10.5 La pyramide asiatique

Activité physique quotidienne

Viande : une fois par mois

Desserts et sucreries : une fois par semaine

Œufs et volaille : une fois par semaine

Poisson et fruits de mer : une fois par jour (facultatif)

Huiles végétales : une fois par jour

Fruits, légumineuses, graines et noix, légumes : une fois par jour

Riz, nouilles, pain, millet, maïs et céréales de grains entiers : une fois par jour

Source : © 2000 Oldways Preservation and Exchange Trust.

DES SOLUTIONS POUR MANGER MIEUX AU QUOTIDIEN

Voici quelques solutions concrètes pour améliorer, s'il y a lieu, vos habitudes alimentaires.

1. Dépensez les calories ingérées

Dépensez-vous, de façon régulière, les calories que vous ingérez chaque jour ? Consultez vos résultats au bilan 7.1 pour répondre à cette question. Si vous consommez régulièrement plus de calories que vous n'en dépensez, une situation plutôt fréquente de nos jours (**figure 10.6**), sachez qu'il suffit souvent de réduire quelque peu vos portions ou quantités d'aliments très caloriques pour diminuer sensiblement votre apport calorique. Par exemple, vous pouvez :

- ✓ opter pour une portion de frites de format moyen, au lieu du grand format : réduction d'au moins 130 calories ;
- ✓ consommer une poignée ou deux d'arachides en moins : réduction d'au moins 150 calories ;
- ✓ étaler moins de tartinade chocolat-noisette sur votre tranche de pain : réduction de plus de 75 calories ;
- ✓ boire une boisson gazeuse par jour plutôt que deux ou prendre un jus de fruits à la place : réduction de plus de 200 calories.

Méfiez-vous aussi des calories « **sournoises** » dont regorgent les repas de type *fast food* (**Sous la loupe**, p. 351) et certaines boissons à la mode apparemment anodines. Par exemple, **un seul « café latté » équivaut à plus de 450 calories**. Pour d'autres informations à ce sujet, consultez **MonLab**.

calories sournoises

FIGURE 10.6 Une part croissante de la population québécoise souffre d'obésité[a]

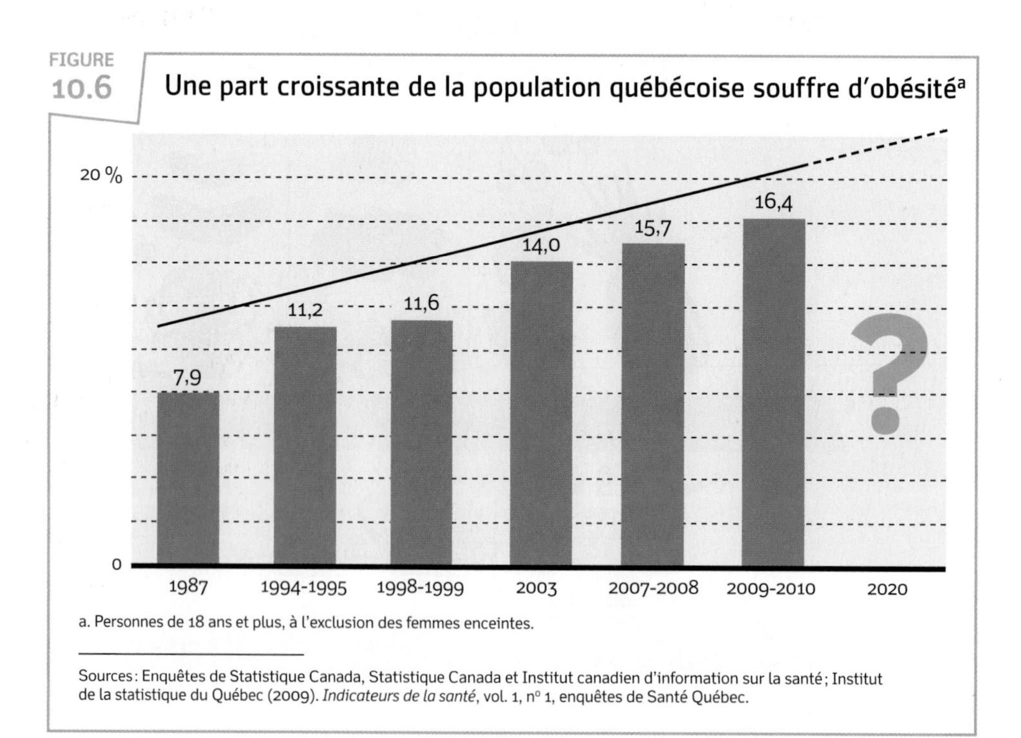

a. Personnes de 18 ans et plus, à l'exclusion des femmes enceintes.

Sources : Enquêtes de Statistique Canada, Statistique Canada et Institut canadien d'information sur la santé ; Institut de la statistique du Québec (2009). *Indicateurs de la santé*, vol. 1, n° 1, enquêtes de Santé Québec.

Un seul repas *fast food* peut faire sauter la banque… des calories!

MENU 1 – BOUFFE MAISON

Déjeuner
- Rôties de pain de blé entier (2 tranches)............172
- Beurre d'arachide naturel (30 mL)............184
- Banane (½)............53
- Jus d'orange (250 mL)............116

525

Dîner
- Salade césar avec poulet (500 mL)............491
- Raisins (20)............69
- Yogourt à la vanille ou aux fruits à 1 ou 2 % de matières grasses............183

743

Collation
- Muffin maison aux fruits............162

Souper
- Saumon d'élevage grillé (125 g)............223
- Brocoli bouilli (125 mL)............29
- Riz blanc à grains longs (125 mL)............109
- Vin blanc (125 mL)............85
- Crème glacée au chocolat (125 mL)............151

597

Total **2 027** calories

Recommandé

Pas assez

C'est trop

MENU 2 – DÎNER RESTO MINUTE

Déjeuner
- Rôties de pain de blé entier (2 tranches)............172
- Beurre d'arachide naturel (30 mL)............184
- Banane (½)............53
- Jus d'orange (250 mL)............116

525

Dîner chez McDonald's
- Double quart de livre............660
- Frites (grand format)............560
- Coca-Cola (format moyen)............220

1 440

Collation
- Muffin maison aux fruits............162

Souper
- Saumon d'élevage grillé (125 g)............223
- Brocoli bouilli (125 mL)............29
- Riz blanc à grains longs (125 mL)............109
- Vin blanc (125 mL)............85
- Crème glacée au chocolat (125 mL)............151

597

Total **2 724** calories

Recommandé

Pas assez

C'est trop

Un dîner chez McDonald's comble facilement plus de 70 % des besoins caloriques quotidiens d'une personne sédentaire.

Source : Adapté de « 2 000 calories avalées sans y penser », *protegez-vous.ca*.

Si vous êtes en situation de surplus calorique, une autre option s'offre à vous: « manger un peu moins et bouger plus ». C'est une façon très efficace de retrouver un poids santé (voir le chapitre 7). Enfin, évitez l'arnaque des **diètes miracles**, car, neuf fois sur dix, vous reprenez le poids perdu dans les semaines qui suivent à cause du ralentissement de votre métabolisme de base (**figure 10.7**).

FIGURE 10.7 **Régimes amaigrissants: le syndrome du yo-yo**

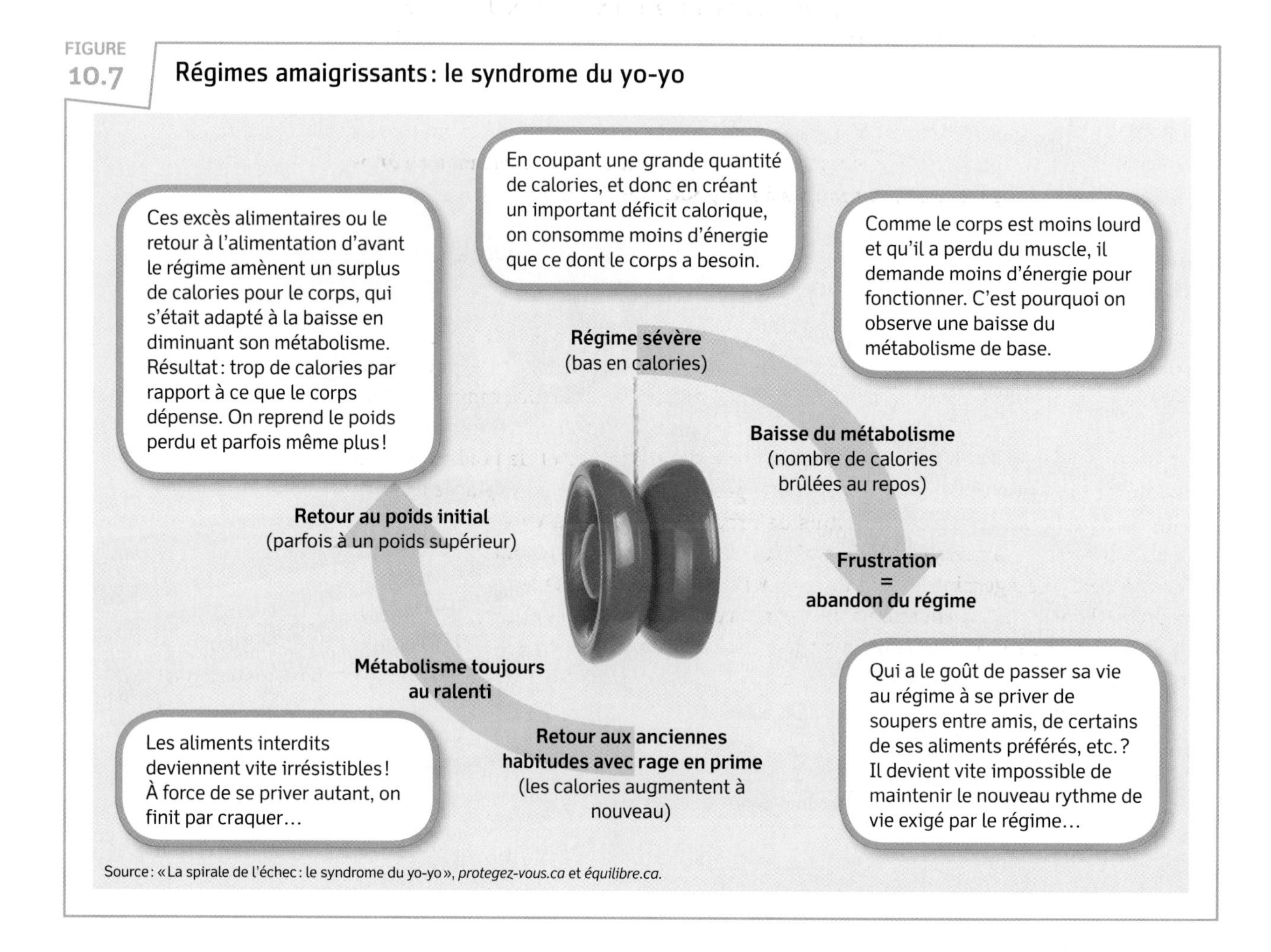

Source: « La spirale de l'échec: le syndrome du yo-yo », *protegez-vous.ca* et *équilibre.ca*.

2. Coupez, s'il y a lieu, dans le mauvais gras et le mauvais sucre

On a constaté au tableau 10.3 que les lipides, ou **gras**, sont nécessaires à une bonne santé. De fait, de 25 à 35 % des calories consommées par jour devraient provenir des lipides. Hélas! il y a **du bon et du mauvais gras**, et c'est bien sûr la proportion du mauvais gras qu'il faut réduire. Voyons cela de plus près.

Le mauvais gras, ou gras saturé

Ce type de gras augmente le taux de mauvais cholestérol (lipides de basse densité) et finit par obstruer les artères en formant des plaques de graisse (**athéromes**). Il est aussi associé à l'hypertension artérielle, au cancer du côlon, du rectum, de la prostate, du sein et des ovaires. Le **gras saturé** se trouve principalement dans les aliments d'origine animale (lait, beurre, yogourt, viandes et charcuteries), les fritures, les frites, les craquelins et les produits à base d'huiles durcies, ou hydrogénées. Ces dernières sont issues d'un procédé industriel, l'**hydrogénation**, qui consiste à ajouter de l'hydrogène à l'huile liquide afin de la rendre solide. Par exemple, à l'état naturel, le beurre d'arachide contient une huile qui tend à remonter à la surface ; il faut alors le brasser pour le rendre homogène. L'industrie alimentaire a résolu le problème en hydrogénant le produit pour le rendre ferme et homogène. Le hic, c'est que l'huile hydrogénée contient une forme de gras saturés, les **acides gras trans**, qui comptent parmi les plus nuisibles à la santé. Heureusement, les fabricants mettent sur le marché de plus en plus de produits ne contenant pas de gras trans. Les nutritionnistes recommandent de limiter la **consommation quotidienne de mauvais gras à 10 % ou moins de l'apport calorique total**.

Comment réduire à 10 % ou moins la proportion de mauvais gras dans l'apport calorique quotidien ?

Il vous est toujours possible de tout calculer au gramme près en mangeant avec une calculatrice et une balance à vos côtés, mais cela risque de vous couper l'appétit ! Vous obtiendrez d'aussi bons résultats en réduisant globalement votre consommation d'aliments riches en gras saturé ou trans. En clair, **consommez un peu moins** de hamburgers-frites, de poutines, de charcuterie, de viandes grasses, de beurre et de poulet pané, et **consommez un peu plus** de produits laitiers légers (lait, yogourt, crème glacée à 1 ou à 2 % de matières grasses) ou de substituts de produits laitiers (par exemple, du lait de soya ou d'amandes), ainsi que d'huiles végétales vierges, de viandes maigres (volaille, gibier, veau, etc.), de légumineuses, de tofu, de poisson frais et de fruits de mer (figure 10.8). À propos de la présence de mercure dans certains poissons, le thon par exemple, consultez le site suivant de Santé Canada : www.hc-sc.gc.ca/fn-an/securit/chem-chim/environ/mercur/cons-adv-etud-fra.php. Vous trouverez dans MonLab des **exemples de menus à contenu décroissant en gras**.

menus moins gras

FIGURE 10.8 Bon gras, mauvais gras

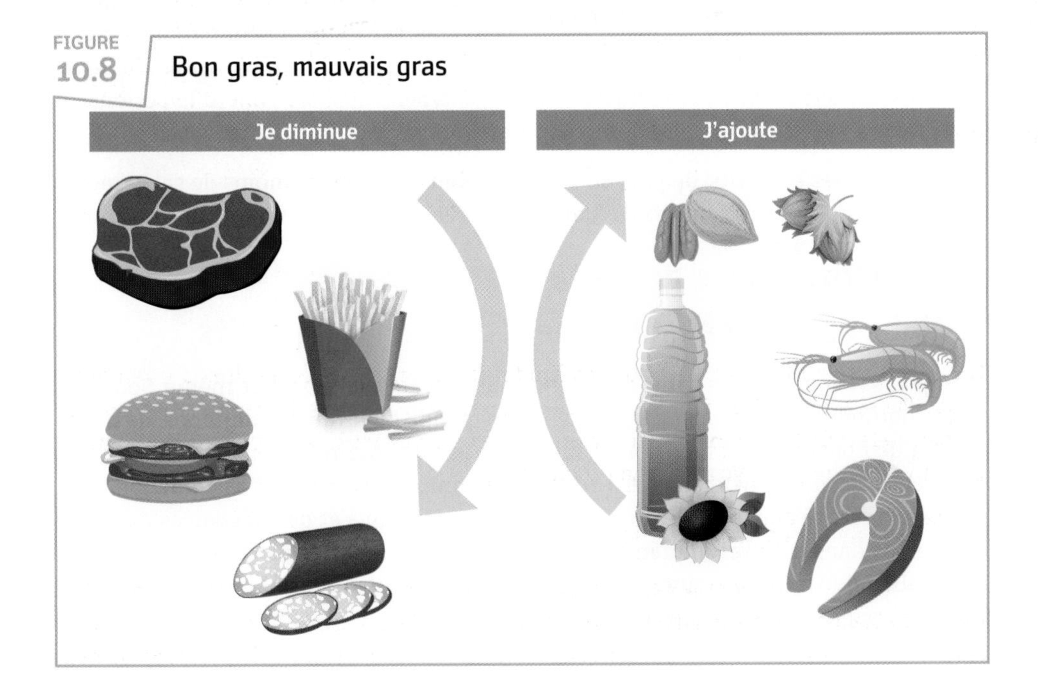

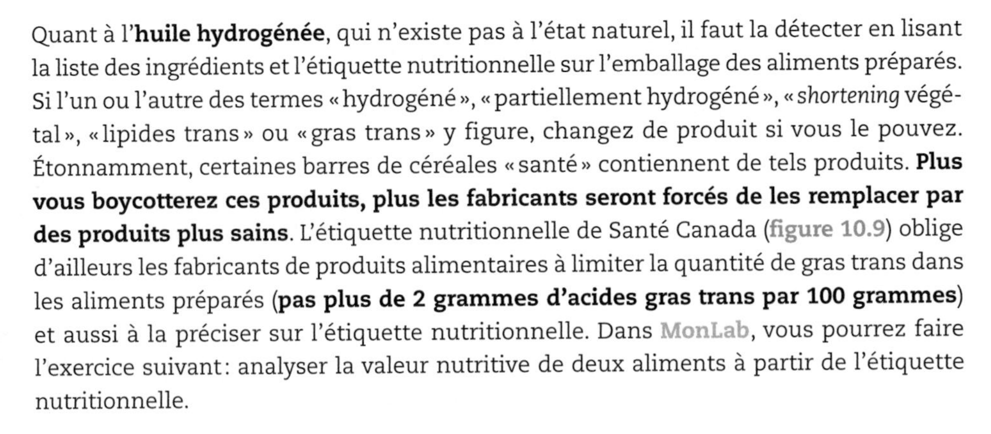

Quant à l'**huile hydrogénée**, qui n'existe pas à l'état naturel, il faut la détecter en lisant la liste des ingrédients et l'étiquette nutritionnelle sur l'emballage des aliments préparés. Si l'un ou l'autre des termes « hydrogéné », « partiellement hydrogéné », « *shortening* végétal », « lipides trans » ou « gras trans » y figure, changez de produit si vous le pouvez. Étonnamment, certaines barres de céréales « santé » contiennent de tels produits. **Plus vous boycotterez ces produits, plus les fabricants seront forcés de les remplacer par des produits plus sains**. L'étiquette nutritionnelle de Santé Canada (figure 10.9) oblige d'ailleurs les fabricants de produits alimentaires à limiter la quantité de gras trans dans les aliments préparés (**pas plus de 2 grammes d'acides gras trans par 100 grammes**) et aussi à la préciser sur l'étiquette nutritionnelle. Dans MonLab, vous pourrez faire l'exercice suivant : analyser la valeur nutritive de deux aliments à partir de l'étiquette nutritionnelle.

MonLab
analyse de 2 aliments

Le bon gras, ou gras insaturé

Ce type de gras est indispensable au bon fonctionnement du corps : il aide à absorber les vitamines liposolubles A, D, E et K, il contribue à la synthèse des hormones et du bon cholestérol, et il fournit les acides gras essentiels que notre corps ne fabrique pas (oméga-3 et oméga-6). Le bon gras constitue même un fabuleux réservoir d'énergie : à quantité égale, il contient deux fois plus de calories que le sucre ou les protéines, tout en occupant moins d'espace dans les cellules. Précisons que le bon gras se trouve sous deux formes, toutes deux utiles à l'organisme : les **acides gras mono-insaturés** (huile d'olive, d'arachides, noix et graines) et les **acides gras polyinsaturés** (huile de soya, de maïs, de tournesol, de carthame et de sésame ; poissons et graines de lin).

Les mauvais sucres

En moins de 50 ans, la consommation mondiale de sucre par individu a plus que triplé. Ce n'est pas parce que nous mangeons plus de fruits, mais parce qu'on ajoute de plus en plus de sucre (glucose et fructose) dans les aliments et (surtout) les boissons préparées par l'industrie alimentaire. À l'instar du mauvais gras, cette surconsommation de sucre « industriel » nuit à la santé et favoriserait le développement du **syndrome métabolique**, lequel est associé à un risque accru de surpoids, d'hypercholestérolémie, d'hypertension et d'intolérance au glucose. Pour en savoir plus sur ce syndrome, visitez MonLab.

MonLab
sucre, syndrome métabolique

Comme pour les aliments, de plus en plus nombreux, contenant moins de sel et moins de gras trans ou saturés, on trouve dans les épiceries des aliments et boissons moins riches en sucre « ajouté ».

3. Colorez votre assiette de légumes et de fruits

Dire que les légumes et les fruits sont bons pour la santé est l'évidence même. Sous leur forme naturelle, ces aliments contiennent une grande quantité de vitamines, de minéraux et de fibres alimentaires dont nous avons besoin pour rester en bonne santé. Les fruits et les légumes regorgent aussi de **glucides complexes** – sucres à assimilation lente qui régularisent l'appétit et le taux de sucre dans le sang – et de substances qu'on ne trouve pas dans d'autres aliments : stérols, flavonoïdes et certains composés sulfurés qui abaissent le taux de mauvais cholestérol dans le sang et pourraient aussi réduire le risque d'apparition de certains cancers.

FIGURE 10.9

Lisez toujours l'étiquette nutritionnelle

L'information nutritionnelle sur l'étiquette aide à faire des choix éclairés

Les allégations nutritionnelles sont de deux types:

1. L'allégation relative à la teneur nutritive parle d'un nutriment – sodium, gras ou sucre, par exemple.
2. L'allégation santé explique comment votre régime alimentaire peut affecter votre santé.

Le tableau de la valeur nutritive indique la teneur en calories et en 13 nutriments pour la portion précisée.

Valeur nutritive
1 Pour 1/4 d'emballage (96 g)

Teneur	% valeur quotidienne 3
2 **Calories** 190	
Lipides 9 g	14 %
Saturés 3,5 g	19 % 4
Cholestérol 15 mg	
Sodium 400 mg	17 %
Glucides 21 mg	7 % 5
Fibres 2 g	
Sucres 2 g	
Protéines 7 g	
Vitamine A	2 %
Vitamine C	10 %
Calcium	10 %
Fer	10 %

La liste des ingrédients vous explique quels ingrédients l'aliment préemballé contient.

Lisez le tableau de la valeur nutritive en cinq étapes faciles.

1 Portion

Si vous mangez la quantité indiquée dans le tableau de la valeur nutritive, vous obtiendrez les calories et les nutriments indiqués. Comparez toujours la quantité de la portion indiquée sur l'étiquette à la quantité que vous mangez.

2 Calories

Le chiffre vous indique combien d'énergie contient une portion de l'aliment préemballé.

3 Pourcentage de la valeur quotidienne (% valeur quotidienne)

Le pourcentage de la valeur quotidienne classe les nutriments selon une échelle de 0 à 100 %. Cela indique si l'aliment préemballé contient peu ou beaucoup d'un nutriment par portion.

4 Obtenez moins des nutriments suivants:

- Lipides (gras), gras saturés et gras trans
- Cholestérol
- Sodium

Choisissez des aliments préemballés avec un bas pourcentage de la valeur quotidienne de lipides et de sodium, surtout si vous êtes prédisposé à une maladie du cœur ou au diabète.

5 Obtenez plus des nutriments suivants:

- Glucides
- Fibres
- Vitamines A et C
- Calcium
- Fer

Choisissez des aliments préemballés avec un haut pourcentage de la valeur quotidienne de ces nutriments. Si vous avez le diabète, surveillez les glucides, car ils influencent le taux de sucre dans votre sang.

Voici une suggestion à la portée de tous : **partez chaque matin en emportant un fruit ou deux (pomme, banane, poire, etc.) ou des légumes déjà découpés (carotte, chou-fleur, poivron, brocoli, etc.) que vous croquerez en vous rendant au cégep** ou au travail. Au bout de quelques jours, cette obligation deviendra une bonne habitude à laquelle vous prendrez plaisir.

4. Mangez suffisamment d'aliments riches en fibres

Selon le *Guide alimentaire canadien*, **les femmes de 19 à 50 ans devraient consommer chaque jour environ 25 grammes de fibres, et les hommes du même groupe d'âge, environ 38 grammes.** Hélas ! nous n'en consommons en moyenne que 15 grammes. Pour atteindre la quantité recommandée, il suffit de manger plus souvent des aliments riches en fibres (**tableau 10.4**). Rappelons que les fibres furent longtemps considérées comme des résidus inutiles parce que le système digestif ne peut pas les assimiler. Or, les fibres abaissent le taux de mauvais cholestérol, préviennent les hémorroïdes, combattent la constipation aussi bien qu'un laxatif, abondent en vitamines E et B et semblent réduire les risques de cancer du côlon. **Les fibres peuvent être solubles ou insolubles**. Les fibres solubles (avoine et orge, en particulier) attirent les molécules de cholestérol et les entraînent avec elles dans les matières fécales. Les fibres insolubles (légumineuses, fruits, etc.) rendent les selles plus molles, ce qui facilite leur évacuation et réduit ainsi le temps de contact des substances potentiellement cancérogènes avec la paroi des intestins.

MonLab
menus riches en fibres

Vous trouverez dans **MonLab** des exemples de menus riches en fibres.

TABLEAU 10.4 Quelques aliments riches en fibres alimentaires

Aliments (une portion)	Contenu en fibres (en grammes)
1 avocat (grosseur moyenne)	15,9
3 figues séchées de grosseur moyenne	13,9
125 mL (½ tasse) de haricots rouges cuits	7,5
125 mL (½ tasse) de haricots blancs cuits	6,8
5 dattes séchées de grosseur moyenne	6,7
125 mL (½ tasse) de pois cuits	4,7
1 poire moyenne avec peau	4,7
125 mL de framboises ou de fraises	4,2
1 tige de brocoli cru	4,2
250 mL (1 tasse) de spaghettis de blé entier cuits	3,9
125 mL (½ tasse) de lentilles cuites	3,7
125 mL (½ tasse) d'avoine cuite	3,7
1 banane (grosseur moyenne)	3,3

5. Salez moins

Nous avons besoin de sel pour que nos muscles et nos nerfs fonctionnent bien. Le sel contribue aussi à l'équilibre acidobasique et régularise la pression artérielle. Il y a cependant un problème : nous en consommons trop, beaucoup trop même, ce qui augmente de façon marquée le risque d'hypertension artérielle. Selon les données les plus récentes, hommes et femmes confondus, nous consommons en moyenne 3 400 milligrammes de sodium chaque jour (figure 10.10). **C'est plus de deux fois supérieur à l'apport suffisant** de 1 500 milligrammes, et davantage que l'apport maximal tolérable de 2 300 milligrammes par jour. Il faut savoir qu'une consommation élevée de sel augmente le risque **d'hypertension artérielle et d'artériosclérose** (durcissement des parois artérielles).

FIGURE 10.10 Une consommation excessive de sel

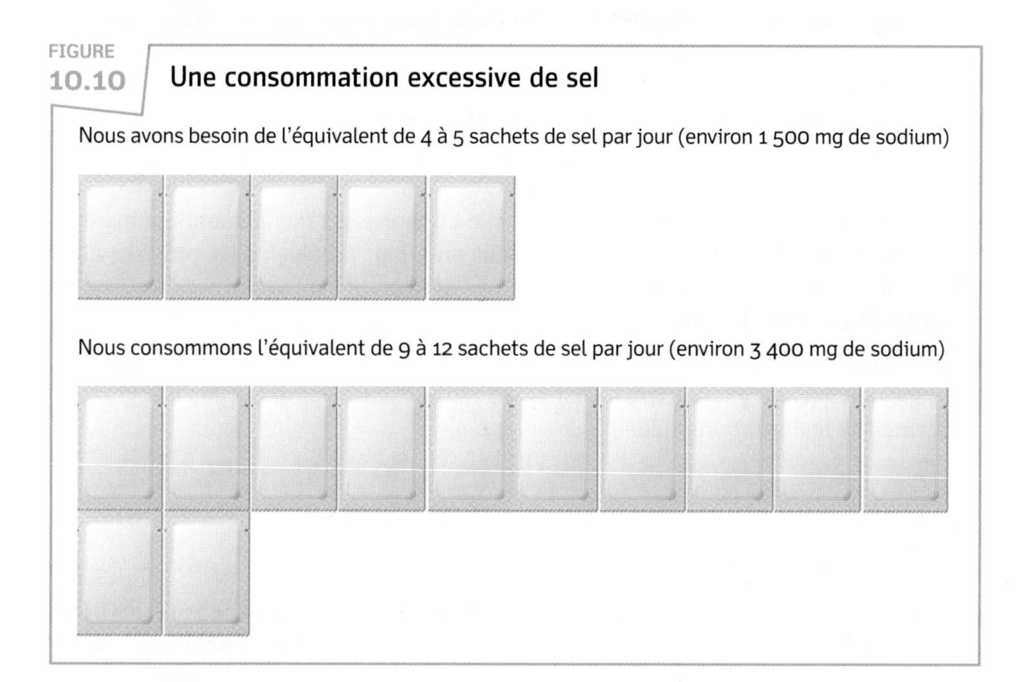
Nous avons besoin de l'équivalent de 4 à 5 sachets de sel par jour (environ 1 500 mg de sodium)
Nous consommons l'équivalent de 9 à 12 sachets de sel par jour (environ 3 400 mg de sodium)

D'où provient cet excès de sel? De la salière? Pas du tout! **Il provient, pour près de 80 %, des aliments transformés et autres repas cuisinés offerts dans les supermarchés et les restaurants-minute** (figure 10.11). Seuls 10 % du sel consommé proviennent naturellement des aliments, et 15 % sont ajoutés par le consommateur lui-même. Voici quelques exemples d'aliments plutôt salés : pizzas, charcuteries, soupes en conserve, bouillons commerciaux, repas prêts à manger, fromages, craquelins, pains, hamburgers, frites, croustilles, etc.). Une bonne nouvelle cependant : les fabricants de produits alimentaires commencent à s'autodiscipliner en offrant de plus en plus d'aliments préparés pauvres en sel. On trouve même maintenant des soupes en conserve, des jus de tomate, des craquelins et des tortillas faiblement salés.

Il est donc sage de modérer sa consommation de sel. Voici quelques trucs pour y arriver :

- goûtez vos aliments avant de les saler ;
- remplacez le plus souvent possible le sel par des épices, des fines herbes, quelques gouttes de citron, de l'ail ou de l'oignon ;

FIGURE 10.11 De la tomate naturelle à la soupe aux tomates : près de 1 000 fois plus de sodium ajouté !

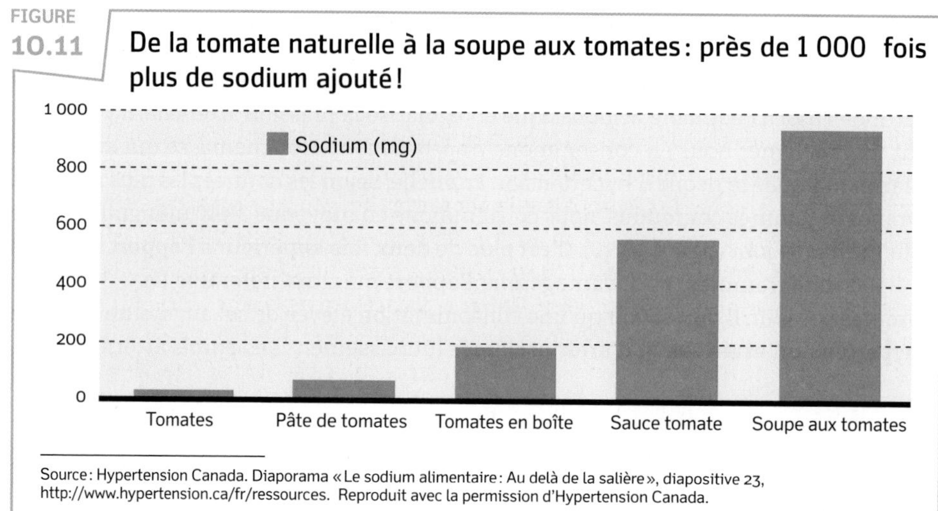

Source : Hypertension Canada. Diaporama « Le sodium alimentaire : Au delà de la salière », diapositive 23, http://www.hypertension.ca/fr/ressources. Reproduit avec la permission d'Hypertension Canada.

- lisez attentivement l'étiquette nutritionnelle et choisissez des aliments préparés à « faible teneur en sodium » (il y en a de plus en plus) : privilégiez les produits dont l'étiquette indique 140 milligrammes ou moins de sodium par portion ou 5 % ou moins de la valeur quotidienne (VQ) ;
- enfin, réduisez votre consommation d'aliments transformés (dîners congelés, pizzas, soupes en sachet, charcuteries, etc.) et les repas excessivement salés des grandes chaînes de restauration rapide (**Sous la loupe**).

6. Limitez votre consommation de boissons riches en sucre et en caféine

On trouve désormais deux types de boissons qui renvoient au mot « énergie » : les **boissons énergisantes** (Red Bull, Monster, Guru, Nos, etc.) et les **boissons énergétiques** (Gatorade, Powerade, Everlast, etc.). Sont-elles bonnes pour la santé ? Selon Marielle Ledoux, professeure titulaire à la Faculté de médecine et directrice du Département de nutrition de l'Université de Montréal, « les **boissons énergétiques** ont certainement leur raison d'être, puisqu'elles sont conçues pour remplacer l'eau et le sel perdus dans la

SOUS LA LOUPE Trop de sel dans la restauration rapide !

Selon une étude canadienne portant sur plus de 9 000 repas servis dans 65 établissements de restauration rapide et 20 restaurants dans au moins 20 régions du Canada, un simple hamburger ou sandwich contient 100 % de la quantité de sel recommandée par jour, soit une moyenne de 1 455 milligrammes. En fait, **un seul Big Mac contient 1 300 milligrammes de sodium !** Les accompagnements (frites, condiments) contiennent la moitié de la quantité de sel recommandée par jour, soit 736 milligrammes. Par conséquent, **un hamburger-frites peut contenir plus de 2 000 milligrammes de sel !** Cette étude menée en février 2013 a été financée par l'Université de Toronto, les Instituts de recherche en santé du Canada et le Réseau canadien contre les accidents cérébrovasculaires.

sueur lors d'un exercice physique et pour assurer un ajout en glucides. Quant aux **boissons énergisantes**, elles visent à prolonger l'éveil, à stimuler le système nerveux central et théoriquement à augmenter la concentration. »

Les ingrédients clés de ces boissons comprennent **la caféine, la taurine (un acide aminé) et la glucuronolactone (un glucide)**. La **caféine** est un stimulant connu du système nerveux central : elle aide à combattre la sensation de fatigue mentale et physique et améliore la vigilance chez certains individus. Toujours selon la nutritionniste, « **les quantités de caféine dans les boissons énergisantes dépassent largement les doses considérées comme acceptables par Santé Canada**. La caféine de ces boissons est désignée par différentes appellations, telles que *guarana*, *yerba maté* ou *caféine pure*. Lire les étiquettes devient donc essentiel pour bien évaluer la quantité de caféine. Le **guarana** a un taux de caféine de deux à trois fois supérieur à celui des grains de café et il produit, en grande quantité, les mêmes effets secondaires que la caféine : irritabilité, maux de tête, insomnie et nervosité. En moyenne, les boissons énergisantes contiennent environ 80 milligrammes de caféine par portion de 250 millilitres, soit l'équivalent de la quantité de caféine dans une tasse de café filtre. » Or, **Santé Canada recommande *un maximum* de 500 millilitres de ces boissons par jour pour un adulte**.

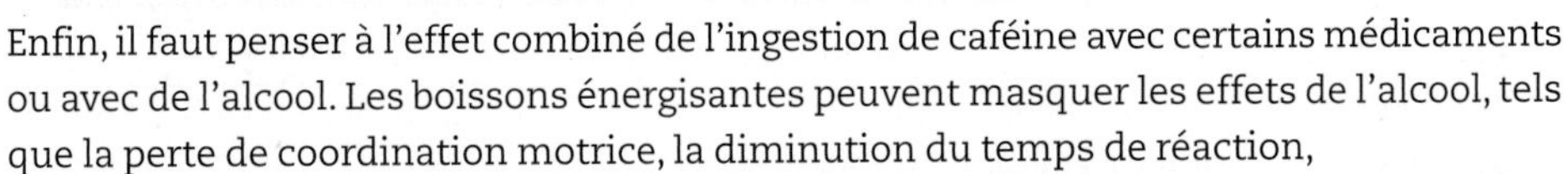

Enfin, il faut penser à l'effet combiné de l'ingestion de caféine avec certains médicaments ou avec de l'alcool. Les boissons énergisantes peuvent masquer les effets de l'alcool, tels que la perte de coordination motrice, la diminution du temps de réaction, les maux de tête et la bouche sèche. Une personne en état d'ébriété n'en ressentirait donc pas les effets. Pour ce qui est de la **taurine** et de la **glucuronolactone,** substances censées, selon les fabricants, augmenter la performance physique et mentale, rien n'a été prouvé à ce jour chez les humains. Par contre, **déséquilibre électrolytique, nausées, vomissements et irrégularité potentiellement dangereuse du rythme cardiaque sont caractéristiques de la prise en très grande quantité des boissons énergisantes**. Il vaut donc mieux ne pas en prendre pour s'hydrater après une activité physique !

« Beaucoup de sucre et de caféine dans ces boissons énergisantes ! »

7. Déjeunez !

Si vous faites partie des 36 % de Québécois qui ne déjeunent pas, vous sautez le repas qui est probablement le plus important de la journée. Plusieurs études confirment, en effet, que **prendre un bon déjeuner le matin permet de fournir un meilleur rendement scolaire, d'avoir plus d'énergie à son cours d'éducation physique et aussi d'apprendre avec plus de facilité, au lieu de s'endormir à 11 heures à la bibliothèque ou pendant un cours**, emporté par la somnolence due à une glycémie trop basse (**figure 10.12**). Comme l'indiquent si bien les racines du mot – *dé* et *jeûner* –, le repas du matin met fin à un jeûne de plusieurs heures, ce qui favorise la remontée de la glycémie à un niveau optimal avant de se mettre au travail.

Sauter son déjeuner, c'est également perdre une belle occasion de commencer la journée par une bonne dose de vitamines, de minéraux, de fibres et de calcium. Par exemple, un simple bol de céréales à grains entiers accompagné de lait ou d'une boisson de soya et d'un fruit ou d'un jus de fruits satisfait plus de 33 % des besoins quotidiens en fibres alimentaires et plus de 30 % des besoins en vitamines A, B et C, sans compter des apports substantiels en fer, en zinc, en magnésium, en potassium, en phosphore et en calcium. Un bon déjeuner fournit donc de 30 à 40 % des nutriments nécessaires pour vivre en bonne santé. Alors, au lieu de le sauter, consultez nos suggestions de déjeuners pour personnes pressées (**En mouvement**); vous en trouverez sûrement une qui vous conviendra.

FIGURE 10.12 Variation de la glycémie avec et sans déjeuner

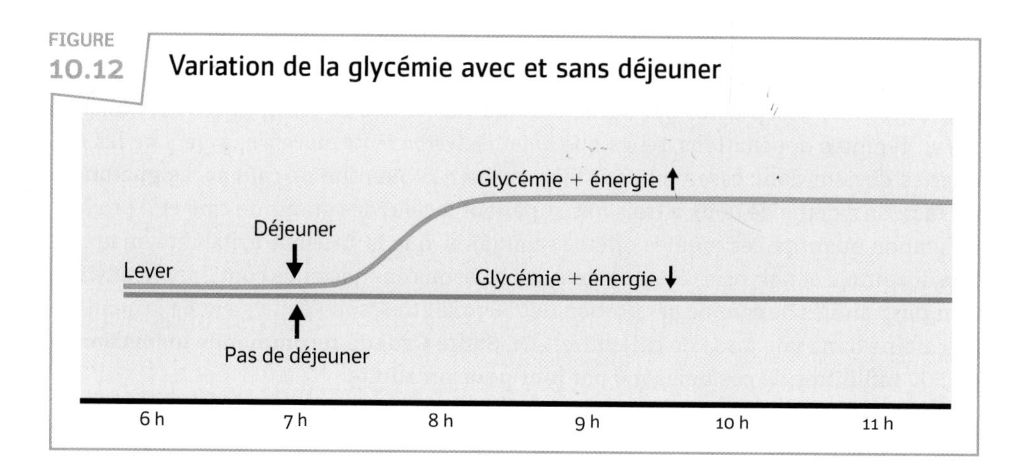

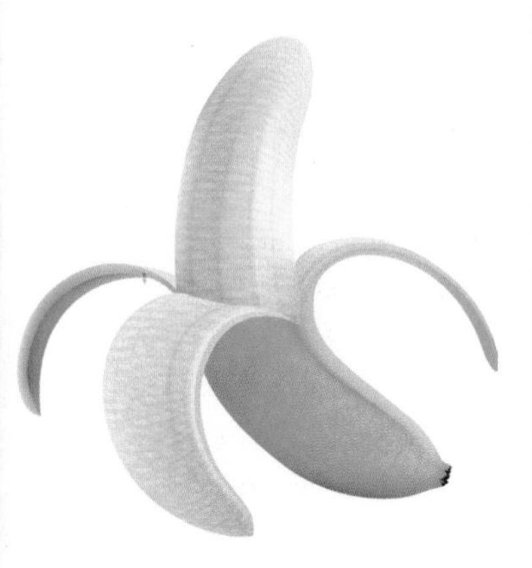

Suggestions de déjeuners pas compliqués et nutritifs

Déjeuner rapide

Vous êtes en retard à votre cours? Prenez au moins:

- un jus de fruits, un verre d'eau (ne l'oubliez pas!), un fruit frais (banane, pomme, poire, prune, etc.) et 125 mL (½ tasse) d'un mélange de fruits séchés, de graines et de noix;
- ou 250 mL (1 tasse) de lait ou de boisson de soya enrichie avec une banane.

Déjeuner complet

Vous avez du temps? Prenez, avec un verre de jus de fruits et, si possible, un verre d'eau:

- une ou deux rôties tartinées de beurre d'arachide 100 % naturel, avec un peu de miel (facultatif) et une banane coupée en tranches;
- ou un bol de céréales de type musli;
- ou deux œufs brouillés ou au miroir avec des rôties;
- ou une rôtie, 125 mL (½ tasse) d'un mélange de noix, graines et fruits séchés incorporés dans 125 mL (½ tasse) de yogourt nature;
- ou une portion de fromage cottage, une pêche ou une poire en morceaux sur un muffin anglais;
- ou un yogourt à la vanille avec une banane en rondelles sur une crêpe garnie de beurre d'arachide 100 % naturel.

PLAN DE MATCH POUR CHANGER UN COMPORTEMENT

Êtes-vous accro au *fast food*?

Manger dans des chaînes de restauration rapide n'est pas une bonne habitude alimentaire en soi. À défaut de se faire soi-même un lunch ayant une bonne valeur nutritionnelle, on peut quand même faire des choix judicieux pour mieux manger dans ces endroits. Répondez aux questions suivantes pour savoir si c'est dans vos habitudes.

	OUI	NON
Commandez-vous habituellement la plus grosse portion offerte dans le menu?	☐	☐
Commandez-vous toujours un double hamburger ou du poisson ou poulet frit?	☐	☐
Prenez-vous toujours des frites comme accompagnement?	☐	☐
Les sodas (Coke, Pepsi) sont-ils vos boissons préférées pour « digérer » votre repas-minute?	☐	☐
Avez-vous l'habitude d'inonder de mayonnaise ou d'une autre sauce grasse vos sandwichs, hamburgers ou salades?	☐	☐

Si vous avez répondu *oui* à au moins deux des questions ci-dessus, vous consommez probablement de grandes quantités de gras et de calories à chacun de vos repas de type *fast food*. Heureusement, vous pouvez faire beaucoup pour améliorer la valeur nutritive de ce type de repas sans être obligé de ne plus en consommer.

Voici quelques trucs à appliquer la prochaine fois que vous irez dans une chaîne de restauration-minute.

Dès demain, vous...

- lirez attentivement le menu de votre restaurant préféré afin de vérifier la valeur calorique et nutritive – de plus en plus indiquée sur les menus de restauration rapide – de ce que vous mangez habituellement.
- choisirez des aliments qui remplaceront ceux qui ne cadrent plus avec votre nouveau plan alimentaire santé.

D'ici à deux semaines, vous...

- ferez de meilleurs choix lorsque vous irez dans un restaurant-minute. Par exemple, vous commanderez des portions plus petites et laisserez tomber le rabais offert sur la « super portion ». Considérez ces chiffres : un double cheeseburger peut contenir plus de 650 calories, de 30 à 40 grammes de gras (habituellement saturés), de 120 à 140 milligrammes de cholestérol et de 1 000 à 1 200 milligrammes de sodium! Rien qu'en commandant un hamburger simple avec une petite portion de frites, vous couperez quelques centaines de calories!
- oublierez la mayonnaise et les sauces grasses. Une cuillerée à soupe de sauce tartare contient environ 20 grammes de gras et 220 milligrammes de sodium, et une cuillerée de mayonnaise ajoutera 100 calories et 11 grammes de gras à votre sandwich ou hamburger.
- commanderez du poulet grillé plutôt que frit dans l'huile, souvent usée d'ailleurs. Le poulet frit contient deux fois plus de gras que le poulet grillé.
- choisirez des accompagnements ayant une plus grande valeur nutritive. Par exemple, vous remplacerez de temps à autre une portion de frites par une petite salade, ou une pointe de tarte aux pommes par une coupe de fruits.
- délaisserez de temps à autre le soda (Coke, Pepsi) ou le lait fouetté, et prendrez un jus de fruit ou même un verre d'eau à la place.

D'ici à la fin de la session, vous...

- diminuerez le nombre de fois que vous allez, chaque semaine, dans un restaurant-minute et appréciez les avantages financiers de votre « nouvelle habitude ».

S'ALIMENTER QUAND ON EST PHYSIQUEMENT ACTIF

Des ajustements alimentaires peuvent se révéler indispensables si de sédentaire vous devenez physiquement actif. Par exemple, si vous commencez à faire une heure d'activité physique modérée ou vigoureuse par jour, vous aurez besoin d'ingérer plus de calories, plus de glucides et un peu plus de protéines[1].

✓ En ingérant **plus de calories**, vous maintiendrez votre **équilibre énergétique** (chapitre 7) et comblerez ainsi vos besoins, désormais plus élevés, en vitamines et en minéraux. Rappelons que certains athlètes consomment plus de 5 000 calories par jour ! Il faut dire qu'ils en dépensent autant en une journée. Bien entendu, si vous souhaitez réduire un excédent de gras corporel en augmentant votre dépense calorique, vous maintiendrez pendant quelque temps votre apport calorique préexercice afin de créer un déséquilibre énergétique négatif (p. 264 et suivantes).

✓ Il est aussi nécessaire d'ingérer **plus de glucides**. Ces nutriments, qui constituent la principale source d'énergie rapide des muscles, sont emmagasinés dans ces derniers et dans le foie sous la forme de grosses molécules de glucose (**glycogène**). Or, les réserves de glycogène sont très limitées. Il suffit habituellement d'un exercice d'intensité moyenne de plus de 90 minutes ou d'un exercice très intense de moins de 30 minutes pour vider presque complètement les stocks de glycogène musculaire et priver ainsi les muscles de toute énergie provenant des glucides.

✓ Il peut également être souhaitable d'ingérer **un peu plus de protéines**. Si vous mangez en quantité suffisante (par exemple, vous avez augmenté votre apport calorique pour tenir compte de votre « nouvelle » dépense calorique) et respectez le *Guide alimentaire canadien*, votre apport quotidien en protéines suffit pour couvrir à la fois vos nouveaux besoins et une augmentation de masse musculaire due à l'exercice. Le **tableau 10.5** présente quelques aliments riches en protéines. Pour connaître la quantité (en grammes) de protéines dont vous avez besoin quotidiennement, consultez la rubrique **En mouvement.**

1. Selon les recommandations les plus récentes de l'American College of Sports Medicine. Selected issues for Nutrition and the Athlete: A Team Physician Consensus Statement. Medicine and Science in Sports and Exercise, décembre 2013, *45*(12), 2378-2386.

TABLEAU 10.5 Quelques aliments riches en protéines

Pour les non-végétariens (portion de 100 g)		Pour les végétariens (portions variées)[a]	
Aliments	**Protéines (g)**	**Aliments**	**Protéines (g)**
Bœuf braisé	32	Légumineuses (250 mL ou 1 tasse)	15 à 30
Thon cuit au four	30	Tofu ordinaire (170 g)	15
Dinde	29	Beurre d'arachide naturel (30 mL ou 2 c. à soupe)	10
Lait demi-écrémé	9	Boisson de soya (300 mL ou $1\frac{1}{4}$ tasse)	8
Blanc de poulet	26	Hoummos (45 mL ou 3 c. à soupe)	5
Thon	25	Amandes ou noix de Grenoble (45 mL ou 3 c. à soupe)	5
Saumon	22	Arachides, amandes, pistaches, mélange de noix et de graines (60 mL ou $\frac{1}{4}$ tasse)	8
2 gros œufs	14	Soya rôti (60 mL ou $\frac{1}{4}$ tasse)	18

a. Source : www.extenso.org/article/les-proteines-au-coeur-du-regime-vegetarien.

La quantité de protéines requise selon votre niveau d'activité physique

Pour déterminer vos besoins en protéines, utilisez, parmi les formules suivantes, celle qui s'applique à votre niveau d'activité physique. Consultez ensuite le **tableau 10.5** pour déterminer quels aliments riches en protéines vous conviennent, ainsi que **Valeur nutritive de quelques aliments usuels** de Santé Canada (www.hc-sc.gc.ca/fn-an/nutrition/fiche-nutri-data/nutrient_value-valeurs_nutritives-tc-tm-fra.php).

- **Si vous êtes sédentaire*** : vous avez besoin de 0,8 gramme de protéines par jour par kilo de poids corporel.

  Exemple : 0,8 g × 70 kg = 56 g

  Vous : 0,8 g × _____ kg = _____ g

- **Si vous êtes moyennement actif*** : vous avez besoin de 1,3 gramme de protéines par jour par kilo de poids corporel.

  Vous : 1,3 g × _____ kg = _____ g

- **Si vous êtes très actif*** : vous avez besoin de 1,6 gramme de protéines par jour par kilo de poids corporel.

  Vous : 1,6 g × _____ kg = _____ g

* Au chapitre 1 (p. 35), vous trouverez des repères concrets pour déterminer votre niveau d'activité physique. Vous pouvez également vous référer au calcul de votre dépense calorique hebdomadaire établie au bilan 3. La catégorie « très actif » s'applique dans ce cas-ci si vous faites beaucoup de musculation (plus de 5 heures par semaine).

Voyons maintenant concrètement en quoi ces règles de base de l'alimentation de la personne physiquement active modifient les repas qui précèdent et qui suivent l'activité physique.

Le repas qui précède l'activité physique

Si vous prévoyez de pratiquer une activité physique modérée pendant plus de 60 minutes, prenez un **repas plus riche que d'habitude en glucides**, c'est-à-dire un peu plus de pain, de pâtes, de riz, de légumineuses ou de fruits. Outre le fait qu'il sera plus facile à digérer, ce repas retardera l'épuisement de vos stocks de glycogène musculaire.

Si le repas est consistant et riche en gras ou en protéines (nutriments de digestion lente), prenez-le au moins trois heures avant le début de l'activité physique. Dans le cas d'une collation, une heure ou deux suffira. Le **tableau 10.6** présente quelques suggestions de repas et collations à prendre avant une activité physique.

TABLEAU 10.6 Exemples de repas et de collations à prendre avant une activité physique

Moment	Description du repas ou de la collation
Une à deux heures avant : **collation de moins de 250 calories (de 85 à 100 % de glucides)**	*Au choix :* • 2 petites boîtes de raisins secs • 125 mL[a] de fruits secs • 1 ou 2 fruits frais • 250 mL (1 bol) de céréales avec un peu de lait à 1 ou 2 % ou d'une boisson de soya • ½ banane avec 1 muffin • 250 mL (1 verre) de jus de fruits avec 2 biscuits à la farine d'avoine • 200 mL (1 bouteille) de yogourt à boire • 200 mL (1 berlingot) de boisson de soya chocolatée
Deux à trois heures avant : **repas léger de 250 à 500 calories (de 75 à 85 % de glucides)**	*Au choix :* • De la soupe et un petit sandwich (à la dinde, au thon, à l'hoummos, au pâté végé ou aux tomates) contenant peu de matières grasses • Une assiette de pâtes alimentaires à la sauce tomate • Une assiette de riz vapeur aux tomates, aux légumes ou au poulet • 1 verre d'« orange bantam » : battre les ingrédients suivants au mélangeur : 250 mL de jus d'orange, 1 œuf cru, 1 petite banane, 125 mL de lait à 2 % et 30 mL de poudre de lait écrémé
Plus de trois heures avant : **repas consistant de 500 à 800 calories (de 60 à 70 % de glucides)**	*Le matin :* • 250 mL de jus d'orange, 250 mL de céréales, 250 mL de lait à 2 % ou d'une boisson de soya, 1 petite banane, 2 tranches de pain (2 crêpes ou 2 gaufres) et de la confiture *Le midi ou le soir, au choix :* • 250 mL de soupe aux légumes ou de potage, 4 craquelins, 2 ou 3 morceaux de blanc de poulet, 2 tranches de pain, 125 mL de compote de pommes, 1 portion de carré aux dattes et 125 mL de lait écrémé • 1 portion de yogourt aux fruits (environ 200 mL), 250 mL de salade de pâtes alimentaires ou de riz, 1 banane et 1 jus de fruits

a. 125 mL = ½ tasse ; 250 mL = 1 tasse.

Le repas qui suit l'activité physique

Si vous êtes légèrement ou modérément actif, il n'est pas nécessaire de modifier le repas qui suit votre séance d'activité physique. En revanche, si vous pratiquez des activités vigoureuses tous les jours, vous pouvez accélérer le renouvellement de vos réserves de glycogène et éviter ainsi une fatigue musculaire précoce pendant la séance d'exercice suivante. Pour ce faire, ingérez des glucides (environ 1,25 g par kilogramme de poids corporel) le plus tôt possible après l'exercice. Quelques collations riches en glucides sont présentées au tableau 10.7. Si vous pratiquez des épreuves d'endurance comme le marathon, vous pouvez faire mieux que renouveler vos réserves de glycogène : vous pouvez les augmenter par l'alimentation. Pour en savoir plus sur ce que les experts appellent la « **surcharge en glycogène** », consultez MonLab.

surcharge en glycogène

TABLEAU 10.7 Quelques collations contenant environ 50 grammes de glucides[a]

Aliments	Quantités
Jus de fruits (orange, pamplemousse, pomme, fruits mélangés)	625 mL[b]
Jus de raisin	375 mL
Boisson énergétique (p. 368)	625 mL
Tranches de pain	3 ½
Pochettes de pain pita	2
Pouding au riz et aux raisins	125 mL
Céréales de riz	500 mL
Pâtes alimentaires cuites	375 mL
Riz cuit	250 mL
Raisins secs	125 mL
Grosses pommes	2
Dattes séchées	3
Poires	2
Pruneaux	4

a. À ajuster selon votre poids corporel

b. 125 mL = ½ tasse ; 250 mL = 1 tasse

Les antioxydants, les radicaux libres et l'exercice

Doit-on prendre des suppléments d'antioxydants (notamment des vitamines A, C et E) quand on fait de l'exercice ? Avant de répondre à cette question, voyons ce que sont les **radicaux libres**. Infiniment plus petites qu'un virus, ces molécules sont potentiellement dangereuses pour la santé : elles seraient les grands fossoyeurs de notre jeunesse physiologique et le ferment de maladies graves comme l'athérosclérose et le cancer. En outre, à partir de la quarantaine, les radicaux libres nous en font voir de toutes les couleurs en causant des rides et des taches brunes.

Il s'agit en fait d'atomes devenus instables à la suite d'une banale réaction d'oxydation, c'est-à-dire l'union d'une substance avec de l'oxygène. Le morceau de pomme qui brunit et la barre de métal qui rouille sont des exemples classiques de réaction d'oxydation. De la même façon, non maîtrisés, les radicaux libres peuvent endommager les cellules.

Heureusement, notre corps dispose d'une arme absolue contre les radicaux libres: les **antioxydants** les neutralisent, comme lorsqu'on emballe sous vide un morceau de pomme ou qu'on peint une barre de métal oxydée. Notre organisme dispose de plusieurs mécanismes de défense antioxydants. Ce sont tantôt des enzymes spécialisées dans la chasse aux radicaux libres, tantôt des oligoéléments comme le zinc, le sélénium, le cuivre et le manganèse, ou encore des vitamines comme le fameux **trio antioxydant A, C et E**. Tout va bien tant que notre organisme maintient l'équilibre entre antioxydants et radicaux libres.

Revenons à notre question: doit-on prendre des suppléments d'antioxydants quand on fait de l'exercice? **La réponse est non, si vous vous nourrissez bien**, et voici pourquoi. Tout d'abord, il est vrai que l'exercice, surtout s'il est vigoureux et prolongé, augmente la production des radicaux libres, notamment à cause d'un apport accru d'oxygène dans les cellules musculaires. Cependant, l'organisme compense cette production accrue de radicaux libres en augmentant l'efficacité de ses systèmes de défense antioxydants, à la fois pendant l'activité et après l'activité. À long terme, l'entraînement physique augmente aussi l'efficacité des enzymes qui neutralisent les radicaux libres. Enfin, certains chercheurs conseillent aux personnes très actives physiquement de manger chaque jour beaucoup de fruits et de légumes. Ces aliments contiennent de grandes quantités d'antioxydants sous la forme de vitamines A, C et E. Vous trouverez dans MonLab une liste des aliments les plus riches en antioxydants.

MonLab
aliments riches en antioxydants

ZONE ÉTUDIANTE

David Rhéaume

CÉGEP ÉDOUARD-MONTPETIT

Âgé de 19 ans, David étudie en gestion de commerce. Grand adepte de la musculation, il explique comment il accorde son alimentation avec sa passion.

J'ai commencé à m'intéresser au conditionnement physique en troisième année du secondaire. Depuis, je n'ai pas cessé de progresser, sur le plan de la performance, sur le plan physique et même sur le plan alimentaire! En cinquième année du secondaire, après avoir fait de la musculation de façon légère et sans résultats époustouflants, j'ai décidé de me prendre en main et de monter la barre. J'ai donc travaillé avec un entraîneur privé. C'est bien beau de suivre un programme sérieux et intense, mais pour être performant on doit s'ajuster à tous les niveaux. Au départ, je voulais absolument perdre mon excès de poids. J'ai donc simplement éliminé les boissons gazeuses et d'autres choses du même genre; aussi l'alcool, qui nuit à la récupération des muscles pendant le sommeil. J'ai mis de côté les gâteries, puis les repas congelés à cause de leur haut taux de sodium. Ces changements ont donné des résultats: je suis passé de 170 à 150 livres (77,3 à 68,2 kilos) en 4 mois, une durée raisonnable.

C'est connu, plus les résultats sont convaincants, plus on veut garder ses bonnes habitudes… **À force de m'entraîner ferme, de bien manger et de bien dormir, je me suis habitué à ce mode de vie**. Donc pas question d'arrêter là! Au cours des années suivantes, j'ai travaillé mon découpage, ma force ainsi que ma masse musculaire. C'est important d'ajuster son alimentation en fonction de la qualité musculaire travaillée. Par exemple, pendant mes entraînements en hypertrophie ou en force, je consomme plus de glucides, comme des pâtes ou du riz. Je veille aussi à ingérer la quantité de calories nécessaires à mon entraînement. Il faut du temps et de la volonté pour adopter un nouveau mode de vie. Impossible de changer du jour au lendemain: on y arrive petit à petit, par étapes. En travaillant dur, je me suis découvert une passion, et c'est elle qui fait de moi ce que je suis. Je n'y serais pas parvenu sans adapter mon mode de vie.

Être bien hydraté, ça compte aussi !

Quand nous faisons de l'exercice, nous perdons de l'eau par la respiration (l'air expiré est humide et contient donc de la vapeur d'eau) et la transpiration (sueur). Bien entendu, la quantité d'eau perdue dépend de l'intensité de l'effort physique et de sa durée. Par conséquent, plus nos muscles travaillent, plus nous avons chaud, plus nous transpirons et plus nous perdons de l'eau. Certaines personnes peuvent perdre ainsi plus de 2 litres de sueur par heure lors d'exercices vigoureux et prolongés.

Or, une grande perte d'eau entraîne une baisse de la quantité de sang dans l'organisme, puisque le sang est constitué d'eau à plus de 70 %. Si on a moins de sang, le cœur doit travailler davantage pour approvisionner les muscles en oxygène, ce qui provoque une élévation du pouls et de la pression artérielle. C'est le début de la déshydratation, qui se manifeste par de la fatigue. Il est donc très important de boire de l'eau quand on fait travailler longtemps ses muscles. Mais attention : n'exagérez pas, boire trop d'eau pendant une épreuve d'endurance peut conduire à l'**hyponatrémie**, un déséquilibre potentiellement dangereux qui se caractérise par une trop faible concentration en sodium dans le sang. Il s'ensuit alors, par osmose, un transfert d'eau vers les cellules, qui se mettent à gonfler dangereusement. Pour en savoir plus à ce sujet, consultez MonLab.

MonLab
hyponatrémie

Pour ce qui est de la consommation d'eau et de l'activité physique, le tableau 10.8 présente les recommandations les plus récentes des experts de l'American College of Sports Medicine, de l'American Dietetic Association et de l'Association des diététistes du Canada.

TABLEAU 10.8 **Consommation d'eau et activité physique**

Quand boire de l'eau ?	Quelle quantité d'eau boire ?
• Deux à trois heures **avant** une séance d'activité physique d'intensité modérée à élevée durant au moins 30 minutes	• Buvez de 400 à 600 mL d'eau (environ 2 verres), ce qui vous garantit une hydratation optimale et vous laisse suffisamment de temps, avant le début de la séance, pour éliminer l'excédent d'eau sous forme d'urine.
• **Pendant** une activité physique qui dure plus 30 minutes	• Buvez quelques gorgées d'eau toutes les 15 ou 20 minutes.
• **Pendant** une activité physique qui dure plus de 60 minutes	• Si vous suez abondamment et que vous ressentez une baisse d'énergie, buvez, toutes les 15 ou 20 minutes, quelques gorgées d'eau d'une eau légèrement sucrée et salée (En mouvement). Fiez-vous aussi à votre sensation de soif.
• **Après** l'activité physique	• Pour savoir si vous devez boire encore de l'eau, pesez-vous avant et après la séance ; la différence de poids représente la quantité d'eau perdue. Buvez alors 750 mL pour chaque demi-kilo perdu. Vous avez oublié de vous peser ? Vérifiez dans ce cas la couleur de votre urine après l'effort. Si elle est foncée, buvez au moins 500 mL d'eau et vérifiez à nouveau plus tard si votre urine est claire.

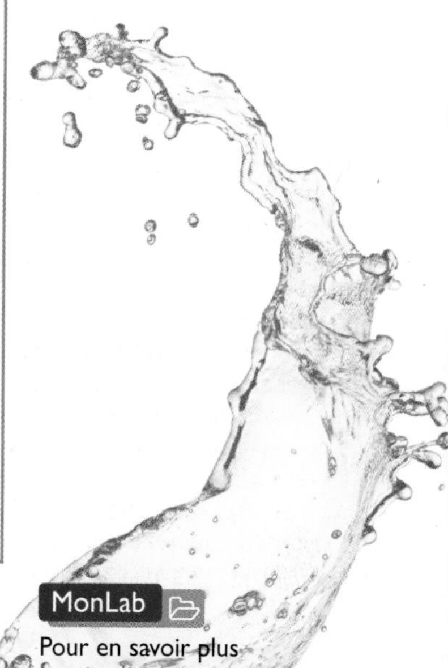

Vous trouverez des suggestions de lecture et de sites Internet dans la rubrique « Pour en savoir plus » de MonLab.

MonLab
Pour en savoir plus

Les caractéristiques des boissons énergétiques

Ces boissons sont conçues pour remplacer l'eau et prévenir une baisse de glycémie pendant les efforts vigoureux et prolongés (une heure et plus), ce qui entraînerait une baisse d'énergie… et de performance. Pour avoir un effet optimal, elles doivent respecter les critères suivants : **un taux de glucides compris entre 4 et 8 %, ou de 4 à 8 grammes de sucre par 100 millilitres, ainsi que de 500 à 700 milligrammes de sodium par litre, soit environ 1 millilitre de sel de table.** Donc, 250 millilitres de boisson énergétique devraient contenir de 10 à 20 grammes de sucre et de 125 à 175 milligrammes de sodium. L'ajout de sel facilite l'absorption de l'eau par les intestins et incite à boire davantage. Pour le reste, les consignes ne sont pas formelles : on peut ajouter un peu de potassium et de magnésium, car ils sont aussi éliminés dans la sueur, mais en quantités beaucoup moins marquées. Ces minéraux se trouvant normalement en abondance dans l'alimentation, les experts ne formulent pas de recommandations particulières à leur sujet. Le tableau qui suit présente le contenu en glucides et en sodium de quatre marques de boissons énergétiques populaires.

Nom	Quantité (mL)	Glucides (g)	Taux de sucre (%)	Sodium (mg)
Gatorade	250	15,9	6,3	110
Everlast	250	15,5	6,1	100
Powerade	250	21,1	8,4	73
All Sport	250	21,6	8,6	55

Vous pouvez aussi concocter, pour trois fois rien, votre propre boisson énergétique. Voici deux recettes simples :

1) mélangez 500 millilitres de jus de fruits avec 500 millilitres d'eau ;
2) dans un peu d'eau tiède, mélangez 70 grammes (environ 4 cuillerées à soupe) de sucre ou de miel, une pincée de sel et, pour le goût, un peu de jus d'orange, de citron ou de lime ; remuez bien, puis ajoutez 1 litre d'eau glacée.

VRAI OU **FAUX**? RÉPONSES

1. **Aliment léger rime toujours avec choix santé.** FAUX! Ce n'est pas parce qu'un aliment est pauvre en gras, en sel, en sucre ou en calories qu'il est automatiquement santé. L'industrie alimentaire peut, en effet, alléger un aliment sans le rendre nécessairement plus nutritif. Il faut étudier la liste des ingrédients puis l'étiquette nutritionnelle pour connaître son contenu en gras saturés et trans, en glucides, en fibres, en protéines, en vitamines et en minéraux.
2. **Beaucoup de pizzas congelées contiennent plus de 100 % de la valeur quotidienne maximale en sel et en gras saturés et trans.** VRAI! Certaines marques de pizza populaires peuvent contenir plus du double des besoins quotidiens en sel (1 500 milligrammes selon Santé Canada) et plus de 100 % de la limite quotidienne en mauvais gras. Lisez bien les étiquettes nutritionnelles pour savoir ce que vous mangez.
3. **Le pain, les pâtes et les pommes de terre font grossir.** FAUX! Ces aliments sont des féculents (glucides) plutôt pauvres en calories. Seul le pain peut contenir un peu de gras. Ce qui fait grossir, c'est le beurre, la tartinade ou la sauce qui les accompagne.
4. **Les suppléments de vitamines donnent de l'énergie.** FAUX! Les vitamines ne fournissent pas d'énergie, même si elles contribuent aux processus permettant d'en produire. Par contre, les glucides fournissent de l'énergie.
5. **Manger des œufs augmente le taux de mauvais cholestérol.** FAUX! À moins de souffrir d'hypercholestérolémie familiale (taux anormalement élevé de cholestérol dans le sang dû à des facteurs génétiques), manger quelques œufs par semaine ne pose aucun problème. En effet, le cholestérol d'origine alimentaire (qu'on trouve dans les œufs, mais aussi les abats, les crevettes, etc.) influe peu sur le taux de mauvais cholestérol dans le sang. Ce sont plutôt les gras saturés et les gras trans qui le font grimper.

AU FIL D'ARRIVÉE!

Le régime alimentaire des Québécois a beau s'être amélioré ces dernières années, il comprend encore trop de mauvais gras, trop de sel, trop de sucre, et reste trop pauvre en fruits, en légumes et en fibres alimentaires. Ce type de régime inadéquat – la **malbouffe** – mène tout droit à l'athérosclérose, au diabète de type 2, à certains types de cancer, à l'hypertension artérielle, à l'obésité et à divers troubles digestifs. Or, pour bien manger au quotidien, il suffit de consommer régulièrement et en quantités suffisantes des aliments provenant des quatre grands groupes alimentaires suivants: **légumes et fruits, produits céréaliers, lait et substituts, viandes et substituts.** Le *Guide alimentaire canadien* indique, en portions, les quantités de nutriments que nous devons consommer chaque jour. En ingérant ces aliments, vous obtenez un apport adéquat en **nutriments**, substances qui fournissent de l'énergie aux cellules et permettent la croissance des tissus, leur bon fonctionnement et leur réparation. Les principaux nutriments sont les **glucides**, les **lipides**, les **protéines**, les **vitamines**, les **minéraux** et l'**eau**.

- Pour être sûr de bien manger chaque jour, voici quelques solutions concrètes :
  - N'ingérez que les calories que vous dépenserez.
  - Coupez, s'il y a lieu, dans le mauvais gras et le mauvais sucre.
  - Consommez, chaque jour, suffisamment de fruits, de légumes et d'aliments riches en fibres.
  - Habituez-vous à manger moins salé, car nous consommons trop de sel.
  - Limitez votre consommation de boissons riches en caféine.
  - Déjeunez !
- Si vous êtes une personne physiquement active, voire très active, buvez suffisamment d'eau et ingérez :
  - plus de calories (sauf si vous devez maigrir par l'exercice) ;
  - plus de glucides ;
  - un peu plus de protéines par le biais de votre alimentation quotidienne.
- Les bilans de fin de chapitre vous permettront de faire le point sur votre alimentation et, s'il y a lieu, d'adopter un plan d'action concret pour l'améliorer.

PAUSE-RÉFLEXION

Nom : ______ Groupe : ______ Date : ______

Remplissez les cases vides du schéma à l'aide des mots-clés suivants :

viandes et substituts ☐ les vitamines ☐ trop de mauvais gras ☐ les lipides insaturés ☐ légumes et fruits ☐ complexes ☐ l'eau ☐ les nutriments ☐ trop de sel ☐ les protéines ☐

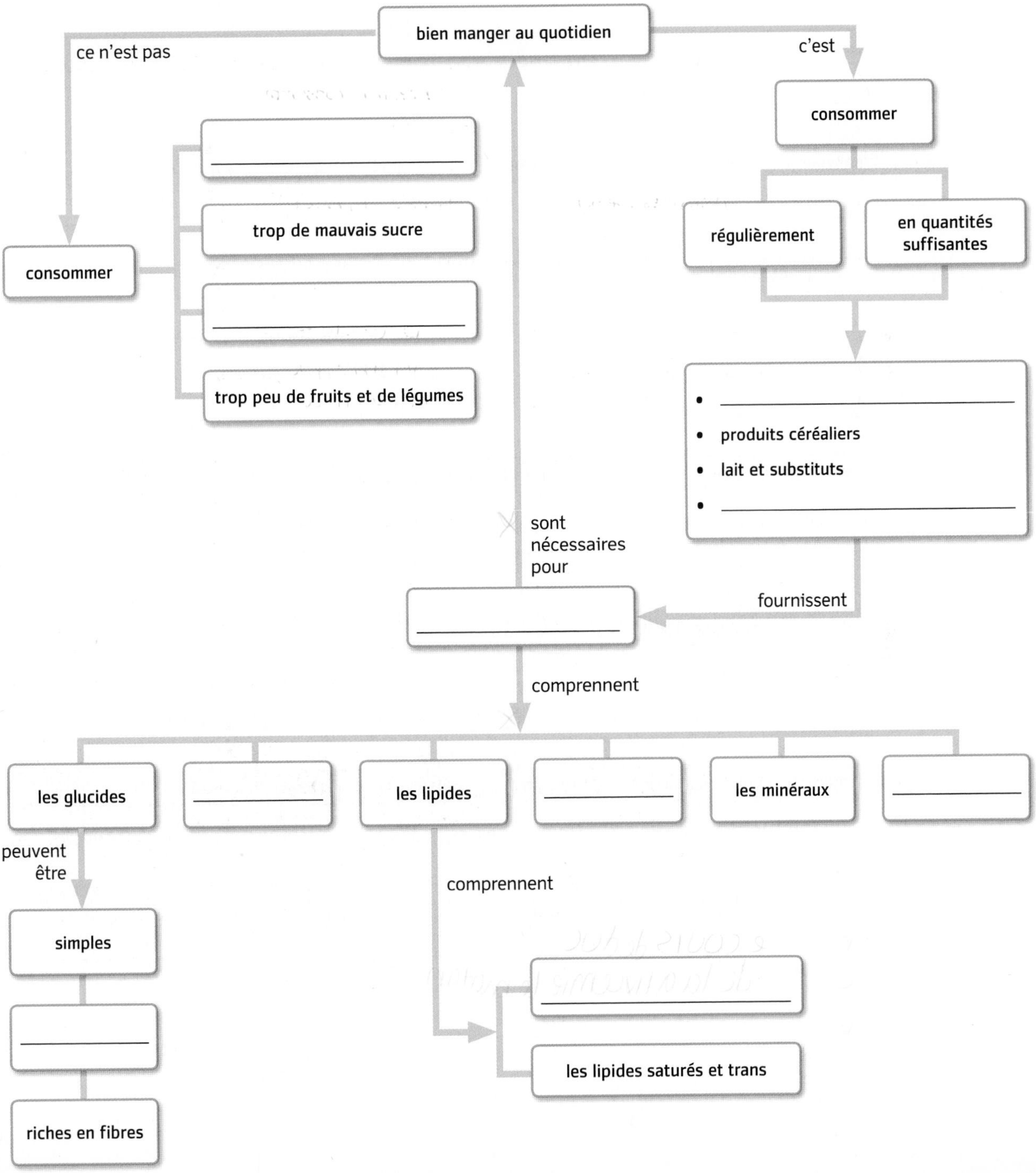

bien manger au quotidien

ce n'est pas

consommer
- ______
- trop de mauvais sucre
- ______
- trop peu de fruits et de légumes

c'est

consommer
- régulièrement
- en quantités suffisantes

- ______
- produits céréaliers
- lait et substituts
- ______

fournissent

______

sont nécessaires pour

comprennent

les glucides | ______ | les lipides | ______ | les minéraux | ______

peuvent être

simples

______

riches en fibres

comprennent

- ______
- les lipides saturés et trans

À VOS MÉNINGES 10

Nom : ______________________ Groupe : ______________ Date : ______________

1 **Nommez quatre problèmes de santé associés à la malbouffe.**

1. ATHÉROSCLÉROSE
2. DIABETE TYPE 2
3. CANCER
4. HYPERTENSION

2 **Citez deux troubles alimentaires graves.**

1. ANOREXIE
2. BOULIMIE

3 **Donnez deux synonymes de « huile hydrogénée » qu'on retrouve sur les étiquettes des produits alimentaires.**

1. SHORTENING d'huile végé
2. Gras trans

4 **Quelles sont les six grandes familles de nutriments ?**

341

1. eau
2. lipide
3. Glucide
4. protéine
5. Vitamine
6. Minéraux

5 **Comment notre consommation quotidienne de sel se situe-t-elle par rapport à nos besoins réels ?**

- ☐ a) Elle est de 10 à 12 fois trop élevée.
- ☐ b) Elle est de 5 à 7 fois trop élevée.
- ☒ c) Elle est 2 fois trop élevée.
- ☐ d) Elle est adéquate.

6 **Comment qualifieriez-vous les glucides complexes ?**

- ☐ a) Ce sont des sucres à éviter.
- ☐ b) Ce sont des sucres à assimilation rapide.
- ☐ c) Ce sont des sucres présents dans le miel et les sucreries.
- ☒ d) Ce sont des sucres à assimilation lente.

7 **Quelle quantité de fibres alimentaires les femmes de 19 à 50 ans devraient-elles consommer chaque jour ?**

- ☐ a) 0 gramme
- ☒ b) 25 grammes
- ☐ c) 15 grammes
- ☐ d) 20 grammes
- ☐ e) 40 grammes

8 **Nommez trois avantages d'un bon déjeuner.**

1. plus dénergie cours de duc
2. augmente de la glycemie le matin
3. rendement scolaire ↑

Nom : ______________________ Groupe : __________ Date : __________

9 Pour quelle raison votre métabolisme de base ralentit-il ?

- ☐ **a)** Vous consommez beaucoup plus de calories qu'avant.
- ☒ **b)** Vous suivez un régime hypocalorique sévère.
- ☐ **c)** Vous ne dormez pas suffisamment.
- ☐ **d)** Vous avez plus de masse musculaire.

10 On devrait consommer une boisson énergétique légèrement sucrée après plus de __________ d'activité physique modérée.

☒ **a)** 20 minutes ☐ **b)** 30 minutes ☐ **c)** 45 minutes ☒ **d)** 60 minutes ☐ **e)** 120 minutes

11 Pourquoi une personne physiquement très active devrait-elle augmenter sa consommation de glucides ?

- ☐ **a)** Parce que l'exercice augmente le métabolisme de base.
- ☐ **b)** Parce que les glucides ne se transforment pas en graisse.
- ☐ **c)** Parce que les glucides ont un index glycémique élevé.
- ☒ **d)** Parce qu'un apport supplémentaire en glucides accélère la remise à niveau des réserves de glycogène dans les muscles.

12 Dans quelle proportion les régimes miracles sont-ils un échec ?

☐ **a)** 5 fois sur 10. ☐ **b)** 7 fois sur 10. ☒ **c)** 9 fois sur 10. ☐ **d)** 3 fois sur 10. ☐ **e)** 10 fois sur 10.

13 Associez les aliments gras (colonne de gauche) au type de gras qui lui correspond (colonne de droite).

Aliments gras		Types de gras
1. Huile de tournesol	a	**a)** Gras insaturés
2. Barre granola à base d'huile hydrogénée	b	**b)** Acide gras trans
3. Gras de bœuf	c	**c)** Gras saturés

14 Complétez les phrases suivantes.

a) Selon les enquêtes nutritionnelles les plus récentes, le régime alimentaire des Québécois comprend généralement encore trop de Sucre, trop de mauvais gras, trop de sel, et reste trop pauvre en fruit, en légumes et en fibre alimentaires.

b) Au total, 80 % du sel que nous consommons aujourd'hui provient des produits alimentaires déjà transformé.

15 À quoi servent les antioxydants ?

- ☐ **a)** À stimuler le métabolisme de base.
- ☐ **b)** À réduire les pertes en glycogène lors d'un effort physique.
- ☒ **c)** À neutraliser les radicaux libres.
- ☐ **d)** À combler les lacunes alimentaires.

Nom : ______________________ Groupe : __________ Date : __________

FAITES LE POINT SUR VOTRE ALIMENTATION AU QUOTIDIEN

ÉTAPE A Votre alimentation par rapport au *Guide alimentaire canadien*

Pendant trois jours, évaluez la qualité de votre alimentation par rapport aux recommandations du *Guide alimentaire canadien* (calculez vos portions d'après la **figure 10.2**, p. 346). Vous trouverez ci-après un exemple de la façon de remplir le relevé alimentaire. Vous pouvez télécharger le relevé à partir de MonLab ou en imprimer trois exemplaires.

relevé alimentaire

N.B. Vous pouvez reprendre les aliments inscrits à l'étape C du bilan 7.1 (p. 274) et les compléter en indiquant à quel groupe alimentaire ils appartiennent.

Nombre de portions recommandées selon votre âge (______ ans)

et votre sexe (☐ H ☐ F) :

Légumes et fruits : ______ Produits céréaliers : ______

Lait et substituts : ______ Viandes et substituts : ______

Exemple, Valérie Sansnom (18 ans)

Nombre de portions recommandées selon votre âge et votre sexe (☐ H ☑ F) :

Légumes et fruits : 7 Produits céréaliers : 6 Lait et substituts : 3-4 Viandes et substituts : 2

JOUR 1 : (cochez)			Nombre de portions				
☑ L ☐ Ma ☐ Me ☐ J ☐ V ☐ S ☐ D Date : 8 octobre			Légumes et fruits	Produits céréaliers	Lait et substituts	Viandes et substituts	Autres (alcool, desserts, sucreries)
Repas	**Aliments et boissons**[a]	**Calories**[b]					
Déjeuner	1 verre de jus d'orange (250 mL)	*120*	*1*				
	2 rôties (blé entier)	*165*		*1*			
	2 c. à soupe de beurre d'arachide naturel	*320*				*1*	
	1 banane (grosseur moyenne)	*105*	*1*				

a. Pour préciser la quantité d'un aliment ou d'un mets composé (par exemple, un sandwich ou des spaghettis à la viande), servez-vous des équivalences suivantes : 125 mL = ½ tasse, 250 mL = 1 tasse, 15 mL = 1 c. à soupe.

b. Pour indiquer la valeur calorique des aliments ingérés, vous pouvez reprendre celles indiquées à l'étape C du bilan 7.1, **ou** utiliser le **calculateur AEQ** (apport énergétique quotidien), **ou** encore aller sur le site de Santé Canada (www.hc-sc.gc.ca/fn-an/nutrition/fiche-nutri-data/nutrient_value-valeurs_nutritives-tc-tm-fra.php).

calculateur de l'AEQ

Nom : ______________________ Groupe : __________ Date : __________

Vos observations

Selon le bilan 10.1 A, diriez-vous qu'en général vous respectez les recommandations du *Guide alimentaire canadien* ?

☐ **Oui** ☐ **Non**

Autrement, quels écarts alimentaires avez-vous constatés ?

Je ne consomme pas assez de…	Pour chaque groupe coché, citez deux aliments que vous aimez et qui vous permettraient de vous rapprocher des recommandations du *Guide alimentaire canadien*.
☐ produits céréaliers	**1.** ____ **2.** ____
☐ légumes et fruits	**1.** ____ **2.** ____
☐ lait et substituts	**1.** ____ **2.** ____
☐ viandes et substituts	**1.** ____ **2.** ____

Je consomme trop de…	Pour chaque groupe coché, citez un aliment que vous devriez moins consommer ou abandonner afin de vous rapprocher des recommandations du *Guide alimentaire canadien*.
☐ desserts, sucreries, boissons de type soda ou énergisantes	____
☐ produits céréaliers	____
☐ lait et substituts	____
☐ viandes et substituts	____

Nom : ______ Groupe : ______ Date : ______

ÉTAPE B Les facteurs associés à vos habitudes alimentaires

Si vous avez constaté des écarts alimentaires, quels sont, parmi les facteurs suivants, ceux qui vous empêchent d'adopter de meilleures habitudes alimentaires ?

Facteurs défavorables à une alimentation saine et équilibrée	Cochez
Je suis trop à la course le matin pour prendre le temps de déjeuner.	☐
Je vis en appartement et je suis porté à négliger mon alimentation.	☐
J'habite avec des colocs et je ne m'occupe pas de l'épicerie. Alors je ne choisis pas toujours le contenu des repas.	☐
J'adore manger du *fast food* parce que c'est rapide, bon et pas cher.	☐
Je mange à des heures irrégulières.	☐
Je mange trop de repas préparés, qui sont aussi très salés.	☐
J'ai l'habitude de grignoter devant la télé ou l'ordinateur.	☐
Chez moi, on achète les aliments en grand format et je suis porté à en abuser.	☐
Je ne bois presque jamais d'eau, je n'aime pas ça.	☐
Je bois deux ou trois boissons énergisantes par jour ; ça me tient éveillé et ça me coupe l'appétit.	☐
J'ai tendance à suivre des diètes amaigrissantes parce que mon poids fait le yo-yo.	☐
Autre : ______	☐

À présent, déterminez quels sont pour vous les deux principaux facteurs défavorables à une bonne alimentation :

Facteur 1 ______

Facteur 2 ______

Nom : ______________________ Groupe : ____________ Date : ____________

DRESSEZ UN PLAN D'ACTION POUR AMÉLIORER VOTRE ALIMENTATION

ÉTAPE A Votre objectif

Votre objectif doit être de type « SMART », c'est-à-dire **S**pécifique, **M**esurable, orienté vers l'**A**ction, **R**éaliste et limité dans le **T**emps. Pour vous fixer cet objectif, choisissez un des deux facteurs défavorables à une bonne alimentation que vous avez déterminés au bilan 10.1 B, et décidez d'en venir à bout. Par exemple, vous avez l'habitude de ne pas déjeuner parce que vous êtes toujours à la course le matin. Votre objectif « SMART » pourrait se formuler ainsi : à partir de lundi prochain, je déjeunerai au moins 3 jours par semaine. Je me donne un mois pour y arriver. Votre objectif est **spécifique** (déjeuner le matin), **mesurable** (3 jours par semaine), orienté vers l'**action** (dès lundi prochain), **réaliste** (il est plus réaliste, pour commencer, de le faire 3 jours que 7 jours par semaine) et limité dans le **temps** (pendant 1 mois).

Un autre type d'objectif très simple est de viser le nombre de portions recommandé par le *Guide alimentaire canadien*. Par exemple, si vous avez constaté que vous mangez seulement quatre portions de légumes et fruits par jour, votre objectif pourrait être d'en arriver à sept. À vous maintenant de formuler votre objectif :

Mon objectif est le suivant : ______________________

Précisez en quoi il est :

Spécifique : ______________________

Mesurable : ______________________

Orienté vers l'action : ______________________

Réaliste : ______________________

Limité dans le temps : ______________________

ÉTAPE B Les moyens choisis pour atteindre votre objectif

Le meilleur moyen de vérifier si votre objectif est atteint, c'est de tenir un journal de bord alimentaire. En voici un qui représente une journée. Vous pouvez télécharger un journal qui représente une semaine à partir de MonLab et le reproduire en fonction du nombre de semaines déterminées dans votre objectif.

MonLab
journal alimentaire

Exemple de journal de bord

Jour	Objectif atteint	Sinon, que s'est-il passé ?
Lundi	☐ Oui ☐ Non ☐ En partie seulement	

BILAN 10.3

Nom : ______________________ Groupe : ____________ Date : ____________

ÉVALUEZ VOTRE RÉSULTAT : AVEZ-VOUS ATTEINT VOTRE OBJECTIF ?

1. Au terme de votre plan d'action, avez-vous atteint votre objectif (autrement dit, avez-vous éliminé un facteur défavorable ou un écart alimentaire) ?

☐ Oui, à 100 %.

☐ En partie seulement (s'il y a lieu, précisez en pourcentage : ______ %).

☐ Pas du tout.

2. Si vous n'avez pas atteint votre objectif à 100 %, quelles sont, parmi les raisons suivantes, celles qui pourraient l'expliquer ?

☐ Je n'ai pas fait un suivi adéquat de mon plan d'action (pas de journal de bord ou journal tenu en partie seulement).

☐ Mon objectif était peut-être trop ambitieux.

☐ Mon horaire de cours ou de travail a changé en cours de route et j'ai été débordé.

☐ J'aurais dû avoir le soutien de quelqu'un dans cette démarche.

☐ Autre(s) raison(s) : ______________________

____

3. Si vous essayez à nouveau d'améliorer votre alimentation, quels changements apporterez-vous à votre plan d'action pour atteindre votre objectif, cette fois ?

____

____

____

____

____

____

____

____

VRAI OU **FAUX** ?

	V	F
1. Les gens stressés ont plus de risques d'engraisser.	☐	☐
2. Nous avons tous besoin de 8 heures de sommeil par nuit.	☐	☐
3. Le stress est toujours nuisible à la santé.	☐	☐

Les réponses se trouvent en fin de chapitre, p. 396.

CHAPITRE 11

SURMONTEZ VOTRE STRESS ET AMÉLIOREZ VOTRE SOMMEIL

SUR LA LIGNE DE DÉPART !

VOS OBJECTIFS SONT LES SUIVANTS :

- Établir les liens entre le stress et la santé.
- Connaître les stratégies visant à mieux maîtriser votre niveau de stress.
- Reconnaître les facteurs et les conséquences d'un mauvais sommeil.
- Connaître les stratégies pour mieux dormir.
- Faire le bilan de votre niveau de stress et, s'il y a lieu, appliquer un plan d'action pour être moins stressé.

MonLab

Vrai ou faux ?

Autres exercices en ligne

> L'absence complète de stress est la mort. C'est le stress désagréable, ou détresse, qui est nuisible.
>
> HANS SELYE

La scène se passe en 1903. Voyant venir le *boom* technologique et l'accélération du rythme de vie, un médecin hongrois réputé, Francis Volgyesi, se risque à une prédiction devant ses pairs. « À moins de changer notre manière de vivre, prévient-il, le siècle qui s'amorce sera celui de "**l'âge des nerfs**". » Il avait vu juste ! Le stress, qui nous met les nerfs en boule, qui nous glace les pieds et fait battre la chamade à notre cœur, touche aujourd'hui pratiquement tout le monde, y compris les enfants. **De fait, 90 % des jeunes âgés de 18 à 24 ans souffrent d'un niveau de stress élevé** et 72 % des adultes se sentent accablés par le stress[1]. Notre époque est également « **l'âge des nuits blanches** », car il semble que nous dormions de moins en moins. Ce manque de sommeil ne va certes pas diminuer le niveau de stress dans la société, d'autant que le stress peut être une cause de l'insomnie.

LE STRESS

Le stress existe depuis la nuit des temps, et heureusement d'ailleurs, car sans lui nous ne serions pas là. « Notre cerveau, explique la Dre Sonia Lupien, spécialiste en neurosciences, est comme un **détecteur de menaces**. Il reconnaît les dangers environnants : dans les temps préhistoriques, ce pouvait être un mammouth, et aujourd'hui, un travail de session qu'on a oublié de remettre... Non seulement il nous en avertit, il nous donne aussi le moyen de survivre au mammouth ou... à la session ! » Le stress est donc une **réaction d'adaptation** plus ou moins forte de l'organisme devant une situation donnée (stresseur, ou agent stressant) qui, précisons-le, n'est pas toujours une menace. Ainsi, que cette situation déclenche une joie immense, une peur bleue, une forte anxiété ou une douleur aiguë, **la réaction d'adaptation est non spécifique** (on doit cette expression à l'endocrinologue canadien Hans Selye, l'auteur de la théorie du stress) ; autrement dit, elle est toujours la même.

Cette réaction met le corps sous tension comme s'il venait d'être branché sur une prise de courant. En une fraction de seconde, les terminaisons nerveuses reliées aux divers organes libèrent de l'adrénaline, de la noradrénaline et du cortisol. Ces hormones du stress provoquent immédiatement une série de réactions physiologiques (**figure 11.1**) qui ne visent qu'une chose : **préparer le corps à l'action, c'est-à-dire à fuir la menace ou à y réagir physiquement**. C'est ce qui se produit quand on retire brusquement son pied du bain au contact d'une eau trop chaude, quand on saute de joie parce qu'on a obtenu l'emploi à temps partiel qu'on convoitait ou qu'on doit fuir à toute vitesse les lieux d'un incendie. Face à un nouveau défi, qu'il soit de nature mentale ou physique, le corps subit donc une poussée d'adrénaline qui le rend plus alerte et plus énergique. Qu'on songe ici à l'acteur ou à l'athlète, qui ont besoin de stress pour être performants. Certaines personnes, notamment les adeptes de sports extrêmes, en arrivent même à rechercher le grand frisson que procure l'adrénaline. Une fois que le corps a réagi, l'énergie

1. D'après l'Indice de mieux-être des Canadiens Sun LifeMC établi en 2013 par Ipsos Reid.

accumulée par l'état d'alerte est consommée, donc libérée, et le niveau de stress diminue, ainsi que le taux sanguin d'hormones du stress. La boucle est bouclée et c'est, si l'on veut, le calme après la tempête. Dans ces cas, le stress est bénéfique et peut même nous sauver la vie.

FIGURE 11.1 **Les effets physiologiques immédiats du stress: l'alarme est sonnée!**

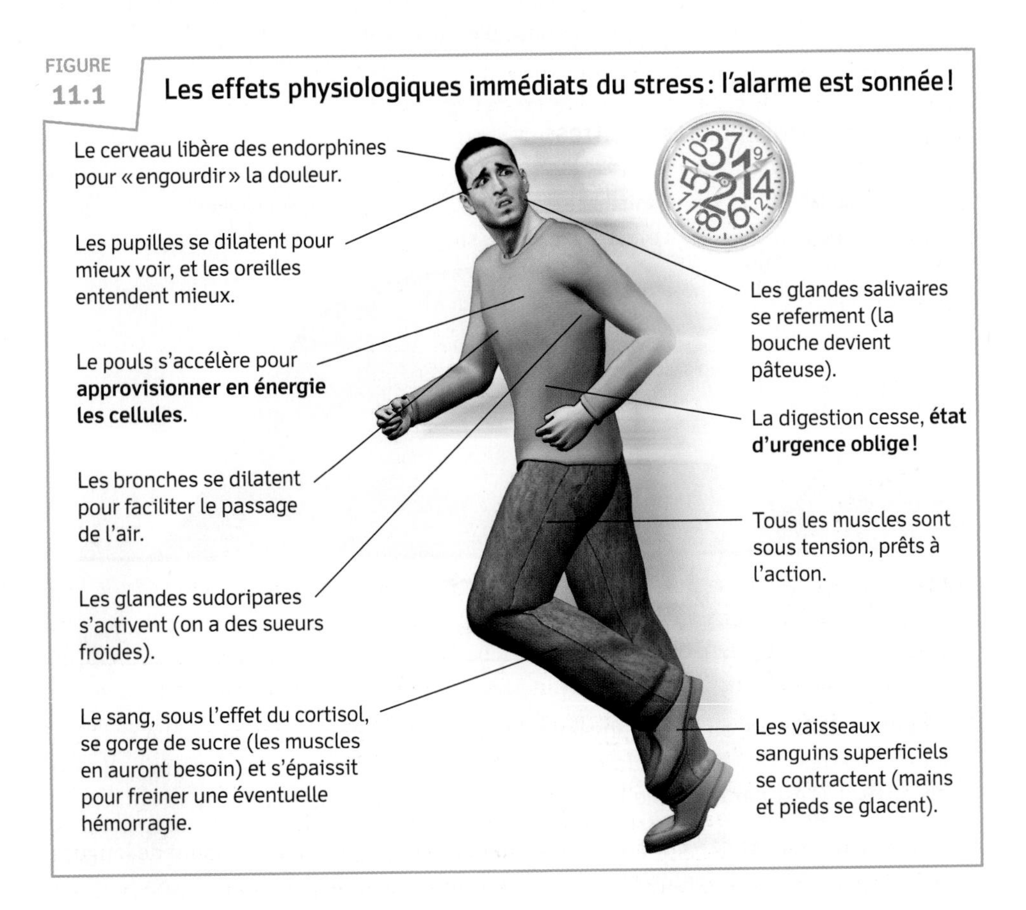
Le cerveau libère des endorphines pour «engourdir» la douleur.
Les pupilles se dilatent pour mieux voir, et les oreilles entendent mieux.
Le pouls s'accélère pour **approvisionner en énergie les cellules**.
Les bronches se dilatent pour faciliter le passage de l'air.
Les glandes sudoripares s'activent (on a des sueurs froides).
Le sang, sous l'effet du cortisol, se gorge de sucre (les muscles en auront besoin) et s'épaissit pour freiner une éventuelle hémorragie.
Les glandes salivaires se referment (la bouche devient pâteuse).
La digestion cesse, **état d'urgence oblige!**
Tous les muscles sont sous tension, prêts à l'action.
Les vaisseaux sanguins superficiels se contractent (mains et pieds se glacent).

Quand le stress rend malade

Si les mammouths ont disparu de la surface de la Terre, le stress, lui, est toujours présent, mais il a pris une autre forme qu'on appelle le «**stress émotionnel**». Citons à nouveau la Dre Lupien: «Les nouvelles technologies, les médias, la mondialisation des marchés, des études de plus en plus longues, etc., créent **de plus en plus de nouveauté**, **d'imprévisibilité**. Nous avons donc souvent **l'impression de perdre notre pouvoir sur la situation et d'être personnellement menacés**. Le cerveau détecte ces menaces et produit une réponse de stress: il nous fournit l'énergie nécessaire pour combattre ou fuir. Mais, la plupart du temps, l'énergie mobilisée ne nous sert à rien en présence des stresseurs contemporains. Nous sommes impuissants quand notre ordinateur flanche la veille de la remise d'un travail ou quand nous constatons la hausse généralisée des prix, car ni l'attaque ni la fuite ne sont appropriées dans ces cas.»

Qu'advient-il de cette énergie inutilisée? S'il n'y a pas d'exutoire physique pour diminuer la tension physiologique, ne serait-ce qu'une simple marche rapide de 15 ou 20 minutes, l'énergie du stress s'accumule et peut devenir néfaste.

Les trois phases du stress

Lorsqu'il n'est pas résolu par l'action, le conflit perdure et **le stress peut devenir nuisible**. On est alors aux prises avec ce que Hans Selye a appelé le **syndrome général d'adaptation**. Ce syndrome touche notre organisme et se développe en trois temps: la phase d'alarme, la phase de résistance et la phase d'épuisement (**figure 11.2**).

FIGURE 11.2 Les trois phases du stress

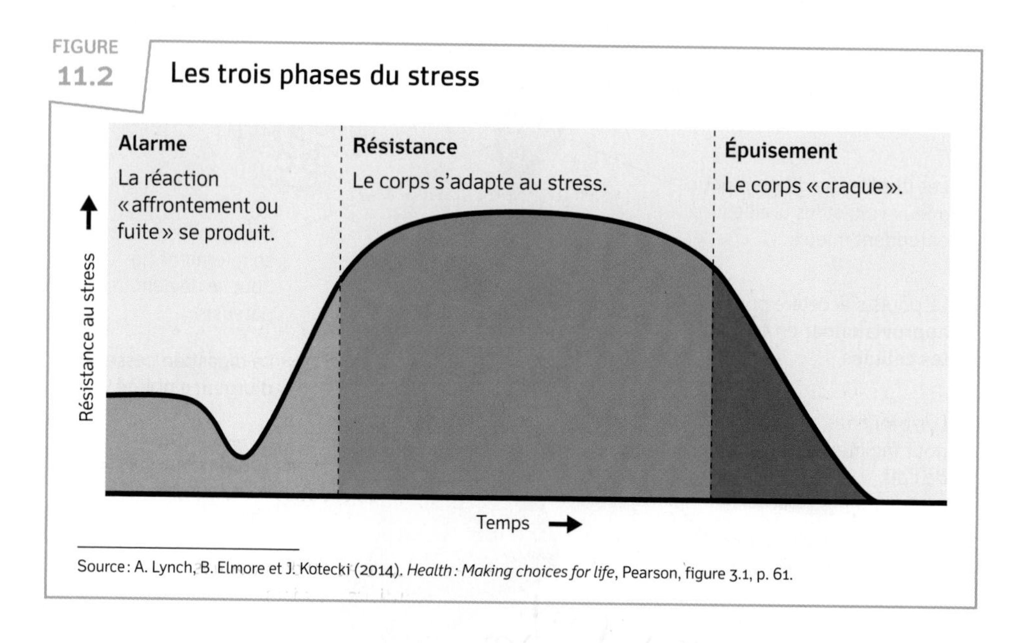

Source: A. Lynch, B. Elmore et J. Kotecki (2014). *Health: Making choices for life*, Pearson, figure 3.1, p. 61.

1. **La phase d'alarme**, ou alerte physiologique – Comme nous l'avons vu, elle survient lors d'un stress aigu et se traduit par une poussée d'adrénaline, de noradrénaline et de cortisol. C'est par exemple le cas quand une voiture fonce sur nous.
2. **La phase de résistance** – Elle apparaît lorsque le stress se prolonge pendant de longues minutes ou qu'il se transforme en stress chronique (conflit non résolu pendant des semaines). Les glandes surrénales (petites glandes situées au-dessus des reins) sécrètent alors dans le sang, de façon continue, du **cortisol**, dont le rôle est notamment d'augmenter le taux de sucre dans le sang afin d'alimenter en énergie les muscles et le cerveau. En somme, **l'adrénaline libère une énergie d'urgence et le cortisol maintient cet apport d'énergie** en renouvelant les réserves. Avec le temps, on s'adapte tant bien que mal à ce stress émotionnel, ce qui oblige notre organisme à rester sous l'influence du cortisol.
3. **La phase d'épuisement** – On a beau tenir bon, la situation exige beaucoup d'énergie tant que le conflit émotif n'est pas résolu. Le corps est continuellement sous tension. L'élastique se tend de plus en plus, après un certain temps il menace de craquer, puis il cède: c'est l'épuisement mental. Cela peut arriver lorsqu'on ne parvient pas à résoudre un conflit émotionnel avec des colocs impossibles ou un patron grincheux. L'organisme continue alors à sécréter les hormones du stress, mais celles-ci deviennent de moins en moins efficaces. Elles s'accumulent même dans le sang, ce qui peut causer des problèmes de santé. Au début, on ressent seulement les **symptômes du surstress**: palpitations cardiaques, raideur de la nuque et du haut du dos, maux de tête plus fréquents, irritabilité, apparition de tics nerveux, manque de concentration, problèmes de peau (boutons,

eczéma, etc.), problèmes digestifs (brûlures d'estomac, constipation, diarrhée) et difficulté à s'endormir. À la longue, **le stress devient chronique et entraîne un taux élevé et permanent de cortisol dans le sang, ce qui accroît le risque de diabète de type 2 et de maladies cardiovasculaires** (figure 11.3). En outre, pour échapper à la nervosité, à l'anxiété ou à la déprime provoquée par le stress chronique, on peut être tenté de consommer davantage d'alcool ou de tabac, d'abuser des médicaments ou des drogues qui améliorent l'humeur (temporairement), de manger exagérément ou encore de s'isoler des autres. Si ces faux-fuyants peuvent apporter un soulagement à court terme, ils ne font, à la longue, qu'affaiblir l'organisme déjà épuisé par une surcharge de stress.

FIGURE 11.3 Les effets d'une surcharge de stress sur la santé

Source : A. Lynch, B. Elmore et J. Kotecki (2014). *Health : Making choices for life*, Pearson, figure 3.4, p. 64.

Concilier travail et études peut devenir un facteur de stress

Les étudiants travaillent plus que jamais ! **En 2013, dans l'ensemble du réseau collégial, au moins 75 % des étudiants occupaient un emploi rémunéré pendant leurs études, alors qu'ils étaient seulement 22 % dans ce cas en 1980 !** Plusieurs raisons poussent les cégépiens à travailler autant : ils le font parce qu'ils veulent acquérir de l'expérience dans leur domaine d'étude, éviter de s'endetter, se payer des « petits extras », ou tout bonnement parce que c'est leur seule source de revenus.

C'est le cas de Laurent qui amorce sa deuxième année au cégep. L'an dernier, il avait un petit boulot qui l'occupait à peine 10 heures par semaine, mais cette année il passe presque autant de temps au travail qu'en cours. Il est en effet préposé aux ventes dans un magasin de produits électroniques, 22 heures par semaine. « Ça paie ma part du loyer (il habite avec deux colocs), mes droits de scolarité et quelques petits extras », explique-t-il. Son emploi du temps est donc très chargé et il le sait.

Toutefois, ce qui préoccupe Laurent ces temps-ci, c'est que ses résultats aux derniers examens se sont détériorés. Et cela affecte aussi son moral ! Cette situation est devenue pour lui un facteur de stress qui lui cause déjà quelques ennuis de santé : brûlures d'estomac, maux de tête fréquents, difficulté à s'endormir, irritabilité accrue. C'était malheureusement prévisible.

En effet, selon une recherche publiée par la Fondation canadienne des bourses d'études du millénaire[1], **plus le nombre d'heures de travail est élevé, plus l'étudiant qui travaille réduit le temps consacré à l'étude en dehors des heures de présence aux cours, et plus ses notes ont tendance à baisser**. Résultat : le risque de décrochage monte en flèche. Le seuil critique est de 20 heures de travail par semaine : selon cette recherche, plus de 25 % des décrocheurs étaient dans ce cas. Certes, des collégiens disciplinés et bien organisés parviennent à concilier sans problème emploi et études, mais cette combinaison peut sans aucun doute nuire au rendement scolaire et devenir un facteur de stress grandissant. Et vous, courez-vous ce risque ?

Mieux gérer son stress

Il est impossible d'éviter toutes les situations de stress, puisqu'elles font partie de la vie. Par contre, vous pouvez utiliser des stratégies pour mieux les gérer afin que votre santé n'en souffre pas. En voici quelques-unes.

1. Évaluez votre niveau de stress

C'est la première chose à faire. Après tout, peut-être n'êtes-vous pas aussi stressé que vous l'imaginez ! Vous pouvez faire cette évaluation à l'étape A du **bilan 11.1**. Si vous êtes déjà stressé ou très stressé, le **bilan 11.2** vous aidera à concevoir un plan d'action concret pour réduire votre niveau de stress.

1. A. Motte et S. Schwartz (2009). *Y a-t-il un lien entre l'emploi pendant les études et la réussite scolaire ?* Les bourses du millénaire, Note de recherche n° 9.

2. Déterminez ce qui vous stresse

Il est important de savoir ce qui crée une tension chez vous. Qu'est-ce qui vous crispe, fait accélérer votre pouls, rend vos mains moites et froides, vous noue l'estomac, vous raidit la nuque, vous fait transpirer (notamment aux aisselles), vous cause des démangeaisons ou vous fait serrer les mâchoires? Il peut s'agir d'une personne (un coloc, un enseignant, le gérant du magasin où vous travaillez, etc.), d'un lieu (le métro, les ascenseurs, les cliniques médicales, etc.) ou de certains événements (la période des examens, les entrevues, les bouchons de circulation, etc.). Si vous pouvez associer de façon nette l'une ou l'autre de ces réactions à une personne, un lieu ou un événement précis, il s'agit pour vous d'un **facteur de stress**.

3. Évitez autant que possible les sources de stress

Si vous avez tendance à réagir de façon excessive aux situations stressantes, évitez-les dans la mesure du possible. Toutefois, ce n'est pas toujours possible, ni même souhaitable. Par exemple, si la préparation d'un examen ou d'une entrevue d'embauche vous stresse, la solution ne consiste évidemment pas à abandonner vos études ou à cesser de chercher du travail. Dans ces cas-là, mieux vaut essayer de garder votre calme en utilisant, au besoin, les « **chasse-stress** » proposés ci-dessous.

4. Dédramatisez les situations stressantes

Vous avez échoué à un examen, raté un rendez-vous ou perdu votre emploi à temps partiel, et vlan! c'est la panique. Le mieux à faire est de vous demander si vous n'êtes pas en train de dramatiser. Donner trop d'importance aux problèmes ne vous avancera guère. Essayez plutôt d'analyser calmement la situation: justifie-t-elle que vous vous mettiez dans tous vos états? Souvent, vous serez surpris de constater que vous vous faisiez une montagne de pas grand-chose! Selon les experts en la matière, **la manière de percevoir le stress influe souvent beaucoup plus sur l'état psychologique que le stress lui-même**. Voici un bon truc: prenez les choses avec un peu d'humour et une dose de détachement. C'est un moyen très efficace pour épancher vos tensions et faire sourire votre entourage!

5. Servez-vous des « chasse-stress »

Il se peut, pour toutes sortes de raisons, que certaines situations stressantes soient inévitables. Dans ce cas, prenez les mesures nécessaires pour en atténuer les effets sur votre santé. Il existe des méthodes très efficaces pour y arriver. Comme chaque personne réagit différemment au stress, il est essentiel que vous trouviez une ou même plusieurs méthodes qui fonctionneront pour vous, c'est-à-dire qui vous calmeront. En voici quelques-unes.

L'activité physique Tout exercice, quel qu'il soit, réduit le niveau d'anxiété parce qu'il permet au corps de dissiper l'énergie mobilisée lors d'une situation stressante (chapitre 1).

Les techniques de relaxation et de méditation Ces techniques s'attaquent directement aux tensions musculaires causées par le stress (**En mouvement**). Elles permettent de découvrir les zones de fortes tensions musculaires, puis de les apaiser à l'aide d'exercices à la fois physiques et mentaux (la visualisation, par exemple). Quand on les maîtrise, ces techniques procurent une détente musculaire presque instantanée et, par conséquent, un apaisement de l'esprit. Pratiquées régulièrement, elles agissent aussi sur le système cardiovasculaire, car elles abaissent le pouls et la pression artérielle. Les techniques de relaxation et de méditation peuvent éliminer ou du moins atténuer plusieurs des symptômes associés à une surdose de stress (**tableau 11.1**). Pour apprendre à les maîtriser, il convient idéalement de suivre des cours appropriés. Si ce n'est pas possible, faites de brèves périodes de relaxation en vous inspirant d'exercices simples et efficaces. En voici deux que vous pouvez pratiquer à peu près n'importe où et n'importe quand.

Exercice 1 : contraction-relâchement

En position assise ou couchée, les yeux fermés, tendez tous les muscles de votre corps comme si vous deveniez une barre de fer. **Maintenez-les contractés trois secondes, puis relâchez-les complètement**, de la tête aux pieds. Ne retenez aucune tension musculaire. Vous verrez que cet exercice fort simple procure une agréable sensation de relâchement. Répétez-le quand vous vous sentez tendu. Détente musculaire assurée ! Une vidéo de cet exercice est présentée dans MonLab.

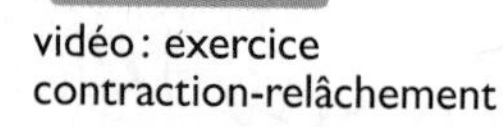

vidéo : exercice contraction-relâchement

Exercice 2 : respiration abdominale

Si le stress vous gagne, votre respiration risque de devenir brève et superficielle, voire de se bloquer. Cet exercice permet d'y remédier. Debout, assis ou couché, inspirez profondément en gonflant d'abord le ventre, puis la cage thoracique. Ensuite, expirez lentement, lèvres pincées. Répétez l'exercice au besoin. Une vidéo de cet exercice est présentée dans MonLab.

vidéo : exercice respiration abdominale

D'autres « chasse-stress » D'autres moyens permettent également de réduire les effets du stress : se faire masser, réduire sa consommation de café (si on en boit beaucoup), adopter un animal (même un poisson rouge vous fera de l'effet !) ou coucher ses états d'âme sur le papier. Mais, quoi que vous fassiez, l'important est d'agir rapidement, avant que le stress ne vous envahisse petit à petit.

TABLEAU 11.1 Les effets antistress de la relaxation[a]

	Effets du stress	Effets de la relaxation
Le pouls…	s'accélère.	ralentit.
La pression artérielle…	augmente.	diminue (de 10 à 15 %).
La respiration…	s'accélère.	ralentit.
La fréquence des ondes alpha[b]…	diminue.	augmente.
Le sommeil…	est perturbé.	s'améliore.
La tension musculaire…	augmente.	diminue.
Les migraines sont…	plus fréquentes et plus intenses.	moins fréquentes et moins intenses.
L'apprentissage d'une activité sportive est…	plus ardu.	plus facile.
L'aptitude à communiquer…	se détériore.	s'améliore.
Les vaisseaux sanguins…	se contractent.	se dilatent.

a. Il a aussi été démontré que la relaxation donne de bons résultats dans les cas suivants : asthme, tachycardie (cœur qui bat trop vite), eczéma, psoriasis, douleurs prémenstruelles, brûlures d'estomac, constipation, bégaiement et autres troubles du langage.

b. Les ondes alpha sont associées au sommeil profond, qui nous permet de récupérer.

Quelques techniques de relaxation

Il serait trop long de décrire ici toutes les techniques aidant à se détendre. En voici quelques-unes parmi les plus populaires.

La relaxation progressive de Jacobson Cette technique est fondée sur un paradoxe : tendre le muscle pour mieux le détendre ! Les exercices consistent en effet à contracter un groupe de muscles, par exemple ceux de la jambe droite, puis à les relâcher complètement en se concentrant sur la sensation de détente qui envahit alors la région concernée. On passe ainsi en revue tous les muscles, y compris ceux du visage. Cette méthode, facile à appliquer, se pratique habituellement en position couchée (de préférence sur le dos). Une séance complète de relaxation progressive peut durer plus de 1 heure. Cependant, il existe des versions abrégées, d'une durée de 15 à 20 minutes (écoutez l'extrait sonore dans MonLab). On peut même se contenter de 5 minutes, en limitant les exercices aux zones musculaires les plus tendues.

MonLab
extrait sonore : relaxation Jacobson

Le training autogène de Schultz Cette technique, inspirée de l'hypnose, vise à détendre le corps et l'esprit. Il s'agit d'exercices passifs qui reposent sur la suggestion mentale et provoquent une sensation de lourdeur, de chaleur ou encore de fraîcheur dans tous les muscles. Cette technique, très efficace, se pratique allongé sur le dos ou confortablement assis. Une séance peut durer 30 minutes. Mais on peut obtenir une détente profonde après seulement 5 à 10 minutes (écoutez l'extrait sonore dans MonLab).

MonLab
extrait sonore : relaxation Schultz

La méditation Pour méditer, il suffit de s'asseoir confortablement et de chanter ou répéter mentalement, pendant 10 à 20 minutes, de préférence les yeux fermés, un son tel que « a... om ». C'est ce que les hindous et les bouddhistes, notamment, appellent un mantra. Il en existe plusieurs, qui correspondent chacun à niveau de méditation différent. À la place de ce son, on peut aussi prononcer un mot ou visualiser une image qui aide à se détendre. On peut s'asseoir sur une chaise, à l'indienne ou s'adosser à un mur : l'important, c'est d'être à l'aise.

Le yoga Cette gymnastique douce intègre savamment l'art de respirer, l'art d'assouplir les muscles et l'art de méditer. Il existe une multitude de positions, appelées *asanas*, dans lesquelles on respire tantôt normalement, tantôt profondément. Chaque position doit être maintenue de 20 à 30 secondes. C'est pourquoi on parle souvent de « poses » de yoga. Si vous êtes patient et persévérant, vous pourrez maîtriser les *asanas* les plus difficiles après 2 ou 3 ans de pratique assidue.

Le taï-chi Si le yogi bouge peu, l'adepte du taï-chi, lui, bouge continuellement. Il déploie, lentement et en silence, les bras et les jambes dans des directions bien précises, en une suite de mouvements amples et circulaires. Le taï-chi donne une impression de grande légèreté, comme si on dansait au fond de l'eau. Même la respiration, parfaitement synchronisée avec les mouvements, se fait au ralenti. Il s'agit d'un art martial chinois, qu'on peut pratiquer comme une gymnastique douce. En plus de détendre, le taï-chi améliore l'équilibre dynamique, la posture, l'endurance et la coordination musculaires.

La visualisation Cette technique, qu'on appelle aussi imagerie mentale, consiste à simuler mentalement des actions réelles. Plus on la pratique, plus les images se précisent et se clarifient. Ainsi, lorsqu'ils visualisent une course de ski de fond, certains athlètes arrivent à ressentir le froid et à entendre le glissement des skis sur la neige ! La visualisation est bénéfique pour les sportifs, mais elle peut aussi aider à se préparer à une entrevue, à un exposé ou à une rencontre importante. Comment fait-on ? Rien de plus simple. Calez-vous dans un fauteuil, les yeux fermés, et passez-vous mentalement le film de l'entrevue, de l'exposé ou de la rencontre. Imaginez les questions qu'on vous posera et les réponses que vous donnerez. Par exemple, vous pouvez visualiser la façon dont vous serez assis devant vos interlocuteurs ou vous imaginer en train de faire votre exposé devant la classe. Où vos mains sont-elles posées sur le lutrin ? Que ressentez-vous dans les muscles de votre cou et de vos épaules ? Répétez plusieurs fois cet exercice de visualisation. Quand vous serez dans la situation réelle, vous vous sentirez rassuré parce que vous l'aurez déjà vécue plusieurs fois dans votre tête.

PLAN DE MATCH POUR CHANGER UN COMPORTEMENT

Gérez-vous bien votre temps ?

Répondez aux questions qui suivent pour le savoir.

	OUI	NON
Remettez-vous régulièrement au lendemain ce que vous avez à faire ?	☐	☐
Acceptez-vous plus de responsabilités que vous ne pouvez en assumer ?	☐	☐
Êtes-vous régulièrement en retard à vos cours, dans vos travaux de session, à vos rendez-vous ou à votre travail ?	☐	☐
Manquez-vous souvent de temps pour vous amuser avec vos amis ou vos proches ?	☐	☐

Si vous avez répondu *oui* à toutes ces questions ou presque, vous gagneriez à mieux gérer votre temps.

Voici quelques conseils simples pour y parvenir, réduire votre niveau de stress et être plus efficace dans vos études ou au travail.

Dès demain, vous...

- planifierez votre temps en utilisant votre cellulaire, votre tablette numérique ou votre agenda. Vous y inscrirez **un horaire que vous pouvez respecter**, tout en prévoyant du temps pour des événements imprévus et même des retards.
- déterminerez quelles modifications apporter à votre emploi du temps afin de mieux utiliser votre temps libre (par exemple, réduire le temps passé à regarder des émissions de télé, à texter ou à « twitter »).

D'ici à deux semaines, vous...

- vous fixerez à court terme des objectifs de type « SMART » que vous pouvez atteindre.
- dresserez une liste de tâches que vous classerez par ordre de priorité décroissante et que vous respecterez. **Votre objectif est de réaliser chaque jour les trois tâches les plus importantes de votre liste.**
- prévoirez du temps pour vous-même. Chaque jour, vous vous accorderez un moment pour vous détendre ou faire quelque chose qui vous amuse, c'est-à-dire une activité non stressante.

D'ici à la fin de la session, vous...

- vous délesterez de certaines responsabilités. Par exemple, si vous participez à des projets de groupe ou des organisations étudiantes, partagez certaines responsabilités qui vous pèsent, ou déléguez-les, afin de réduire votre niveau de stress. Vous cesserez ainsi de vous éparpiller et apprendrez aussi à dire non à des activités ou des demandes qui vous empêchent d'atteindre vos objectifs.
- réévaluerez vos progrès et vos objectifs afin de faire les ajustements nécessaires.

LE SOMMEIL

Le manque de sommeil touche tout le monde. Ainsi, entre 2000 et 2010, les nuits de sommeil des élèves québécois ont raccourci de près de 20 minutes, ce qui équivaut à plus de 120 heures de sommeil de moins par année[1] ! Si nous dormons de moins en moins (figure 11.4), c'est à cause de nombreux facteurs, à commencer par le stress. **Stress et sommeil, en effet, sont indissociables.** Vous vous souvenez de Laurent qui travaille 22 heures par semaine alors qu'il est en deuxième année du cégep ? Quand ses notes ont commencé à baisser, il est devenu de plus en plus préoccupé et tendu. Au point qu'il avait du mal à trouver le sommeil. Difficile de bien dormir quand on a l'estomac noué et la tête pleine de soucis !

FIGURE 11.4 On dort de moins en moins !

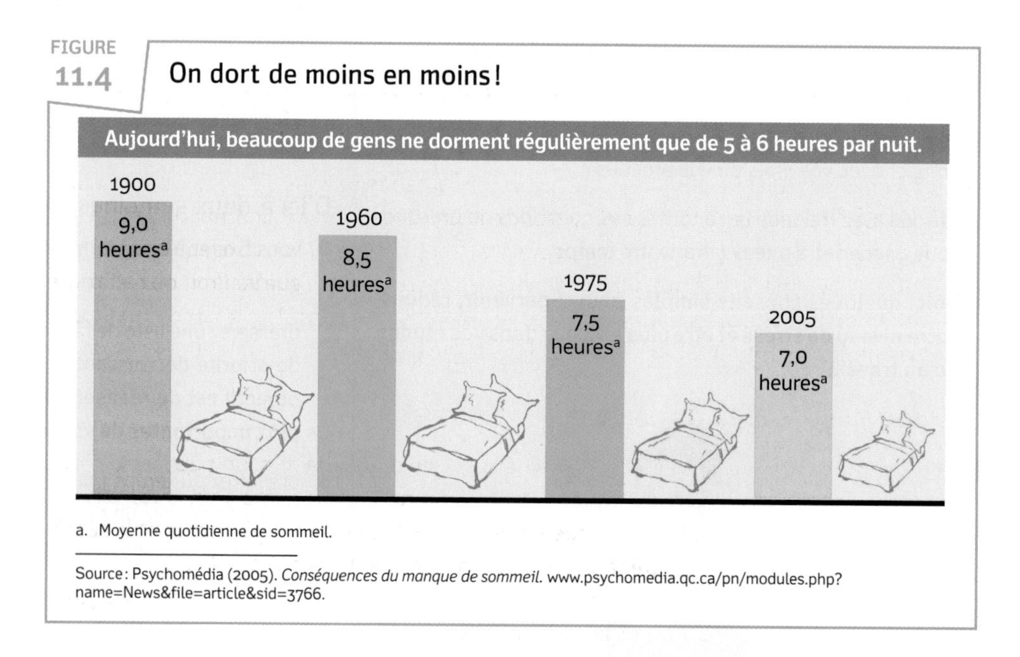

a. Moyenne quotidienne de sommeil.

Source : Psychomédia (2005). *Conséquences du manque de sommeil.* www.psychomedia.qc.ca/pn/modules.php?name=News&file=article&sid=3766.

Parmi les autres facteurs qui nuisent au sommeil, retenons en particulier la perturbation du cycle veille-sommeil, la consommation de substances qui stimulent le système nerveux central, ainsi que l'abus de la navigation dans Internet (chapitre 12).

1. Selon un sondage effectué en 2010 par la Fédération des établissements d'enseignement privés (FEEP)

La perturbation du cycle veille-sommeil

Ce cycle régule les heures d'éveil et d'endormissement. Il dépend de l'horloge biologique située dans l'hypothalamus, lequel est informé par nos yeux du degré de luminosité naturelle dans notre environnement extérieur. **Cette horloge fonctionne, *grosso modo*, sur une période de 24 heures, d'où l'expression « rythme circadien »** (du latin *circa diem*, presque un jour). **Pour bien fonctionner, l'horloge biologique a besoin d'un horaire régulier.** Pour preuve, notre rythme circadien est perturbé lorsqu'on souffre du décalage horaire, et on a alors de la difficulté à s'endormir. Si ce rythme est régulièrement brisé parce qu'on se couche rarement à la même heure (un soir à 23 heures, le lendemain à minuit et demi, le surlendemain à 22 heures), l'horloge interne se dérègle ; on risque de s'endormir plus difficilement. Enfin, notre environnement baigne dans une lumière artificielle, et l'activité humaine se déroule désormais 24 heures sur 24, ce qui contribue également à réduire la durée du sommeil.

La consommation de substances qui stimulent le système nerveux central

Sont ici en cause le café, bien sûr, mais aussi les boissons énergisantes populaires (chapitre 10). Ces dernières contiennent toutes de la caféine, parfois à un taux très élevé. Or, la caféine stimule le système nerveux central, ou le réveille. Par conséquent, si vous consommez ce type de boissons dans la soirée, vous risquez de garder l'œil ouvert toute la nuit. Boire de l'alcool ou fumer, surtout le soir, stimule aussi le système nerveux et retarde l'endormissement.

Les longues heures passées dans Internet

Que ce soit pour les études, le divertissement ou les deux à la fois, on peut passer des heures à naviguer dans Internet, souvent sans s'en rendre compte. De plus, la luminosité de l'écran de l'ordinateur, plus accentuée que celle de la télévision, perturberait la sécrétion de mélatonine (hormone qui favorise l'endormissement), ce qui décalerait le moment où l'on s'endort. Cette activité peut conduire à la longue à la **cyberdépendance** (chapitre 12) et affecter sérieusement la qualité du sommeil.

Au bout du compte, quels que soient les facteurs qui perturbent le sommeil, il y a des effets secondaires. Passer une mauvaise nuit de temps en temps n'a pas d'effets secondaires majeurs : on est un peu somnolent le lendemain, puis tout revient à la normale. Mais si les mauvaises nuits s'accumulent (**Sous la loupe**), la dette de sommeil s'accroît d'autant. Les effets secondaires prennent alors beaucoup d'importance, comme on va le voir.

39 Questionnaire sur les habitudes de sommeil

Êtes-vous un mauvais dormeur ?

Voici quelques indices d'un mauvais sommeil :

- Je me réveille souvent la nuit.
- J'ai de la difficulté à me réveiller et à me lever le matin.
- Je me réveille fatigué et maussade avant d'avoir fait quoi que ce soit.
- Je mets du temps à m'endormir.
- Je m'endors souvent pendant la journée.

Vous reconnaissez-vous dans ces affirmations ? Si oui, consultez les trucs pour bien dormir à la page 395. Vous pouvez aussi obtenir un diagnostic dans **MonLab**.

ZONE ÉTUDIANTE

Avril Bissonnette et Virginie Coulombe

COLLÈGE ÉDOUARD-MONTPETIT

Toutes deux âgées de 19 ans, Avril et Virginie nous racontent comment la pratique de l'aviron les a amenées à modifier une habitude de vie.

Avril Bissonnette

Il y a maintenant un peu plus de six ans, je tentais de trouver un nouveau sport d'été, car j'avais un peu trop de difficulté à manier un ballon de soccer! C'est alors que, par l'entremise d'amis, j'ai découvert l'aviron au Club d'aviron de Boucherville.

Un sport inusité, trouvez-vous? Je concède que l'aviron est plutôt méconnu au Québec, mais il demeure néanmoins une force canadienne aux Jeux olympiques ! Évidemment, ce fut le coup de foudre et depuis, je n'ai cessé de m'entraîner.

Par chance, depuis le début de mes études en sciences de la santé, je réussis à combiner mes travaux scolaires avec l'aviron dans le cadre du programme sport-études. Ainsi, j'ai pu alléger mon horaire afin de pouvoir récolter quelques médailles à l'échelle nationale.

Depuis mon passage au niveau senior en aviron, je dois contrôler mon poids afin de ramer dans la catégorie poids léger. J'ai donc dû expérimenter les meilleurs moyens d'atteindre mon poids voulu tout en gardant un niveau optimal d'énergie à l'entraînement et en compétition.

Évidemment, je dois souvent me rappeler que mon corps est en quelque sorte une machine demandant de l'énergie de qualité afin de performer. Néanmoins, je vous avoue que parfois, le chocolat et la crème glacée semblent très alléchants! Je me permets donc de temps en temps quelques écarts, car j'ai compris qu'une alimentation saine se devait d'être équilibrée et non parfaite!

Aussi, je conseille d'expérimenter plusieurs types d'aliments sains afin de trouver ceux qui vous plaisent réellement au goût. Mes découvertes: le fromage cottage, les galettes de riz, les saucisses au soya, les mangues congelées, le saumon en croûte d'épices, les sautés de légumes, les mini-biscottis avec un bon café, et j'en passe!

Bon appétit !

Virginie Coulombe

Durant mes études collégiales, beaucoup de mon temps était consacré à mon entraînement. J'ai alors compris l'importance du sommeil. Effectivement, à cause de mon entraînement matinal, le réveil se faisait tôt et était parfois pénible.

Rapidement, j'ai fait le lien entre ma motivation et mon degré de fatigue. Selon moi, les habitudes de sommeil sont la base d'une vie saine. La fatigue a des répercussions sur des sphères essentielles de nos vies, notamment la capacité de notre corps à se défendre contre les infections, notre capacité à nous concentrer, le maintien de notre poids santé et évidemment notre humeur. Il est évident que la quantité de sommeil nécessaire est propre à chacun et qu'il est important de la connaître pour la respecter.

Parfois, on voudrait bien dormir, mais c'est notre corps qui dit non. **L'insomnie est un problème auquel beaucoup d'étudiants doivent faire face.** Être insomniaque peut être angoissant. On se sent pris dans un cercle vicieux: moins on dort, plus on est stressé et plus on est stressé, moins on dort. Dans ce genre de situation, il importe de rester calme.

Voici quelques trucs en cas d'insomnie : allumer une lampe et lire un peu, éviter de regarder l'heure, se lever et aller boire un verre d'eau ou même écouter sa respiration.

Bref, il ne faut pas sous-estimer le pouvoir d'une bonne nuit de sommeil!

Les conséquences d'une insuffisance de sommeil

Lorsqu'on manque de sommeil la nuit, on en vient à s'endormir le jour. Et c'est normal, car il faut bien que l'organisme récupère. L'insuffisance de sommeil peut avoir d'autres conséquences fâcheuses.

Une baisse marquée de la concentration et de la vigilance le jour

Si vous vous endormez au cégep, il est peu probable que vous soyez attentif et performant durant vos cours. Ainsi, des chercheurs américains[1] ont constaté que **la vigilance pouvait baisser de plus de 30 % après une seule mauvaise nuit**. Imaginez ce qu'il en est après plusieurs mauvaises nuits ! En fait, un manque chronique de sommeil aboutit rapidement à une baisse des notes. Manquer de sommeil n'est pas sans conséquence non plus au travail ou sur la route. On estime que de **20 à 25 % des accidents de voiture sont dus à la fatigue au volant** et que le manque de sommeil serait la cause principale d'un grand nombre des erreurs humaines entraînant des accidents parfois catastrophiques.

Des sautes d'humeur

Un déficit de sommeil affecte aussi l'humeur. **Il est bien difficile d'être enthousiaste et serein quand on est fatigué !** En fait, on devient irritable et parfois même colérique pour un rien. Au bout de cette route parsemée de sautes d'humeur, c'est la dépression qui pointe.

Un affaiblissement du système immunitaire et un gain de poids

Le manque de sommeil, ce qui est étonnant à première vue, favorise la prise de poids. Selon plusieurs recherches effectuées aux États-Unis et au Québec, en particulier à l'Université Laval, les personnes qui dorment peu (entre 4 et 5 heures par nuit) présentent des taux plus faibles de **leptine**. Or, cette hormone, sécrétée par le tissu adipeux, stimule la dépense énergétique et régule la faim. De plus, le manque de sommeil est souvent associé à un excès de stress, deux situations qui stimulent la production continue de **cortisol**, une hormone qui diminue la production d'anticorps et favorise donc la fatigue et les infections de toutes sortes, du feu sauvage qui réapparaît à la grippe qui frappe en pleine période d'examens.

En somme, troubles de la concentration, manque d'énergie, sautes d'humeur, réflexes ralentis, risque accru d'accidents et de blessures, embonpoint et moindre résistance à la maladie, tel est le lot des mauvais dormeurs.

1. M.H. Bonnet et D. L. Arand, (1995). We are chronically sleep deprived. *Sleep*, *18* (10), 908-911.

Les bénéfices d'une bonne nuit de sommeil

À quoi le sommeil sert-il au juste ? Il permet bien sûr de se reposer. Mais il a aussi d'autres effets bénéfiques importants sur notre organisme et notre bien-être.

Le repos des disques intervertébraux

La position horizontale permet aux muscles de se détendre et aux disques intervertébraux de retrouver leur épaisseur initiale. C'est pour cette raison, d'ailleurs, qu'on est toujours un peu plus grand au réveil qu'au coucher.

Le moment de grande décompression de la journée

Le sommeil agit aussi sur notre mental. Pendant quelques heures, on oublie ses soucis et les différents stress de la journée.

L'autoréparation de l'organisme et sa remise à niveau

Pendant qu'on dort, la peau se renouvelle, les petites blessures cicatrisent, les muscles produisent plus de protéines, les organes sécrètent des hormones (prolactine, hormone de croissance, mélatonine, ou hormone du sommeil, etc.), le système immunitaire se renforce et la mémoire se consolide (grâce aux rêves, notamment). **Bref, le sommeil retape la machine et la prépare pour la période d'éveil**. Ces effets surviennent plus précisément pendant la période de sommeil lent profond (**Sous la loupe**).

Les stades du sommeil

Le sommeil est constitué de cinq stades, ou phases. Le **stade 1**, ou endormissement, marque la transition entre l'état d'éveil et le sommeil. Il dure entre 5 et 15 minutes, selon les individus, quand on se met au lit et après qu'on s'est réveillé brièvement la nuit. Il représente de 5 à 10 % du temps de sommeil. Le **stade 2**, ou sommeil lent léger, est associé à un pouls et une respiration plus lents. À ce stade, qui constitue de 40 à 50 % du temps de sommeil, on a vaguement conscience des bruits extérieurs et il est facile de se réveiller. Les **stades 3 et 4**, ou sommeils lents profond et très profond, surviennent habituellement dans la première moitié de la nuit. C'est à ces stades très importants, qui représentent de 10 à 20 % du temps de sommeil, que le corps récupère vraiment et s'autorépare. Enfin, le **stade 5**, ou sommeil paradoxal, se caractérise par des mouvements oculaires rapides et une très grande détente musculaire. Il constitue de 20 à 25 % du temps de sommeil, et correspond aux moments où l'on rêve. **En fait, quand on se réveille, le matin, c'est souvent au sortir d'un sommeil paradoxal.**

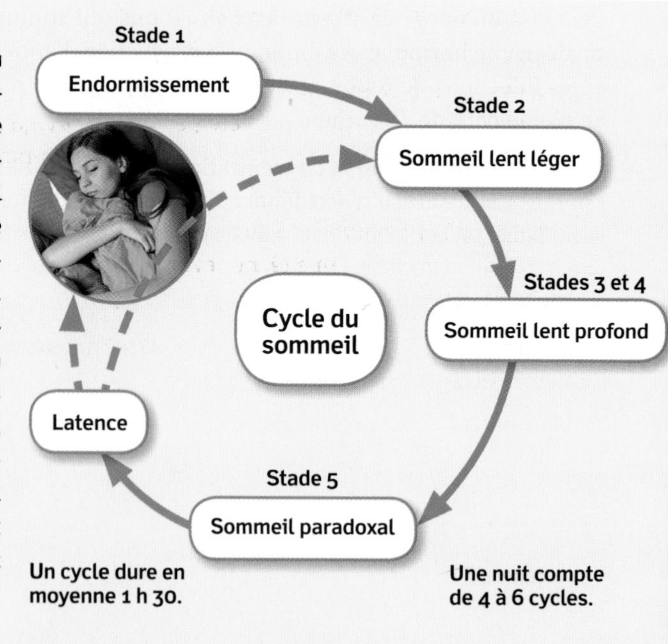

Quelques trucs pour bien dormir

Selon les chercheurs qui s'intéressent au sommeil, un adulte a besoin, chaque jour, de 8 heures de sommeil en moyenne. Toutefois, bien dormir n'est pas seulement une question de quantité ; **la qualité du sommeil est également un facteur important**. C'est pourquoi certains ne dorment que 6 ou 7 heures par nuit et se lèvent frais et dispos. D'autres ont besoin de dormir 9 heures. D'autres encore dorment 10 heures, mais se lèvent de mauvaise humeur. Alors, que faut-il faire pour bien dormir ? De petites choses fort simples et à la portée de tout le monde.

- ✓ Couchez-vous et levez-vous à des heures régulières. Le corps a besoin d'un horaire constant pour bien dormir.
- ✓ Si le sommeil ne vient pas au bout de 15 à 20 minutes, levez-vous ! Il ne sert à rien, en effet, de procrastiner dans le lit. Pour vous détendre ou vous changer les idées, prenez un bain chaud, faites quelques respirations abdominales ou lisez un peu jusqu'à ce que vous ayez de nouveau sommeil.
- ✓ Faites au moins 30 minutes d'exercices aérobies[1] pendant le jour, à l'extérieur autant que possible. Les exercices pratiqués à la lumière naturelle favoriseraient davantage le sommeil lent profond que ceux pratiqués à l'intérieur sous un éclairage artificiel.
- ✓ Si vous avez l'habitude de grignoter au cours de la soirée, optez pour une collation légère ou simplement pour un verre de lait. Le lait contient du **tryptophane**, un acide aminé qui facilite le sommeil. De plus, si vous mangez « lourd », la phase d'endormissement risque d'être retardée par l'activité digestive.
- ✓ Évitez l'abus d'alcool en soirée. Certes, il peut favoriser l'endormissement, mais vous risquez de vous réveiller en pleine nuit. Et de vous lever le matin avec la « gueule de bois » !
- ✓ N'abusez pas d'Internet ni de l'ordinateur en général. La luminosité de l'écran et l'activité cérébrale prolongée peuvent dérégler votre horloge interne. Vous risquez de rater l'appel du sommeil. En fait, c'est comme si vous ratiez un train : vous devez alors attendre le prochain, et cela peut être long.
- ✓ Enfin, si vous ne parvenez pas à vous endormir parce que vous n'avez pas terminé un travail ou accompli une tâche, levez-vous et travaillez-y un peu. Vous aurez l'esprit apaisé et vous vous endormirez plus facilement.

Consultez **MonLab** à la rubrique « Pour en savoir plus ». Vous y trouverez des suggestions de lecture et des sites Internet à visiter.

Pour en savoir plus

1. En mode continu ou par blocs de 10 ou 15 minutes.

VRAI OU **FAUX** ? RÉPONSES

1. **Les gens stressés ont plus de risques d'engraisser.** VRAI ! Plusieurs études épidémiologiques ont mis en évidence un lien entre stress et gain de poids. Les personnes stressées ont tendance à accroître leur apport alimentaire. De plus, le cortisol, une hormone intimement liée à la phase de résistance au stress (p. 382), favoriserait l'accumulation de graisse au niveau de l'abdomen. Toutefois, le stress chronique et prolongé aurait plutôt tendance à causer une perte graduelle de poids.
2. **Nous avons tous besoin de 8 heures de sommeil par nuit.** FAUX ! En moyenne, nous avons besoin de 8 heures de sommeil par jour, mais ce n'est qu'une moyenne. Certaines personnes dorment moins et d'autres, plus. Celles qui dorment peu (de 5 à 6 heures par nuit) sans que cela affecte leur quotidien ont une phase de sommeil léger très brève et une phase de sommeil profond plus longue (Sous la loupe, p. 394).
3. **Tout stress est nuisible à la santé.** FAUX ! Tout le monde vit des situations stressantes. Dans certains cas, le stress est même bénéfique, car il améliore la performance. Par exemple, se préparer à un examen ou pour une entrevue importante engendre un état de stress qui peut nous permettre de mieux nous préparer. Le stress devient nuisible quand il nous plonge dans une situation de conflit qui ne se résout pas.

AU FIL D'ARRIVÉE !

Le stress n'est en soi ni bon ni mauvais; c'est une **réaction d'adaptation** plus ou moins forte de l'organisme à une situation donnée. Cette réaction libère des hormones (adrénaline, noradrénaline, cortisol) qui préparent le corps à l'action, c'est-à-dire à fuir ou à réagir physiquement. Hélas! de nos jours les situations stressantes sont davantage d'ordre **émotionnel** que physique. Le cerveau détecte cependant ces situations comme une menace et produit une réponse de stress: il nous fournit l'énergie nécessaire pour combattre ou fuir. Mais, la plupart du temps, l'énergie mobilisée n'est d'aucune utilité pour répondre à un stresseur émotionnel. L'énergie, non libérée, s'accumule alors, ce qui finit par nuire à la santé. Avant que le stress émotionnel ne devienne nuisible, il passe par trois phases: la **phase d'alarme** (alerte physiologique immédiate), la **phase de résistance** (le stress se prolonge indûment) et la **phase d'épuisement** (le corps craque). De plus, pendant la phase de résistance, le stress est devenu chronique et se traduit par un taux élevé et permanent de cortisol dans le sang, augmentant le risque de diabète de type 2 et de maladies cardiovasculaires.

S'il n'est pas possible d'éviter toutes les situations de stress, on peut les gérer grâce à certaines stratégies:

- Évaluer d'abord son niveau de stress.
- Déterminer les sources de stress et les éviter autant que possible.
- Dédramatiser les situations stressantes.
- Recourir à des « chasse-stress » tels que l'activité physique et les techniques de relaxation.
- Dormir suffisamment.

Nom: ______________________ Groupe: ____________ Date: ____________

Remplissez les cases vides du schéma à l'aide des mots-clés suivants:

la méditation ☐ le sommeil ☐ l'insomnie ☐ l'interruption de la digestion ☐ de cortisol ☐ les chasse-stress ☐ la perturbation du cycle veille-sommeil ☐ d'adrénaline ☐ la phase d'alarme ☐ l'accélération du pouls ☐

le stress

est → une réaction d'adaptation non spécifique devant une situation donnée

qui perdure passe, dans l'ordre, par → ____________ ; la phase de résistance ; la phase d'épuisement

____________ provoque une poussée → ____________ ; de noradrénaline ; ____________

____________ ; la dilatation des bronches ; ____________ ; l'afflux massif de sucre dans le sang → sont des effets physiologiques immédiats associés à → une réaction d'adaptation non spécifique devant une situation donnée

la phase de résistance, la phase d'épuisement → conduisent à → un état de stress chronique

un état de stress chronique → se caractérise par → ____________ ; une immunité affaiblie ; une anxiété chronique ; des maux de tête fréquents → et entraîne à la longue → un risque accru de maladies cardiovasculaires et de diabète de type 2

un état de stress chronique → perturbe → ____________

____________ → permettent de contrôler → le stress

____________ → sont notamment → l'activité physique ; les techniques de relaxation

l'activité physique, les techniques de relaxation → favorisent → ____________

les techniques de relaxation → comprennent → la méthode de Jacobson ; ____________ ; la visualisation

____________ → est aussi affecté par → ____________ ; la consommation de substances stimulantes ; l'abus d'Internet

À VOS MÉNINGES 11

Nom: ____________ Groupe: ____________ Date: ____________

1 Indiquez trois effets physiologiques immédiats du stress.

1. Libération d'endorphines
2. Dilatation des pupilles
3. Accélération du pouls et de la respiration

2 Citez trois « chasse-stress » efficaces.

1. Faire de l'activité physique
2. Pratiquer une technique de relaxation
3. pratiquer la respira adbominale

3 Indiquez trois effets associés au « surstress ».

1. Palpitations cardiaques
2. Maux de tête fréquents
3. problème digestif

4 Le syndrome général d'adaptation se développe en trois phases. Quelles sont-elles ?

1. La phase de la résistance
2. de l'alarme
3. de l'épuisement

5 Complétez les phrases suivantes.

a) Le cortisol est libéré de façon continue pendant la phase de résistance.

b) L'adrénaline est libérée pendant la phase alarme.

c) À la longue, le stress chronique favorise notamment un taux élevé et permanent de cortisol dans le sang, ce qui augmente le risque de diabète de type 2 et de maladies cardiovasculaires.

6 Nommez trois stratégies antistress.

1. Mettre le doigt sur ce qui nous stress
2. Faire de l'exercise
3. Utiliser au besoin des technique de relaxation

À VOS MÉNINGES 11

Nom : ______________________ Groupe : ____________ Date : ____________

7 Parmi les affirmations suivantes, laquelle définit le mieux le stress ?

- ☐ **a)** C'est un mal de vivre chronique.
- ☐ **b)** C'est un état de tension psychique.
- ☐ **c)** C'est le mal du siècle.
- ☒ **d)** C'est une réaction d'adaptation non spécifique de l'organisme.

8 Les techniques de relaxation ont des effets bénéfiques lorsqu'on est stressé. Citez-en trois.

1. Diminuent la pression artèrielle chez l'hypertendu
2. Ralentissement le pouls
3. Ralentissement la respiration

9 Complétez les phrases suivantes.

a) Selon les experts, la manière de percevoir le stress influe beaucoup plus sur l'état psychologique que le stress lui-même.

b) Plus le nombre d'heures de travail est èlevé, plus l'étudiant qui travaille réduit le temps consacré à l'étude en dehors des heures de présence aux cours, et plus ses note ont tendance à baisser.

c) L'imagerie mentale consiste à stimulè mentalement des actions réelles.

10 Nous dormons de moins en moins. Citez deux facteurs expliquant cette tendance.

1. La perturbation du cycle Veille-Someil
2. La consommation de substance qui stimulent le systère nerveux central lestress

11 Le manque de sommeil entraîne diverses conséquences néfastes. Nommez-en trois.

1. les sautes d'humeur
2. les troubles de la concentration
3. les réflexe rauntis

12 Citez deux substances qui stimulent le système nerveux central.

1. Tabac, Alcool
2. Boissonènergissante

13 Complétez la phrase suivante.

Pendant qu'on dort, l'organisme s'auto répare : la peau se renouvelle, les petites blessures cicatrisent, les muscles produisent plus de protéines, les organes sécrètent des hormones (prolactine, hormone de croissance, mélatonine, ou hormone du sommeil, etc.), le système immunitaire se renforce et la mémoire se consolide, grâce aux rêves, notamment.

Nom : ______________________ Groupe : ____________ Date : ____________

DÉTERMINEZ VOTRE NIVEAU DE STRESS

ÉTAPE A Votre niveau de stress

Pour évaluer votre niveau de stress, lisez chacune des affirmations suivantes, puis indiquez si elle vous correspond souvent ou rarement. Faites le total de la colonne « souvent », et interprétez votre résultat. Vous pouvez aussi obtenir un diagnostic dans MonLab.

MonLab
40 Questionnaire sur le stress

		Souvent	Rarement
1.	Je serre les mâchoires pendant le jour.		
2.	J'ai une sensation de point entre les omoplates.		
3.	J'essaie de tout faire en même temps.		
4.	Je perds facilement le contrôle de moi-même.		
5.	Je me fixe des buts irréalistes.		
6.	J'ai les muscles tendus à l'état de repos.		
7.	J'ai de la difficulté à m'endormir.		
8.	Je fais une montagne d'un rien.		
9.	J'ai des maux de tête dus à des muscles crispés.		
10.	J'ai de la difficulté à prendre des décisions.		
11.	Je trouve que tout est compliqué.		
12.	Je me sens pressé ou débordé.		
13.	Je ressens de l'anxiété à l'idée de rencontrer de nouvelles personnes.		
14.	Je m'inquiète de mon orientation ou de mes résultats scolaires.		
15.	Je trouve que la vie n'a pas de sens ou j'ai même des idées suicidaires.		
16.	Je me plains de manquer d'argent.		
17.	Je recours à des psychotropes (substances qui agissent sur l'état d'esprit) comme l'alcool ou les hallucinogènes pour oublier mes soucis.		
18.	Je ressens une fatigue physique ou mentale.		
19.	Je sens comme une boule ou des brûlures dans l'estomac.		
20.	Je ne m'occupe pas de mes symptômes de stress ou je les nie.		
21.	Je remets à plus tard ce que j'ai à faire (des travaux, par exemple).		
22.	Je ne trouve pas le temps de me détendre dans la journée.		
23.	J'ai de la difficulté à être aimable.		
24.	J'ai l'impression de courir toute la journée.		
25.	Je suis incapable de me concentrer.		
26.	J'ai des relations tendues avec mes proches (parents, frères, sœurs, etc.).		
	TOTAL		

Nom : ______________________ Groupe : ____________ Date : ____________

Ce que votre résultat signifie…

- **7 « souvent » et moins : niveau de stress faible.**
  Vous êtes vraiment très décontracté ! Vérifiez cependant si vous ne ratez pas des occasions de relever des défis intéressants en essayant à tout prix d'éviter les problèmes.
- **De 8 à 13 « souvent » : niveau de stress moyen.**
  Vous jouissez d'un bon équilibre. Votre stress et votre capacité à le maîtriser se compensent.
- **De 14 à 20 « souvent » : niveau de stress élevé.**
  Attention, vous approchez de la zone dangereuse. Appliquez des stratégies pour mieux gérer votre stress (p. 384-389) et refaites le test dans un mois.
- **21 « souvent » et plus : niveau de stress très élevé.**
  Alerte rouge ! Cherchez dès maintenant de l'aide auprès d'un thérapeute, d'un proche, d'un ami, etc., et réexaminez votre mode de vie. Sans plus tarder, faites de l'exercice et pratiquez la relaxation avant que le couvercle de la marmite ne saute !
- **Et si vous avez coché « souvent » à l'affirmation 15.**
  Consultez sans tarder le site www.cpsquebec.ca/ ou contactez le 1-866-appelle.

Source : Adapté du questionnaire de l'Association canadienne pour la santé mentale (www.cmha.ca/bins/content_page.asp ?cid=4-42-216&lang=2).

ÉTAPE B Les facteurs associés à votre niveau de stress

Quand on est stressé, on peut certes, dans l'immédiat, faire de l'exercice et de la relaxation pour se détendre et réduire son niveau d'anxiété. Mais il faut par la suite déterminer les sources ou facteurs de stress si on veut agir en amont, c'est-à-dire sur les causes. La plupart des affirmations présentées à l'étape A correspondent à des facteurs qui favorisent la montée du stress. En vous inspirant de ces affirmations, mais aussi de votre situation personnelle, déterminez les deux principaux facteurs de stress dans votre vie.

Facteur de stress 1 ______________________

____

____

Facteur de stress 2 ______________________

____

____

Nom : ______________________ Groupe : ____________ Date : ____________

DRESSEZ VOTRE PLAN D'ACTION POUR MIEUX MAÎTRISER LE STRESS

Si votre niveau de stress est élevé ou très élevé, ce plan d'action est conçu pour vous. Il vous amène, en deux étapes, à adopter des mesures concrètes pour réduire votre niveau de stress.

ÉTAPE A Votre objectif

Votre objectif doit être de type « SMART », c'est-à-dire **S**pécifique, **M**esurable, orienté vers l'**A**ction, **R**éaliste et limité dans le **T**emps. Pour vous aider à choisir votre objectif, relisez les deux principaux facteurs de stress que vous avez déterminés au bilan 11.1 et retenez-en un. Par exemple, si vous faites une montagne d'un rien, vous pourriez transformer ce facteur de stress en l'objectif « SMART » suivant : « Dès lundi prochain, je m'efforcerai tous les jours de dédramatiser les situations qui me stressent. Je me donne un mois pour y parvenir. » Votre objectif est **spécifique** (dédramatiser les situations stressantes), **mesurable** (je m'y efforcerai tous les jours), orienté vers l'**action** (dès lundi prochain), **réaliste** (se donner un mois pour apprendre à relativiser les situations est réaliste) et limité dans le **temps** (un mois).

Mon objectif est le suivant : ______________________

Précisez en quoi il est :

Spécifique : ______________________

Mesurable : ______________________

Orienté vers l'action : ______________________

Réaliste : ______________________

Limité dans le temps : ______________________

ÉTAPE B Les moyens choisis pour atteindre votre objectif

L'un des moyens les plus efficaces pour atteindre votre objectif et réduire votre niveau de stress est de tenir une **fiche de suivi, ou journal de bord**. Vous y noterez les situations qui vous ont stressé et, surtout, comment vous avez réagi chaque fois. En somme, il s'agit de vous exercer à contrôler vos émotions, sans exagérer toutefois, **afin de réduire votre niveau de stress au quotidien**. Voici un journal de bord qui vous y aidera. **En cas de besoin, vous pouvez en télécharger une version allongée à partir de** MonLab.

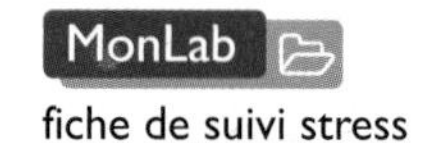

fiche de suivi stress

Nom : ______________________ Groupe : __________ Date : __________

Exemple de journal de bord

Jour où la situation perçue comme stressante est survenue[a]	Décrivez brièvement la situation et votre réaction	Avez-vous réussi à maîtriser la situation stressante[b] ?
☑ L ☐ Ma ☐ Me ☐ J ☐ V ☐ S ☐ D	**Situation :** J'avais une entrevue à 16 heures pour un emploi dans une pâtisserie et j'étais très nerveuse. **Ma réaction :** J'ai marché 20 minutes d'un pas rapide vers 15 heures et j'ai fait quelques respirations abdominales avant d'entrer dans le bureau de la gérante.	☐ Oui ☑ En partie ☐ Non
☐ L ☐ M ☐ M ☐ J ☐ V ☐ S ☐ D	______ ______ ______	☐ Oui ☐ En partie ☐ Non

a. Il peut y avoir plus d'un événement stressant par jour. Dans ce cas, prenez deux ou trois lignes au besoin, et cochez le même jour.

b. Vous avez réussi à maîtriser la situation quand vous ne ressentez plus ou ressentez peu vos symptômes habituels de stress.

Journal de bord

Jour où la situation perçue comme stressante est survenue	Décrivez brièvement la situation et votre réaction	Avez-vous réussi à maîtriser la situation stressante ?
☐ L ☐ Ma ☐ Me ☐ J ☐ V ☐ S ☐ D	______ ______ ______	☐ Oui ☐ En partie ☐ Non
☐ L ☐ Ma ☐ Me ☐ J ☐ V ☐ S ☐ D	______ ______ ______	☐ Oui ☐ En partie ☐ Non
☐ L ☐ Ma ☐ Me ☐ J ☐ V ☐ S ☐ D	______ ______ ______	☐ Oui ☐ En partie ☐ Non
☐ L ☐ Ma ☐ Me ☐ J ☐ V ☐ S ☐ D	______ ______ ______	☐ Oui ☐ En partie ☐ Non
☐ L ☐ Ma ☐ Me ☐ J ☐ V ☐ S ☐ D	______ ______ ______	☐ Oui ☐ En partie ☐ Non

Nom : ______________________ Groupe : ____________ Date : ____________

ÉVALUEZ VOTRE RÉSULTAT : AVEZ-VOUS ATTEINT VOTRE OBJECTIF ?

1. Au terme de votre plan d'action, avez-vous atteint votre objectif ?Autrement dit, maîtrisez-vous les facteurs de stress que vous avez déterminés au bilan 11.2 A ?

- ☐ Oui, à 100 %.
- ☐ En partie seulement (s'il y a lieu, précisez en pourcentage : ____________ %).
- ☐ Pas du tout.

2. Si vous n'avez pas atteint votre objectif à 100 %, comment l'expliquez-vous ?

- ☐ Je n'ai pas fait un suivi adéquat de mon plan d'action (pas de journal de bord ou journal tenu en partie seulement).
- ☐ Mon objectif était peut-être trop ambitieux.
- ☐ Mon horaire de cours ou de travail a changé en cours de route et j'ai été débordé.
- ☐ J'aurais dû avoir le soutien de quelqu'un dans cette démarche.
- ☐ Autre (s) raison (s) : ______________________

____

3. Si vous essayez à nouveau de réduire votre niveau de stress, quels changements apporterez-vous à votre plan d'action pour atteindre votre objectif, cette fois?

____

____

____

____

____

____

____

____

VRAI OU **FAUX**?

	V	F
1. On peut devenir obsédé par une activité au point de développer une dépendance à son égard.	☐	☐
2. Prendre un peu d'alcool permet de se réchauffer.	☐	☐
3. Fumer un joint est moins nocif que fumer une cigarette.	☐	☐
4. Il est impossible de développer une dépendance à un médicament d'ordonnance.	☐	☐
5. La dépendance aux jeux de hasard s'apparente à la cyberdépendance et à la dépendance au tabac ou à l'alcool.	☐	☐

Les réponses se trouvent en fin de chapitre, p. 419.

CHAPITRE 12

DITES NON AUX DÉPENDANCES

SUR LA LIGNE DE DÉPART !

VOS OBJECTIFS SONT LES SUIVANTS :

- Définir ce qu'est une dépendance nuisible à la santé.
- Reconnaître les symptômes associés aux dépendances.
- Appliquer des solutions concrètes pour abandonner une dépendance.
- Évaluer vos comportements pour déterminer si vous souffrez ou non de dépendances.

MonLab

Vrai ou faux ?

Autres exercices en ligne

> **Nos habitudes commencent par des plaisirs dont nous n'avons pas besoin et se terminent par des nécessités dans lesquelles nous ne trouvons aucun plaisir.**
>
> THOMAS MCKEOWN

Une **dépendance nuisible à la santé** est le résultat d'une consommation incontrôlée de certains produits (tabac, alcool, drogues, etc.) ou de l'adoption de conduites compulsives (dépendance aux jeux de hasard, cyberdépendance, boulimie, abus de l'exercice, etc.). En somme, **on est devenu dépendant quand on est incapable de changer une conduite potentiellement destructrice qui occupe de plus en plus nos pensées.**

LES CLIGNOTANTS ROUGES DE LA DÉPENDANCE

Comment savoir si vous – ou une personne importante pour vous – souffrez de dépendance à l'égard d'un produit ou d'un comportement nuisible à la santé ? Il faut, d'abord et avant tout, être capable de reconnaître les symptômes de la dépendance.

- ✓ **Le manque.** Éprouve-t-on une envie insatiable de consommer tel produit ou de répéter telle conduite nuisibles (**Sous la loupe**) ?
- ✓ **La perte de contrôle.** En est-on venu à fumer une cigarette, boire un verre ou jouer aux machines à sous, non plus pour le plaisir de la chose, mais parce qu'on ne peut plus s'arrêter ou s'en passer ?
- ✓ **L'indifférence aux conséquences négatives.** Est-on devenu irresponsable au point de négliger ses études, de sécher ses cours, d'échouer à un examen ou encore de s'isoler sur le plan social ?
- ✓ **Le déni.** Refuse-t-on d'admettre qu'on a bien un problème de dépendance ?

La présence d'un ou de plusieurs de ces symptômes indique une dépendance, qui peut-être naissante ou fortement ancrée. La bonne nouvelle, comme on le verra tout au long de ce chapitre, c'est qu'il est possible de se libérer d'une dépendance, même si c'est parfois difficile. **Quand on y parvient, c'est comme une renaissance. Et on peut en être fier parce qu'on sait désormais qu'on peut contrôler sa vie sans l'aide de béquilles.**

Trois dépendances sont particulièrement répandues de nos jours : la dépendance au tabac, à l'alcool et aux drogues illégales. Et ce sont aussi celles qui ont le plus d'incidence sur la santé physique et mentale. Voyons-les de plus près.

SOUS LA LOUPE La chimie de la dépendance

Le cerveau comporte une zone appelée « **circuit de la récompense** » dont le rôle est de contribuer à la modulation du plaisir (voir l'illustration). Il nous procure une sensation de bien-être et de plaisir (récompense) lorsque nous nous livrons à diverses activités qu'on peut qualifier de saines et normales : manger avec des amis, faire une sortie agréable (cinéma, spectacle, etc.), disputer une partie de badminton ou de tennis, faire du jogging ou du yoga, etc. Le circuit de la récompense est stimulé par un neurotransmetteur : la **dopamine**. En consommant un produit ou en se livrant à une activité, on peut augmenter rapidement la quantité de dopamine présente dans le circuit, ce qui amplifie le plaisir ressenti. Or, **on peut devenir accro à certains produits, comme la nicotine ou la marijuana, de façon quasi instantanée**. Il en résulte alors une dépendance qui stimule anormalement ce circuit naturel et peut, à terme, déboucher sur un déséquilibre plus ou moins permanent, ce qui amène à adopter une conduite de plus en plus compulsive et potentiellement dévastatrice pour la santé physique et mentale.

Activation du « circuit de la récompense » par des substances connues pour créer une dépendance

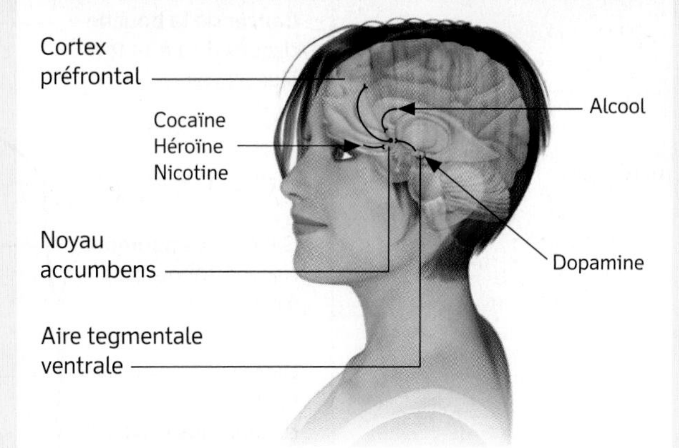

Sources : P. Bernanose (2011). Tabac et drogues : la nicotine, une passerelle prouvée vers la cocaïne. http://blog.santelog.com/2011/11/28/tabac-et-drogues-la-nicotine-une-passerelle-prouvee-vers-la-cocaine-science-translational-medicine/. Addiction Recovery. www.integrativepsychiatry.net/addiction_recovery.html

LE TABAGISME : TOUJOURS LA PLUS MORTELLE DES DÉPENDANCES

Vous ne fumez pas ? Tant mieux ! Mais si vous fumez, cette partie du chapitre vous concerne au plus haut point. Après tout, cette habitude inventée de toutes pièces par l'industrie du tabac il y a à peine un siècle tue, bon an mal an, plus de 4 millions de personnes dans le monde. Imaginez : c'est comme si la moitié de la population du Québec disparaissait en un an ! De plus, avant de mourir pour de bon, le fumeur meurt à petit feu : sa santé et sa qualité de vie se détériorent (**figure 12.1**, p. 408). Il y a cependant une bonne nouvelle : en 33 années, la proportion de fumeurs au Québec est passée de 52 % à moins de 23 %. Cela dit, l'objectif visé ici n'est pas d'insister sur ce que vous savez déjà, à savoir que le tabac est dangereux (avec plus de 50 substances cancérogènes !), mais plutôt de **renforcer votre désir de cesser de fumer si vous êtes fumeur**. Si vous voulez écraser votre dernière cigarette, vous savez mieux que quiconque que ce n'est pas facile.

Pourquoi est-il si difficile d'arrêter de fumer ?

Il est difficile de cesser de fumer parce que la nicotine contenue dans le tabac crée une **dépendance physique**, tout comme la cocaïne et l'héroïne. Autrement dit, l'organisme est en manque quand il n'a pas sa dose. Cette dépendance apparaît dès les premières bouffées : il suffit de fumer quelques cigarettes, et parfois une seule, pour en devenir tributaire. Si l'habitude persiste, ce qui arrive souvent, la dépendance physique se double d'une **dépendance psychologique** (désir obsessif de recommencer). Fumer est alors associé à des moments agréables ou devient un moyen de supporter le stress. Et les raisons invoquées pour fumer ne manquent.

FIGURE 12.1 Portrait d'un tueur en série: le tabac

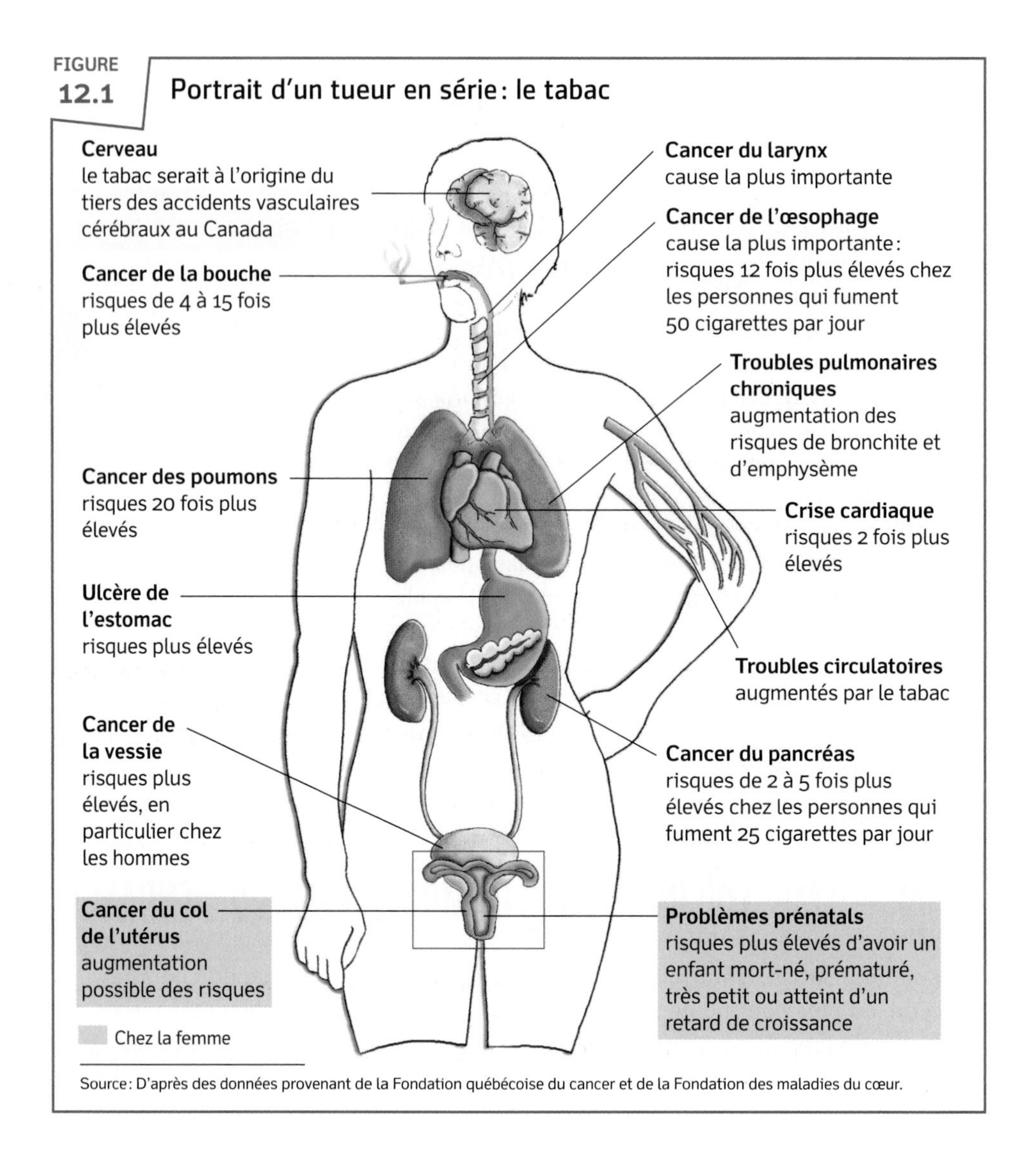

Source: D'après des données provenant de la Fondation québécoise du cancer et de la Fondation des maladies du cœur.

Ainsi, on fume:

- le matin, pour bien commencer sa journée;
- entre deux cours, pour accompagner son café;
- après le souper, pour se détendre;
- après une dispute ou une colère, pour se calmer;
- avant un examen ou une entrevue, pour chasser le stress;
- dans un embouteillage, pour apaiser son impatience;
- quand on s'ennuie, pour passer le temps;
- quand on est fier de soi, pour se récompenser;
- quand on est triste, pour se consoler;
- quand on est préoccupé, pour réfléchir, etc.

Bref, dès qu'on est devenu «nicotinomane», tous les prétextes sont bons pour s'en griller une.

Pour en finir avec le tabac

Si vous êtes décidé à rompre avec cette habitude, voici quelques conseils qui vous seront très utiles.

Commencez par évaluer votre degré de dépendance

Vous trouverez en fin de chapitre un test qui vous permettra d'évaluer à quel point vous êtes accro au tabac (**bilan 12.1 A**). Votre degré de dépendance à la nicotine vous donnera une idée de la difficulté que vous aurez à cesser de fumer.

Demandez-vous quand et pourquoi vous fumez

Posez-vous cette question chaque fois que vous allumez une cigarette et notez vos réponses. Elles vous permettront de savoir quelles situations déclenchent chez vous l'envie de fumer. Vous trouverez en fin de chapitre une fiche qui vous aidera à y voir plus clair (**bilan 12.1 B**).

Adoptez, au besoin, une méthode antitabac pour passer à l'action

Beaucoup de fumeurs remettent à plus tard leur décision en espérant qu'une méthode miracle viendra un jour faire le travail à leur place. Ne vous faites pas d'illusions : c'est impossible. La plupart des ex-fumeurs ont renoncer à la cigarette sans l'aide d'une méthode particulière. Toutefois, certaines méthodes peuvent vous aider à renoncer à cette habitude. Consultez à ce sujet le site *J'arrête* du gouvernement du Québec (www.jarrete.qc.ca) ou le site *Vie100fumer* de Santé Canada (www.hc-sc.gc.ca/hc-ps/tobac-tabac/youth-jeunes/life-vie/index-fra.php).

Prenez la décision au bon moment

Entreprendre de devenir non-fumeur en période de grand stress ou de déprime, c'est courir droit à l'échec. Mieux vaut prendre cette décision quand tout va plutôt bien dans votre vie. Par exemple, nombreux sont ceux qui décident de passer à l'acte pendant leurs vacances ou encore pour faire plaisir à leur nouvel amour. Mettez toutes les chances de votre côté. Le **bilan 11.1 C** vous aidera à évaluer votre degré de motivation à cet égard.

Si vous ne pouvez arrêter d'un coup, réduisez du moins votre consommation

Les recherches ont démontré que les personnes qui ne peuvent pas – ou ne veulent pas – arrêter de fumer sont toutefois capables de réduire leur consommation. Ainsi, vous pouvez cesser de fumer graduellement en réduisant d'abord la quantité de cigarettes que vous fumez chaque jour. En ralentissant votre consommation, vous aurez une idée de ce que sera votre vie sans tabac. Il est toujours plus facile de s'attaquer à un problème en réglant un à un chacun de ses aspects, plutôt qu'en le prenant dans sa globalité. Petit à petit, l'oiseau fait son nid.

Faites de l'exercice

L'activité physique est une façon saine de passer ses nerfs tout en améliorant sa santé physique et mentale. En l'occurrence : a) elle combat le stress qui incite le fumeur à en griller une, puis une autre ; b) elle l'aide à maintenir son poids corporel quand il arrête de fumer. Enfin, reprendre l'activité physique en a incité plus d'un à abandonner la cigarette ou, du moins, à réduire sa consommation. En effet, fumer et s'activer physiquement sont deux activités incompatibles. Le fait de fumer réduit de façon marquée l'apport d'oxygène dans les muscles, à cause du monoxyde de carbone présent dans la fumée inhalée qui vient se fixer sur l'hémoglobine, prenant ainsi la place de l'oxygène. Tout au contraire, s'activer pendant plusieurs minutes requiert plus d'oxygène dans les muscles sollicités. Par conséquent, les fumeurs qui font de l'exercice s'essoufflent plus rapidement. Alors, la conclusion s'impose d'elle-même.

Surveillez votre alimentation

On prend souvent quelques kilos quand on arrête de fumer. La raison en est fort simple : non seulement la cigarette tient la bouche et les doigts occupés, mais elle coupe aussi l'appétit. En cessant de fumer, on est donc porté à remplacer la pause-cigarette par une pause-bouffe. De plus, le métabolisme ralentit un peu dans les premières semaines de sevrage, ce qui facilite l'accumulation des calories, comme on l'a déjà vu (chapitre 10). Pendant les deux premiers mois, vous aurez donc intérêt à surveiller votre alimentation. Et n'oubliez pas ce bon vieux truc : buvez de l'eau quand l'envie de manger (ou de fumer) vous prend, histoire d'apaiser votre estomac.

Ne tentez pas le diable !

Fuyez les lieux, les occasions et les gens qui pourraient vous inciter à fumer. Il est déjà assez difficile de tenir tout seul. Alors, inutile de mettre le nez dans la fumée des autres !

Rappelez-vous que les bénéfices viendront rapidement. Dès les premières heures qui suivront l'abandon de cette habitude mortelle, vous vous sentirez mieux. Et, en peu de temps, votre santé reprendra du poil de la bête (**Sous la loupe**).

Ce qui va changer quand vous cesserez de fumer

Dès les premiers jours, vous aurez meilleure haleine, vos vêtements et vos cheveux ne sentiront plus la fumée, votre odorat s'améliorera, votre sommeil sera plus profond (la nicotine le perturbe) et vous tousserez moins. Au bout d'une semaine, votre sang sera déjà de 5 à 10 % plus riche en oxygène. Au bout d'un an, votre décision vous aura fait économiser des sommes rondelettes : au bas mot 3 000 dollars, si vous fumiez un paquet par jour. De plus, quels que soient votre âge et le nombre d'années durant lesquelles vous avez fumé, l'abandon de la cigarette réduira dès la première année vos risques de crise cardiaque et de cancer du poumon. Si vous êtes enceinte et que vous cessez de fumer à partir du quatrième mois de grossesse, votre bébé aura plus de chances d'atteindre son poids et son développement normaux, donc d'être mieux armé contre les problèmes de santé, y compris une naissance prématurée, que si vous continuez à fumer.

L'ALCOOL : QUAND LA COUPE DÉBORDE

C'est connu, l'alcool améliore l'humeur, rend plus sociable et accentue le plaisir sensoriel. Pourquoi ? Parce qu'il agit sur le « **circuit de la récompense** », la partie du cerveau qui module l'intensité du plaisir (**Sous la loupe**, p. 407). Hélas, le hic avec l'alcool, c'est justement le « Hic ! ». Consommé au-delà d'une certaine quantité (figure 12.2) ou avec certains mélanges (**Sous la loupe**, p. 412), l'alcool :

- perturbe le jugement ;
- affecte la coordination ;
- ralentit le temps de réaction et rend téméraire.

Prendre le volant dans ces conditions augmente de 40 % les risques d'accident de la route, et si ce dernier se produit, il est mortel trois fois sur dix, et cause des blessures graves deux fois sur dix. Dans les pays industrialisés, la consommation excessive d'alcool est responsable de la moitié des décès résultant d'un accident de la route. Et, parmi ces décès, on compte les personnes sobres qui se trouvaient en compagnie du conducteur ivre ou celles qu'il a heurtées.

FIGURE 12.2 Du Aaah! au Hic !

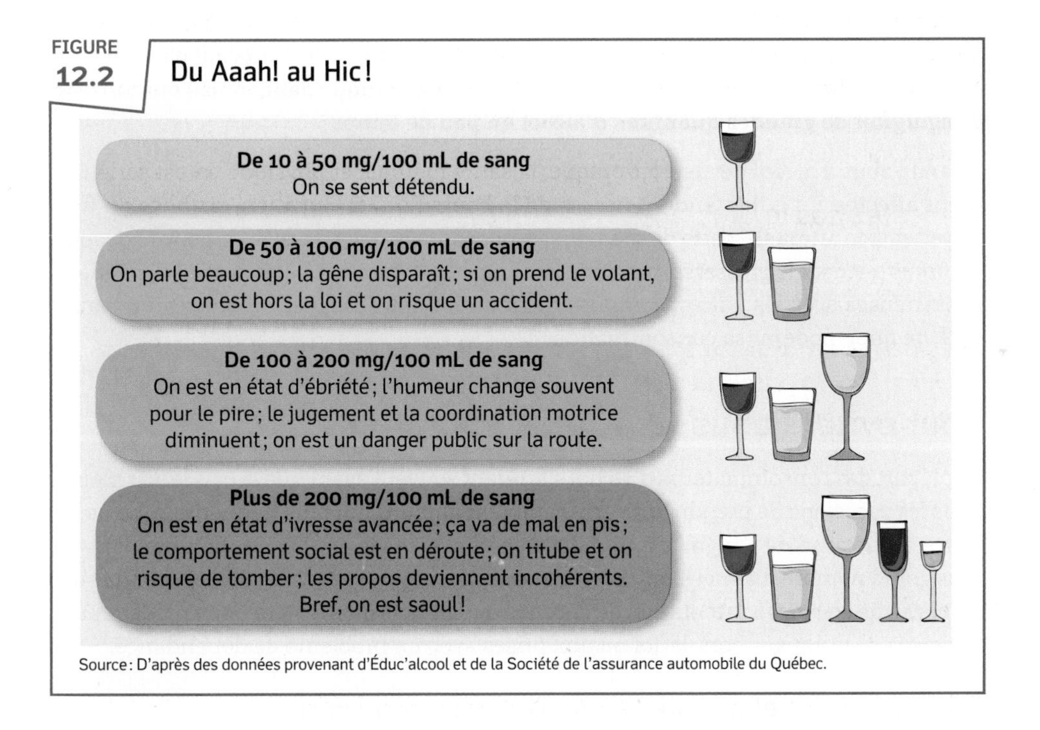

De 10 à 50 mg/100 mL de sang
On se sent détendu.
De 50 à 100 mg/100 mL de sang
On parle beaucoup ; la gêne disparaît ; si on prend le volant, on est hors la loi et on risque un accident.
De 100 à 200 mg/100 mL de sang
On est en état d'ébriété ; l'humeur change souvent pour le pire ; le jugement et la coordination motrice diminuent ; on est un danger public sur la route.
Plus de 200 mg/100 mL de sang
On est en état d'ivresse avancée ; ça va de mal en pis ; le comportement social est en déroute ; on titube et on risque de tomber ; les propos deviennent incohérents. Bref, on est saoul !

Source : D'après des données provenant d'Éduc'alcool et de la Société de l'assurance automobile du Québec.

Conséquence de cette hécatombe routière : conduire avec un certain taux d'alcool dans le sang est maintenant considéré comme un acte criminel. Au Québec, la loi interdit strictement la conduite avec facultés affaiblies. L'alcoolémie tolérée au volant est fixée à 80 milligrammes d'alcool par 100 millilitres de sang (0,08) et à 0 milligramme dans le cas d'un permis probatoire. **Beaucoup de personnes atteignent le taux de 0,08 en 1 heure, après seulement 2 consommations**. On peut donc conduire en toute illégalité sans avoir « beaucoup bu » (**tableau 12.1**, p. 413). Précisons également qu'il est interdit de conduire après avoir consommé de l'alcool à tout titulaire d'un permis de conduire âgé de 21 ans ou moins, d'un permis d'apprenti conducteur ou d'un permis probatoire.

Gare à certains mélanges !

Un mélange à la mode consiste à combiner l'alcool avec des boissons énergisantes très riches en sucre et en caféine. Résultat : ce mélange masque les effets de l'alcool et on prend plus d'alcool sans s'en rendre compte. Presque un verre et demi de plus que si on ne le mélangeait pas, selon Éduc'alcool. Mélanger de l'alcool et des médicaments est aussi potentiellement dangereux pour la santé. Par exemple, prendre des analgésiques, des antidépresseurs ou des antibiotiques avec de l'alcool peut accroître les effets de l'alcool ou les voiler, ou, pire encore, déclencher des réactions imprévisibles. Par ailleurs, l'alcool peut affecter l'efficacité du médicament ou en retarder l'élimination. Enfin, ce mélange entraîne un surcroît de travail pour le foie, car c'est lui qui métabolise tant les médicaments que l'alcool.

L'alcool constitue un problème, et pas seulement au volant

On risque aussi de se blesser au travail, de faire une mauvaise chute, de voir ses notes baisser, d'attraper ou de donner une ITSS (infection transmissible sexuellement et par le sang), car alcool ne rime pas avec condom, de se livrer à la violence verbale ou physique et même de mourir d'une intoxication grave (plus de 300 milligrammes d'alcool dans le sang). C'est ce qui est arrivé ces dernières années à de jeunes étudiants qui participaient à des fêtes où on tenait des concours de « **calage** », **une pratique dangereuse qui consiste à ingurgiter de grandes quantités d'alcool en peu de temps**.

Quand l'abus d'alcool devient chronique, la santé mentale et physique en est sérieusement affectée. Ce qui attend les accros de la bouteille ? Malnutrition, cirrhose du foie, hypertension artérielle, perte de mémoire, cancer de la bouche ou de la gorge, intoxication du fœtus pendant la grossesse, problèmes conjugaux et familiaux, état dépressif, relations désastreuses avec les autres, comportement antisocial, absences répétées au travail... Bref, de quoi modérer sa consommation.

Pour éviter l'abus : quelques trucs utiles

La plupart des consommateurs d'alcool s'arrêtent souvent avant que la coupe soit pleine. Mais les occasions de prendre un verre semblent aujourd'hui plus fréquentes que par le passé. Et, à cause de l'augmentation de l'espérance de vie, un buveur boit pendant un plus grand nombre d'années qu'autrefois. Voici donc quelques trucs pour éviter de succomber trop souvent à la tentation de Bacchus ou, à tout le moins, pour boire modérément et ne pas se retrouver hors-la-loi ou aux prises avec un problème de dépendance.

Hydratez-vous et mangez avant de prendre un verre

Ne buvez pas d'alcool si vous êtes déshydraté ou complètement à jeun. Vous risqueriez de « caler » votre verre pour étancher votre soif ou apaiser votre appétit, ce qui ferait très vite grimper votre taux d'alcool dans le sang. En effet, quand on boit de la bière ou du vin l'estomac vide, l'alcool pénètre rapidement dans le sang. Et plus rapidement encore s'il est contenu dans des spiritueux (whisky, vodka, cognac, etc.), des vins mousseux (surtout le champagne) et des mélanges contenant de l'eau gazeuse (par exemple, rhum et cola), en raison du taux d'alcool et de la présence de gaz carbonique. Avant votre première consommation, buvez donc deux ou trois verres d'eau et mangez un peu, même s'il ne s'agit que d'amuse-gueules.

TABLEAU 12.1

Le taux d'alcool dans le sang augmente rapidement[a]

C'est quoi une consommation ?

Un verre de bière
341 mL / 12 oz
5 % alc./vol.

Un verre de vin
142 mL / 5 oz
12 % alc./vol.

Un verre de vin fortifié
85 mL / 3 oz
20 % alc./vol.

Un verre de spiritueux
43 mL / 1,5 oz
40 % alc./vol.

Deux verres de cidre
142 mL / 5 oz
6 % alc./vol]

Il est important de soustraire 15 milligrammes d'alcool par heure à partir de la première consommation, car c'est à ce rythme que l'organisme élimine l'alcool. Mais le processus d'élimination est ralenti si le foie est en mauvais état, car il fonctionne alors moins bien et moins vite. Une personne qui a des problèmes de santé devrait s'abstenir de consommer de l'alcool ou du moins en boire très modérément.

Hommes

Nombre de consommations	57 kg (125 lb)	68 kg (150 lb)	80 kg (175 lb)	91 kg (200 lb)	113 kg (225 lb)
1	34 mg	29 mg	25 mg	22 mg	17 mg
2	69 mg[b]	58 mg	50 mg	43 mg	35 mg
3	103 mg[c]	87 mg	75 mg	65 mg	52 mg
4	139 mg	116 mg	100 mg	87 mg	70 mg
5	173 mg	145 mg	125 mg	108 mg	87 mg

Femmes

Nombre de consommations	45 kg (100 lb)	57 kg (125 lb)	68 kg (150 lb)	80 kg (175 lb)	91 kg (200 lb)
1	50 mg	40 mg	34 mg	29 mg	26 mg
2	101 mg	80 mg	68 mg	58 mg	50 mg
3	152 mg	120 mg	101 mg	87 mg	76 mg
4	203 mg	162 mg	135 mg	117 mg	101 mg
5	253 mg	202 mg	169 mg	146 mg	126 mg

Source : Éduc'alcool (2013). *Boire. Conduire. Choisir.*

a. Fourni à titre indicatif, ce tableau d'Éduc'alcool doit être interprété avec prudence. Les réactions à l'alcool fluctuent beaucoup d'un individu à l'autre et, chez une même personne, selon les circonstances dans lesquelles l'alcool est absorbé. Par exemple, si vous buvez un soir où vous êtes fatigué, énervé ou sous médication, il se peut que vous ne soyez pas en état de conduire, même si la quantité absorbée est acceptable selon les données de ce tableau.

b. Bleu pâle : atteinte ou dépassement d'une limite légale à 0,05, sanctionné par une amende et le remorquage du véhicule.

c. Bleu foncé : atteinte ou dépassement de la limite légale à 0,08, considéré comme une infraction criminelle.

Ne conduisez en aucun cas si…

vous savez que vous aurez du mal à vous retenir de boire là où vous allez. Dans ce cas, laissez plutôt les clés de votre auto chez vous. Si vous tenez malgré tout à prendre votre voiture, prévoyez de vous faire reconduire au bercail… par une personne sobre. Au besoin, faites appel aux bénévoles de l'opération Nez rouge, durant la période des fêtes, ou à d'autres organismes qui offrent toute l'année des services de raccompagnement (CAA, Party Secure, Point zéro 8, etc.).

Si vous voulez mesurer votre taux d'alcool dans le sang, savez-vous qu'il existe des applications alcootest pour les cellulaires intelligents ?

Buvez lentement

Le foie met une heure à métaboliser l'alcool contenu dans une consommation, et il n'existe aucun produit qui lui permettrait d'accélérer son travail. Par ailleurs, un mauvais état de santé et une alimentation malsaine ralentissent l'élimination de l'alcool par le foie.

Abstenez-vous de boire certains jours si…

vous avez tendance à le faire tous les jours, même si c'est un peu. Chaque semaine, passez au moins deux journées sans boire afin d'éviter l'accoutumance et, éventuellement, la dépendance à l'alcool. **En somme, gardez le contrôle sur votre consommation**.

ZONE ÉTUDIANTE

Marc-André Daoust

CÉGEP RÉGIONAL DE LANAUDIÈRE

Marc-André étudie en sciences humaines, profil monde. Son objectif: devenir policier. Et pour cela, il lui faut être en super forme, maintenant et à long terme.

J'ai toujours rêvé de devenir policier. C'est mon objectif. Et sachant que les critères d'admission au programme de techniques policières sont très exigeants tant sur le plan physique que sur le plan scolaire, je donne beaucoup d'importance à l'activité physique.

J'ai choisi la natation et l'entraînement musculaire et cardiorespiratoire. Les deux se complètent bien. Ça me motive et me donne la volonté de continuer.

J'ai remarqué que ma concentration est bien meilleure après mes séances d'activité physique. Alors souvent, avant d'étudier, je vais courir. Cela facilite grandement la mémorisation et la compréhension. Sans compter que ça aide aussi pour la motivation en général. Mon intérêt pour les études a augmenté.

Naturellement, j'ai un horaire chargé. Et pour arriver à m'entraîner comme je le fais une heure et demie tous les jours, à consacrer 24 heures par semaine à mon emploi, à voir mes amis fréquemment et à poursuivre mes études, même si elles ne me demandent pas énormément de temps et d'effort, je dois bien gérer mon temps. J'y arrive. En plus, je réussis à décrocher de très bons résultats scolaires. Toutefois, je néglige légèrement mes heures de sommeil… Je dois régler ça. En fait, il suffit de se donner des objectifs réalisables et qui nous tiennent à cœur. Ensuite, il faut rester maître de son horaire et mettre les priorités aux bonnes places !

Le fait d'entreprendre les démarches pour atteindre un but, de travailler étape par étape et de parvenir à multiplier les réussites m'apporte une grande richesse intérieure. Un sentiment de fierté et d'accomplissement. Moins de stress sur les épaules et une satisfaction personnelle : c'est essentiel pour l'estime de soi et la confiance en soi.

Quand j'aurai terminé mes études et que je me retrouverai sur le marché du travail, je sais que je continuerai à faire de l'activité physique. C'est sûr ! Mon objectif premier, aujourd'hui, c'est d'être apte à accomplir les tests de course et de natation. Mais à long terme, rester en forme en tant que policier sera toujours d'une grande importance pour ma carrière ainsi que pour ma santé.

LES DROGUES ILLÉGALES : DE PLUS EN PLUS DURES

Pour commencer, qu'est-ce qu'une drogue ? Il s'agit d'une **substance psychoactive, c'est-à-dire qui agit sur le psychisme d'une personne en modifiant son fonctionnement mental, donc ses perceptions, son humeur, sa conscience et son comportement en général**. De plus, la consommation de drogues favorise l'apparition d'une dépendance parce que ces produits, dont font partie le tabac et l'alcool, stimulent la production de dopamine dans le «**circuit de la récompense**» du cerveau. Si certaines drogues sont autorisées par la loi – alcool, tabac et médicaments psychoactifs, comme les antidépresseurs et les stabilisateurs de l'humeur –, d'autres sont illégales – cocaïne, cannabis (sauf à des fins médicales), héroïne, ecstasy, crack, etc. Pour en savoir plus sur les drogues, consultez **MonLab**.

drogues

Quand la consommation devient un problème

Pourquoi un cégépien se met-il à consommer des drogues ? Les **motivations** peuvent être très diverses, mais elles n'en sont pas pour autant fondées (**Sous la loupe**).

Les prétextes pour consommer de la drogue : fondés ou pas ?

Dans son site Odrogue (www.odrogue.ca), Santé Canada présente quelques légendes urbaines sur la consommation de drogues.

1. **«Tout le monde le fait. Je ne voudrais pas être à part.»** À vrai dire, la majorité des gens *ne consomment pas* de drogues. Il est donc absurde, et risqué, de le faire pour éviter de se retrouver isolé. Les drogues ne vont pas vous aider à vous intégrer, elles risquent plutôt d'affecter peu à peu à vos amitiés. La toxicomanie pourrait aussi vous coûter cher en temps et en argent, et vous en laisser bien peu, par conséquent, pour vous amuser avec vos amis.

2. **«Ma vie est stressante et les drogues m'aident à y faire face.»** Les drogues ne sont pas synonymes d'une existence paisible et plus heureuse. Au contraire, elles dérèglent l'équilibre chimique du cerveau, ce qui peut entraîner une dépression ou des maladies mentales. Faites face à vos problèmes. La meilleure façon de régler un problème de stress, c'est d'en déterminer la source et l'élément déclencheur, puis de prendre les mesures pour réduire son niveau de stress (chapitre 11).

3. **«Ça m'aide à me sentir plus adulte, plus confiant et plus *cool*.»** Les médias ont une grande influence quant à ce qui peut paraître *cool*. La télévision et le cinéma n'hésitent d'ailleurs pas à présenter des scènes où la drogue entre en jeu, sans toutefois en montrer les vraies conséquences. Pour divertissantes qu'elles soient, de telles scènes ne sont pas représentatives de la réalité. Dans la vraie vie, la consommation de drogue peut affecter les résultats scolaires et exacerber les conflits avec la famille ou les amis.

4. **«Je ne suis pas dépendant. Je peux m'arrêter n'importe quand.»** C'est ce que pensent aussi les toxicomanes : ils croient être en mesure de maîtriser leur consommation. Qui dit consommation de drogues dit en fait risque de dépendance psychologique et de comportement compulsif poussant à consommer toujours davantage. Constater qu'on est dépendant est le premier pas à faire, et cela prend du courage.

Source : Adapté de Santé Canada. (2009). *Les faits*. Odrogue. www.hc-sc.gc.ca/hc-ps/drugs-drogues/youth-jeunes/facts-faits/index-fra.php#FactsContent3.

La consommation de drogues illégales pose également d'autres problèmes. Tout d'abord, **on ne connaît pas leur composition exacte et elles peuvent créer une dépendance susceptible d'entraîner de graves ennuis de tout ordre**. Prenons l'exemple de comprimés d'ecstasy saisis par la police : ils se présentaient sous des formes, des couleurs et même des tailles différentes, et le taux des produits hallucinogènes variait donc d'un comprimé à l'autre. **Selon les analyses effectuées par Santé Canada, ces comprimés contenaient tous une autre substance, le plus souvent de la méthamphétamine (ou speed), à hauteur de 31 % !** Il n'est donc pas surprenant que dans les *raves* on puisse danser avec vigueur toute la nuit sans se fatiguer. Quant au cannabis, son taux en THC (tétrahydrocannabinol), qui en est l'ingrédient actif, est aujourd'hui de 6 à 8 fois plus fort qu'il y a 20 ou 25 ans : les trafiquants cherchent évidemment à créer une dépendance.

Ensuite, **la dépendance peut causer de graves ennuis** à la personne qui prend des drogues. La victime peut subir des torts physiques, mentaux, sociaux, émotionnels, juridiques ou économiques. En clair, l'abus de drogues peut :

- accroître le risque de troubles médicaux – maladies, dégradation de l'hygiène de vie (mauvaise alimentation, mauvais sommeil, repos insuffisant, etc.) – et de blessures ;
- causer des problèmes personnels tels qu'une perte de motivation et de concentration concernant les études, une dépendance physique et psychologique, des problèmes au travail ou à la maison, une tendance à s'isoler de plus en plus ;
- multiplier les problèmes avec les proches (parents, frères, sœurs) ;
- aggraver les troubles de la société en accroissant les taux de criminalité et d'accidents de la route ;
- coûter cher à la société, en accroissant les besoins en services de santé et en lutte contre le crime ainsi qu'en causant des pertes de productivité ;
- entraîner une perte d'intégrité physique ou même la mort, par overdose par exemple.

Et vous ? Êtes-vous devenu dépendant des drogues ? Pour le savoir, faites le **bilan 12.3** à la fin du chapitre.

LA CYBERDÉPENDANCE, OU L'ABUS D'INTERNET

Si le tabagisme, l'abus d'alcool et la toxicomanie sont fréquents dans nos sociétés, de nouvelles dépendances sont apparues ces dernières années (**Sous la loupe**). L'une d'elles touche particulièrement les jeunes adultes : la **cyberdépendance**. Il en existe plusieurs définitions, mais, pour l'essentiel, **on parle de cyberdépendance lorsqu'une personne ne peut plus se passer d'Internet et qu'elle est en manque lorsqu'elle n'est pas en ligne**. On estime entre 6 et 15 % la proportion des jeunes internautes (25 ans et moins) qui seraient devenus cyberdépendants. Si cette « nouvelle » dépendance n'était pas nuisible à la santé, on n'en parlerait guère. Hélas ! ce n'est pas le cas. Les cyberdépendants en viennent à négliger :

- leur alimentation (ils « oublient » souvent de manger ou mangent sur le pouce devant l'écran) ;
- leur hygiène personnelle (ils « oublient » de se laver, de se brosser les dents, etc.) ;
- leur sommeil (certains chattent, surfent ou jouent en ligne jusqu'au petit matin) ;

- leurs études (leurs notes baissent);
- leurs amis et leurs proches (à qui ils parlent de moins en moins).

Pour la personne cyberdépendante, Internet est en quelque sorte une passion dévorante ou un moyen de fuir le quotidien ou certaines responsabilités. Internet se transforme alors en une bulle qui isole du monde réel.

Précision importante: passer beaucoup de temps sur la toile n'implique pas nécessairement un problème de cyberdépendance. En effet, une personne peut être en ligne plusieurs heures par jour sans être cyberdépendante si elle n'a pas de difficulté à décrocher une fois qu'elle a terminé ce qu'elle avait à y faire. Le problème, lorsqu'il y en a un, se situe dans le cerveau et, comme on l'a vu (p. 407), il est lié à la production de **dopamine**. Chez certaines personnes, Internet et les jeux en ligne stimulent la production de ce neurotransmetteur. On peut comparer le phénomène au jeu compulsif. Certains peuvent aller au casino sans devenir accros au jeu, alors que d'autres, dès qu'ils y mettent les pieds, se doutent déjà qu'ils vont y retourner bien des fois!

SOUS LA LOUPE

De nouvelles dépendances: «bronzomanie» et «musclomanie»

La «bronzomanie», ou **tanorexie**, comme disent les médecins, est la dépendance aux ultraviolets (UV). La personne tanorexique n'aime pas avoir le teint pâle et tient absolument, et ce, 12 mois par année, à avoir un teint basané et parfois même très basané. Pour les accros du bronzage, afficher un beau hâle est même synonyme de bonne santé. Ce sont souvent des adeptes des salons de bronzage – qui soit dit en passant sont interdits au moins de 18 ans – où ils «prennent» leur dose d'UV, à défaut de vivre sous les tropiques. Or, **l'exposition compulsive aux rayons UV, que ce soit en cabine ou sous le soleil, augmente de façon marquée le risque de développer un cancer de la peau, dont le dangereux mélanome, sans compter qu'elle entraîne le vieillissement accéléré de la peau exposée.**

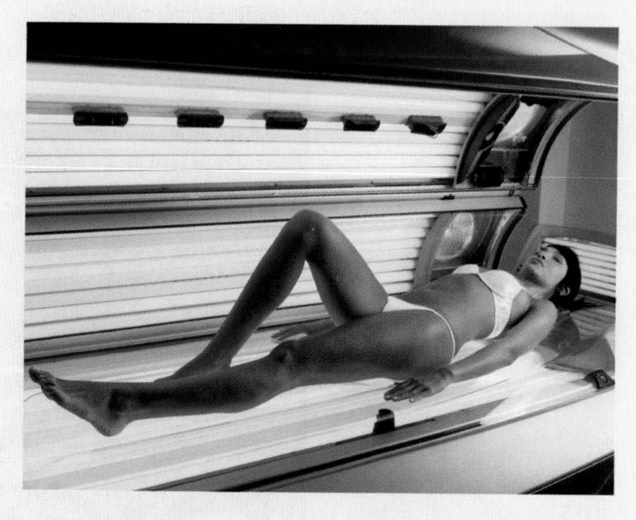

Autre dépendance apparue ces dernières années: la «musclomanie», ou **bigorexie**. C'est une variante des troubles alimentaires tels que l'anorexie et la boulimie, mais qui frappe surtout les jeunes hommes en mal d'hypertrophie musculaire. Plus précisément, la personne bigorexique trouve que ses muscles ne sont jamais assez gros, de la même façon qu'un anorexique ne se trouve jamais assez mince. Les hommes aux prises avec cette dépendance commencent en général par s'adonner à l'exercice physique (pour augmenter leur masse musculaire) et passent ensuite à des diètes strictes et aux suppléments de protéines afin de perdre du gras sous-cutané et accélérer les gains de tissu musculaire. Puis, toujours insatisfaits de leur masse musculaire, ils en viennent à recourir aux stéroïdes.

Si vous connaissez quelqu'un qui souffre d'une de ces dépendances, ou soupçonnez quelqu'un d'en souffrir, vous pouvez lui venir en aide et l'adresser au portail *Dépendances* du gouvernement du Québec, qui présente un répertoire de ressources pour venir en aide aux personnes dépendantes. (www.dependancesgouvqccaindexphp?repertoire_des_ressources_dependance)

Comment décrocher ?

Réduire sa dépendance à Internet n'est pas chose facile quand on peut y accéder d'une simple pression du doigt 24 heures sur 24. Bien sûr, la solution radicale serait de se débarrasser de son ordinateur et de son téléphone intelligent. Mais cette solution est inapplicable lorsqu'on a besoin de ces outils pour étudier ou travailler. Le cyberdépendant qui doit utiliser la toile se retrouve donc dans une situation délicate : il doit réduire sa dépendance au monde virtuel tout en le côtoyant chaque jour. Il reste une seule solution : **réduire le temps passé dans Internet**.

Pour y arriver, le cyberdépendant aura besoin de l'aide de ses proches, d'un ami ou encore d'un thérapeute. Une approche réaliste consisterait à restreindre graduellement le temps passé devant l'écran à l'aide d'alarmes de rappel. Par exemple, la première semaine, on retranche 15 minutes par jour, la deuxième, 20 minutes, et ainsi de suite jusqu'à l'atteinte de son objectif, qui pourrait être de réduire de 6 heures par semaine le temps consacré à Internet pour des activités étrangères aux études ou au travail.

Pour en savoir plus

Consultez **MonLab** à la rubrique « Pour en savoir plus ». Vous y trouverez des suggestions de lecture et des sites Internet à visiter.

VRAI OU **FAUX**? RÉPONSES

1. **On peut devenir obsédé par une activité au point de développer une dépendance à son égard.** VRAI! La dépendance est l'état de soumission à un être ou à une chose; la personne ne peut pas alors contrôler ses actions, elle ne peut pas exercer sa seule volonté. Certaines personnes, hypersensibles à la dopamine, risquent davantage de développer une dépendance à l'égard d'un comportement potentiellement nuisible.
2. **Prendre un peu d'alcool permet de se réchauffer.** VRAI, **mais...** Certes, dans un premier temps, l'alcool réchauffe en dilatant les vaisseaux sanguins. Mais l'effet ne dure pas. Au contraire, en ouvrant les capillaires situés sous la peau, l'alcool laisse filer la chaleur du corps. On finit par geler!
3. **Fumer un joint est moins nocif que fumer une cigarette.** FAUX! À poids égal, la fumée de la marijuana (souvent mélangée avec du tabac dans le joint) contient 50 % plus de goudron que celle de la cigarette. De plus, ce goudron est plus concentré en substances cancérogènes que celui du tabac. À cela s'ajoute le fait qu'on inhale plus profondément et plus longtemps la fumée. Selon les spécialistes, en théorie, un joint peut donc causer autant de tort aux poumons que 4 à 8 cigarettes.
4. **Il est impossible de devenir dépendant d'un médicament d'ordonnance.** FAUX! Les dépendances les plus sévères concernent les somnifères, les amphétamines, les anxiolytiques (médicaments pour combattre l'anxiété) et certains médicaments tels que la morphine destinés à soulager les douleurs importantes.
5. **La dépendance aux jeux de hasard s'apparente à la cyberdépendance et à la dépendance au tabac ou à l'alcool.** VRAI! La dépendance n'est pas la même, mais les mécanismes à l'œuvre dans le cerveau («circuit de la récompense») sont identiques (p. 407).

AU FIL D'ARRIVÉE!

Une **dépendance** est le résultat d'une consommation devenue incontrôlable de certains produits nuisibles à la santé ou de l'adoption de conduites devenues compulsives et également nuisibles à la santé.

Les symptômes suivants indiquent la présence d'une dépendance: **manque, perte de contrôle, indifférence aux conséquences négatives et déni.**

Les dépendances les plus répandues de nos jours sont le tabagisme, l'abus d'alcool et la consommation de drogues. De nouvelles dépendances sont apparues ces dernières années: dépendance à Internet, ou cyberdépendance, dépendance au bronzage, ou tanorexie, et dépendance à l'hypertrophie musculaire, ou bigorexie.

Dans tous les cas, une dépendance met en jeu ce que les experts appellent le «circuit de la récompense» du cerveau, circuit alimenté par un neurotransmetteur, la dopamine. Plus on agit promptement pour mettre fin à une dépendance, plus les chances de succès sont grandes.

PAUSE-RÉFLEXION

Nom : ______________________ Groupe : ____________ Date : ____________

Remplissez les cases vides du schéma à l'aide des mots-clés suivants :

le déni ☐ l'abus d'alcool ☐ dopamine ☐ consommation incontrôlée ☐ circuit de la récompense ☐ le manque ☐ la cyberdépendance ☐

une dépendance nuisible à la santé

est le résultat

d'une ______________ de produits nocifs ou de l'adoption de conduites compulsives également nocives

il existe aujourd'hui des moyens efficaces pour abandonner

sont les symptômes indiquant

____

la perte de contrôle

l'indifférence aux conséquences négatives

____

sont des exemples

____

la consommation de substances psychoactives (drogues)

____

le tabagisme

provoquent

la stimulation à outrance du ______________ sous l'effet soutenu de la ______________

demeure toujours

la plus mortelle des dépendances

À VOS MÉNINGES 12

Nom : ______________________ Groupe : ____________ Date : ____________

1 Parmi les effets suivants, lequel est associé à la nicotine ?

☐ a) Un déficit en oxygène dans le sang.
☒ b) Une dépendance physiologique.
☐ c) Une baisse de la concentration.
☐ d) Une hausse du taux de monoxyde de carbone.
☐ e) Aucun des effets précédents.

2 Complétez les phrases suivantes.

a) Selon les analyses effectuées par Santé Canada, les comprimés d' ecstasy saisis par les autorités policières contiennent tous une autre substance, le plus souvent de la méthamphétamine (ou Speed), parfois à hauteur de 31 %.

b) Le taux de THC dans le cannabis est aujourd'hui de 6 à 8 fois plus fort qu'il y a 20 ou 25 ans, dans le but bien évident chez les trafiquants de créer une dépendan physiologique et psychologique.

c) On est cyberdépendant quand on ne peut plus se passer d'Internet et qu'on est en manque lorsqu'on n'est pas en ligne .

d) Le calage est une pratique dangereuse qui consiste à ingurgiter de grandes quantités d'alcool en peu de temps .

e) On est dépendant quand on n'est pas capable de changer une conduite qui occupe de plus en plus nos pensées .

3 Parmi les problèmes de santé suivants, lequel est associé à un abus d'alcool passager ?

☐ a) Perte d'appétit.
☐ b) Diarrhée.
☒ c) Perturbation du jugement.
☐ d) Baisse de la glycémie.
☐ e) Constipation.

4 Plusieurs prétextes peuvent amener à consommer de la drogue. Nommez-en trois.

1. désir ce sentir aldult cool
2. faire comme tout le monde
3. fuire le stress de vie

5 Parmi les effets bénéfiques suivants, lequel ressent-on quand on cesse de fumer ?

☐ a) Le métabolisme de base augmente.
☐ b) Le poids se stabilise.
☐ c) On goûte mieux les aliments. ← vrai
☒ d) Au bout d'une semaine, le sang est de 5 à 10 % plus riche en oxygène. faux car on ne le ressent pas
☐ e) Aucune des réponses précédentes.

Nom : ______________________ Groupe : ____________ Date : ____________

6 Nommez deux problèmes associés à la consommation de drogues.

1. Mauvaissomeil
2. ll alimentation

7 Parmi les dépendances suivantes, laquelle entraîne le plus de morts sur la planète ?

- [ ] **a)** L'abus de médicaments.
- [ ] **b)** L'abus d'alcool.
- [ ] **c)** L'abus de drogues.
- [x] **d)** L'abus de la cigarette.
- [ ] **e)** L'abus d'Internet.

8 ______________________ est une solution réaliste pour combattre la cyberdépendance.

- [ ] **a)** Vendre son ordinateur
- [ ] **b)** Écouter davantage la télévision
- [x] **c)** Réduire graduellement le temps passé dans Internet
- [ ] **d)** Bloquer l'accès à certains sites
- [ ] **e)** Aucune de ces solutions.

9 Quel est l'effet le plus sérieux du mélange alcool et boissons énergisantes ?

- [ ] **a)** Il augmente le taux d'alcool dans le sang.
- [ ] **b)** Il donne de l'énergie.
- [x] **c)** Il masque les effets de l'alcool.
- [ ] **d)** Il rend euphorique.
- [ ] **e)** Aucune de ces réponses.

10 Complétez les phrases suivantes.

a) Il n'y a pas qu'au volant que l'__alcools__ constitue un problème. On risque de faire une mauvaise chute, d'attraper ou de transmettre une __ITSS__, et même de faire montre de __violenel__ verbale ou physique.

b) Les recherches ont démontré que ceux qui ne peuvent pas – ou ne veulent pas – arrêter de fumer sont toutefois capables de __modèré__ leur consommation de cigarettes.

c) Une drogue est une substance __psychoactiv__, c'est-à-dire qui agit sur le __phychisme__ de la personne en modifiant son fonctionnement __mental__, donc ses perceptions, son humeur, sa conscience et son comportement en général.

d) Les cyberdépendants en viennent à négliger leur __alimen__, leur __hygiène__ personnelle, leur sommeil, leurs __loisirs__, leurs __prosche__ et leurs amis.

Nom : ______________________ Groupe : ____________ Date : ____________

AVEZ-VOUS UNE DÉPENDANCE AU TABAC ?

ÉTAPE A À quel point êtes-vous dépendant de la nicotine ?

L'échelle de tolérance à la nicotine de Fagerström est le meilleur outil pour déterminer le niveau de dépendance à la nicotine. Si vous êtes fumeur, passez ce test avant de faire les autres bilans.

	0 point	1 point	2 points	3 points	Points obtenus
Je fume ma première cigarette…	plus de 60 minutes après le réveil	entre 30 et 60 minutes après le réveil	entre 6 et 30 minutes après le reveil	dans les 5 minutes suivant le réveil	
J'ai de la difficulté à ne pas fumer là où c'est interdit.	Non	Oui			
J'aurais le plus de difficulté à supprimer…	toutes les cigarettes, sauf la première de la journée	la première cigarette de la journée			
Je fume chaque jour…	un maximum de 10 cigarettes	de 11 à 20 cigarettes	de 21 à 30 cigarettes	plus de 30 cigarettes	
Je fume plus le matin que le reste de la journée.	Non	Oui			
Si je suis malade et alité…	je ne fume pas	je fume			
				TOTAL	

Source : T.F. Heatherton et autres (1991). The Fagerström Test for nicotine dependence : A revision of the Fagerström Tolerance Questionnaire. *British Journal of Addiction, 86* (9), 1119-1127.

Faites le total des points obtenus.

Ce que votre résultat signifie…

- **De 0 à 3 points :** vous êtes peu dépendant ou vous ne l'êtes pas du tout.
- **De 4 à 6 points :** vous êtes moyennement dépendant.
- **7 et 8 points :** vous êtes fortement dépendant.
- **9 et 10 points** : vous êtes complètement dépendant.

BILAN 12.1

Nom : ____________________ Groupe : __________ Date : __________

ÉTAPE B Où, quand et pourquoi fumez-vous ?

La fiche qui suit vous aidera à déterminer ce qui vous pousse à fumer et les satisfactions que vous en retirez. Vous devrez l'avoir à portée de la main pendant toute une journée. Détachez-la, pliez-la et placez-la dans votre paquet de cigarettes ou un autre endroit facile d'accès. Avant de fumer une cigarette, inscrivez sur cette fiche l'heure, l'endroit, la personne avec qui vous êtes (le cas échéant), votre humeur (bonne ou mauvaise) et votre besoin réel de fumer à ce moment précis. Vous verrez, l'exercice est très instructif !

Dans la colonne « Humeur », inscrivez :

B : si vous vous sentez bien ou de bonne humeur avant de fumer.

M : si vous vous sentez en colère, triste ou de mauvaise humeur avant de fumer.

? : si vous n'êtes pas certain de la nature de votre humeur avant de fumer.

Dans la colonne « Besoin », notez l'intensité (de 1 à 5) de votre besoin de fumer. Inscrivez :

1 : si cette cigarette n'est pas du tout indispensable.

5 : si vous avez « désespérément » besoin de cette cigarette.

MonLab
fiche : tabac

N.B. Vous pouvez télécharger à partir de **MonLab** une version de cette fiche comportant plus de lignes.

Cigarette	Heure	Endroit	Avec qui ?	Humeur (B, M ou ?)	Besoin (1 à 5)
1re					
2e					
3e					
4e					
5e					
6e					
7e					
8e					
9e					
10e					
11e					
12e					
13e					
14e					
15e					
16e					

Source : Programme Vie 100 Fumer Santé Canada (2002). Formulaire de suivi, www.hc-sc.gc.ca/hecs-sesc/tabac/jeunesse/cesser/100st 3envie.html. Santé Canada, 2002 © Adapté et reproduit avec la permission du ministre des Travaux publics et Services gouvernementaux Canada, 2003.

Nom : ______________________ Groupe : ____________ Date : ____________

Répondez maintenant aux questions suivantes.

1. Parmi les cigarettes que vous avez fumées pendant la journée, combien...
   a) satisfont un besoin « désespéré » de fumer ? ____________
   b) ne satisfont aucun besoin particulier ? ____________
   c) l'ont été alors que vous étiez de mauvaise humeur ? ____________ de bonne humeur ? ____________
2. Compte tenu de ce qui vous pousse à fumer en général et des satisfactions que la cigarette vous procure, quelles conclusions tirez-vous de votre consommation ?

____

____

ÉTAPE C Êtes-vous vraiment prêt à arrêter de fumer ?

Vous connaissez à présent votre degré de dépendance à la nicotine, ce qui vous indique la difficulté que vous aurez à cesser de fumer. Vous connaissez aussi ce qui vous pousse à fumer et les satisfactions que vous en retirez. La question qui se pose est maintenant la suivante : êtes-vous vraiment prêt à arrêter ? Le court bilan qui suit vous aidera à y répondre.

1. Arrêteriez-vous de fumer si vous pouviez le faire facilement ?
   - ☐ Non (0 point) ☐ Oui (1 point)
2. Avez-vous réellement envie d'arrêter de fumer ?
   - ☐ Pas du tout (0 point) ☐ Moyennement (2 points)
   - ☐ Un peu (1 point) ☐ Beaucoup (3 points)
3. Pensez-vous réussir à arrêter de fumer au cours des deux semaines à venir ?
   - ☐ Non (0 point) ☐ Vraisemblablement (2 points)
   - ☐ Peut-être (1 point) ☐ Certainement (3 points)
4. Selon ce que vous entrevoyez aujourd'hui, serez-vous un ex-fumeur dans six mois ?
   - ☐ Non (0 point) ☐ Vraisemblablement (2 points)
   - ☐ Peut-être (1 point) ☐ Certainement (3 points)

Faites le total des points obtenus. ____________

Ce que votre résultat signifie...

- **De 0 à 2 points :** votre degré de motivation est faible : vous n'êtes pas vraiment décidé à arrêter de fumer.
- **De 3 à 6 points :** votre degré de motivation est moyen : vous commencez à penser sérieusement à arrêter de fumer.
- **7 points et plus :** votre degré de motivation est élevé : vous êtes vraiment décidé à arrêter de fumer.

BILAN 12.2

Nom : ______________________ Groupe : ____________ Date : ____________

AVEZ-VOUS UNE DÉPENDANCE À L'ALCOOL ?

Ce bilan vous permettra de mesurer votre degré de dépendance à l'alcool. Répondez franchement à chaque question en cochant oui ou non.

		Oui	Non
1.	Êtes-vous souvent seul quand vous buvez de l'alcool ?	☐	☐
2.	Quand vous buvez, craignez-vous souvent de manquer d'alcool ?	☐	☐
3.	Buvez-vous tous les jours ?	☐	☐
4.	Buvez-vous pour réduire votre niveau de stress ?	☐	☐
5.	Êtes-vous en manque d'alcool pendant la journée ?	☐	☐
6.	Avez-vous tendance à trop boire lors de fêtes avec des amis ?	☐	☐
7.	Après un abus d'alcool, avez-vous parfois de la difficulté à vous rappeler ce que vous avez fait ?	☐	☐
8.	L'alcool nuit-il à vos études ou à votre travail ?	☐	☐
9.	Votre consommation affecte-t-elle souvent votre jugement, au point de vous exposer à un accident (d'auto, par exemple) ?	☐	☐
10.	Avez-vous déjà menti à des amis ou des proches à propos de votre consommation d'alcool ?	☐	☐

Ce que votre résultat signifie…

- **1 réponse positive :** il se peut que vous buviez trop.
- **2 réponses positives :** il se peut que vous soyez en train de devenir dépendant à l'alcool.
- **Plus de 2 réponses positives :** vous avez une dépendance certaine à l'alcool et vous devriez prendre les moyens pour vous en débarrasser.

Consultez la rubrique « Programmes » du site Éduc'alcool (http://educalcool.qc.ca) pour trouver des moyens et des ressources qui pourraient vous aider à réduire votre consommation d'alcool et, s'il y a lieu, votre dépendance à l'alcool.

Nom : ______________________ Groupe : ______________ Date : ______________

AVEZ-VOUS UNE DÉPENDANCE AUX DROGUES ?

Tout est affaire de régularité et de quantité de drogues consommée. Et l'éventail est large : il va de la non-consommation à la surconsommation, en passant par la consommation expérimentale ou occasionnelle. Où vous situez-vous dans cet éventail ?

De l'abstinence à la surconsommation : où vous situez-vous ?

Parmi les scénarios ci-dessous, cochez celui qui correspond à votre situation, puis lisez l'interprétation qui suit.

	Scénarios	Interprétations
☐	Je n'ai jamais consommé de drogues illicites ou j'ai arrêté d'en consommer.	Vous êtes **abstinent**.
☐	J'en consomme 4 ou 5 fois par année, j'ai essayé une ou plusieurs drogues par curiosité et à titre d'expérience.	Vous êtes un **consommateur explorateur**.
☐	J'en consomme de 5 à 10 fois par année, ma consommation est planifiée et je recherche le plaisir avant tout.	Vous êtes un **consommateur occasionnel**.
☐	J'en consomme 1 ou 2 fois par semaine, mais je n'ai pas de difficulté à m'abstenir d'en consommer à certaines occasions.	Vous êtes un **consommateur régulier faible**.
☐	J'en consomme de 3 à 5 fois par semaine, la majorité de mes amis en consomment, ma consommation m'a quelquefois valu des problèmes au cégep ou dans ma famille, elle occupe une grande place dans mes pensées et dans mes activités, et je ne me sens pas bien si je ne consomme pas.	Vous êtes un **consommateur régulier fort**. Vous êtes dans la zone dangereuse de la dépendance physique et psychologique. En fait, vous êtes devenu un accro à la drogue avec toutes les conséquences qui peuvent s'ensuivre.
☐	J'en consomme au moins 5 fois par semaine, ma consommation me crée tout le temps des problèmes au cégep ou dans ma famille, et je ne la maîtrise pas.	Vous êtes un **surconsommateur**.
☐	Je n'en consomme pas nécessairement plusieurs fois par semaine, mais je le fais en grande quantité, je fais parfois des mélanges, j'ai envie de me débrancher de la réalité et je veux oublier mes problèmes.	Vous êtes un **consommateur abusif**. Attention : en plus d'être devenu polytoxicomane[a], vous courez un risque élevé d'overdose mortelle.

Si vous avez coché l'un des trois derniers scénarios, vous êtes devenu très dépendant de la drogue. Vous avez besoin d'aide. Consultez les ressources suivantes :

1. **Drogue : aide et référence**, au 1 800 265-2626, 24 heures sur 24, 7 jours sur 7.
2. **Tel-Jeunes**, au 1 800 263-2266.
3. Au Québec, il existe aussi des services spécialisés d'aide et de soutien pour les jeunes qui ont un problème de consommation. Pour en savoir plus sur ces services, communiquez avec le CLSC de votre quartier.

a. Le polytoxicomane consomme plus d'un type de drogue en même temps, ce qui multiplie les risques pour sa santé ainsi que le risque d'une hyperréaction de l'organisme pouvant conduire à des dommages neurologiques permanents ou à la mort.

Nom : ______________________ Groupe : ____________ Date : ____________

AVEZ-VOUS UNE DÉPENDANCE À INTERNET[a]?

Répondez par oui ou par non à chaque question.

		Oui	Non
1.	Passez-vous généralement plus de temps dans Internet que vous ne le devriez ? Si vous avez répondu non, vous n'êtes pas cyberdépendant. Tant mieux ! Si vous avez répondu oui, poursuivez ce bilan.	☐	☐
2.	Cela vous dérange-t-il ?	☐	☐
3.	Des amis ou des membres de votre famille s'en sont-ils plaints ?	☐	☐
4.	Trouvez-vous difficile de ne pas être branché pendant plusieurs jours ?	☐	☐
5.	Vos résultats scolaires et la qualité de vos relations personnelles en souffrent-ils ?	☐	☐
6.	Y a-t-il des zones dans Internet, des sites particuliers, que vous ne pouvez pas éviter ?	☐	☐
7.	Avez-vous du mal à résister à l'impulsion d'acheter en ligne des produits, voire des services ?	☐	☐
8.	Avez-vous essayé, sans succès, d'écourter vos séances Internet ?	☐	☐
9.	Utilisez-vous Internet pour vous évader, pour échapper à vos problèmes ou à des émotions négatives (abandon, culpabilité, anxiété, déprime) ?	☐	☐
10.	Perdez-vous beaucoup d'argent à cause d'Internet et cela a-t-il une incidence sur vos satisfactions personnelles ?	☐	☐

Ce que votre résultat signifie...

- **De 1 à 4 réponses positives :** vous avez une petite tendance à devenir dépendant à Internet.
- **De 5 à 7 réponses positives :** vous risquez de devenir dépendant à Internet.
- **De 8 à 10 réponses positives :** vous avez une forte tendance à devenir cyberdépendant, si ce n'est déjà fait.

Répondez maintenant à la question suivante.

Si, selon le bilan 12.4, vous courez le risque de devenir cyberdépendant ou que vous l'êtes déjà, que comptez-vous faire concrètement pour réduire votre dépendance à Internet ?

____

____

____

____

____

____

a. Adapté de M.C. Orman (2010). *Internet stress survey*. Stresscure. www.stresscure.com/hrn/addiction.html.

La dépense énergétique est exprimée en équivalents métaboliques (METS). Un MET équivaut à une dépense énergétique au repos de 1 Cal.kg.heure. Par exemple, si vous pesez 70 kg, que vous jouez au badminton et que vous êtes un joueur de niveau intermédiaire, votre dépense énergétique est de 7 METS (ligne 4 dans le tableau ci-dessous). Dans ce cas, pour connaître votre dépense énergétique à la minute, il vous suffit de faire le calcul suivant :

[votre poids (70 kg)] × [valeur en METS du badminton (7 METS)] = 490.

Divisez ensuite ce résultat par 60 minutes pour ramener le tout en calories dépensées par minute (Cal/min), ce qui donne : 490/60 × 8,2 Cal/min. Si vous avez joué pendant 30 minutes, vous avez donc dépensé 246 calories (30 × 8,2 Cal/min). Pour effectuer vos calculs, vous pouvez utiliser le calculateur dans **MonLab**.

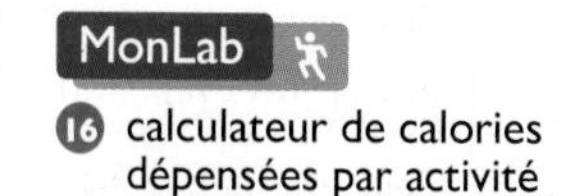

16 calculateur de calories dépensées par activité

	Activités physiques	Dépense en METS/min	Dépense en Cal/kg/min
1	Aviron, effort modéré	7,0	0,117
2	Aviron, effort intense	11,0	0,184
3	Badminton, niveau débutant	4,5	0,075
4	Badminton, niveau intermédiaire	7,0	0,117
5	Badminton, niveau avancé	10,0	0,167
6	Ballet, classique ou moderne	6,0	0,100
7	Basketball, niveau récréatif	6,0	0,100
8	Basketball, partie officielle	8,0	0,133
9	Basketball en chaise roulante	6,5	0,108
10	Bicyclette, promenade ou déplacement, effort léger (6 km/h)	4,0	0,067
11	Bicyclette, promenade ou déplacement, effort modéré (19 à 22 km/h)	7,0	0,117
12	Bicyclette, effort intense (de 22 km/h à 26 km/h)	10,0	0,183
13	Bicyclette, effort très intense (plus de 30 km/h)	14,0	0,233
14	Bicyclette stationnaire, effort très léger (50 watts)	3,0	0,050
15	Bicyclette stationnaire, effort léger à modéré (100 watts)	5,5	0,092
16	Bicyclette stationnaire, effort modéré à intense (150 watts)	7,0	0,117
17	Bicyclette stationnaire, effort intense à très intense (plus de 200 watts)	11,0	0,183
18	Canotage, niveau récréatif	4,0	0,067
19	Corde à sauter, rythme modéré	8,5	0,142
20	Corde à sauter, rythme rapide à très rapide	11,5	0,192

	Activités physiques	Dépense en METS/min	Dépense en Cal/kg/min
21	Crosse	8,0	0,133
22	Danse aérobique en général	5,5	0,092
23	Danse aérobique avec impact	7,5	0,125
24	Danse folklorique	5,5	0,092
25	Escalade, pendant la montée	11,0	0,184
26	Équitation en général	4,0	0,067
27	Équitation en général, trot et galop	6,0	0,100
28	Escrime, niveau récréatif	6,0	0,100
29	Escrime, niveau avancé	8,0	0,133
30	Football, partie officielle	9,0	0,150
31	Football (football-toucher)	8,0	0,133
32	Golf en transportant ses bâtons	5,5	0,092
33	Golf en voiturette électrique	3,5	0,058
34	Handball européen en général	8,0	0,133
35	Hockey sur glace en général	9,0	0,150
36	Jogging léger combiné avec marche	6,0	0,100
37	Jogging léger	7,0	0,117
38	Jogging à 8 km/h (7 min/km)	8,0	0,133
39	Jogging à 9,5 km/h (6 min/km)	10,0	0,167
40	Jogging à 13 km/h (4,5 min/km)	13,5	0,225
41	Jogging, genre cross-country	9,0	0,150
42	Jogging sur place	8,0	0,133
43	Judo, jiu-jitsu, karaté, aéroboxe, taekwando	10,0	0,167
44	Kayak en eaux calmes, niveau récréatif	5,0	0,083
45	Kayak en eaux vives, niveau avancé	8,5	0,142
46	Marche ordinaire (5,0 km/h)	3,0	0,050
47	Marche rapide (5,5 km/h)	4,0	0,067
48	Marche très rapide (7 km/h et plus)	6,5	0,108
49	Musculation	3,0	0,050
50	Nage synchronisée	8,0	0,133

	Activités physiques	Dépense en METS/min	Dépense en Cal/kg/min
51	Natation, niveau récréatif	6,0	0,100
52	Natation, longueurs en style libre, intensité modérée	7,0	0,117
53	Natation, longueurs en style libre, intensité élevée	11,0	0,183
54	Patinage, niveau récréatif	5,5	0,092
55	Patinage, vitesse élevée	9,0	0,150
56	Patinage de vitesse, niveau compétitif	15,0	0,250
57	Patinage à roues alignées, niveau récréatif	7,0	0,117
58	Planche à roulettes	5,0	0,083
59	Racquetball, niveau récréatif	7,0	0,117
60	Racquetball, niveau compétitif	10,0	0,183
61	Raquette à neige	8,0	0,133
62	Simulateur d'escalier	6,0	0,100
63	Ski alpin, effort léger	5,0	0,083
64	Ski alpin, effort modéré	6,0	0,100
65	Ski alpin, niveau compétitif, effort intense	8,0	0,133
66	Ski de randonnée sur le plat, effort léger (4,0 km/h)	7,0	0,117
67	Ski de randonnée, effort modéré (7,0 km/h)	8,0	0,133
68	Ski de randonnée, effort intense (10,5 km/h)	9,0	0,150
69	Soccer en général	7,0	0,117
70	Soccer, partie officielle	10,0	0,183
71	Squash, niveau récréatif	7,0	0,117
72	Squash, niveau avancé	11,0	0,184
73	Taï-chi	4,0	0,067
74	Tennis de table, niveau avancé	7,0	0,117
75	Tennis en simple en général, sauf niveau débutant	7,5	0,125
76	Tennis en double en général, sauf niveau débutant	6,0	0,100
77	Volleyball, niveau récréatif	3,0	0,050
78	Volleyball, niveau compétitif	4,5	0,075
79	Water-polo	10,0	0,183
80	Yoga	3,0	0,050

PHOTOGRAPHIES

Corbis: Don Mason/Blend Images: page couverture.

Shutterstock : Val Thoermer : pages 59 (4e photo), 159 et 189; bikeriderlondon: pages 1, 10 et 101 (en bas à droite); ostill: silhouette des rubriques « Sur la ligne de départ ! » et « Au fil d'arrivée ! » ainsi que pages 17, 134, 138, 174, 185 (à gauche), 232, 237 et 254; SergeBertasiusPhotography: page 2 (en haut); Ariwasabi: pages 2 (en bas) et 120 (en bas); indigolotos: page 3; Gertan: page 4; Carlos E. Santa Maria: page 5; grynold: page 7 (raquettes); DeZet: page 7 (volant); Rafael Ramirez Lee: page 9 (en haut); Gilles Lougassi: page 9 (au centre); Hurst Photo: page 9 (en bas); Dudarev Mikhail: pages 15, 41 et 147; YanLev: pages 16 (en bas) et 217 (en haut); Bananaboy: page 19 (silhouette); Sergio77: page 23 (arrière-plan); emojoez: page 28 (en bas); Warren Goldswain: pages 53 et 85; Andresr: page 54; Vladimir Wrangel: page 59 (en haut); holbox: pages 59 (3e photo), 103 (2e photo), 126, 144, 179, 180 et 201; dean bertoncelj: page 59 (5e photo); Robert Kneschke: page 59 (en bas); Nito: page 64 (à gauche); Pressmaster: pages 91 et 108; kontur-vid: page 9 (en haut); zhangyang13576997233: page 93 (en haut); Espen E: page 101 (en haut à droite); Andrey Yurlov: page 103 (en haut); aaron belford, page 103 (3e photo); Aleksandr Kurganov: page 103 (en bas); Andrew Haddon: page 106; PavelSvoboda: page 109; blackstroke: page 120 (en haut); Chamille White: page 122 (en bas, illustrations seulement); William Perugini: page 127 (en bas); lightpoet: pages 129, 145, 152, 309, 328 et 418; Aprilphoto: page 131 (ballon); Maciej Oleksy: page 132; Khakimullin Aleksandr: page 136; wavebreakmedia: pages 137, 162, 299 et 327 (en bas); Aleksandr Markin: page 143 (en bas); ruigsantos: page 160; Dario Lo Presti: page 164; Nicemonkey: page 169 (calepin); Kzenon: pages 187 et 260; Amma Cat: page 190; Shots Studio: pages 212 et 389; zhu difeng: page 213; MJTH: page 217 (en bas); Dragon Images: page 218 (en bas à gauche); Michael Kraus: page 218 (en bas à droite); Flashon Studio: page 219; vita khorzhevska: page 228; Lucky Business: pages 249 et 268; Juriah Mosin: page 253; Sandra R. Barba: page 257 (en haut); Herbert Kratky: page 257 (au centre et en bas); In Green: page 258 (poids); hanzl: page 258 (ballon); Dani Vincek: page 263 (à gauche); Africa Studio: page 263 (à droite); venimo: page 264 (arrière-plan); VanDenBlind: page 264 (coureur); SipaPhoto: page 269; T-Design: pages 281 et 298; Viktor Gladkov: page 282 (à gauche); Photographee.eu: pages 284 (en bas) et 362; Andrey_Popov: page 310; Junial Enterprises: page 312; eurobanks: page 315; Zorandim: page 317; Anthony Berenyi: page 319; rangizzz: page 320; KKulikov: page 321; Monkey Business Images: page 234; baranq: page 326; Olaru Radian-Alexandru: pages 337 et 369; Tatiana Popova: page 338; Valentyn Volkov: page 342 (en haut et au centre); Alexander Raths: page 342 (en bas); Nattika: page 343 (en haut); Maks Narodenko: page 343 (au centre); ifong: page 343 (en bas); K. Miri Photography: page 345 (en haut); mikeledray: page 345 (2e photo); Kim Nguyen: page 345 (3e photo); marco mayer: page 345 (en bas); Wiktoria Pawlak: page 346 (cuiller); Miguel Angel Salinas Salinas: page 346 (conserve de tomates); Inga Linder: page 351 (arrière-plan); Jacek Chabraszewski: page 351 (en haut); gresei: page 351 (en bas); joppo: page 352 (yo-yo); Honeyboy Martin: page 353 (viande); Oligo: page 353 (frites); DantesDesign: page 353 (hamburger); Yurkina Alexandra: page 353 (saucisson); mart: page 353 (noix, saumon et crevettes); Nika Art: page 353 (huile); Robyn Mackenzie: page 354; stockcreations: page 356; Denis Semenchenko: page 357 (à gauche); Mega Pixel: page 357 (à droite); spaxiax: page 366 (bouteille d'eau); pixelfabrik: page 366 (haltère); Vitaly Korovin: page 367; zhang kan: page 368; Morgain Bailey: page 370; Tribalium: page 374 (pomme); Matthew Cole: page 374 (pain); TsipiLevin: page 374 (lait); Koshevnyk: page 374 (poissons); baldyrgan: page 374 (bonbon); Phil Date: page 380; Kenneth Man: page 383; sheff: page 384; luminaimages: page 387; 101imges: page 388; Yuriy Rudyy: page 390; Patrizia Tilly: page 394; Jeka: page 395; Galyna Andrushko: pages 405 et 419; Lasse Kristensen: page 409; TanjaJovicic: page 411; Rido: page 417.

Thinkstock: Ridofranz: page 13; esanaei: page 16 (en haut); alberto gagna: page 23; borzaya: page 34; ostill: page 36; Photodisc: pages 59 (2e photo) et 93 (en bas); bubaone: page 60 (pictogramme du bas); Comstock Images: page 122 (au milieu); Kamaga: page 123 (silhouette seulement); Andres Rodriguez: pages 211 et 233; George Doyle: pages 224 (en bas) et 413 (2e image); Fuse: page 339; Ekaterina Lin: page 358 (à gauche); Fotofermer: page 359; Pixel Embargo: page 360; Zeleno: page 361; koya79: page 374 (à droite); Nikolay Suslov: pages 379 et 396; Zffoto: page 381 (horloge); Andre266: page 391; Ljupco: page 406; pavelis: page 412; Artacher: page 413 (à gauche); Stockbyte: page 413 (3e et 5e images); Artem Zhushman: page 413 (4e image); CrackerClips: page 414 (lunettes).

iStockphoto.com: Skodonnell: page 27 (à droite); miteman: page 60 (pictogrammes); Ace_Create: page 182 (pictogrammes); kali9: pages 119 et 146; dafidf: page 143 (en haut).

Normand Montagne: page 60.

Normand Faucher: pages 64 (à droite), 77, 79 et 293 (7).

Jac Mat: pages 65, 167 (en haut), 172 (photos 3, 4 et 5), 184 (à gauche), 204 (1), 205 (5 et 8), 206 (12), 207 (13 à 15), 208 (16 et 17), 209 (18 à 20), 210 (21), 246 (3 et 4), 247 (7 à 10), 248 (14), 292 (1) et 386 (2).

Denis Gendron: pages 73, 245 (1), 246 (6), 386 (1).

Tanita Corporation: page 74 a.

Alamy: Rachel Torres: page 74 (b); AGRfoto/Alex Rowbotham: page 101 (en haut à gauche); Adam G. Gregor: page 101 (en bas à gauche); Dan Galic: page 185 (à droite).

Tango Photographie: pages 74 (en bas), 78 (à droite), 80, 82, 83, 84, 222, 245 (2), 246 (5), 248 (12 et 13) et 293 (5).

Rolland Renaud: pages 81, 165, 166 (b, c, d), 167 (en bas), 172 (1 et 2), 204 (4), 205 (6 et 7), 206 (9 et 11), 248 (11), 292 (2 à 4), 293 (6 et 8).

Cégep du Vieux-Montréal: page 130.

Courtoisie *Le Lac St-Jean.com*: page 161 a.

CP Images: Matt Dunham: page 161 b; Rick Stevens/AP Photo: page 161 c.

Yves Desbiens: page 161 d.

PhotoEdit: David Young-Wolff: page 166 e.

Corbis: Christopher Robbins/cultura: page 178.

Pearson Education: Elena Dorfman: pages 204 (2, 3) et 206 (10).

Émilie Summermatter, Cégep Marie-Victorin: pages 224 et 327 (en haut).

ILLUSTRATIONS

2NSB Communication visuelle: pages 5, 26 (en haut), 29, 30, 71, 78 (à gauche), 92 (en bas), 95, 96, 97, 121 (illustrations seulement), 127 (en haut), 163, 168, 171, 183, 216, 221, 227, 255, 256, 282 (à droite), 283, 284 (en haut), 285 à 287, 289, 291, 295 à 297, 304, 318, 324, 326, 344, 346 à 349, 381, 407 et 408.

Wood, Wood, Boyd et Hétu, *L'univers de la psychologie*, ERPI, 2009, fig. 2.5, p. 50: page 20.

Bertrand Lachance: pages 68, 186, 218 (en haut), 250, 252 et 325.

Marieb et Hoehn, *Anatomie et physiologie humaines*, 4e édition, ERPI, 2010, fig. 10.11 a: page 76
G.J. Tortora et B. Derrickson, *Principes d'anatomie et de physiologie*, 2e, Montréal, ERPI, 2007, p. 358-359: pages 184, 202 et 203.

G.J. Tortora et B. Derrickson, *Principes d'anatomie et de physiologie*, 2e, Montréal, ERPI, 2007, p. 287: page 215.

INDEX

Note : Les lettres *f* et *t* renvoient respectivement aux figures et aux tableaux.

F

G

M

N

T

U

V

Y

Z